D0415538

La *Bibliographie analytique de la science-fiction et du fantastique québécois (1960-1985)* est le troisième titre de la collection « Bibliographie » des « Cahiers du Centre de recherche en littérature québécoise ».

DANS LA MÊME COLLECTION

1. Denis Carrier, *Bibliographie analytique d'Yves Thériault (1940-1984)*
2. Dominique Hudon, *Bibliographie analytique et critique des articles de revues sur Louis Fréchette (1863-1983)*

[Ces deux titres sont disponibles au Centre de recherche en littérature québécoise (CRELIQ), Département des littératures, Pavillon Charles-De Koninck, bureau 7159, Université Laval, Sainte-Foy G1K 7P4, téléphone : (418) 656-5373.]

CENTRE DE RECHERCHE EN LITTÉRATURE QUÉBÉCOISE

UNIVERSITÉ LAVAL

AURÉLIEN BOIVIN MAURICE ÉMOND
MICHEL LORD

BIBLIOGRAPHIE ANALYTIQUE DE LA SCIENCE-FICTION ET DU FANTASTIQUE QUÉBÉCOIS (1960-1985)

Québec
NUIT BLANCHE ÉDITEUR
1992

Des subventions du fonds F.C.A.R. (Formation des chercheurs et aide à la recherche), volets « Rapports et mémoires de recherche » et « Centres de recherche », ont permis la publication de cet ouvrage.

Éditeur délégué : Guy Champagne
Révision du manuscrit
et correction d'épreuves : Aurélien Boivin et Gilles Dorion
Conception graphique : Anne Marie Guérineau
Photo de la couverture : « Monsieur Moulinet » (1989)
de Lucie Lefebvre
Composition : Michèle Pontbriand

Nuit blanche éditeur
1026, rue Saint-Jean, bureau 405, Québec (Québec) G1R 1R7

Diffusion pour le Québec : Dimédia
539, boul. Lebeau, Saint-Laurent (Québec) H4N 1S2

Dépôt légal, 1er trimestre 1992
Bibliothèque nationale du Canada
Bibliothèque nationale du Québec
ISBN 2-921053-07-1

Introduction

Lorsque nous nous sommes réunis, en 1985, pour mettre sur pied un groupe de recherche sur le fantastique et la science-fiction (SF) au Québec, qui deviendra le GRILFIQ[1], nous avions conscience de deux choses : d'une part, nous savions, pour l'avoir déjà longuement fréquenté, commenté ou enseigné, qu'il y avait un corpus important d'œuvres québécoises fantastiques et de SF ; d'autre part, nous savions aussi que, tant pour l'institution littéraire que pour le public lecteur en général, ce phénomène était relativement (ou tout à fait) méconnu. Nous en sommes ainsi venus à croire qu'il fallait mettre en lumière cette partie de notre « répertoire national » et, par des recherches poussées, démontrer l'importance et la pertinence d'une telle activité littéraire au Québec.

DÉLIMITATION DU SUJET ET JUSTIFICATION DE LA PÉRIODE

Une fois cet objectif général défini, et bien que nous ayons déjà établi un important noyau d'œuvres, nous avons cherché à délimiter le territoire de notre recherche avec précision. Il nous fallait, dans un premier temps, tenir compte de la totalité du champ où s'inscrit le littéraire, l'explorer et le débroussailler, afin de déterminer la part réservée aux genres qui nous intéressaient. Dès le départ, la tâche se révélait immense. On n'a qu'à penser à la prolifération des publications en volumes et en périodiques depuis des décennies au Québec pour se faire une idée de l'ampleur de l'objet de notre étude. Nous avons donc choisi d'établir un certain nombre de balises nous permettant de circonscrire notre territoire à l'intérieur du champ très vaste non seulement des publications, mais de la littérature québécoise elle-même, en tenant compte d'une série de facteurs de discrimination, dont les pratiques génériques et leur autonomisation (relative), l'horizon d'attente et la périodisation.

Comme nous étudions des pratiques génériques très spécialisées, notre première balise touche les aspects formel et institutionnel de celles-ci : bien que le fantastique et la SF soient exploités au cinéma, au théâtre et dans d'autres formes d'art, nous avons décidé de restreindre notre champ de recherche au texte narratif long et bref (le roman, le récit, le conte et la nouvelle). Littéraires de formation, nous avons pensé que ce choix s'imposait de lui-même. Mais il y a plus, car au Québec le cinéma et le théâtre fantastiques et de SF sont trop peu pratiqués et n'ont pu, de ce fait, se constituer comme pratique relativement autonomisée à l'intérieur de leur propre champ, comme c'est le cas des genres qui nous intéressent dans le champ littéraire. Il semble, en effet, que le processus de distinction des genres ici étudiés s'est véritablement enclenché dans les années soixante-dix et poursuivi dans la décennie suivante, par la mise sur pied de périodiques (*Requiem/Solaris*, *Imagine...*, *Pour ta belle gueule d'ahuri*), d'une pléiade de fanzines spécialisés (*Carfax*, *Blanc Citron*, *Kramer*, *Pilône*, *Pandore...*) et d'une revue annuelle, en 1985, *l'Année de la science-fiction et du fantastique québécois*, qui couvrait la production de l'année 1984, par la tenue de congrès annuels (les Boréals), par l'instauration de chroniques dans les revues de littérature générale (*Lettres québécoises*, *Nuit blanche*, *Québec français...*), par la publication de numéros spéciaux de revues (*Québec français*, *la Nouvelle Barre du jour...*) sur la pratique des genres, par l'institution de prix (Solaris, Boréal, Grand Prix Logidisque de la science-fiction et du fantastique québécois) et par la fondation de collections spécialisées au Préambule (« Chroniques du futur » et « Chroniques de l'au-delà ») et aux Éditions Logiques (« Autres Mers, Autres Mondes »). De tous ces phénomènes culturels, éditoriaux et, pour une part, sociaux, il ressort nettement que la pratique du fantastique et de la SF s'impose avec de plus en plus de force comme pratique relativement différenciée par rapport à la littérature générale au Québec.

Dans un deuxième mouvement de tri, nous avons tenu compte d'un autre phénomène, celui de l'horizon d'attente, dans une perspective autre que celle de la réception proprement générique. La littérature de jeunesse, dans ce domaine, possède une vigueur extraordinaire, et elle aurait très bien pu s'intégrer à notre recherche. Il ressort toutefois qu'elle ne s'adresse pas au même public que celui de la littérature pour adultes, et que les horizons d'attente n'étant pas du tout les mêmes, les visées de l'une ne correspondent pas aux visées de l'autre, même dans le champ spécialisé du fantastique et de la science-fiction au Québec. En fait, ce type de littérature s'est lui-même constitué de son côté en champ autonome : il possède ses propres instances de consécration, ses spécialistes, ses propres collections... Pour ces raisons, nous avons convenu d'exclure ce corpus, qui mérite d'ailleurs à lui seul une recherche spécifique.

Il nous faut toutefois insister sur un détail. Les lecteurs constateront, en effet, qu'un petit nombre de récits pour la jeunesse ont été retenus dans notre *Bibliographie [...]*. Dans ces cas, peu nombreux (moins d'une dizaine sur un total de près de 2 000 titres), il s'agit d'ouvrages situés à la frontière des deux publics, *les Compagnons du soleil* de Monique Corriveau, *Ludovic* de Daniel Sernine ou *les Parallèles célestes* de Denis Côté, par exemple, étant destinés à la fois aux publics jeune et adulte. C'est ce qui explique leur inclusion dans notre répertoire bibliographique.

La délimitation de la période faisait l'objet de notre troisième préoccupation. Nous aurions pu commencer nos recherches dès l'origine de la littérature narrative du Québec, soit à partir des années 1830, marquées par la publication du premier récit bref[2] et du premier roman québécois[3], deux œuvres fortement influencées par le genre gothique et, par conséquent, par une forme de fantastique. Or, parmi toutes les hypothèses qui nous ont guidés dans notre recherche et qui nous ont incités à établir un plan de travail échelonné selon plusieurs plans triennaux, l'une d'elles concerne justement la périodisation, c'est-à-dire le marquage des ruptures et des continuités dans l'histoire du genre narratif et dans la pratique, spécifique ou non, du fantastique et de la SF au Québec depuis les origines.

D'abord, comme nous travaillons depuis longtemps sur le sujet large (la littérature québécoise) et sur le sujet restreint (le fantastique et la SF[4]), nous sommes en mesure de constater une série de phénomènes : en premier lieu, nous savons que, si la naissance de la littérature narrative québécoise a coïncidé avec l'exploitation d'un certain type de fantastique, – le gothique, – nous savons également que le fantastique a été relativement relégué aux oubliettes dans la première moitié du XXe siècle et, plus précisément, de 1900 à 1960. En deuxième lieu, à part quelques exceptions, la SF en tant que telle, l'utopie ou la littérature d'anticipation ne semblent pas avoir connu de développements importants ni au XIXe siècle, ni même de 1900 à 1960[5]. En revanche, nous avons remarqué que, depuis les années 1960, le fantastique et la SF connaissent une recrudescence certaine après une éclipse relative de près de soixante ans. Voulant donc restreindre notre champ de recherche et révéler, dans le même temps, la modernité et la vitalité de la pratique de ces genres au Québec, nous avons convenu d'explorer en premier lieu la période toute récente qui va de 1960 à 1985. Dans une autre phase, nous remonterons aux origines et montrerons qu'il existe sinon un mouvement, du moins des manifestations importantes des genres fantastiques et de SF de 1837 à 1960, et que le courant moderne ne naît pas de manière tout à fait spontanée.

Quant à l'année 1960, nous ne l'avons pas uniquement choisie en raison de la conjoncture exceptionnelle que représente le début de la Révolution tranquille et le renouvellement du politique, du culturel et du social qui en est résulté. Ces facteurs ont certainement favorisé l'apparition de nouvelles formes littéraires, dont le fantastique et la science-fiction, mais notre choix de l'année 1960 tient plutôt au fait que, au strict plan du littéraire, la décennie – contrairement à la précédente – est marquée par la publication de recueils et de romans fantastiques et de SF, Yves Thériault avec *Si la bombe m'était contée* (1962), Claude Mathieu avec *la Mort exquise* (1965), Roch Carrier avec *Jolis Deuils* (1964) et Michel Tremblay avec *Contes pour buveurs attardés* (1966) et *la Cité dans l'œuf* (1969) étant les figures dominantes de la période.

Si, par ailleurs, nous avons décidé de nous arrêter à l'année 1985, c'est pour une double raison : en termes pratiques, nous avons mis notre projet de recherche en place en 1986 et il nous apparaissait normal de couvrir les vingt-cinq années précédentes et difficile d'aller beaucoup au-delà du temps où nous nous situions ; en termes scientifiques, l'année 1985 se trouvait être l'aboutissement d'un long processus de légitimation d'une pratique qui avait tendu vers son autonomisation dans les deux dernières décennies. Tout avait été mis en place de 1960 à 1985, avec des jalons importants comme la fondation de revues, de prix, l'enseignement dans les cégeps et les universités..., pour que nous puissions considérer le corpus fantastique et de SF au Québec comme objet autonome d'étude. Il y avait là un tout marqué par une sorte de naissance ou de renaissance de la pratique et par une série de manifestations qui avaient fait en sorte qu'un corpus particulier s'était constitué et était parvenu à maturité. Ainsi nous pouvions commencer à le répertorier et à l'étudier en tant que tel.

PROCÉDURES DE DÉPOUILLEMENT

En nous limitant de cette manière, nous étions loin de nous douter de l'immensité la tâche qu'il restait à accomplir et du nombre imposant de textes narratifs publiés, entre autres, dans les périodiques québécois. Déjà, nous avions identifié comme appartenant aux genres fantastique et de SF un peu plus d'une centaine d'ouvrages romanesques et nouvellistiques[6]. Nos recherches nous en ont fait découvrir autant, nous permettant ainsi de constituer un corpus de près de 250 volumes, partiellement ou entièrement consacrés à la fiction narrative fantastique et de science-fiction. Nous connaissions déjà, par ailleurs, les nouvelles publiées dans les périodiques spécialisés tels que *Requiem/Solaris*,

Imagine... et *Pour ta belle gueule d'ahuri*, mais nous ne pouvions faire que de vagues suppositions quant au contenu des quelque cent trente périodiques québécois ayant circulé de 1960 à 1985, dont de nombreux quotidiens[7] que nous devions dépouiller.

Assistés d'une équipe d'étudiants, nous avons entrepris le dépouillement systématique[8] de ces publications, en retenant dans chaque livraison tout texte apparenté au genre narratif, toute catégorie sous-générique comprise. Nous en avons ainsi recueilli plus de 4000 et nous avons constitué des centaines de dossiers d'auteurs. Puis, nous avons lu et analysé de manière tout aussi systématique ce vaste corpus afin d'en départager les pratiques réalistes et mirabilisantes (le merveilleux) des pratiques fantastiques et de SF, de même qu'une catégorie que nous avons appelée « hybride » (Hy), en raison du caractère mixte, métissé (ou « impur » au sens très positif de Guy Scarpetta dans son ouvrage sur le postmodernisme, *l'Impureté* [9]) d'un grand nombre d'œuvres narratives. De cette manière, nous avons recueilli un peu plus de 1500 récits longs et brefs[10], – écrits par plus de quatre cents auteurs, – qui forment le corpus de ce que nous pourrions appeler « les fantastiques » québécois, sans préjuger ou méjuger de la valeur distincte de la science-fiction par rapport au fantastique.

Pour départager ce corpus avec le plus de rigueur possible, nous avons établi des critères théoriques qui nous ont permis d'opérer une classification et de répartir les textes selon les catégories sous-génériques fantastique, SF et hybride, qui sont marquées dans la présente *Bibliographie...* par les abréviations (F), (SF) et (Hy) : de ce nombre, plus de 600 sont des récits fantastiques brefs et 20 sont des romans fantastiques ; plus de 500 se rangent dans le récit bref de science-fiction et 40 dans le roman de SF ; le corpus comporte environ 300 récits brefs hybrides et une quarantaine de romans également hybrides.

POSITIONS THÉORIQUES

Qu'entend-on donc exactement par fantastique, science-fiction et par hybridation ? Distinguons d'abord les deux premiers termes, qui désignent des sous-genres du genre narratif, du troisième, utilisé par nous à des fins non orthodoxes dans le but de rendre compte à la fois du caractère complexe, génériquement parlant, de certains textes, soit prémodernes (les survivances de la tradition folklorique), soit postmodernes (les textualisations qui s'apparentent à « la mort du genre », la fusion ou le dépassement des catégories génériques).

Première remarque générique : le merveilleux a été exclu du corpus parce qu'il ne répond pas aux mêmes types de problématiques que peuvent soulever le fantastique et la science-fiction. Quelques distinctions d'ordre narratologique (actions, événements, acteurs, discours...) entre les différentes esthétiques qui nous préoccupent aideront à mettre en relief les raisons qui nous ont amenés à exclure le merveilleux de notre champ de recherche.

Le merveilleux représente des personnages types (une bête, une sorcière, un méchant, un roi, une princesse, une mère...) dans un décor situé *in illo tempore*, c'est-à-dire littéralement non situé au sens strict, qui vivent des événements étranges pour le lecteur, mais qui ne représentent pour eux, en tant qu'acteurs, personnages ou narrateurs, aucun problème de vraisemblance, de croyance ou d'incroyance. On voit déjà se dessiner dans ce schéma très simple ce qui fait problème : le rapport au monde externe. Considéré en lui-même, – dans le jeu interne de son propre discours, – le merveilleux n'offre pas de prise à l'étrangeté : les animaux parlent, les tapis volent, les esprits sortent des lampes magiques et, bien que certains acteurs puissent s'en montrer étonnés, ce n'est jamais pour mettre en question la vraisemblance de ce qui leur arrive.

Le récit fantastique prend, quant à lui, l'exact contre-pied du merveilleux en redéfinissant l'ensemble des composantes du récit merveilleux. Ainsi, règle générale, le récit fantastique campe un ou plusieurs acteurs dans un cadre spatio-temporel correspondant à ce qu'on est convenu d'appeler la réalité, c'est-à-dire qu'il donne, contrairement à ce qui se passe dans le merveilleux et conformément aux exigences du récit réaliste, *l'illusion référentielle*. Le monde représenté dans le récit fantastique est le plus souvent double : d'un côté, le discours pose le réel, de l'autre, il pose une forme de non-réel, d'irréel ou de réel improbable sous forme d'apparition d'événements étranges. Mais ce qui est caractéristique du fantastique, c'est que, tant dans le cas du réel que de l'irréel, l'illusion référentielle cherche à s'imposer. Cette donnée compte au premier chef, car, autrement, si l'irréel était établi uniquement en tant que phénomène illusoire, hallucinatoire, onirique ou s'il relevait explicitement de la pure démence, cette composante ne pourrait pas s'opposer avec force à la première forme de représentation qui est, elle, modalisée dans le registre réaliste. La question du réel ne se pose donc pas dans le merveilleux, mais il n'y a pratiquement qu'elle qui importe à un certain niveau narratif.

Quant aux acteurs du récit fantastique, ils ne sont pas simplement des types (une femme, un mari, un loup), mais des *personnages* individualisés, caractérisés, impliqués dans un milieu tout aussi caractérisé, ce qui ne les empêche pas de correspondre à un type ou à un autre. De plus – et cela est capital dans le genre fantastique, – des critères d'ordre évaluatif viennent transformer profondément la représentation : mis en situation d'étrangeté, l'acteur du récit fantastique oppose une certaine résistance rationnelle, un refus à la fois viscéral et intellectuel, à l'apparition de l'étrange dans son univers, sans pour autant que ce refus invalide ou affaiblisse la représentation de l'improbable. Au contraire, il la rend plus manifeste, en en faisant l'objet même du discours. Le récit fantastique possède ainsi dans sa configuration textuelle globale une double représentation du monde, ou une représentation de deux formes de « possibles », le réel et l'irréel, toutes deux confirmées dans leur « réalité » par des marques textuelles, la dernière seule faisant problème, – mais parce qu'elle est mise en relation d'opposition avec la première, – et étant discutée par des acteurs en situation d'écart entre ces deux formes de représentations. Ultimement, le discours doit sanctionner la problématique avec laquelle les acteurs sont aux prises, mais jamais, comme dans la fable ou le merveilleux (le méchant est puni, les enfants retrouvent leurs parents, les amants eurent de nombreux enfants...). Consécutive à une série de questionnements, de doutes et de remises en cause, elle appuie plutôt le constat de l'imposition de l'irréel. Si, au contraire, la sanction désamorce le caractère d'étrangeté par une explication onirique, par exemple, ou par une révélation d'ordre naturel, le récit perd le caractère de fantasticité que le discours semblait avoir construit. Faute de ces composantes, confirmant, problématisant et sanctionnant le réel et l'irréel, le normal et l'étrange, il est difficile de concevoir comment un texte pourrait être fantastique.

Dans certains textes, toutefois, le récit peut n'offrir qu'une partie de ces composantes. Le réalisme magique, par exemple, serait l'une des formes du fantastique moderne, en ce sens qu'il allie les procédés du merveilleux et ceux du fantastique. L'apparition de l'étrange, habituellement campé dans la « réalité » comme dans le fantastique, ne suscite pas, dans un récit réaliste magique, de réaction évaluative quant à son caractère incongru ou improbable. En ce sens, nous aurions là une forme de merveilleux moderne, et les Latino-Américains ne s'y sont pas trompés en qualifiant cette pratique tantôt de réalisme magique, tantôt de réalisme merveilleux. D'après nous, il s'agit là d'œuvres *à caractère fantastique*, mais d'une variété particulière, étant donné qu'un réel non conventionnel est posé par le récit et qu'ainsi les acteurs sont placés en situation d'étrangeté par rapport au « réel ». Il y a là instauration d'une problématique de la présence active du magique dans la réalité.

La science-fiction, quant à elle, avoisine à la fois le merveilleux tout en étant à mille lieues de celui-ci. Ce n'est sans doute pas par hasard si, avant d'être désignée dans les années 1920 par l'expression « scientifiction », puis science-fiction, et, enfin, SF, cette pratique a été qualifiée, pour un temps du moins, comme une forme de « merveilleux scientifique ». Même si le genre a pu être pratiqué avant la lettre (l'utopie, l'anticipation, le voyage extraordinaire), ce n'est qu'au XXe siècle que l'on peut réellement parler de science-fiction au sens strict, le genre ayant commencé à s'instituer historiquement aux USA après le Première Guerre mondiale, grâce à des revues et des fanzines, sous l'impulsion, notamment, de Hugo Gernsback.

Les fondateurs de la SF ont souvent mis l'accent sur l'aspect scientifique du genre, mais il ne faut pas exagérer le rôle de cla science proprement dite dans la science-fiction considérée dans son ensemble. La science est effectivement importante pour une certaine catégorie science-fictionnelle, qu'on est convenu d'appeler *hard SF* [11], mais pas dans la totalité du corpus de SF, surtout si l'on tient compte des récents développements, auxquels les écrivains québécois n'ont pu être totalement étrangers. Robert Heinlein, dans les années 1960, a d'ailleurs proposé de parler, dans ce sens, de *speculative fiction*, accordant ainsi plus de souplesse à l'acception tout en offrant l'avantage de conserver au mot son sigle SF. Bien plus, cela permet de mettre l'accent sur ce qui distingue *génériquement* la SF des autres genres du discours narratif, c'est-à-dire son caractère spéculatif. Pierre Versins a suggéré, pour sa part, que l'on définisse la SF comme une littérature de « conjectures romanesques rationnelles[12] ». Par opposition, le fantastique serait une forme de conjecture narrative irrationnelle, mais on a vu que ce ne peut être exactement le cas, le fantastique étant tout à fait organisé, l'irrationnel n'étant qu'une des deux faces d'une problématique très complexe. Il convient pour notre propos de retenir surtout le caractère « conjectural » et de nous en tenir à l'acception du mot « spéculation », qui le rejoint, pour cerner l'élément différentiel de la SF par rapport aux autres genres.

Essentiellement donc, la SF se fait toujours d'une manière ou d'une autre, spéculative, conjecturale, c'est-à-dire qu'on cherche à spéculer sur les états possibles de l'univers, à proposer des conjectures, des hypothèses, à jouer sur des probabilités inédites, à représenter des univers différenciés par rapport à ce qu'il est convenu d'appeler le réel, à montrer des mondes non encore advenus en tant que tels, des mondes nouveaux, sans référents connus, mais toujours organisés rationnellement. Dans ces espaces et ces temps (futurs, passés, parallèles ou autres), peuvent exister des technologies nouvelles que l'homme, – vivant dans ce que Darko Suvin appelle l'environnement de l'auteur (façon moins ambiguë peut-être de parler de « réel »), – ne connaît pas encore : pour Suvin, la SF se situe à l'extrémité d'un spectre allant de « la recréation de l'environnement de l'auteur, à l'autre extrême possible, à savoir un intérêt exclusif pour une nouveauté étrange, un *novum*[13] ». À la première extrémité, se situerait le réalisme, à l'autre, le *novum*, – spéculatif, conjectural, hypothétique, – typique de la science-fiction. Il peut également s'agir d'un *novum* partiel, c'est-à-dire d'extrapolations faites à partir de ce que l'homme connaît en partie au moment de la publication de l'ouvrage, la nouveauté se situant encore relativement dans l'environnement de l'auteur, tout en étant projetée dans un *futur proche* afin que l'on en montre les conséquences possibles à brève échéance. Une autre chose est à retenir dans la question de la représentation de l'espace en SF : le texte produit toujours l'illusion référentielle, les acteurs vivant dans leur univers nouveau, extrapolé, comme s'il s'agissait de la réalité, même s'il n'existe aucun référent connu de cet univers[14].

Dans ces contextes novateurs par rapport au « réel », au connu, les acteurs peuvent être eux-mêmes des agents de changement ou avoir été sujets (ou soumis) à des transformations de grande envergure. Ainsi la SF joue sur les effets tant fastes que néfastes de l'innovation socioculturelle et des transformations que la science, le savoir ou la technologie ont pu amener ou provoquer dans l'univers : les êtres peuvent avoir été victimes de la pollution ou de guerres nucléaires généralisées, produisant des scénarios de fin du monde ou de la fin de la Terre telle qu'on la connaît ; mais les acteurs peuvent également être dotés de pouvoirs et de moyens encore inconnus à l'homme, être mutants physiques ou psychiques, télépathes, pouvoir voyager dans l'espace intersidéral, dans le temps, dans la pensée des uns et des autres...

Au contraire du fantastique, il n'y a pas, en SF, – du moins pas de la même manière, – d'opposition radicale entre deux formes de représentation du monde, l'une possible, l'autre improbable, l'un naturelle, l'autre surnaturelle ou non naturelle, mais il y a plutôt *organisation* d'un *autre* monde sur des bases différentes de celles que l'humanité connaît au moment de la publication de l'ouvrage. Évidemment, tous les types de conflits entre les acteurs demeurent possibles à l'intérieur de ces paramètres, chaque œuvre possédant ses variantes, les auteurs cherchant habituellement à innover par rapport à leurs prédécesseurs : la nouveauté, l'invention serait d'ailleurs l'une des principales contraintes du genre SF ; ce serait même pratiquement une de ses composantes génériques, de ses transformations en tant que genre à travers l'histoire littéraire qui lui est propre.

En règle générale, la SF se fonde sur ces principes larges de composition et il n'est pas interdit, bien au contraire, que les acteurs questionnent le « réel » représenté, ou des éléments de celui-ci. Mais cela ne se fait pas sur le même mode que le fantastique, car dans la SF, l'étrangeté n'a absolument pas le même statut que dans le fantastique. L'étrangeté existe évidemment, mais sous des figures particulières : il n'y a pas d'apparitions qui demeurent inexpliquées ou qui sont expliquées uniquement par quelque machination surnaturelle (sauf en *fantasy*, mais c'est là un autre problème). Les figures de l'étrangeté sont plutôt générées, par exemple, par l'arrivée d'un vaisseau sur une autre planète, la découverte d'une nouvelle technologie, d'un nouveau savoir, la rencontre avec un Autre, qui n'est pas une créature occulte comme dans la fantastique, mais habituellement un étranger venu d'une autre dimension, d'un autre espace, d'un autre temps. Le discours se charge généralement d'expliciter ou de suggérer les conditions de la rencontre, les origines des interlocuteurs...

Sans entrer dans le détail sur toutes les formes que la SF peut prendre (le voyage dans l'espace [*space opera*], le voyage dans le temps, l'uchronie (l'Histoire réinventée), l'utopie, la *hard SF*...), il serait bon de revenir sur une forme qui peut porter à confusion, la *fantasy*, que l'on traduit en français par l'expression « épopée fantastique ». Il s'agit d'une pratique spécifique à l'intérieur de la SF, mais qui exhibe les rapports que celle-ci peut avoir avec le merveilleux et le fantastique. Disons que, d'emblée, la *fantasy* demeure une branche de la SF parce que sa mise en espace s'effectue selon des procédés propres à la science-fiction : il y a création d'une monde différencié par rapport à celui de l'environnement de l'auteur ; il s'agit donc d'une forme de fiction spéculative. Au contraire du merveilleux, le récit n'est pas campé dans un vague espace-temps, mais il est plutôt l'objet d'une construction attentive de la part de l'auteur. Ce n'est sans doute pas par hasard que l'un des maîtres du genre, J.R.R. Tolkien (*Bilbo, le Hobbit* ; *le Seigneur des anneaux*), est un philologue. En revanche, en dépit du caractère de totale différenciation par rapport au « réel », commun avec la SF, il peut y avoir, parmi les acteurs, des êtres détenteurs non pas d'un savoir scientifique, mais, comme dans le fantastique ou le merveilleux, d'un savoir occulte, d'un pouvoir magique, qui représente toutefois une forme de science – savoir, pouvoir et science se confondent ici – dont les effets sur la « réalité » peuvent être aussi puissants que la science et la technologie dans la SF. Cette forme de SF est plutôt rare au Québec, mais les lecteurs pourront se reporter à l'œuvre d'Esther Rochon, surtout à *l'Épuisement du soleil*, pour se faire une idée de ce qu'elle peut représenter ici.

Enfin, un dernier mot sur la question des genres : la classe de textes que nous avons appelée « hybride » comporte tous les récits qui ne répondent pas exactement aux critères que nous venons d'énoncer, mais qui, dans le même temps, ne peuvent pas plus être classés en tant que textes réalistes, merveilleux, poétiques, allégoriques... Habituellement, ils sont le fait d'auteurs dont le projet d'écriture n'est pas spécifiquement fantastique ou science-fictionnel, ou encore dont le projet est de brouiller, de dépasser les frontières génériques de ces genres contraints finalement par un ensemble de règles codifiées. Dans le cadre de notre *Bibliographie [...]*, il y a des conditions minimales à l'inclusion d'un texte narratif dans la classe hybride. Le récit doit comporter au moins un élément entrant dans la composition d'un texte fantastique ou de SF, autrement dit, il faut que, dans sa texture, soit inscrite une marque d'étrangeté irréductible à la réalité connue ou à ce qui est conçu comme probable dans le monde de l'auteur. Cette dernière donnée représente l'élément minimal permettant de faire le lien entre tous les textes du présent ouvrage.

En résumé, dans le récit fantastique, l'étrangeté conduit à la « dichotomisation » de l'univers, à la mise en parrallèle et en relation de deux mondes, des preuves, des signes textuels marquant l'apparition de l'étrangeté ; de plus l'apparition de cette étrangeté provoque un questionnement de la part d'au moins un acteur sur la possibilité qu'une telle étrangeté se produise. Autrement dit, l'étrangeté apparaît, dans le récit fantastique, comme improbable, s'affirme ou s'impose néanmoins comme tout à fait réelle malgré son caractère d'irréalité, et génère de la résistance et un questionnement d'ordre rationnel. La sanction (la chute) vient confirmer la réalité de l'improbable.

En SF, l'étrangeté entre dans la composition d'un univers partiellement ou absolument nouveau par rapport à celui que la réalité quotidienne offre habituellement à l'auteur ou à son public lecteur. Elle sert de moteur à la construction d'un « *novum* ». L'étrangeté y est totale et normalisée sur le mode rationnel. Dans un texte hybride, l'étrangeté demeure en deçà de l'irréductibilité propre au fantastique et de l'innovation, propre à la SF, mais joue un certain rôle dans le récit. À travers ces trois aspects de l'imaginaire fantastique, le lecteur de la présente *Bibliographie [...]* sera en mesure de juger de la variété extrêmement étendue des possibles narratifs exploités à l'intérieur même de contraintes génériques aussi exigeantes.

REMERCIEMENTS

Pour réaliser notre projet, nous avons pu compter sur la collaboration d'un grand nombre d'étudiants, de chercheurs, d'instances administratives et d'organismes culturels que nous tenons à remercier. Soulignons d'abord la participation active d'étudiants et d'étudiantes de 2e et de 3e cycles qui, pendant des mois, nous ont aidés à accomplir notre travail : Andrée Cloutier, Georges-Henri Cloutier, Laurier Côté, Ann Desaulniers, Georges Desmeules, Claude Grégoire, Jean Guay, Christine Hamel, Angèle Laferrière, Isabelle L'Italien-Savard, François Larocque, Hélène Marcotte, Caro Marin, Lise Morin, Claude Paradis, Marie-Josèphe Pigeon, Danielle Pittet et Sophie Wampach. À ce titre, soulignons l'apport précieux de Madame Hélène Dargis-Charest et le support constant des membres chercheurs du GRILFIQ : Guy Bouchard, Vital Gadbois, Claude Janelle, Jacques Lemieux, Gilles Pellerin, Jean Pettigrew, Denis Saint-Jacques, Élisabeth Vonarburg. Merci aussi à Gilles Dorion, qui a accepté avec la générosité qu'on lui connaît, de relire notre répertoire. Quant au soutien administratif et éditorial, soulignons l'excellent travail des autorités et du personnel de notre Centre de recherche, le CRELIQ : Denis Saint-Jacques, directeur, Guy Champagne, coordonateur scientifique, Andrée Careau, secrétaire administrative, et Michèle Pontbriand, secrétaire à l'édition. Nous tenons également à remercier la direction et le personnel de la Faculté des lettres de l'Université Laval : André Daviault, doyen, Hans Jurgen Greif, vice-doyen à la recherche, et Louis Carrier, coordonnateur du service d'aide à la recherche, de même que la direction et le personnel du Département des littératures de l'Université Laval : Marthe Pagé, directrice, Yvan Gosselin, adjoint administratif, Micheline Lapierre et Joslyne Gagnon, secrétaires. Nos remerciements vont également aux nombreux bibliothécaires de la bibliothèque de l'Université Laval, à André Cochrane de la Bibliothèque de l'Assemblée nationale du Québec, à Normand Cormier de la Bibliothèque nationale du Québec, à Hélène Messier, directrice de l'Union des écrivaines et des écrivains québécois, à Gaëtan Lévesque, directeur de la revue *XYZ. La revue de la nouvelle*, à Pierre D. Lacroix, de la revue *Carfax*, à la direction de la revue *Passages* et aux nombreux écrivains qui ont bien voulu répondre à nos demandes.

Enfin, nous remercions cordialement ceux qui, par leurs subventions, ont permis la réalisation d'un tel projet : le Fonds FCAR du Québec, le Conseil de recherches en sciences humaines du Canada et l'Université Laval (subvention de démarrage, budget spécial de la recherche, rapports et mémoires de recherche).

NOTES

1. Groupe de recherche interdisciplinaire sur les littératures fantastiques dans l'imaginaire québécois, faisant partie du Centre de recherche en littérature québécoise (CRELIQ) de l'Université Laval.
2. Pierre-Georges BOUCHER DE BOUCHERVILLE, « la Tour de Trafalgar », *l'Ami du peuple*, 2 mai 1835, p. 1.
3. Philippe AUBERT DE GASPÉ fils, *l'Influence d'un livre. Roman historique*, Québec, William Cowan & fils, 1837, 122 p.
4. Sujet qui, à son tour, doit être compris comme large, puisque la part du fantastique et de la SF dans le champ québécois est elle-même (mais pas toujours) rattachée à la tradition mondiale ou supranationale occidentale.
5. Ce sont là des hypothèses que nous devons vérifier en profondeur dans un deuxième volet de rercherche.
6. La liste des ouvrages d'imagination consacrés entièrement ou partiellement au fantastique ou à la science-fiction se trouve en annexe 1.
7. Ce qui représente quelque 6 500 exemplaires publiés par quotidien sur une période de vingt-cinq ans. Si on les multiplie par quelques dizaines, on peut se faire une idée de l'ampleur du dépouillement.
8. La liste des périodiques dépouillés se trouve en Annexe 2.
9. Guy SCARPETTA, *l'Impureté*, Paris, Grasset, 1985.
10. Formant selon les années de 10 à 20 % de la production narrative globale.
11. Les expressions de langue anglaise dénotent simplement un état de fait, à savoir que le monde anglo-saxon domine la pratique et que c'est souvent de ce côté que nous viennent les termes qui servent à désigner certaines classes de textes.
12. Pierre VERSINS, *Encyclopédie de l'utopie, des voyages extraordinaires et de la science-fiction*, Lausanne, Éditions l'âge d'homme, 1972, p. 6.
13. Darko SUVIN, *Pour une poétique de la science-fiction. Études en théorie et en histoire d'un genre littéraire*, Montréal, les Presses de l'Université du Québec, 1977, p. 13. (Collection « Genres et Discours »).
14. Marc ANGENOT parle à ce sujet de « paradigme absent », dans « le Paradigme absent », *Poétique*, n° 33 (février 1978).

Notice d'emploi

CLASSEMENT

Les entrées de la *Bibliographie analytique de la science-fiction et du fantastique québécois* sont classées, dans un premier temps, selon l'ordre alphabétique des auteurs, dans un deuxième temps, à l'intérieur de chaque corpus d'auteur, par ordre chronologique de parution des œuvres et, dans un troisième temps, à l'intérieur de chaque parution, par ordre chronologique. Si plusieurs œuvres ont été publiées la même année en périodiques et en volumes, celles qui sont parues en périodiques sont placées avant celles qui ont été publiées en volumes.

L'ordre alphabétique s'applique non seulement au premier mot, mais à tous les mots d'un titre, y compris les articles indéfinis, les articles contractés, les adverbes et les prépositions. On ne tient pas compte toutefois du premier article défini.

Exemple :

L'Aigle volera à travers le soleil (lettre A)
Aux fleurs de Victorine (lettre A)
N'ajustez pas vos hallucinettes (lettre N)

Les œuvres ayant été publiées en périodique ou faisant partie d'un recueil sont indiquées entre guillemets.

Exemple :

« Aux fleurs de Victorine ».

Les œuvres correspondant au titre général de l'ouvrage où elles sont parues sont indiquées sans guillemets.

Exemple :

L'Aigle volera à travers le soleil

APPARTENANCE GÉNÉRIQUE

La marque de l'appartenance générique est placée entre parenthèses à la fin de la première mention de parution. Une œuvre fantastique est désignée par la marque (F), une œuvre de science-fiction, par la marque (SF), et une œuvre hybride, par la marque (Hy).

Exemple :

« Emil Hitler »,
Requiem, n° 13 (vol. III, n° 1, décembre 1976-janvier 1977), p. 9.
(SF)

Dans le cas d'un roman, la marque le spécifie sous forme de (F/Roman), (SF/Roman) ou (Hy/Roman).

Exemple :

Le Nord électrique,
[Longueuil], le Préambule, [1985], 240 p. (Collection « Chroniques du futur », n° 10). (SF/Roman)

RENVOIS

Quand une œuvre a été écrite en collaboration, elle est placée au nom du principal auteur, lorsque la chose est précisée, ou selon l'ordre alphabétique, le nom le plus près de la lettre A ayant priorité. Un renvoi est fait au nom de l'autre auteur.

Exemple :

BEAULIEU, René. V. **BEAULIEU, Claude.**
VONARBURG, Élisabeth. V. **BEAULIEU, René.**

ANNEXES

Dans l'annexe 1, la liste des titres comprend tous les volumes ayant été publiés par des auteurs québécois dans le domaine fantastique et de science-fiction de 1960 à 1985, de même que tous les volumes publiés après 1985, mais qui contiennent un ou plusieurs des titres parus pendant la période 1960-1985 qui se retrouvent dans la présente *Bibliographie.*

L'annexe 2 comprend la liste des noms de périodiques dépouillés, suivis de leur lieu de publication et des années dépouillées.

BIOGRAPHIE

Nous avons tenté, dans la mesure du possible, lorsque nous avons pu obtenir l'information, et tout en respectant la confidentialité, de donner pour chaque écrivain son lieu et sa date de naissance et, le cas échéant, son lieu et sa date de décès. Certains auteurs ont refusé de nous fournir ces renseignements. Nous serons heureux que les lecteurs corrigent et complètent ces renseignements et nous communiquent les oublis, inévitables dans un travail de ce genre. Nous leur en sommes déjà reconnaissants.

Exemples :

APRIL, Jean-Pierre
[Rivière-du-Loup, 16 juillet 1948 –]
THÉRIAULT, Yves
[Québec, 27 novembre 1915 – Joliette, 20 octobre 1983]

LISTE DES SIGLES CONVENTIONNELS ET DES ABRÉVIATIONS

1. SIGNES

[...] indique un passage supprimé dans une citation

2. ABRÉVIATIONS

F	fantastique
Hy	hybride
n°, n^os^	numéro, numéros
[n. p.]	non paginé
p.	page(s)
[s. d.]	[sans date]
[s. d. n. p.]	[sans date non paginé]
[s. é]	[sans éditeur]
[*sic*]	incorrection
[s. l.]	[sans lieu]
[s. l. n. é]	[sans lieu ni éditeur]
SF	science-fiction
t.	tome
V.	voir
vol.	volume

A

[Anonyme]

« La Chasse-galerie »,
la Tribune, vol. LV, n° 252 (23 décembre 1964), p. 11. (Hy)

Quatre bûcherons de la Haute-Mauricie décident d'aller fêter le jour de l'An dans le village de Sainte-Jeanne, chez François Leduc. Ils partent en chasse-galerie avec l'aide du diable et survolent des clochers d'églises sans prononcer le nom de Dieu. Les voyageurs sont bien accueillis chez le père Leduc : le père Jacques joue du violon comme un possédé et le whisky coule à flots. Les danseurs sont de plus en plus joyeux. Deux heures avant l'aube, l'un des fêtards refuse de partir. Ramené de force, il monte dans le canot, qui part et navigue dans le ciel. Soudain, celui qui avait trop bu s'exclame : « Mon Dieu ! Mon aviron ! ». Le canot chavire et les quatre hommes se retrouvent dans un banc de neige, près de leur camp.

ACHARD, Eugène
[Chapelle-Agnon (Auvergne), 3 avril 1884 – Montréal, 26 décembre 1976]

« Le Tombeau du Mont Saint-Grégoire »,
le Canada français, vol. CXXI, n° 6 (2 juillet 1980), p. C-11 ; n° 7 (9 juillet 1980), p. C-15 ; n° 8 (16 juillet 1980), p. C-15 ; n° 9 (23 juillet 1980), p. C-13 ; n° 10 (30 juillet 1980), p. C-11, et n° 12 (13 août 1980), p. C-16. (F)

Surpris par un orage, lors d'une excursion de chasse, le narrateur trouve refuge dans une remise, près du manoir du Mont Saint-Grégoire, qui a, jadis, servi de tombeau à sir John Johnson, soldat retraité de la guerre d'Indépendance américaine, mort en 1830. Quand il en ressort, à la faveur d'une accalmie, il est effrayé par un bruit épouvantable et, au même moment, il aperçoit, sortant de son tombeau, le fantôme de l'ancien soldat, qui l'invite à l'emplacement où s'élevait le manoir. C'est là qu'il lui raconte sa terrible aventure : sa femme Arabella, qui l'a trompé avec son chargé de pouvoir, l'ex-compagnon d'armes Henderson, a péri calcinée dans l'incendie du moulin du manoir avec son amant. Il a enterré leurs ossements dans une fosse commune, près du manoir, et y a fait ériger par la suite son propre tombeau où on l'a déposé à sa mort. Il est toutefois torturé par le remords. À minuit, heure funeste, le fantôme retourne à son tombeau et à sa douleur. Le narrateur perd alors conscience et se réveille, trois jours plus tard, convaincu de n'avoir pas cédé au rêve.

ALARIE, Donald
[Montréal, 4 juillet 1945 –]

« Et il y eut enfin de véritables cas d'ilotisme... »,
Liberté, n° 103 (vol. XVIII, n° 1, janvier-février 1976), p. 52-55 (F) ;

Jérôme et les Mots ou les Vieux Enfants, Montréal, Pierre Tisseyre, [1980], p. 65-72.

Plusieurs personnes, dont le narrateur, partent en expédition vers la montagne dite de « l'incertitude » qu'une force les pousse à gravir, malgré les interdictions des nomades qui vivent à ses pieds. À mesure que les marcheurs progressent, les conversations se font plus rares et sont de plus en plus difficiles à rapporter. Les difficultés surviennent avec l'arrivée de l'automne sans pourtant que rien n'y paraisse : la route devient impraticable. Un personnage, dit « le Troisième », se penche vers le sol pour voir quelque chose mais ne peut plus se relever, happé par la terre. Il poursuit tout de même l'ascension dans cette position, ce qui le ralentit et le force à marcher jour et nuit pour rejoindre ses compagnons. L'inquiétude et les malaises s'installent. L'hiver survient, la neige et le vent repoussent les marcheurs vers le ciel. Ils doivent faire des efforts surhumains pour rester près du sol. Puis le voyage se transforme en aventure intérieure où se croisent couleurs et musiques. Ils reviennent de ce voyage, sans savoir ni comment ni pourquoi.

« Au niveau du sol »,
« La Visiteuse », *Atelier de production littéraire de la Mauricie*, n° 7 (1979), p. 27-28 (F) ;

« Cinq tableautins de la vie (presque) quotidienne », *Liberté*, n° 127 (vol. XXII, n° 1, janvier-février 1980), p. 84 ;

Un homme paisible. Nouvelles, Montréal, Pierre Tisseyre, [1986], p. 65-67. [Sous le titre « Au niveau du sol (malgré tout) »].

Une tête, posée sur le trottoir, occupe son temps à observer les passants et devine leurs pensées intimes en regardant les semelles. Elle ne peut cependant exercer cette activité que quelques mois par an parce que des passants la font inévitablement rouler dans la rue, où des autos l'écrasent. Il lui faut beaucoup de temps pour se remettre et reprendre ses activités. En dépit de cette situation inusitée, les gens préfèrent ignorer cette tête posée sur le sol.

« Une page blanche (comme du lait) »,
« Cinq tableautins de la vie (presque) quotidienne », *Liberté*, n° 127 (vol. XXII, n° 1, janvier-février 1980), p. 81-82 (F) ;

Jérôme et les Mots ou les Vieux Enfants, Montréal, Pierre Tisseyre, [1980], p. 93-97.

Un homme tente depuis une heure d'attaquer une page blanche. Après avoir ramassé le stylo qu'il a laissé échapper, il écrit un premier mot qu'il juge bizarre, puis un deuxième, sensuel. Tout à coup, sa main se met à couvrir la page de mots sans qu'il en ait le contrôle. Les mots (à l'encre jaune) semblent avoir une vie autonome. Il craint la panique et se souvient de sa main gauche paralysée mais sournoise qu'il essaie de retenir et qui finit par s'abattre sur la page blanche. L'homme se retrouve par terre, de l'encre jaune lui coulant des yeux.

« Un tableau »,
« Cinq tableautins de la vie (presque) quotidienne », *Liberté*, n° 127 (vol. XXII, n° 1, janvier-février 1980), p. 82-83 (F) ;

Jérôme et les Mots ou les Vieux Enfants, Montréal, Pierre Tisseyre, [1980], p. 83-86.

Une femme admire un tableau, qui se modifie selon les visiteurs qui le regardent, alors qu'elle n'y voit que de vastes espaces blancs.

« Le Jeu »,
« Cinq tableautins de la vie (presque) quotidienne », *Liberté*, n° 127 (vol. XXII, n° 1, janvier-février 1980), p. 83-84 (F) ;

Jérôme et les Mots ou les Vieux Enfants, Montréal, Pierre Tisseyre, [1980], p. 23-26.

Un œil moqueur et indépendant gagne le trottoir pour scruter les passants. L'homme, en s'éveillant, s'aperçoit qu'il lui manque quelque chose, et son œil droit enjoué fouille l'espace environnant. Il s'empare de son œil marginal qu'il garde dans sa main.

« Tania »,
Jérôme et les Mots ou les Vieux Enfants, Montréal, Pierre Tisseyre, [1980], p. 33-36. (F)

Un personnage de tableau, Tania, raconte les réactions et les commentaires des visiteurs lorsqu'ils la voient au centre du tableau.

« Benoît »,
Jérôme et les Mots ou les Vieux Enfants, Montréal, Pierre Tisseyre, [1980], p. 43-47. (F)

Benoît, enfant habituellement placide, est excité et pressé d'aller jouer dans un parc. Lisa l'accompagne. Elle lui fait remarquer que cinq grands oiseaux blancs les suivent. Au terrain de jeu, ils retrouvent les oiseaux. Benoît se dirige vers les balançoires et il désire que Lisa lui donne de plus gros élans. Fatiguée, elle va s'asseoir puis ne retrouve plus Benoît. Elle lève la tête et aperçoit six grands oiseaux. L'un d'eux éprouve de la difficulté à voler, comme s'il était un débutant. Il tourne autour de Lisa en lui jetant des regards complices.

« Le Jeu (suite et fin) »,
Jérôme et les Mots ou les Vieux Enfants, Montréal, Pierre Tisseyre, [1980], p. 99-102. (F)

Un vieux mendiant cherche son œil qui s'est encore sauvé. Il ne trouve plus le jeu drôle et fait paraître une annonce dans le journal sous la rubrique des objets perdus en offrant une récompense.

« Feu rouge/Feu vert »,
Atelier de production littéraire des Forges, n° 18 (1984), p. 4 (F) ;

Un homme paisible. Nouvelles, Montréal, Pierre Tisseyre, [1986], p. 153. [Avec variantes].

Un homme pourtant timide prend la fuite en automobile, après avoir tué un piéton « d'un seul regard au fond des yeux ».

« Lecture »,
Atelier de production littéraire des Forges, n°s 19-20 (1985), p. 66 (F) ;

Un homme paisible. Nouvelles, Montréal, Pierre Tisseyre, [1986], p. 53.

Les mots désertent la page d'un livre ouvert. La lectrice revient et couvre la page de mots ; depuis, elle a pris l'habitude de lire, un stylo à la main.

« Sur le piano »,
Atelier de production littéraire des Forges, n°s 19-20 (1985), p. 66 (F) ;

Un homme paisible. Nouvelles, Montréal, Pierre Tisseyre, [1986], p. 63].

Un oiseau noir entre dans un salon pour aller mourir sur le piano où il se fige en bibelot.

« La Dormeuse »,
Atelier de production littéraire des Forges, n°s 19-20 (1985), p. 67. (F)

Une femme est trouvée morte dans son salon après les nouvelles de fin de soirée, la poitrine transpercée de deux trous rouges : elle a été « tuée par les actualités ».

ALINE, Laure [pseudonyme]. V. **PELLETIER, Francine.**

ALLARD, Denyse
[

« Meurtres sur Mars »,
l'Actualité, vol. XIII, n° 5 (mai 1973), p. 46-47, 53, 55. (SF)

En l'an 40000, sur la planète Mars, un ordinateur androïde, Grégoire 2048, narre les circonstances de l'anéantissement de l'univers : il en est le dernier survivant. D'abord la Terre a été victime de l'Apocalypse, mais des humains ont pu se réfugier sur d'autres planètes. Sur Mars, avant que la population ne disparaisse, le chef des néomartiens, Jacques 1112, organise une fête et fonde un musée où se trouve une relique mystérieuse : *la Joconde*. Or, depuis des milliers d'années, les Martiens ne connaissaient plus ni la mort, ni les émotions. Toutefois, en voyant *la Joconde*, tous meurent foudroyés d'émotion. C'est ainsi que Grégoire 2048 meurt, en voulant se rendre compte par lui-même de la cause de la mort de toute la population.

AMPRIMOZ, Alexandre
[Rome, 14 août 1948 –]

« Le Meurtre d'une idée »,
Imagine..., n° 2 (vol. I, n° 2, décembre 1979-février 1980), p. 47-59 (SF) ;

les Années-lumière. Dix nouvelles de science-fiction réunies et présentées par Jean-Marc Gouanvic, [Montréal], VLB éditeur, [1983], p. 15-30.

Un voyageur, K, se rend clandestinement dans la ville de Z. A. Tod. Dans le train, il se rappelle avec nostalgie l'« ère d'avant les désastres », où il possédait encore un nom, une maison, un travail et chérissait une femme et des enfants. De ce monde il ne reste que des ruines, et maintenant Tod règne partout. Nouvel État, Z. A. Tod représente une société aseptisée où tout est géré par Z. A. Tod, même les cerveaux, et où, par la télépathie, Z. A. Tod peut punir les gens qui ont des pensées et qui posent des gestes individualistes. Refusant cet état de fait, K, chef de l'opposition dite réactionnaire, effectue un voyage clandestin dans la ville de Z. A. Tod afin d'éliminer Z. A. Tod. Peu avant d'arriver à destination, il fait la connaissance de Lilian, une femme avec qui il doit passer la nuit. À Z. A. Tod, ils se rendent sur la plage où un « homme de sable », identifié comme étant Michel-Ange, se dissout dans la marée montante. K comprend alors que Z. A. Tod est la ville des suicides volontaires. Il convainc Lilian de l'aider tout en craignant la trahison. Finalement, ils sont tous deux appelés à la Maison des Tests, où K sait qu'ils seront torturés mais il reste fort en pensant que l'idée même de Z. A. Tod doit mourir.

« Vouloir être un insecte »,
Imagine..., n° 3 (vol. I, n° 3, mars-mai 1980), p. 40-48. (SF)

Dans un monde de papillons géants et de brigades noires, une femme déséquilibrée essaie « d'écrire » sa folie en contant de manière débridée ce qu'elle a été et ce qu'elle est maintenant. Son amour immense pour les insectes (qu'elle n'hésite pas à embrasser en public) fait croire à tous qu'elle est folle. Son frère, qui s'amuse à écraser ses scarabées, la traite de folle le premier. Son psychiatre, admirateur d'Hitler, lui conseille de cacher ses goûts inusités, de devenir membre de sa Société secrète et abuse d'elle sexuellement. Sa mère l'oblige à apprendre le piano. Paula, son professeur, l'initie au lesbianisme. Vivant une bonne partie de sa vie entre le rêve et la réalité, elle étudie et devient une scientifique. Mariée, mère de famille, elle se rend au Mexique avec son directeur de thèse, pour faire de la recherche sur le terrain et s'interroger sur le sens de sa vie et de sa folie depuis qu'elle a perdu certaines de ses illusions.

« Le Grand Départ »,
Imagine..., n° 6 (vol. II, n° 2, décembre 1980), p. 8-17. (SF)

Du fond de la prison du Centre Universel de Lucidité, Bibi de Pampelune écrit l'histoire de son aventure sur le territoire appelé Fidesland, lieu interdit où jadis le peuple des Sapriens disparut en voulant exterminer celui des Sélects. S'étant avancé au-delà des limites de Fidesland, Bibi entre dans un univers où l'espace-temps lui échappe. Il y rencontre une Saprienne, Bâl, déesse sensuelle qui lui subtilise son pénis, pour le remplacer par un autre organe, de couleur noire. Après l'intervention, Bâl l'invite à souper et l'entraîne dans son lit. Mais lui ne se souvient de rien. Il a bien tenté de raconter son histoire : on l'a enfermé dans la prison du C.U.L. Lorsqu'il en sort, il part pour un grand voyage qui lui permettra d'écrire l'œuvre de sa vie. Le cadavre momifié d'une Saprienne sur le dos (héritage d'un lointain ancêtre), son dossier sur cassette dans la poche, il avance d'un pas alerte, écrivant son épopée, à la première ou à la troisième personne, hélant le lecteur, réécrivant l'histoire.

« Contre le nord, contre les Canodoïdes »,
Imagine..., n° 10 (vol. III, n°1, automne 1981), p. 127-144. (SF)

Le narrateur et deux de ses compagnons se terrent au fond des bois afin d'échapper à leurs oppresseurs, les Canodoïdes (chiens mutants à visage humain ou à cornes) qui dirigent le monde. Depuis trente ans, les humains espèrent la venue d'un sauveur. Ses compagnons assassinés, le narrateur se rappelle les premiers temps de la guerre contre ces Canodoïdes. Plus tard, il semble que le « chronoscaphe », instrument qui assure la chronologie du temps, se détraque, et le narrateur dérive dans le temps. Par bonds incohérents dans le passé, il revit divers épisodes de sa vie et rêve sans cesse au début de la guerre contre les Canodoïdes, lorsqu'il s'assoupit. Un vieillard, qui le réveille en sursaut, lui assure finalement qu'il est le Sauveur et il repart en guerre contre les Canodoïdes. Il prépare alors des hommes et des armes, réussit à franchir les frontières et à percer quelques secrets des mutants, avant de repartir vers le Sud.

« La Mort de la fiction »,
Rauque, n° 2 (automne 1985), p. 5-17. (SF)

Mort depuis deux « unités », après le XXIe siècle, le narrateur raconte comment il a fait de la littérature l'activité principale en Enfer. Il en devient en quelque sorte le directeur littéraire. C'est ainsi qu'il présente trois textes étranges dont il ne sait que faire. Il conclut que l'Enfer, c'est la mort de la fiction.

ANDRÈS, Bernard J.
[Oran (Algérie), 18 janvier 1949 –]

« La Guerre propre »,
Imagine..., n° 26 (vol. VI, n° 3, février 1985), p. 19-27. [Sous le pseudonyme de Gilles SERDAN] (SF) ;

la Trouble-Fête, Montréal, Leméac, [1986], p. 115-120. [Avec variantes].

Après une déflagration nucléaire, des scientifiques, dont le narrateur, sont engagés pour étudier le nouvel homme, *l'homo metropolitanus.* Un jour, le narrateur tente une expérience en zone interdite avec une collègue, Emma Drye. Ils font finalement l'amour, sans leurs combinaisons protectrices. Emma est contaminée, s'évade et est recueillie par des Résistants, que le narrateur finit par rejoindre. Mais Emma meurt.

APRIL, Jean-Pierre
[Rivière-du-Loup, 16 juillet 1948 –]

« Emil Hitler »,
Requiem, n° 13 (vol. III, n° 1, décembre 1976-janvier 1977), p. 9. (SF)

Un jeune garçon de sept ans, fatigué de livrer des boissons gazeuses, donne sa démission au vieil Emil. À partir de ce moment, il apprend à voler, à se droguer, à faire l'amour et devient très tôt blasé. Malléable à souhait, il est la proie de certains intrigants et se retrouve à la tête de la nation. Alors qu'il est sur le point d'effectuer certains changements, des gardes l'entraînent dans un souterrain de l'Hôtel du Gouvernement. Là, on lui présente un vieillard qui ressemble à M. Emil ! Ce dernier lui apprend que son rôle se réduit en fait à marquer les activités du septième Reich, qui préfère l'intrigue aux manœuvres trop évidentes du Grand-papa Adolf. Alors le protagoniste sort son revolver et tue le vieillard.

« Hallucination 2 pistons »,
Requiem, n° 14 (vol. III, n° 2, mars-février 1977), p. 8-9. [Avec la collaboration de Jacques AUGER]. (SF)

Un groupe de motards s'amuse à poser des gestes antisociaux et à déranger les bourgeois. Un soir, Roger Tremblay survient aux commandes d'une très puissante moto. Il leur fait boire un liquide bizarre après quoi tous s'élancent dans le ciel où ils dérangent les dieux de leurs vrombissements.

« King Kong III »,
Requiem, n° 19 (vol. IV, n° 1, janvier 1978), p. 6-7 (SF) ;

la Machine à explorer la fiction, [Longueuil, le Préambule, 1980], p. 25-31. (Collection « Chroniques du futur », n° 2).

King Kong III s'applique à démolir le quartier de Manhattan (New York). Le mécanisme du robot s'est déréglé, dès le début du tournage d'un film, et, depuis, la ville s'écroule peu à peu sous les assauts du monstre. Le premier maire noir de Manhattan croit que King Kong III cherche non seulement une femelle, mais ses origines même. Aussi, pendant la nuit, il fait décorer une avenue entière d'arbres gigantesques qui « dans le film précédent bordaient le passage qui menait à l'autel du sacrifice ». Ensuite, il charge des musiciens de jouer certains morceaux de musique et fait sculpter une Linda Lovelace à même la statue de la Liberté. Quand le robot s'éveille, il se jette à l'eau pour retrouver sa bien-aimée mais, dès qu'il tend les bras, elle explose. Le monstre s'effondre, vaincu.

« Les Orphelins de Hoï Tri »,
Mille plumes, n° 2 (printemps 1978), p. 20-21 (SF) ;

l'Union (Bois-Francs), 115e année, n° 10 (17 février 1981), p. C-16 ;

Urgences, n° 3 (4e trimestre 1981), p. 17-22 ;

Ailleurs et Autres (Bordeaux, France), n° 85 (juin 1983), p. 20-24 ;

Lucifero (Italie), nos 05-06 (printemps 1980), p. 7-8. [Traduit en italien par Daniele Brolli sous le titre « Gli orfani di Hoi Tri ».]

Juste avant l'extermination totale, le bastion oriental de Hoï Tri est sauvé. Marqués par les massacres, à la recherche de travail et de nourriture, les pères abandonnent leurs enfants dans les bas-fonds de la ville. Un de ces garçons, le narrateur, se retrouve dans une bande d'adolescents. Des médecins découvrent un moyen d'occidentaliser l'apparence des nouveau-nés orientaux. Puisqu'ils valent désormais un prix d'or sur le marché blanc, ils sont vendus par leurs pères. C'est ainsi que le jeune adolescent, autrefois abandonné, peut vendre son bébé. Avec Hia, il fait la fête mais il espère que son bébé blanc jaunisse avec le temps.

« Jackie, je vous aime... »,
Requiem, n° 24 (vol. IV, n° 6, décembre 1978), p. 6-11 (SF) ;

la Machine à explorer la fiction, [Longueuil, le Préambule, 1980], p. 7-23. (Collection « Chroniques du futur », n° 2).

Johnny, garde du corps de Jackie, raconte l'histoire de cette dernière : congelée, elle a été ramenée à la vie mais doit, sans cesse, voir des parties mourantes de son corps être remodelées à la bioplasticine. En cours de narration, Johnny est interrompu par des cris : Jackie se meurt. Les médecins veulent éliminer ceux qui connaissent le secret de Jackie, pour camoufler leur échec. Johnny se sauve à Hollywood pour vendre cette histoire et faire un film intitulé *Jackie, je vous aime.*

« Voyage au centre de la digestion divine »,
Requiem, n° 26 (vol. V, n° 2, avril 1979), p. 9-12. (SF)

La Terre subit un cataclysme épouvantable. Tout est englouti. Des rescapés prennent place dans un vaisseau, le sous-marin *Atlantis*, qui s'enfonce dans un magma boueux indescriptible. Des prophétesses se mettent à proliférer. Comme la chaleur augmente, le capitaine Noémo décide de faire surface pour aller vérifier l'état des choses. Un médecin affirme alors qu'ils se trouvent dans un estomac, qu'ils sont en train d'être digérés, eux et toute la Terre. Ils découvrent même un ulcère dans l'estomac de ce qu'ils finissent par croire être l'appareil digestif d'un dieu. Noémo décide de hâter les événements en plongeant dans les entrailles du dieu.

« Coma-70 »,
Espace-Temps (France), n° 10 (printemps 1979), p. 9-17. [Sous le titre « Une nouvelle page »] (SF) ;

la Machine à explorer la fiction, [Longueuil, le Préambule, 1980], p. 107-117. (Collection « Chroniques du futur », n° 2).

Avec une équipe de thanatologues, l'écrivain Yan Malter poursuit des recherches sur l'après-vie. Lors de son dernier voyage mental au pays de la mort, une trop forte dose de thanatogènes le jette dans un profond coma. Soixante-dix ans plus tard, il se réveille et se voit réintégrer son corps vieilli d'autant d'années. Il doit réapprendre à vivre. Afin de retracer son histoire passée, il s'enfuit de l'hôpital. Il découvre le Centre de la Connaissance qui lui permet d'apprendre les raisons de son état actuel. De retour à l'hôpital, il erre dans les couloirs et traverse la porte fermée de sa chambre où il se voit, à l'âge de 30 ans, en train de mourir. Il réintègre son corps de 30 ans et le monde d'alors. Le docteur Ratel lui apprend que, pendant sept minutes, ils ont eu peur de le perdre. Il hurle : « Il faut que j'écrive UNE NOUVELLE PAGE ».

« Le Miracle de Noël »,
Imagine..., n° 2 (vol. I, n° 2, décembre 1979-février 1980), p. 9-17 (SF) ;

la Machine à explorer la fiction, [Longueuil, le Préambule, 1980], p. 119-128. (Collection « Chroniques du futur », n° 2) ;

Nouvelles nouvelles. Fictions du Québec contemporain. [Anthologie de] Michel A. Parmentier et Jacqueline R. d'Amboise, Toronto, Orlando, San Diego, London [et] Sydney, Harcourt Brace Jovanovich, Canada, [1987], p. 2-9. [Précédé d'une photo de l'auteur, d'une biographie et suivi d'exercices, p. 9-12].

Aux environs de 2100, presque tous les nouveau-nés mouraient et ceux que l'on sauvait demeuraient maladifs. L'avenir était incertain, inquiétant. Des spécialistes de la jouissance inventèrent des gadgets sexuels qui eurent tant de succès que la copulation maternelle devint presque un acte de barbarie. Puis, avec la mise au point de la gestation synthétique, le problème des naissances fut réglé : désormais les couples pouvaient adopter des enfants sains et même choisir leur sexe à l'avance. Toutefois, l'humanité gardait la nostalgie des naissances naturelles. Aussi, le ministre du Renouveau religieux remit le mythe de la nativité à la mode. Chaque année, les juges sélectionnaient une Marie, un Joseph et un Saint-Esprit et, le soir de Noël, on pouvait voir à la télévision l'accouchement naturel de Marie. En l'an 2327, une Polonaise, un Italien et un Noir furent respectivement choisis pour chacun des rôles. Le rôle de l'homme noir, le Saint-Esprit, se réduisait à assister à la copulation du couple et à amuser le public. Mais, le soir de Noël, à l'approche de minuit, Marie enfanta d'une fille noire !

« Le Vol de la ville »,
Imagine..., n° 3 (vol. I, n° 3, mars-mai 1980), p. 61-101 (SF) ;

la Machine à explorer la fiction, [Longueuil, le Préambule, 1980], p. 71-106. (Collection « Chroniques du futur », n° 2).

Jiouib, jeune habitant de la planète Maïan, aperçoit au-dessus de sa planète un étrange vaisseau spatial, de forme rocheuse, ressemblant à une île volante. Sa mère, Maoueb, ministre dans le gouvernement maïanien, lui explique qu'il s'agit de Moréal, une ville de la Terre, avec laquelle elle et lui ont des rapports étroits puisqu'elle-même est née sur Terre et y a eu des relations amoureuses avec un humain. Jiouib serait né de cette union. Pour lui expliquer ses origines, Maoueb raconte à son fils l'histoire de la rencontre des Maïaniens et des Terriens.

Après avoir échoué sur Terre, des Maïaniens vinrent à Moréal au début du troisième millénaire. Ils se mêlèrent à une nouvelle race de Terriens, les Mu-T, nés d'une expérience scientifique. Ces derniers résistaient à la pollution et étaient donc très forts. Le scientifique des Maïaniens, Payiver alias Jaiel, convainquit alors le Maire Drapo Douze de construire un immense stade olympique qui servirait à la relance des Jeux Olympiques et à l'exhibition des exploits des Mu-T. Lors des jeux, les Maïaniens expliquèrent que le stade était en fait un vaisseau spatial. Se refusant à voir son stade voyager dans l'espace, le Maire Drapo le souda à Moréal grâce à un aimant super-puissant. Mais les moteurs maïaniens furent assez forts pour tirer dans l'espace toute la ville. Arrachée de la Terre, Moréal devint une ville cosmique. Passant par

Maïan, la ville permit à Maoueb de débarquer sur cette planète pour vivre avec son fils. Or, les Moréaliens apprirent par la suite que ce fils, Maoueb l'avait eu du Maire Drapo Douze. En passant au-dessous de la planète Maïan, les Moréaliens s'arrêtèrent au-dessus de l'endroit où siège le gouvernement maïanien et exigèrent que Jiouib devienne le maire de Moréal. Suivant les conseils de sa mère, Jiouib accepta de relever le défi.

« Plus je meurs, moins je parle »,
Pour ta belle gueule d'ahuri, n° 4 (vol. II, n° 1, 1980), p. 10. (F)

Un mort remonte à rebours le cours de sa vie. Il parle et semble revivre les événements qui en ont marqué chaque tournant : des scènes de sa vieillesse d'abord, à l'hospice, juste avant de mourir, puis, dans la force de l'âge, en tant que directeur de son département. Le mort n'a qu'à dire un mot et il se retrouve immédiatement à l'âge mentionné. Plus il rajeunit, plus il devient difficile pour lui de parler, donc de reconstruire son passé. Il finit par balbutier des phrases incompréhensibles.

« Télétotalité »,
Solaris, n° 32 (vol. VI, n° 2, avril 1980), p. 21-26, et n° 33 (vol. VI, n° 3, juin 1980), p. 8-11 (SF) ;

TéléToTaliTé. Nouvelles, [Montréal], HMH, [1984], p. 143-184 (Collection « l'Arbre »).

Le Réseau de télévision Neworld, une résultante de la connexion de la télévision tridimensionnelle et de la télé-directe, offre à des milliards d'abonnés la possibilité d'imager leurs fantasmes grâce à ses banques mémorielles. Or, des techniciens chargés de surveiller le réseau constatent que d'étranges Barbares envahissent les écrans. Un groupe de recherchistes veut leur tendre un piège. Une anthropologue entre en contact avec les dirigeants du Réseau pour leur faire part de son expérience chez les Inuit. Ces derniers ont développé un Réseau technologiquement plus raffiné encore que celui de Neworld. L'anthropologue a pu visionner un Grand Personnage Lumineux qu'elle crée par la force de son subconscient à l'image de Zeus. Les dirigeants essaient de faire sauter cette « réalité » mystique mais ne parviennent qu'à l'activer davantage. Finalement, le chat sort du sac : cette mise en scène n'était qu'un stratagème imaginé par les dirigeants du Réseau Neworld pour impressionner les téléspectateurs. Le nouveau programme mystique est intégré à la programmation du Réseau Neworld.

« La Machine à explorer la fiction »,
la Machine à explorer la fiction, [Longueuil, le Préambule, 1980], p. 33-70. (Collection « Chroniques du futur », n° 2) (SF) ;

Univers, [Paris], Éditions J'ai lu, [1985], p. 50-87. (Collection « Science-fiction », n° 1799).

Un étudiant en lettres est engagé par la Mind Ingeneering [*sic*] Manipulation afin d'inventer des fictions tout à fait nouvelles pour le système de téléfiction. Ce service permet à ses utilisateurs de visionner toutes les versions imaginables de romans écrits autrefois. L'étudiant, spécialiste de la littérature policière du XXe siècle, représente le candidat idéal. Il s'acharne depuis des années à isoler chacune des étapes caractéristiques du genre et peut ainsi, en les emmagasinant dans la mémoire de son ordinateur, créer de nouvelles combinatoires à l'infini. Son patron, Simon Mayer, lui explique qu'ils travailleront à une nouvelle formule de téléfiction : la projection de l'histoire se fera directement dans le cerveau du téléspectateur, qui pourra intervenir lui-même dans le déroulement des événements et ainsi guider le récit. Ils se rendent tous les deux dans une île du Pacifique afin de travailler, et obtiennent beaucoup de succès (la « psyvision » est née). Mayer devient plus ambitieux et s'acharne à construire un programme lui permettant d'influencer le cours des événements dans la réalité, en créant des univers parallèles où l'on peut se projeter et intervenir. Il détourne le super ordinateur SOS (Système d'Ordinateur Synchronisé) et se projette avec l'étudiant dans l'univers fictionnel du détective Larsan. L'étudiant est engagé comme assistant de l'inspecteur et il doit l'aider à trouver l'auteur d'un détournement de fonds électroniques. Il réussit à découvrir la source de tous ces vols : quelqu'un a déchiffré le code de l'ordinateur du SOS. Avec l'inspecteur Larsan, il retrouve, dans l'île inconnue du Pacifique, Mayer, toujours branché à son ordinateur, et un fauteuil, vide, avec le casque de transmission. Larsan s'installe sous le casque afin de retrouver Mayer dans « l'autre » réalité. Il le tue sur le conseil de l'étudiant, qui craint les idées mégalomanes de Mayer et le pouvoir qu'il détient grâce à son invention. Puis l'inspecteur revient dans son univers et l'étudiant prend la place de Mayer, afin que la fiction survive, avec ses personnages, dans l'harmonie et la paix pour les deux réalités.

« Coma-90 »,
la Machine à explorer la fiction, [Longueuil, le Préambule, 1980], p. 129-228. (Collection « Chroniques du futur », n° 2). (SF)

Yan Malter se réveille d'un long sommeil de quatre-vingt-dix ans. Son infirmière, Moïra, lui explique que, à l'âge de 33 ans, un accident l'a fait basculer dans le coma et qu'il vient de reprendre conscience. Amnésique, effrayé, révolté, il ne comprend pas ce monde inconnu ni le but que l'Hôpital Mondial vise. Moïra lui offre les moyens de comprendre le sens de tout cela, et il retrouve peu à peu la mémoire. Malter est en fait un écrivain qui, dans les années 1980, expérimentait les voyages dans « l'après-vie ». À son réveil, en 2073, ses recherches lui apprennent qu'il ne s'est pas réveillé dans le 2073 de la réalité car tous ceux qui l'entourent ne sont que des duplicata cérébraux kidnappés par les Autorités au fil des siècles et séquestrés dans un espace bioélectronique, Simuli Cité. Tout n'est que simulation, projection de ce que pourrait être 2073. Moïra et Yan tentent alors de rejoindre le monde réel de 2073 pour dénoncer ce « racket » de la matière grise. Mais lorsqu'ils tentent de renvoyer Moïra dans son corps, c'est le mental de Yan qui s'y retrouve. Comme il se retrouve avec une voix d'homme dans un corps de femme, ce qu'il raconte n'est guère pris au sérieux et le PDG de l'hôpital le renvoie dans Simuli Cité, dès qu'il le peut. Moïra et Uri Geller, un spécialiste du paranormal égaré dans ce monde simulé par erreur également, l'attendent. Ensemble, en prenant peu à peu le contrôle de Simuli Cité, ils tentent de l'intérieur, par l'esprit, d'inciter les humains à repousser le plus loin possible la catastrophe qui les attend en 2900, s'ils continuent à écouter les réponses de plus en plus faussées que leur donnent les cerveaux de plus en plus troublés travaillant dans Simuli Cité. Les tendances autodestructrices des « esprits » d'hommes et de femmes qui n'existent plus en réalité conduisent la Terre à l'état de dépotoir. Mais Yan et les autres réussissent à redonner une conscience éveillée aux cerveaux de Simuli Cité puis aux hommes.

« Le Fantôme du Forum »,
Imagine..., n° 7 (vol. II, n° 3, mars 1981), p. 29-47 (SF) ;

les Années-lumière. Dix nouvelles de science-fiction réunies et présentées par Jean-Marc Gouanvic, [Montréal], VLB éditeur, [1983], p. 31-53.

À l'âge de dix-huit ans, Gaston Ratté découvre qu'il possède un pouvoir télékinésique. Il s'en sert contre un rival au hockey puis décide de le mettre au service du *Canadien* de Montréal. Lors d'une joute entre les *Clones* de Guy Lafleur et les *Robots* russes, il est blessé. Il parvient juste à temps à faire égaliser le compte par les *Clones* et, en arrêtant la marche du temps, à faire compter les siens pendant la dernière seconde de la partie. Mais le Forum s'effondre.

« KébeKéleKtriK »,
Imagine..., n° 10 (vol. III, n° 1, septembre 1981), p. 33-52. (SF)

Dans le but de faire du Québec le plus gros réservoir hydro-électrique du monde, une firme fabrique des camions géants. Le Multi-Motor 23 est la dernière invention, qui fait l'envie des uns et rager les autres car il fait naître le goût des grands espaces mais, en revanche, il prend beaucoup trop de place. De plus, l'homme qui l'habite n'est pas des plus heureux.

« L'Emballeuse »,
Solaris, n° 40 (vol. VII, n° 4, septembre 1981), p. 6-9. (F)

Marie travaille dans un supermarché où elle étête, vidange et emballe des poules. L' « espèce de néant » dans lequel elle baigne et « qui émane de la monotonie laisse[e] libre cours au flux désordonné de ses souvenirs et de ses rêveries anodines ». Elle se revoit, le jour de ses douze ans, cherchant sa poupée même si elle a promis à sa mère de s'en débarrasser. Son père est en train de brûler les feuilles dans le jardin ; il va y jeter la poupée. Marie la rattrape, le corps cireux de la poupée coule entre ses doigts. Une sonnerie retentit sortant Marie de son souvenir. Mais une autre rêverie l'emporte aussitôt. Désespérée, elle voit son avenir bouché et décide de se coucher. Le lendemain, le radioréveil ne sonne pas. Elle se lève tout de même à son heure habituelle, se fait cuire un œuf ; des flammes s'élèvent. Marie brûle mais, simultanément, elle est en train de travailler, posant les mêmes gestes mécaniques qu'à l'habitude dans le supermarché. Elle admet qu'elle se trouve vraiment dans ce supermarché quand elle voit son bras enfoncé dans l'emballeuse. La chaîne de poules mortes s'emballe à ce moment. Panique, explosion. Le supermarché brûle, ce matin-là.

« Canadian Dream »,
Imagine..., n° 14 (vol. IV, n° 1, automne 1982), p. 9-25 (SF) ;

Fiction spécial (France), n° 34 (1984), p. 135-157 [Une anthologie de Stéphane Nicot, intitulée *Futurs intérieurs. Douze récits de science-fiction et de fantastique d'auteurs de langue française*] ;

TéléToTaliTé. Nouvelles, [Montréal], HMH, [1984], p. 185-213. (Collection « l'Arbre »).

Un Canadien, Robert Langlois, docteur en ethno-psychologie, en stage au Cameroun, rencontre un sorcier qui raconte l'histoire de Jacques Cartier : ce dernier a inventé le Canada, qui est une chimère, selon le sorcier. Langlois revient au Canada mais, survolant le Golfe du Saint-Laurent, son dirigeable est aspiré par le vide. Le récit du sorcier, faisant du Canada un non-lieu, se réalise.

« Le Frigidaire des dieux »,
Énergie pure, n° 1 (janvier 1983), p. 19-27. [Avec la collaboration de Jacques AUGER]. (SF)

Dans la toundra, apparaît une machine infernale, sorte d'usine munie d'une gueule vorace. Cette machine fait entendre une musique qui envoûte les animaux. Ceux-ci viennent s'y engouffrer et elle les transforme en boîtes de conserve entreposées dans le frigidaire des dieux. Dans un rêve, un corbeau avertit Roger Tremblay de la chose ; il décide d'aider ses amis animaux. Par le canal secret de sa TV spéciale, il se transporte dans l'entrepôt. Une équipe de camionneurs célestes vient chercher la marchandise. Roger les bat et les fait parler. Il appelle, avec la musique de la machine, le grand responsable de ce carnage, le dieu ambitieux Ciceron Deluxe, qui voulait offrir des cadeaux à ses fidèles. Aussitôt arrivé, Deluxe est projeté par Roger dans la machine. Tremblay n'a que le temps de s'échapper avant qu'elle n'explose.

« Les Premiers Mutemps »,
Imagine..., n° 16 (vol. IV, n° 3, printemps 1983), p. 19-20. (SF)

Un jeune explorateur, d'une époque correspondant au XXe siècle, discute avec un humanoïde de l'an 3024 dont la race désire retrouver la trace de ses origines. Mais l'explorateur lâche le bouton rouge sur lequel il ne devait cesser d'appuyer. C'est alors qu'un éclair jaillit de l'appareil et que des « êtres vaguement humanoïdes » apparaissent. Les silhouettes sont en fait les premiers spécimens de la race humanoïde dont il est question.

« Genèse de l'immonde. (Genèse uchronique) »,
Imagine..., n° 16 (vol. IV, n° 3, printemps 1983), p. 21. [Avec la collaboration de Jean PELCHAT]. (SF)

Le septième jour, Dieu chie. La crotte devient planète sur laquelle, en cours d'évolution, apparaissent les humerdes qui dévorent la planète.

« Trois vies dans la nuit d'un sous-homme »,
Imagine..., n° 17 (vol. IV, n° 4, juin 1983), p. 25-43 (SF) ;

TéléToTaliTé. Nouvelles, [Montréal], HMH, [1984], p. 107-142. (Collection « l'Arbre »).

Emmanuel Simson, alias Jos Zhéros, emprisonné pour crime passionnel, a accepté de servir de cobaye à la médecine en échange de sa libération. À l'aide d'un extracteur spécial, des techniciens recueillent la « septimine » de son cerveau, une morphine endogène produite par l'excitation du septum cérébral, dans des moments ultimes. Au moyen de la Stéréo-Fusion, des cauchemars contrôlés sont programmés directement dans le cerveau des patients/criminels comme Emmanuel. Ces scénarios violents où dominent le sexe et le meurtre sont essentiels à la production de septimine. Mais chaque séance et chaque 5 ml de cette substance produite font vieillir de manière accélérée les cobayes tout en réduisant d'un an le temps à faire en prison. Emmanuel en est à son dernier rêve, à ses dernières émotions fortes en Stéréo-Fusion et à son dernier 5 ml de septimine à fournir avant d'être un homme libre. Mais, au dernier moment, sa technicienne fait une fausse manœuvre et ils se retrouvent tous deux en plein délire, confondant leurs fantasmes respectifs, ne sachant pas s'ils sont dans une fiction de la Stéréo-Fusion ou si la fiction empiète maintenant sur la réalité. À son réveil, Emmanuel apprend que sa technicienne est morte de plaisir d'une trop forte dose de septimine et qu'il n'est plus qu'un cerveau branché en permanence sous le casque de la Stéréo-Fusion. Même mort, il continue de fournir de la septimine à l'Hôpital. Désespéré, il se réfugie au cœur des fictions de l'appareil à cauchemars.

« Chronostop »,
Espaces imaginaires I. Anthologie de nouvelles de science-fiction réunies par Jean-Marc Gouanvic et Stéphane Nicot, Montréal, les Imaginoïdes, [1983], p. 105-125 (SF) ;

TéléToTaliTé. Nouvelles, [Montréal], HMH, [1984], p. 71-105. (Collection « l'Arbre »).

L'émission de télévision *Télé-Police* offre l'occasion de devenir policier provisoire et de gagner une prime si l'on découvre l'auteur d'un crime. Un vieillard, le narrateur, mène une enquête sur la disparition d'autres vieillards. Il se rend compte du fait que des centaines de vieillards ont le cerveau branché à un système vidéo qui transmet des émissions passées dans lesquelles les spectateurs vivent. S'intéressant au jeu, il se laisse prendre en charge par ce système mais finit par comprendre que les autorités et *Télé-Police* participent à cette exploitation des vieillards pour profiter de leur pension. Lui-même s'abandonne à cet univers téléprogrammé.

« L'Avaleuse d'oiseaux »,
Dix contes et nouvelles fantastiques par dix auteurs québécois, [Montréal], Quinze, [1983], p. 13-30 (F) ;

[EN COLLABORATION], *Archipel.* Tome I. Préface de Laurent Laplante, [Québec], Éditions le Griffon d'argile, [1989], p. 1-20.

Ronald Johnson fuit la justice. Les policiers sont à ses trousses et il trouve refuge dans une île de son enfance en Gaspésie, l'Ile-aux-Oiseaux. C'est là qu'il écrit son histoire et qu'il se remémore des souvenirs d'enfance. Dans l'un de ceux-ci, il se rappelle le jour où, devant être initiée à l'amour par un de ses amis, sa sœur Joanne était sortie dans un grand fracas du chalet où ils étaient, précédée d'oiseaux et crachant elle-même des oiseaux blancs. Joanne était tombée du haut d'une falaise et on ne l'avait jamais retrouvée. Ronald croit fermement encore que sa sœur s'est envolée avec les oiseaux. D'ailleurs, depuis peu, une énorme mouette blanche le regarde écrire son histoire. C'est Joanne qui vient lui montrer comment voler afin d'échapper aux policiers qui entourent le chalet où il s'est réfugié.

« N'ajustez pas vos hallucinettes »,
Imagine..., n° 21 (vol. V, n° 4, avril 1984), p. 9-14 (SF) ;

Urgences, n° 10 (2e trimestre 1984), p. 21-28.

Depuis 639 ans, Lucien vit dans *la Berlue*, un vaisseau stationnaire. Ses hallucinettes sont tout ce qu'il possède pour tromper sa solitude. Celles-ci lui présentent des personnages qui lui tombent dans l'œil et qui pénètrent dans son cerveau. Après une année de sommeil, Lucien s'éveille en voyant un vaisseau foncer sur lui. Avant même qu'il ait eu le temps de réagir, *la Berlue* se fait bombarder. Pour modifier la vision, il tord le bouton de contrôle de ses hallucinettes mais ne parvient qu'à tordre la nuit. Lucien bascule dans le vide. Finalement, le docteur Sphock, personnage qui habite le cerveau de Lucien, prend le contrôle du cerveau de ce dernier et confisque ses hallucinettes, mais seulement après que des corsaires aient crevé son œil gauche. Sphock, aux commandes de *la Berlue*, doit pourtant paralyser le bras gauche de Lucien pour empêcher celui-ci de le tuer.

« Angel »,
Imagine..., n° 23 (vol. V, n° 6, août 1984), p. 27-30 (SF) ;

[EN COLLABORATION], *Archipel*. Tome I. Préface de Laurent Laplante, [Québec], Éditions le Griffon d'argile, [1989], p. 21-27.

Deux adolescents, Yoan et Lauralou, admirent le chanteur Angel, vedette venue du ciel. Ils entrent dans son fan club et découvrent que leur idole n'a pas de sexe. Les Rocœurs, un groupe adverse, tentent d'enlever Angel, qui réussit à leur échapper. On ne le revoit plus jamais.

« Sur l'autoroute du Nouveau-Québec »,
le Devoir, vol. LXXV, n° 268 (17 novembre 1984), p. XVIII. (Cahier spécial, « Avons-nous vécu *1984* ? », pour le Salon du livre de Montréal). (SF)

Chargé de minerai, un immense camion, le Multi Motor 23, produit d'une technologie très avancée dans un Québec du futur, fait route du Nord vers le Sud avec un équipage de gens qui se droguent pour échapper à l'ennui de la taïga, mais que l'on encourage à relever un grand défi.

« L'Éternel Président »,
TéléToTaliTé. Nouvelles, [Montréal], HMH, [1984], p. 1-69. (Collection « l'Arbre »). (SF)

Un homme, Miguel, et un groupe d'anarchistes, les nadas, luttent contre un pouvoir militaire qui se sert de l'image d'un Président comme façade pour commettre des atrocités. Les nadas enlèvent le Président et le détiennent comme otage, mais l'entreprise est vouée à l'échec puisqu'ils ne font que s'attaquer à une image manipulée par un pouvoir cynique et brutal. Miguel et les révoltés n'ont aucune prise sur un réel imprenable où tout est double, reproductible comme la présidence, et où l'on n'atteint jamais que le reflet de la réalité.

« Les Croqueurs de carapaces. Un pastiche de Serge Brussolo »,
Imagine..., n° 27 (vol. VI, n° 4, avril 1985), p. 129-139. (SF)

Sur la planète Amoha, un déséquilibre écologique provoque une alternance cyclique de six années de déserts et de six années de mers. Pour s'adapter, Cella et David se transforment peu à peu en tortue et en crocodile afin de faire face aux années de mers. Quant aux hommes des marais, les Barbares, ils échangent une partie de leur sang contre la sève hallucinogène et nourrissante des arbres-à-crapauds et réussissent ainsi à rester vivants sous l'eau. N'ayant pas achevé sa métamorphose, David part seul à la recherche des Barbares pour tenter d'apprendre leur secret. Après avoir sauvé une fillette de la mort, il demande au père barbare, Rhotul, de lui transmettre le secret. En fait, les barbares entortillent leurs cheveux aux lianes des arbres ; les deux se confondent et, sur la peau des barbares, devenus des fruits inconscients, s'imprime ce qui se passe autour d'eux au cours de leur vie marine. Le Barbare découvre que David est chauve et essaie de lui trancher la tête mais il se transperce l'abdomen et David est précipité contre un arbre. La scène se dessine sur la peau de la fillette déjà accrochée à l'arbre et la dernière pensée de David est que cette « histoire [est] tirée par les cheveux ».

« Mort et Télévie de Jacob Miro »,
XYZ. La revue de la nouvelle, vol. I, n° 2 (été 1985), p. 28-36 (SF) ;

Des nouvelles du Québec, [Montréal], Valmont éditeur, [1986], p. 19-27 ;

Anthologie de la science-fiction québécoise contemporaine. Introduction et choix de textes par Michel Lord, [Montréal], BQ, [1988], p. 27-38. (« Bibliothèque québécoise, Littérature ») ;

les Enfants d'Énéïdes, Bruxelles, Phénix, 1989, p. 129-138. (Collection « Chimère », n° 5).

Jean Simon, concierge d'un immeuble, songe à voler un des résidents, Jacob Miro, qui a mis au point une sorte de télévision très sophistiquée, le transviseur, qui permet que l'on survive en passant de l'autre côté de l'écran. Le concierge demande à Zita, une jeune arriérée mentale, d'aller lui ouvrir la porte de chez Miro. Mais Zita entre en contact avec le transviseur, se dédouble et demande à son double télévisuel de communiquer avec un personnage extraterrestre d'une série télévisée qui rend les gens plus intelligents. Simon entre dans l'appartement mais Zita le tue et se retrouve avec l'esprit de Miro car ce dernier a réussi sa transvision et se rend compte que Zita garde le contrôle de ses désirs.

« La Survie en rose »,
Imagine..., n° 29 (vol. IV, n° 6, août 1985), p. 11-27 (SF) ;

Chroniques d'amour monstre, [s. l.], Andromède, Cahier n° 5, [1985], p. 77-97 ;

Secrets... Recueil de nouvelles. Hélène Rioux, Diane-Monique Daviau et Jean-Pierre April. Textes lus par Catherine Bégin, [Montréal], la Littérature de l'oreille, [1987], p. 19-32. [Trousse audio comprenant une cassette de 60 minutes et un avant propos, p. 18, le texte de la nouvelle, une biographie, p. 32, et une bibliographie, p. 33].

Âgée de 109 ans, Flora Milane a produit des vidéos de romances amoureuses. Elle est célèbre mais elle a subi trop de greffes d'organes pour être capable de continuer. Elle préfère raconter une histoire vécue entre une doctoresse, Eva Lee, et un grand singe. Lee, spécialisée dans les greffes d'organes simiesques sur l'homme, est opérée à la suite d'un accident. Tout ce qu'on peut faire, c'est de greffer son cerveau dans le corps d'une guenon. Un de ses assistants, également un de ses amants, décide de faire de même, croyant que leur aventure amoureuse pourrait continuer. Mais la guenon Eva préfère un orang-outang. Lee et son ancien amant se mettent à vivre de plus en plus comme des singes.

« Coma-123, automatex[te] »,
Dix nouvelles de science-fiction. Avant-propos d'André Carpentier, [Montréal], Quinze, [1985], p. 17-44 (SF) ;

Softilège (Paris), n° 1 (décembre 1989), p. 23-32. [Sous le titre « Coma-123, automatexte].

Avec l'apparition d'appareils de traitement de textes, les écrivains véritables ont disparu. Des thérapeutes comme Nina Janotte, « psycritique », sont formés pour rééquilibrer des pseudo-écrivains comme Yan Malter. Ce dernier s'insurge contre le fait d'avoir à écrire, par l'entremise de l'Automatex[te], un appareil permettant de reconstruire des œuvres classiques. Il veut créer ses propres œuvres et il finit par découvrir qu'il est un personnage de science-fiction créé par Jean-Pierre April au XXe siècle. Dans un texte précédent, Yan Malter se réveille, dans le futur, au milieu des circuits d'une machine à fiction fonctionnant à piles solaires. C'est Yan Malter qui doit maintenant l'achever. L'Automatex[te], qui capte les images de l'environnement, reproduit alors les visions d'un monde en décomposition. À moins qu'Automatex[te] ne soit dans un dépotoir et qu'il confonde ce lieu de pourriture avec la fin du monde et l'affaiblissement de ses fonctions avec la fin de la littérature ? Yan Malter s'accroche à l'espoir qu'on découvre son témoignage.

« Impressions de Thaï Deng »,
Espaces imaginaires III. Anthologie de nouvelles de science-fiction réunies par Jean-Marc Gouanvic et Stéphane Nicot, Trois-Rivières, les Imaginoïdes, [1985], p. 129-159 (SF) ;

SF. Dix années de science-fiction québécoise, sous la direction de Jean-Marc Gouanvic, [Montréal], Éditions Logiques, [1988], p. 11-63. (Collection « Autres Mers, Autres Mondes », n° 3).

Campée dans un futur proche, la ville de Thaï Deng est dirigée par des femmes. Il n'y a d'ailleurs que des femmes à Thaï Deng, ville fondée sur le principe que le mâle est la source de la guerre. Menacées par un ennemi mystérieux, les femmes kidnappent un homme, électronicien, le narrateur, qui les aide à résoudre leur problème : les agresseurs sont des enfants mâles nés de femmes de Thaï Deng et révoltés contre l'autorité féminine. Ils avaient mis au point un chat téléguidé. La ville de Thaï Deng se révèle ainsi un échec car, dans le projet de société féminine, on avait volontairement masqué la présence mâle, sous prétexte que c'est ce sexe agressif qui est cause de toute guerre. En éduquant les mâles comme des femmes, on n'avait pas changé àl'état des choses, et les femmes avaient fini par faire la guerre à leurs propres enfants.

Le Nord électrique,
[Longueuil], le Préambule, [1985], 240 p. (Collection « Chroniques du futur », n° 10). (SF/Roman)

Un mégaprojet hydro-électrique est en cours au Nouveau-Québec ; le principal outil des travaux est un camion géant, le Multi Motor, familièrement appelé Multi Max, dont le nouveau modèle (MM23) devra aider à l'exploitation minière sur Mars. Pour le premier voyage de Multi Max 23, on a prévu toute une série d'événements médiatisés.

Mais tout se passe mal, le capitaine Lucien Ménord meurt foudroyé au départ, puis, son fils Serge ayant pris les commandes, le camion se détraque et écrase la ville-étape de Halte-au-Hameau, au milieu d'un incendie catastrophique. Cinq Inuit à bord de Multi-Max disparaissent, et on suspecte un sabotage des terroristes Antitouts. Le début de l'enquête policière révèle une intoxication de presque tout l'équipage par le voyagel, une drogue psychotrope. Il se peut aussi qu'ils aient collectivement succombé à une attaque du syndrome d'Arien, qui frappe habituellement les camionneurs du Nouveau-Québec quand tout va trop bien, modifiant entre autres leur perception du temps. Par ailleurs, il semble qu'une image étrange soit apparue devant le camion juste avant la catastrophe, celle de la star polaire, Marik Monet-Snatch, célèbre vedette d'holovision. Un reporter, Jean, est chargé de scénariser ce que son réseau de télévision veut présenter de l'affaire au public – il lui faut donc mener sa propre enquête. Il reçoit l'aide d'Odile Norman, femme de Jérémie Norman, agent de liaison clandestin du réseau TVN, à bord de Multi Max, et dont il est le sosie ; grâce aux bandes vidéo tournées secrètement par Jérémie, Jean constate qu'il semble bien y avoir eu orgie au voyagel et à la vodkola. Son enquête l'amène par ailleurs à rencontrer la doublure de Marik, Hya Kyong, actrice du Théâtre Total, une compagnie théâtrale qui se mêle de près aux affaires aussi bien artistiques que sociales et politiques. Il rencontre aussi un écrivain de science-fiction, J.-P. Kadjak, qui se montre intéressé à son enquête. Enfin, alors qu'il est sous l'influence du voyagel, Jean reçoit (de Jérémie, mais il l'ignore) des informations audio-visuelles concernant les actes d'un Indien naskapi, Tshenu Mishen, lié à la figure mythique du Carcajou, et qui essaie d'arrêter le camion. Les bandes de Jérémie sont finalement détruites, et un reportage fabriqué par J.-P. Kadjak passe en ondes. Jean comprend en fin de compte que c'est le Théâtre Total qui a presque tout arrangé, manipulant aussi bien les Antitouts que la police, l'équipage du camion et Jean lui-même par l'intermédiaire d'Odile et de Hya (mais pas les Indiens). Dans quel but ? Un spectacle total, l'Histoire mise en scène : le modèle Multi Motor 23, qui devait aller sur Mars, est un échec, et c'est ce qu'on voulait dissimuler par ce gigantesque happening-diversion.

AUBRY, Claude
[Morin Heights (Terrebonne), 23 octobre 1914 –]

« Le Violon magique »,
le Violon magique et Autres Légendes du Canada français, [Ottawa], les Éditions des deux rives, [1968], p. 19-21. (F)

Textes et Contextes 3, 2e partie, Cécile Dubé, avec la collaboration de Marie-Noël Lefèvre, Laval, Mondia, [1984], p. 26-32.

Le diable ne peut supporter la fidélité aux observances du carême des gens d'un village. Afin de briser cette tradition, il se présente chez le maréchal-ferrant sous les apparences d'un cavalier. Il séduit la fille de son hôte et l'invite au bal du Mardi gras. L'inconnu, jouant du violon, ensorcelle les danseurs. Au matin, on n'aperçoit que des tuques dansant au-dessus du sol et, au pied d'un arbre, un tas de cendres striées de cordes de violon.

« Rose Latulipe »,
le Violon magique et Autres Légendes du Canada français, [Ottawa], les Éditions des deux rives, [1968], p. 35-39. (F)

En 1700, un fermier, Latulipe, invite les gens à fêter le Mardi gras chez lui. Le jour de la fête, un peu avant minuit, tous s'arrêtent de danser à la demande de Latulipe, par respect pour la convention religieuse. Mais sa fille, Rose, continue de danser avec un inconnu, survenu tard en soirée, qui lui déclare qu'ils sont unis à jamais. En même temps, elle sent une pointe acérée lui piquer la main. Elle s'évanouit et son cavalier se transforme en démon, qui l'emporte dans ses bras. Le curé survient et délivre Rose des mains de Satan.

« La Légende du Rocher Percé »,
le Violon magique et Autres Légendes du Canada français, [Ottawa], les Éditions des deux rives, [1968], p. 43-46. (F)

Pendant la traversée de l'Atlantique, au début de la colonie, Blanche de Beaumont se jette à la mer et disparaît. Des pirates, qui avaient attaqué son vaisseau, aperçoivent sa silhouette abaissant les mains vers leur navire. Ils sont transformés en un rocher dont on trouve encore les vestiges à Percé.

« La Chasse-galerie »,
le Violon magique et Autres Légendes du Canada français, [Ottawa], les Éditions des deux rives, [1968], p. 60-64. (F)

Au XIXe siècle, dans un camp de bûcheron de la Gatineau, le « cook », Joe la Bosse, raconte son aventure de la chasse-galerie avec le « foreman » et six autres bûcherons, la veille du Jour de l'An. À cause de Baptiste, qui était saoul et qui sacrait, le canot plonge dans la forêt. Le foreman disparaît.

« Les Marsouins de la Rivière-Ouelle »,
le Violon magique et Autres Légendes du Canada français, [Ottawa], les Éditions des deux rives, [1968], p. 69-70. (F)

Les pêcheurs de Rivière-Ouelle organisent une pêche aux marsouins et un bal pour célébrer la fête nationale, le 24 juin. Dans la grange où ils festoient, des mains sans corps sortent des murs pour les saisir. Sur la plage, des fantômes à formes humaines apparaissent sur le dos des carcasses de marsouins. Ces derniers se réaniment et laissent derrière eux un sillon d'une phosphorescence lumineuse. Effrayés, les gens s'enfuient.

« Le Loup-garou »,
le Violon magique et Autre Légendes du Canada français, [Ottawa], les Éditions des deux rives, [1968], p. 75-83. (F)

Un soir de Noël, à minuit, le meunier de Saint-Antoine, Joachim Crète, se retrouve devant un loup. Il frappe la bête avec une faucille et perd conscience. À son réveil, il découvre que son engagé a une oreille.ensanglantée.

AUBRY MORIN, Jacqueline
[Montréal, 7 novembre 1948 –]

Molliger. Le triomphe du temps sur la mort,
[Montréal], Beauchemin, [1979], 174 p. [Sous le nom de Jacqueline MORIN]. (Hy/Roman)

Intoxiquée, Victoire apprend à développer ses pouvoirs parapsychologiques et à adopter une nouvelle philosophie de la vie grâce à Philippe, lui-même doté de pouvoirs paranormaux. Dix ans plus tard, le mari et les deux enfants de Victoire périssent dans un accident. Elle fait une fausse couche et sombre dans le coma. Après sa guérison, son fils Valérian et un personnage nommé le Grand Sage lui apparaissent pour lui annoncer qu'elle doit continuer sa mission bénéfique. Elle défend une victime de viol, aide les sinistrés d'un tremblement de terre, sauve Yvar de la drogue et l'épouse. Elle accouche d'un être qui est la réincarnation de son premier enfant, Valérian.

La Filière du temps. L'histoire de Doucy Riverside,
[Longueuil], Inédi, [1980], 176 p. (SF/Roman)

Doucy Riverside, savante, écrivaine et immortelle, tombe amoureuse d'Anthony Stevenson, chercheur et mortel. Des voyous s'acharnent sur Doucy et tentent à deux reprises de la tuer. La chair de Doucy se régénère en quelques heures. De retour de vacances avec Anthony et ses deux enfants, ils sont attaqués. Les deux jumeaux meurent, Anthony est gravement blessé. Doucy s'échappe, enlève Anthony de l'hôpital et l'emmène dans la machine à voyager dans le temps qu'elle expérimente. La machine se dérègle. Ils atterrissent en plein désert. Des hommes étrangers font feu sur eux. Doucy pleure sur le corps d'Anthony.

AUBUT, Danièle

[

« Lirsima »,

Pour ta belle gueule d'ahuri, n° 1 (vol. I, n° 1, 1979), p. 16-17. (SF)

Une mission interdisciplinaire de la Terre visite la planète de Lirsima, un monde où les gens sont très prévenants et où tout est harmonie de musique et de couleurs. Myrianne, femme de Boris, donne naissance à un bel enfant. Les autorités décrètent que le nouveau-né doit rester sur Lirsima. Lorsque le couple tente de partir avec l'enfant à bord, la mécanique ne répond pas. Boris découvre que l'enfant a un cou étrange et émet des sons musicaux. Il revient seul au pays laissant Myrianne et l'enfant lirso-terrien.

AUDE [pseudonyme]. V. **CHARBONNEAU-TISSOT, Claudette.**

AUGER, Jacques. V. **APRIL, Jean-Pierre.**

B

BACHAND, Denis

[Granby, 4 mars 1948 –]

« Demain, l'éveil »,
l'Écran. Revue québécoise de bandes dessinées, n° 4 (1974), p. 40-41. (« Les Contes de l'étrange »). (SF)

Après la mutation de l'an Nil, tous les humains sont génétiquement et psychologiquement programmés pour s'insérer parfaitement dans « l'Entreprise ». Bayton attend avec impatience le lendemain, jour de sa promotion comme chercheur-analyste des sols et comme membre officiel de l'Entreprise. Cependant, de l'île bleue, il reçoit de son ami Sig un appel coupé par un système automatique. Des souvenirs de son enfance avec Sig, indésirables selon son développement professionnel, remontent à la surface et le troublent. Il fait des rêves étranges. Le lendemain, Bayton essaie sans succès, malgré l'interdiction, de contacter un ami à partir de l'île bleue.

BAILLARGEON, Paule

[1945 –]

« Formolium »,
Pour ta belle gueule d'ahuri, n° 1 (vol. I, n° 1, 1979), p. 12-13. (SF)

À la suite d'expériences destinées à produire un bébé-éprouvette, naît un monstre doué d'un super-cerveau. Un médecin le conserve dans un bocal de formol. L'enfant est extrêmement précoce. Il ne tarde pas à manger ses membres rachitiques pour pouvoir se créer un second et un troisième cerveaux. Le médecin, qui le croyait mort, s'aperçoit qu'il lit dans ses pensées et il veut détruire ce monstre. Le cerveau comprend instantanément cette pensée et frissonne.

« Fin »,
Pour ta belle gueule d'ahuri, n° 2 (vol. I, n° 2, 1979), p. 5. (SF)

Un corps étranger observe un monde inconnu. Au loin, une lumière s'avance. Elle détruit tout sur son passage. Comprenant les implications de ce fléau, le corps étranger décide de la mort de la lumière.

BANVILLE, France
[

« L'Envol »,
Libertinons, Lévis, Polyvalente de Lévis, mai 1979, p. 35. (Hy)

Une jeune fille se suicide et traverse un long corridor où défilent des visages. Elle se retrouve peu après dans une enveloppe noire, attachée par un cordon, puis dans les bras d'une femme, qui est sa mère dans sa nouvelle vie.

BARBE, Jean
[1962 –]

« La Faim du monde»,
Solaris, n° 45 (vol. VIII, n° 3, juin-juillet 1982), p. 11-14. (SF)

Deux récits s'entrecroisent dans cette nouvelle : celui d'Otton Pellagre et celui de l'enfant Adémar Chabannes. À la veille du troisième millénaire, divers prophètes, dont Michel Notre-Dame, annoncent la fin du monde et l'apocalypse. Pour mieux profiter de ces derniers jours à vivre, Otton Pellagre a laissé son emploi pour dormir, se laver, manger (pour mourir gras) et faire l'amour. Quant à Adémar Chabannes, il joue à l'espion, attend Noël avec impatience et espère de beaux cadeaux. Il écrit au Père Noël. Ses parents l'ont enfermé dans le grenier où il passe son temps à regarder par la fenêtre. Le premier janvier 3000, il s'éveille mais sa mère n'est plus là pour le nourrir. Le dernier paragraphe révèle qu'il s'agissait d'une émission historique diffusée en l'an 4000.

« Point de fuite »,
Solaris, n° 50 (vol. IX, n° 2, mars-avril 1983), p. 38-41 (F) ;

Aurores boréales 1. 10 récits de science-fiction parus dans la revue *Solaris*, sous la direction de Norbert Spehner [Longueuil], le Préambule, [1983], p. 181-193. (Collection « Chroniques du futur », n° 7).

Un homme s'est entraîné pour devenir Grimpeur. Pour ses vingt ans, il se présente devant un immeuble banal à un portier insignifiant qui contrôle les papiers et vérifie son sac. Puis il commence à grimper l'Escalier. La montée est facile. Il rencontre des Bombeurs qui redescendent sans avoir atteint le palier final rempli de richesses, selon les légendes. Le premier palier le déçoit : pas de récompense, pas d'accueil mais un ancien qui dépouille les nouveaux arrivants de leurs affaires. Plus il monte, plus l'Escalier est encombré. Il entend une musique (signe de la fin, selon les légendes) et se précipite pour finalement s'écrouler de fatigue. À son réveil, il constate que c'est un Stradhouder (un ancien) qui joue de l'harmonica. Celui-ci reprend la montée et disparaît. L'homme le recherche, se repose et reprend la montée lentement en se parlant à lui-même. Une Bombeuse stradhouder redescend. Elle a compris que l'Escalier est un piège et désire retrouver la ville et ses amis d'enfance avant de mourir. Elle a rencontré l'homme qui se parlait à lui-même en montant péniblement. Elle se dépêche de descendre, mais elle est vieille et cela lui devient de plus en plus difficile. L'homme est assis dans l'Escalier, à bout de souffle. Un vieillard, qui redescend, lui dit avoir monté jusqu'en haut et que, là, de jeunes gens bercent et servent les vieillards. Le Grimpeur trouve le vieillard stupide de redescendre puisque, lui, n'aspire plus qu'au repos. Il se rappelle son enfance, les légendes entendues à propos de l'Escalier et les difficultés de la montée. Il se dit qu'il n'a plus la force de continuer. Une vieille femme le croise et éprouve de la pitié pour le vieux Grimpeur aux jambes pourries qui a échoué dans sa tâche. Elle est Grimpeuse et se rassure en tournant résolument le regard vers le haut.

« Tous des apprentis »,
Espaces imaginaires II. Anthologie de nouvelles de science-fiction réunies par Jean-Marc Gouanvic et Stéphane Nicot, Trois-Rivières, les Imaginoïdes, [1984], p. 69-81. (SF)

Une équipe travaille à atteindre l'objectif ultime : l'utopie, l'harmonie parfaite sur tous les plans. Pour la seconde fois du siècle, cet objectif est presque atteint. Il ne reste plus que quelques insatisfaits, dont un apprenti que l'équipe du grefford central fait transférer dans un monde de plaisir : l'utopie est réalisée. Malheureusement, l'insatisfaction reprend bientôt, obligeant les gens du grefford central à se remettre à la tâche.

« Bienvenue dans le monde merveilleux de l'altérité »,
Dix nouvelles de science-fiction. Avant-propos d'André Carpentier, [Montréal], Quinze, [1985], p. 45-64. [Avec la collaboration de Marc PROVENCHER]. (SF)

Victor visite d'autres mondes en consommant une drogue, l'altérité. Dans ces mondes, il retrouve d'autres capsules, qui l'amènent toujours plus loin de son point de départ. Dans ses fantasmes (ou est-ce la réalité ?), il est poursuivi par un homme au chapeau mou. La poursuite s'engage dans une suite de mondes en constantes mutations. Enfin, Victor se dégage pour de bon en injectant de la drogue à l'homme et en prenant lui-même une dose massive du même produit. Son corps se modifie et il disparaît hors de l'univers intelligible.

BARCELO, François
[Montréal, 4 décembre 1941 –]

Agénor, Agénor, Agénor et Agénor. Roman,
[Montréal], Quinze, [1980], 318 p. (Collection « Prose entière ») (SF/Roman) ;
[Montréal], l'Hexagone, [1988], 395 p. (« Typo Roman », n° 23).

Dans un pays imaginaire (qui pourrait être le Québec de la fin du XIXe siècle), Marie-Clarina Euterpe (fille d'Agénor 1) et des villageois de Sans-Hommes-ni-Rivières, après qi'ils aient vu trois objets volants ressemblant à des soucoupes, rencontrent une petite créature verte que Marie entraîne chez elle. Il s'agit d'Agénor 2, extraterrestre télépathe de nationalité quantasque, natif de la planète Blanante et naufragé sur la Terre. Toute la communauté l'accueille finalement avec sympathie. Une fois installé, il fait l'amour avec Marie-Clarina et avec la très jeune Désirée O'Brien, fille aînée de Tramore, à qui il fait un enfant, qui sera baptisé Agénor. Il retourne ensuite chez lui, secouru par son frère Mérinos,qui, avec lui, a sauvé la communauté d'un groupe de soldats zanglais. Des prospecteurs d'or, en route pour Voldar, s'arrêtent brièvement au village. Marie-Clarina et Désirée, avec le bébé Agénor 3, décident de suivre un de ceux-ci. Exploités par un propriétaire de mine, les travailleurs se mettent en grève, ce qui vaut des ennuis à Marie-Clarina, meneuse du groupe. Mais un météorite la sauve d'un sort pire que la mort aux mains de Monument Thal, à la solde du propriétaire minier. Entre-temps, Agénor 3, qui n'a aucun des pouvoirs télépathiques de son géniteur, a appris de Marie-Clarina à jouer du piano, sans piano. Le temps passe ; Dominique, les deux femmes et Agénor 3 finissent par quitter la mine pour retourner chez eux. Après avoir bénéficié de la générosité d'un aubergiste sourd mais mélomane, Aristide Psoriasis, ravi par la musique enfin jouée sur un vrai piano, les deux femmes s'arrêtent à Ville-Dieu, où il leur faut survivre ; Marie-Clarina devient serveuse de taverne ; Désirée se prostitue en toute bonne foi et obtient beaucoup de succès, entretenant ainsi son fils et Marie-Clarina. Elle finit par susciter la passion d'Hilare Yon, riche armateur de la ville dont la femme, Mélodie d'Amour, s'éprend secrètement d'Agénor 3. Celui-ci, cependant, se rend compte qu'il nourrit une passion incestueuse pour sa mère et décide, pour y échapper, de s'enrôler dans l'armée qui va combattre sur l'Ancien Continent, guerre qui est la conséquence malencontreuse d'une partie jouée entre Dieu et le Fils. Il y meurt, malgré les efforts de son père Agénor 2, revenu sur Terre pour retrouver Désirée. Entre- temps, est né le fils que Mélodie d'Amour a réussi à se faire faire par Agénor 3 avant son départ ; il est baptisé Agénor.

La Tribu,

[Montréal], Libre Expression, [1981], 303 p. (F/Roman)

Mousse sur le navire d'un explorateur, Jean-François débarque sur le Nouveau Continent. Égaré dans la forêt, il échange quelques mots avec une couleuvre qui se moque de lui et est recueilli par la tribu des Clipocs qui le rebaptisent Jafafoua mais qui apprennent sa langue, le vieux-paysan. Un des plus anciens membres de la tribu, Grand-Nez, raconte un jour sa longue vie de millénaire à Jafafoua. Dérangée par la guerre entre les Zanglais et les Vieux-Paysans, les Clipocs émigrent vers le nord. Là, les Clipocs décident d'entrer dans l'ère de progrès : ils instituent l'école et deviennent civilisés et industriels. Croyant en leur supériorité, ils massacrent une tribu voisine mais les anciens, trouvant la chose honteuse, détruisent tout et font déménager la tribu, qui est ballottée de mésaventures en mésaventures. À la fin, Grand-Nez, le vieillard millénaire, veut se suicider mais une petite couleuvre, qui intervient souvent dans le cours de l'histoire des Clipocs, l'en dissuade. Prenant ses distances par rapport à son récit, le narrateur parle du pouvoir de l'écrivain.

« Écrivains XXIII »,

Imagine..., n° 10 (vol. III, n° 1, automne 1981), p. 111-116 (SF) ;

les Années-lumière. Dix nouvelles de science-fiction réunies et présentées par Jean-Marc Gouanvic, [Montréal], VLB éditeur, [1983], p. 55-61.

Un écrivain québécois, Médéric Forget, doit écrire un texte sur la nordicité pour la revue *Imagine...* Manquant d'inspiration, il demande à l'ordinateur les techniques anciennes d'écriture pour essayer de faire un portrait de l'écrivain québécois primitif. Il se met à rêver à l'écrivain idéal : sans mots, sans machines, sans rien. Il s'endort sans avoir décidé quel serait le sujet de son histoire pour *Imagine...* Dépourvu d'oreilles, d'yeux et de nez, il ne se réveille pas à l'arrivée de deux jeunes médecins dans la salle Écrivains XXIII. Le récit précise que là se trouvent des cerveaux d'écrivains branchés à un ordinateur qui leur fait croire qu'ils ont des lecteurs et des commandes, en vertu d'une loi sur la conservation des biens culturels.

Ville-Dieu,
[Montréal], Libre Expression, [1982], 269 p. (F/Roman)

Campés dans une ville imaginaire nommée Ville-Dieu, plusieurs personnages vivent des aventures étranges. Hervé Desbois, un soldat manchot, subit des permutations psycho-physiques, d'abord avec un médecin, ensuite avec une femme pendant qu'ils font l'amour et, finalement, avec un voleur de banque en pleine action. Dans ce dernier corps, il meurt. Par ailleurs, Nicolosk, gardien d'un tombeau et portier d'une cathédrale, est promu ironiquement au rang de saint et de thaumaturge du Mont Dieu ; il semble faire de nombreux miracles. Fernand Fournier, quant à lui, découvre qu'il peut influencer les résultats des parties de hockey. Enfin, la ville elle-même est victime d'une catastrophe (naturelle ou surnaturelle), causée par une crue des eaux apparemment provoquée par les larmes des habitants attristés.

« L'Homme qui faisait arrêter les trains »,
Dix contes et nouvelles fantastiques par dix auteurs québécois, [Montréal], Quinze, [1983], p. 31-37 (F) ;

Intimate Strangers. New Stories from Quebec. Edited by Matt Cohen and Wayne Grady, [Markham, Ontario], Penguin Books, [1986], p. 19-36. [Traduit par Matt Cohen sous le titre « The Man Who Stopped Trains »].

En lisant un livre sur la télépathie, Gonzague Gagnon pense qu'il peut développer ce pouvoir pour son compte. Il est certain d'être capable d'arrêter des trains puisque, à plusieurs reprises, un train s'arrête au même endroit lorsqu'il en a donn l'ordre. Quelques années plus tard, voulant attirer l'attention d'une pêcheuse, il se place sur la voie ferrée et ordonne au train de s'arrêter. Le train s'immobilise tout près de Gonzague. Le chef de train, en colère, lui donne un coup de poing qui l'envoie dans une rivière où il se noie.

« Les Semeurs de robots »,
Espaces imaginaires I. Anthologie de nouvelles de science-fiction réunies par Jean-Marc Gouanvic et Stéphane Nicot, Montréal, les Imaginoïdes, [1983], p. 45-51 (SF) ;

Anthologie de la science-fiction québécoise contemporaine. Introduction et choix de textes par Michel Lord, [Montréal], BQ, [1988], p. 39-51. (« Bibliothèque québécoise, Littérature »).

Deux jeunes gens, Sartre et Loren, s'inscrivent au Centre de revitalisation physique et au mouvement Retour aux sources. Ils achètent des graines de robots et en plantent à la campagne. Découragés de constater que leur modèle, le Bardot, égratigne lorsqu'il gratte, ils reviennent en ville, près de leur ordinateur. Un homme passe sur les lieux de leur culture et y trouve des milliers de robots plus ou moins vivants, brisés.

BARON FOU, le [pseudonyme]. V. **SIMARD, Benoît.**

BASILE, Jean [né **BEZROUDNOFF**]
[Paris, 1932 –]

Le Piano-trompette. Roman,
[Montréal], VLB éditeur, [1983], 404 p. (Hy/Roman)

Après la seconde période de « Grand Gel », dans une Île (celle de Montréal) passablement délabrée, M. Barnabé, alias le fils d'encouragement, – être profondément médiocre et plusieurs fois déraciné, – se met à la recherche du piano-trompette, qui est pour lui l'expression du bonheur. Il y parviendra, au terme d'une longue quête, aidé, puis abandonné par des puissances supérieures venues de l'au-delà, dont Raspoutine.

BEAUCHAMP, Germain-Guy
[Montréal, 30 juillet 1946 –]

« Une relation oubliée »,
la Nouvelle Barre du jour, n°s 79-80 (juin 1979), p 45-51. (SF)

L'historien Adrien Saint-Clair a découvert la relation d'un Jésuite inconnu, dont on ne trouve aucune trace dans les *Relations des Jésuites* en Nouvelle-France. Les quelques feuillets, datés du 24 février 1663, relatent la rencontre entre le Père Joséphat Valois et deux extraterrestres. Dans son récit, le Jésuite décrit l'apparition d'un vaisseau spatial d'où sortent un mâle et une femelle à forme humaine. La femelle s'approche du Jésuite, pose ses mains sur lui et, par télépathie, lui suggère des images de coït. Le Père Valois, nu et figé sur place, y prend un certain plaisir. Après que la femelle eut recueilli sa semence dans une fiole et lui eut fait part de ses projets, le Jésuite lui demande que l'enfant qui naîtra là-haut dans les étoiles soit baptisé et porte le nom de Manuel.

« Ne faites pas l'idiot, Monsieur Dostoïevski »,
la Nouvelle Barre du jour, n°s 79-80 (juin 1979), p. 151-153. (SF)

Lors de ses crises d'épilepsie, Fiodor est entraîné dans d'étranges contrées où, chaque fois, il n'est pas tout à fait maître de la situation. Cette fois, il se retrouve à la Prison des morts, triste vision de l'enfer de l'avenir. Une femme, celle-là même qui lui a dit : « Ne faites pas l'idiot, Monsieur Dostoïevski », intervient dans le continuum afin de lui interdire ses sorties astrales. Pour éviter une crise inconvenante, Fiodor, en se concentrant sur l'insigne doré que porte la femme, se dématérialise et se retrouve auprès de son enfant dont il change les langes. Ainsi la grande Russie chrétienne et civilisatrice n'est pas pour demain. Fiodor croit malgré tout en la bonté de l'homme : « Oui, il ferait l'idiot ».

BEAUJOUR, Alain-Yves
[

« La Chienne »,
Nous, août 1973, p. 40-42. (F)

Un peintre, Nicolas, ramène chez lui une chienne errante, un animal puissant ressemblant à un loup. Après le souper, il entreprend une nouvelle toile dont le résultat lui semble médiocre. Pendant la nuit, les bruits de l'animal l'éveillent. Effrayé, il voit une femme à quatre pattes sur le sol. Elle hurle et l'attaque. Nicolas fuit dehors et lance une pierre qui atteint la femme-louve. Puis, il se barricade dans la maison. Au matin, il s'aperçoit que la toile représente exactement cette bête. Il brûle la toile pendant que, dans le pré, les charognards se disputent le cadavre velu de la chienne.

BEAULIEU, Claude
[Montmorency, 5 mai 1962 –]

« Mystère éclairci »,
Requiem, n° 25 (vol. V, n° 1, février 1979), p. 14. [Avec la collaboration de René BEAULIEU]. (SF)

Après de nombreuses années de recherche, un savant perce le mystère des trous noirs en surprenant les conversations des étoiles. Ce sont en fait des « étoiles déconnectées qui n'ont pas payé leur compte d'électricité ».

BEAULIEU, Marcel
[

« Mécanique amour à *Mono-Bar* »,
Solaris, n° 50 (vol. IX, n° 2, mars-avril 1983), p. 45-48. (SF)

Djok Orgape vit dans un monde où tout est prévu. Il n'a donc aucune décision à prendre. Il se pose tout de même des questions. Ne trouvant jamais les réponses, il devient de plus en plus nerveux. Pour se calmer, il s'injecte « une larme de mirage », mais, cette fois, l'effet est différent. Au lieu de voyager vers le miraculeux *Baba-bar*, il se résigne à se rendre au *Mono-bar*, où il rencontre un être qui le trouble et lui fait boire un liquide aphrodisiaque. En procurant à Djok de grandes jouissances, Loppe Wak ne fait toutefois que son travail. Tout comme Djok est harcelé par ses questions sans réponse, cette femme-bête ne rêve que de liberté. Après sa nuit hallucinante, Djok tente l'impossible pour retourner au *Mono-bar*. Mais Loppe n'y est plus ; « c'est le vide ». Il se branche donc à sa « mémoire sélective » pour revivre les sensations qu'il ne peut plus ressentir.

BEAULIEU, Michel
[Montréal, 31 octobre 1941 – Montréal, juillet 1985]

« Science-friction »,
Hobo/Québec, vol. I (juin-août 1973), p. 12. (SF)

Un homme mis en attente cryogénique est ramené peu à peu à l'état normal. Alors qu'on le croit inerte, vide de toute impulsion cérébrale, il pense à une amante. Aussi le premier signe qu'il donne de son « retour » est une éjaculation et le murmure d'un nom que les biotechniciens ne comprennent pas.

BEAULIEU, René
[Montmorency, 4 juin 1957 –]

« Deux utopies »,
Requiem, n° 20 (vol. IV, n° 2, mars 1978), p. 9-11. (SF)

Des années après la grande révolution intérieure, des extraterrestres débarquent un peu partout sur la terre et cherchent à communiquer avec les nuages. Ils refusent tout contact avec les humains et se livrent à des pratiques étranges telles que lire un mystérieux petit livre rouge et psalmodier des chants lugubres tous les jours aux mêmes heures du soir. Un an plus tard, les extraterrestres démontent les machines et le grillage qu'ils ont installés autour de leur vaisseau et réintègrent leur habitacle. Au bout d'une semaine, ils en ressortent haineux et armés, tuant tous les humains sur leur passage. Le narrateur s'échappe et réussit à dérober un petit livre rouge à un E.T. qui a brûlé sa femme et sa fille. Caché dans une grotte de la montagne, il parcourt le petit livre, y cherchant une explication à de tels agissements, et comprend que c'est une fiction datant d'avant la grande révolution que des humains exilés (devenus mutants E.T.) ont pris comme bible. Déçus de ce qui n'est pas arrivé, ils s'en prennent aux humains. Le narrateur meurt brûlé par les E.T.

« Tarmael ou la Quête »,
Requiem, n° 21 (vol. IV, n° 3, mai 1978), p. 8-11. (SF)

Tarmael a été choisi avec cinq autres guerriers par les Vénérables du village pour aller chercher une des reliques qui protégerait le village contre le Grand Éclair. Après plusieurs aventures, il se retrouve dans le désert, près d'une grotte bien gardée contenant une des reliques. Il enfourche un « six-pattes » qu'il parvient à dérober, non sans avoir semé les gardiens du trésor et affronté un géant qu'il terrasse. Il revient au village, où il est acclamé comme un héros. Lors de la cérémonie, on découvre la relique que tout le monde vénère : une bouteille de Coca-Cola vide, fabriquée avant le Grand Éclair.

« Une question monsieur, s. v. p. »,
Pour ta belle gueule d'ahuri, n° 2 (vol. I, n° 2, 1979), p. 14. (SF)

Assailli par des êtres armés d'instruments sophistiqués, un Citoyen les attend de pied ferme mais ne réussit qu'à en tuer deux avant d'être fait prisonnier. Les assaillants l'interrogent dans le cadre de la Consultation, un sondage effectué par insertion d'un implant reliant le cerveau du Citoyen à un ordinateur.

« La Maudite »,
Solaris, n° 32 (vol. VI, n° 2, avril 1980), p. 5-15. [Avec la collaboration d'Élisabeth VONARBURG] (SF) ;

Légendes de Virnie, [Longueuil], le Préambule, [1981], p. 135-165. (Collection « Chroniques du futur », n° 3).

Jactanondha vit avec son père, Janroch, Prime Sorcier, qui se désole de n'avoir qu'une fille. Arrivent au village un enfant et sa mère, à moitié morts de faim. Janroch les accueille. La mère meurt mais l'enfant, Mersaïlech, grandit au village. Amoureux de Jactanondha, il lui demande de l'épouser, mais elle le repousse et il promet de se venger. Il entraîne Janroch dans une expédition à Couvres, ville mystérieuse où vivent les mutants. Janroch n'en reviendra pas. Au bout d'un certain temps, Mersaïlech revient, modifié physiquement et méconnaissable. Il kidnappe Jactanondha, la maltraite, la viole et, finalement, lui injecte une substance qui lui fera donner la mort à ce qu'elle touche. On l'appelle alors « la maudite » ; tous la repoussent et elle est condamnée à errer, seule. Un jour que des hommes veulent la lapider, Karthaar la sauve mais elle le blesse et se sauve. Karthaar la rattrape, la convainc de tout lui confier et, finalement, l'épouse. Karthaar meurt mais Jactanondha donne naissance à un enfant en santé.

« Le Geai bleu »,

Solaris, n° 36 (vol. VI, n° 6, décembre 1980), p. 17-24 (SF) ;

Légendes de Virnie, [Longueuil], le Préambule, [1981], p. 167-186. (Collection « Chroniques du futur », n° 3).

Jéphéré accourt au chevet de Judithe, malade. Utilisant ses pouvoirs de Prime Sorcier, il lui remémore, dans son inconscience, leur rencontre et leur amour. Jéphéré, alors adolescent, a été envoyé pour livrer des lettres à des Primes Sorciers, quand il est attaqué par un « chat-sabre ». Judithe, une changeante, volant sous la forme d'un geai bleu, a surpris la scène. Elle se transforme alors en ourse et délivre Jéphéré, qu'elle transporte dans sa cabane sous la forme d'une « sipatte ». Elle le soigne. Lui, impressionné d'être chez une élue, s'instruit et se rétablit rapidement. Un mystère demeure : Judithe portait une cagoule quand elle prenait la forme humaine. Ils en viennent toutefois à s'aimer, mais Jéphéré soulève la cagoule pendant le sommeil de Judithe ; découvrant un visage brûlé, il s'enfuit. Cependant, revenu auprès de Judithe malade, il demeure avec elle, l'aimant telle qu'elle est. Judithe meurt heureuse. Jéphéré la brûle sur un bûcher que les oiseaux entourent. Il promet alors de ne plus utiliser son don.

« L'Arbre »,

Légendes de Virnie, [Longueuil], le Préambule, [1981], p. 13-17. (Collection « Chroniques du futur », n° 3). (SF)

Anna s'éveille parce qu'elle entend une voix qui l'appelle. Elle se rend auprès de l'arbre ; le vieux sage, qui connaît tout, lui raconte des histoires.

« Miroirs »,
Légendes de Virnie, [Longueuil], le Préambule, [1981], p. 19-42. (Collection « Chroniques du futur », n° 3). (SF)

Alex et Nancy survivent à l'écrasement de leur vaisseau sur une planète au climat difficile. Péniblement, ils s'installent en attente du prochain vaisseau exploratoire prévu dans 30 ans. Cinq ans après leur arrivée, Nancy accouche d'une petite fille, Catherine, avant de mourir. Lors de la quinzième année de Catherine, Alex est atteint de leucémie. Catherine le convainc de lui faire un enfant, sa raison de vivre après la mort d'Alex. Nadine a huit ans quand arrive enfin le vaisseau tant attendu

« Oncle Franz »,
Légendes de Virnie, [Longueuil], le Préambule, [1981], p. 43-65. (Collection « Chroniques du futur », n° 3). (SF)

Une petite fille, Danielle, se lie d'amitié avec son oncle, Franz Lieberman, qui tient un commerce. Le vieillard, Juif allemand réchappé des camps nazis, tombe gravement malade. Inquiète, la fillette, pénètre chez le vieil homme. À l'intérieur, une voix, que le vieil homme a refoulée pour pouvoir survivre sur cette terre, essaie d'avertir la fillette du danger de contagion. Cette voix révèle que le vieillard est un extraterrestre qui a survécu à l'écrasement de son vaisseau (*l'Animal*) et qui s'est adapté en oubliant ses pouvoirs. Danielle tombe malade. L'oncle, convalescent, se rend à l'hôpital. La voix le guide dans le but de sauver Danielle. Parvenant à sa chambre, il concentre toutes ses énergies. L'enfant se porte mieux lorsque l'infirmière arrive. Un petit tas de centres bleues couvre le sol de la salle.

« Lorraine la trouvère »,
Légendes de Virnie, [Longueuil], le Préambule, [1981], p. 69-89. (Collection « Chroniques du futur », n° 3). (SF)

Lors d'une excursion de chasse, Martin tue son premier bison et apprend qu'une troupe de comédiens et de chanteurs est arrivée en ville. Il se rend sur la Grande Place et rencontre une jeune femme, Lorraine, qui chante en s'accompagnant de la guitare. Martin se sent bien avec elle, au point de lui laisser entendre qu'il refuse le don d'empathie qu'il possède. Ils se donnent rendez-vous après le spectacle, où l'on jouera des « Légendes de Virnie ».

« La Petite Sorcière »,
Légendes de Virnie, [Longueuil], le Préambule, [1981], p. 91-98. (Collection « Chroniques du futur », n° 3) (SF) ;

Anthologie de la science-fiction québécoise contemporaine. Introduction et choix de textes par Michel Lord, [Montréal], BQ, [1988], p. 51-60. (« Bibliothèque québécoise, Littérature »).

Un trappeur boiteux, Matthéek, exilé de Virnie, est dans la forêt du territoire de Mingue. Il trouve le cadavre de la « sorcière » Ivana et, non loin, le corps blessé de sa fille Ivanassa. Il tente de la guérir, sans succès. Mais, avant de mourir, la « petite sorcière », Ivanassa, guérit la jambe de Matthéek, grâce à son pouvoir de mutante psychique.

« La Fille »,
Légendes de Virnie, [Longueuil], le Préambule, [1981], p. 99-133. (Collection « Chroniques du futur », n° 3). (SF)

En compagnie de son oncle Jordanne, cartographe, Wiliam explore des contrées qu'habitent des races inconnues de lui. Tous deux se rendent à Lexington où les Blaques, hommes et femmes noirs, les accueillent. D'abord effrayé par leur aspect différent, Wiliam admire Daïanne, la souple danseuse, et finit par se lier d'amitié avec elle. L'oncle et le neveu quittent la ville et rencontrent un couple, mort aux mains des « buveurs de vie ». Ils partent à la recherche des agresseurs puisque les traces supposent que des enfants sont prisonniers. À l'affût, près du campement des mutants, ils attendent. Lors de l'assaut, les deux mutants adultes sont tués. Une fille vampire attaque Wiliam mais il la contient pendant que Jordanne retrouve l'enfant humain, Walton. Décidé à ne pas tuer la fille, Jordane et Wiliam entreprennent le voyage pour la rapprocher du territoire des siens. Sur une passerelle qui cède, Wiliam sauve la fille. Comme elle devient moins agressive, ils la libèrent des liens qui l'entravaient depuis le début du voyage. Un jour, elle mord Wiliam au poignet. Il se sent engourdi et est plongé dans un monde de jouissances et de chaleur dont il revient avec des sentiments d'attirance et de peur. Au bout du voyage, la fille part sur le « sipatte » qu'ils lui ont laissé. Au soir, Wiliam et son oncle s'installent dans une caverne. Des nomades, sortes de brigands, s'installent près de leur campement. Au moment où l'un d'eux est sur le point de découvrir leur trace, la fille sur le « sipatte » survient. La tribu des nomades s'en empare. Ils la battent, la crucifient et la saignent au milieu de festivités barbares. Pendant ce temps, Walton et Jordane maîtrisent Wiliam qui veut intervenir. Le lendemain, il détache le corps de la fille. Jordanne et Walton abandonnent Wiliam.

« Lorraine la trouvère (suite) »,
Légendes de Virnie, [Longueuil], le Préambule, [1981], p. 187-200. (Collection « Chroniques du futur », n° 3). (SF)

Martin retrouve Lorraine après un spectacle et l'invite chez lui où elle passe la nuit. Au matin, ils partent visiter la ville et Martin l'amène dans un endroit secret, au centre du Jardin, dont la flore luxuriante envahit les mines laissées par les Destructions et présente même des spécimens rares résultant de mutations. En confiance, il ouvre peu à peu son esprit de rêveur à la télépathie et à l'empathie. Lorraine lui démontre qu'elle a le même don et que, lorsqu'il l'aura accepté lui-même, il pourra la rejoindre à Stafford et se joindre à la Troupe.

« **Partage** »,
Infos Bulletin (Hull), n° 3 (avril 1981), p. 36. (SF)

Un Terrien, Julien, subit l'assimilation de la communauté altaïrienne au nom de son amour pour l'une des filles de ce peuple extraterrestre.

« **Cendres** »,
Solaris, n° 53 (vol. IX, n° 5, automne 1983), p. 11-23 (F) ;

Solaris, n° 54 (vol. IX, n° 6, janvier-février 1984), p. 15-19. [Revu et corrigé].

Thomas et Sandra sont victimes d'un accident de voiture. Le récit livre deux versions, l'une se déroulant dans le monde des vivants, et l'autre, dans celui des morts. Dans le premier, Thomas, grièvement blessé, est hospitalisé et revit l'accident où Sandra est morte. Dans le second, le docteur Périès transporte les blessés dans sa propriété où ils se rétablissent rapidement. Mais Thomas se sent enfermé et désire partir. Sandra se transforme et ressemble de plus en plus à Nicole. Un jour que Sandra et Thomas se promènent dans le parc, des statues brûlantes les attaquent après qu'elles aient traversé le mur. Le docteur Périès prononce des mots secrets et celles-ci retournent de l'autre côté du mur. Sandra et Thomas demandent des explications ; Sandra comprend à demi-mot, alors que Thomas désire s'en aller. Le lendemain matin, il se retrouve à l'hôpital dans l'autre monde, pleurant la mort de Sandra et regrettant de n'avoir pu la suivre.

« **L'Énergie des esclaves** »,
Antarès (France), vol. X, [1983], p. 66-82. (SF)

Emprisonné par l'Ordre pour grève illégale, Jérôme Gilsen est frigorifié puis décongelé pour accomplir une mission obligatoire. Il doit descendre au creux d'une planète afin d'extraire de l'iridium. On introduit dans sa mémoire tout ce qui a trait aux foreuses de type « meule ». Une fois la meule ancrée et le forage commencé, une tempête survient. Gilsen demande alors à l'ingénieur de le remonter, mais la meule est arrachée et Gilsen, blessé, demeure coincé dans sa machine. Au bout d'un certain temps, l'oxygène se raréfie et Gilsen, retirant son casque, se laisse mourir.

« Les Survivants envieront les morts »,
Carfax, n° 5 (2e année, mars 1985), p. 33-35. (SF)

Survivants de l'holocauste, 5 000 mutants attendent d'être engloutis par un immense nuage rouge. Finaud, le chef, fait venir un vieillard qui sait invoquer une idole de fer à l'image de Dieu. De celle-ci sort un être qui les sauve en les amenant vers le ciel, là où ils n'auront plus peur.

« Inaccessible »,
Nouvelle(s) SF francophone(s) : Quatrième vague... Bientôt la marée ! Une anthologie de Roland C. Wagner éditée par Dana et Éric Odin, [Nogent-sur-Marne], L[es] P[ublications] E[xtraordinaires], [1982], p. 31-34. (« Extraordinaire spécial, n° 1 [n° 5 Bis »]) (SF) ;

Carfax, n° 7 (2e année, juin 1985), p. 5-9.

Un homme, présumé mort depuis dix ans, revient, sous forme de « diffusion », auprès de Gabrielle, sa femme, qui ne peut le voir. Ils travaillaient à mettre au point un prototype voyageant à la vitesse de la lumière. Avant le premier départ, il a eu peur pour Gabrielle, l'a poussée à l'extérieur et est resté seul. À son retour, il n'est plus que l'image de lui-même, sans consistance. Tous les soirs, il revient la voir mais, lentement, son énergie s'étiole et il disparaît. Il ne demande qu'une faveur : pouvoir, un soir seulement, retrouver sa consistance pour étrangler celui qui couche maintenant avec Gabrielle.

BEAULIEU, René. V. **BEAULIEU, Claude.**

BEAULIEU, Victor-Lévy
[Saint-Paul-de-la-Croix, 2 septembre 1945 –]

Una. Romaman,
[Montréal], VLB éditeur, [1980], 234 p. (Hy/Roman)

Una, une petite fille, souffre de devoir vivre avec France, sa mère, alcoolique et invalide, ses deux grands-pères vicieux et Abel, son oncle, qui s'enferme toute la journée pour écrire un livre sur Melville, l'auteur de *Moby Dick*. Pour fuir, Una imagine que la Mère très cochonne du Royaume des Morts vit dans la cave de leur demeure. Elle croit aussi que l'ancien propriétaire de leur maison était le Bonhomme Sept-heures. L'arrivée d'Abraham Sturgeon, un original mythomane, et l'achèvement du livre d'Abel font basculer le monde d'Una. Elle veut d'abord fuir la maison mais se heurte au Bonhomme Sept-heures et à sa truie parlante qui veulent en faire une esclave. Elle revient donc chez elle, mais arrive au milieu d'une fête en l'honneur de M. Melville, le fantôme de l'auteur. Abandonnée, elle sort à nouveau pour retomber aux mains du Bonhomme. Après avoir été torturée, elle s'enfuit, mais tombe dans la cave où elle affronte la Mère très cochonne. Sa fuite subséquente l'amène enfin vers une baleine, qui la happe pour l'amener, vivante, sur toutes les mers du monde.

BEAUMIER, Jean-Paul
[Trois-Rivières, 17 juillet 1954 –]

« Sans quartier »,
Imagine..., n° 16 (vol. IV, n° 3, printemps 1983), p. 44-45 (F) ;
l'Air libre. Nouvelles, [Québec], L'instant même, [1988], p. 71-72.

Marchant dans la foule, un homme reconnaît l'odeur de celle qu'il a aimée. Grâce à ce parfum qu'il n'a jamais oublié, il est persuadé de sa présence dans les lieux. Retenant son souffle, il tente de traverser la foule pour la rejoindre. Mais il ne retrouve qu'une « petite pomme verte écrasée ».

« Oblitéré »,
Liberté, n° 162 (vol. XXVII, n° 6, décembre 1985), p. 37-39. (F)

Appelé à prononcer une conférence, le narrateur cherche à écrire une lettre dans un train. Il semble que « l'état de latence » qui l'afflige, consécutif à une longue convalescence, se répercute sur son environnement immédiat. Le train s'est arrêté en effet, sans cause apparente, puis repart enfin. Il devient certain, dès lors, que le narrateur arrivera à destination. Celui-ci pense à l'effet de décalage qui affectera sa conférence, les mots entendus retardant par rapport aux mots prononcés.

« Un autre »,
Liberté, n° 162 (vol. XXVII, n° 6, décembre 1985), p. 39-41 (F) ;
l'Air libre. Nouvelles, [Québec], L'instant même, [1988], p. 91-94.

De retour, pour la première fois depuis leur rupture, dans la ville où il a vécu avec L., Pierre a l'impression de circuler dans une ville fantôme qu'une autoroute « survole » maintenant. S'arrêtant dans un café pour y manger et écrire une lettre, il reconnaît soudain L. Il se rend compte qu'il craint encore de l'aimer. Avant qu'elle ne quitte les lieux, il va vers elle. Elle semble le reconnaître mais l'appelle Roger.

« Dix-neuf heures »,
Liberté, n° 162 (vol. XXVII, n° 6, décembre 1985), p. 42-45. (F)

Un vendredi soir, une semaine avant Noël, un professeur quitte le collège en rêvant de la plage et de la mer qu'il ira bientôt retrouver. Arrivé chez lui, il reçoit un appel téléphonique d'un ancien collègue qui l'invite à prendre un verre chez lui. L'horloge sonne dix-neuf heures. Rendu dans le quartier où habite son ami, le professeur a un étrange trou de mémoire. Il ne se souvient pas du numéro de porte ni même du numéro de téléphone. Après plusieurs heures, il se décide à entrer dans une cordonnerie pour téléphoner à une amie qui devait également se rendre chez Guillaume. Il apprend que ce dernier s'est « suicidé la veille, vraisemblablement vers dix-neuf heures ».

« Le Rendez-vous »,
Liberté, n° 162 (vol. XXVII, n° 6, décembre 1985), p. 45-49 (Hy) ;
l'Air libre. Nouvelles, [Québec], L'instant même, [1988], p. 11-16. [Sous le titre « 1538 »].

Le narrateur se promène dans le quartier voisin du sien et il se laisse prendre par l'atmosphère irréelle des rues et des maisons enveloppées de brume. Dans une rue sombre, il est fasciné par une maison illuminée déjà vue en rêve. Envoûté, il se demande s'il a sonné à la porte et si une femme inconnue apparue dans son rêve va resurgir. Brusquement, toutes les lumières s'éteignent, sauf celle de la sonnette.

BÉDARD, Jean
[15 septembre 1949 –]

« L'Arsenal »,
Requiem, n° 3 (vol. I, n° 3, février-mars 1975), p. 6-7. (SF)

La Russie et les États-Unis ne sont plus que des débris radioactifs, alors que les rues de Montréal sont jonchées de béton brisé. Quelques hommes et femmes se préparent à effectuer une expédition à l'hypermarché afin de rafler tout ce qu'ils pourront trouver et, surtout, des cartouches, unité monétaire du Royaume de Montréal. Malheureusement pour l'expédition, trois insecthommes, dont les yeux ne voient que le mouvement, prennent un robot policier pour de la nourriture ; il s'ensuit une tuerie qui oblige les membres de l'expédition à battre en retraite et à revenir bredouilles.

« Préface aux mémoires de Klopf Klikatopf »,
Requiem, n° 5 (vol. I, n° 5, juin-juillet 1975), p. 9. (F)

Un Inuk ramasse un vieux granite précambrien qu'il rapporte au camp pour le sculpter. Klopf Klikatopf, pierre vivante, se retrouve, une fois le travail de l'Inuk terminé, dans un sac avec d'autres sculptures. Parmi tous ces « gens » sans distinction, il rencontre Akka Takkacklacka, une jolie petite « orthogneisse ». Même s'il est plus âgé qu'elle d'un milliard d'années, c'est le coup de foudre. Dans l'avion qui les amène à Québec, ils font l'amour à plusieurs reprises puis sont cruellement séparés ; il se retrouve sur une étagère de magasin. Se sentant vieillir, Klopf décide d'écrire ses mémoires. Il a d'ailleurs plusieurs œuvres à son actif et il a même remporté le prix Pluton de la littérature pour l'an 500010675. Cependant, très fatigué, il se propose de faire un somme de quelques siècles.

« Le Missionnaire »,
Requiem, n° 6 (vol. I, n° 6, septembre-octobre 1975), p. 7. (SF)

Afin de protéger le domaine de la Duchesse de Wiirzburg, un sorcier décide de franchir la porte intertemporelle. Ils se retrouvent tous deux dans le futur, sur une étroite route de campagne recouverte de neige. Montés sur leurs chevaux, ils ne passent pas inaperçus aux yeux des automobilistes qu'ils croisent. Familier de l'endroit, le sorcier pénètre dans un magasin afin de se procurer une ceinture antigrav. Ils retournent finalement à la porte et réintègrent leur monde en passant au-delà d'une barrière électromagnétique.

BÉDARD, Valérie

[Sillery, 8 juin 1961 –]

« La Fin d'un règne »,
Pour ta belle gueule d'ahuri, n° 2 (vol. I, n° 2, 1979), p. 13. (SF)

En septembre 1995, une jeune squatter qui habite dans un centre commercial doit songer à refaire sa vie car on a mis au point des robots très efficaces qui pourchassent ses semblables. Un ami a disparu et elle constate amèrement l'étonnante vigilance d'un robot veilleur.

BÉGIN, Marie-Josée
[

« Soucoupolation »
Libertinons, Lévis, Polyvalente de Lévis, mai 1980, [n. p.]. (SF)

Sur une minuscule planète, un agent « galactico-circulant » arrête un imprudent « soucoupiste » après une course folle.

BÉLIL, Michel
[Magog, 27 mai 1951 –]

« Le Dernier Chapitre de David M. W. »,
Liberté, n° 94 (vol. XVI, n° 4, juillet-août 1974), p. 110-121. (F)

M., le narrateur, un vieillard interné dans un asile d'aliénés, écrit des romans et raconte sa vie. Un jour, dans un de ses romans, il rencontre son double, W., un être qui possède les qualités qui lui manquent. Déçu par la réalité, il décide de se suicider pour rejoindre son double dans un univers de rêve.

« L'Hôpital de chaussures »,
Requiem, n° 10 (vol. II, n° 4, mai-juin 1976), p. 8-9 (SF) ;

The Canadian Fiction Magazine, n° 22 (Summer 1976), p. 38-43.

Dans un quartier d'Amianteville, Chausson tient une cordonnerie crasseuse et vit dans la pauvreté avec sa femme et ses deux filles, à deux pas de la boutique de Chaton, le sellier. Une femme étrange s'installe en face et reprend l'épicerie de Maître Citrouille, décédé. Un homme vient rester chez elle, en se présentant comme son neveu, et se met à fureter partout dans le quartier. Il se présente à Chausson comme un éditeur et lui achète ses manuscrits à prix d'or et en redemande. Le cordonnier ferme sa boutique et se consacre à l'écriture. Le neveu, Har-Murr, achète tout, malgré la médiocrité des textes, même l'histoire d'Amianteville de Chaton, qui se met à écrire. À la suite d'une plainte de conserve empoisonnée, le chef de police interroge l'épicière. Comme elle ne répond pas, il la secoue. Elle se dévisse et son mécanisme robotique explose. On ne revoit plus Har-Murr, qui retourne sur sa planète et fait des affaires d'or en revendant les manuscrits des Terriens.

« La Maison d'Hemigge Way »,
Requiem, n° 11 (vol. II, n° 5, été 1976), p. 5-8. (F)

Un voyageur dont la voiture est tombée en panne entre dans la taverne d'une petite ville minière et s'assied à la table d'un vieil homme qui lui raconte un étrange récit. Il y a vingt-trois ans, des chômeurs avaient pris l'habitude de se rassembler dans la maison qu'il tenait de son aïeul irlandais pour boire et jouer aux cartes. Une fin de semaine, des filles sont invitées et la fête tourne à l'orgie. Le samedi soir, survient un étrange cavalier noir, diabolique, avec du champagne et de l'or en abondance. Une tempête éclate. Les fêtards, intrigués, ne peuvent sortir de la maison dont toutes les issues sont mystérieusement condamnées. Lorsque le feu se déclare, tous périssent. Le voyageur, littéralement prisonnier du récit du vieil homme revenant, est incapable de réintégrer l'espace quotidien et est entraîné fatalement vers la maison maudite que personne n'a réussi à démolir et où se perpétuent les débauches.

« Une soirée au mess de Cornwallis »,
Requiem, n° 15 (vol. III, n° 3, avril-mai 1977), p. 8-9. (F)

Le narrateur invite les gens à entrer et à se joindre aux buveurs du mess de Cornwallis pour écouter son histoire. Il raconte la triste aventure de l'ancien propriétaire du mess qui a perdu sa femme lors d'un naufrage et est mort de chagrin. Le narrateur parle des fantômes amoureux qui hantent maintenant le mess. Les spectateurs, terrifiés, fuient en constatant que le fantôme et le narrateur ne font qu'un.

« Meurtre au troisième degré »,
Elle et Lui, vol. II, n° 10 (décembre 1977), p. 36-37. (F)

Un homme, dont la femme écrit une thèse sur la sorcellerie, se réveille victime de divers malaises qui s'amplifient au cours de la journée. Progressivement, son corps s'assèche et se désagrège en pellicules jusqu'à ce qu'il n'existe plus. De retour à la maison, sa femme, voyant l'amas de poussières, constate avec ravissement que son hypothèse de travail est exacte.

« Laissez-moi vous rat-conter... »,
Requiem, n° 19 (vol. IV, n° 1, janvier 1978), p. 12-14. (F)

Un couple décide de passer une longue fin de semaine à Bois-d'Ébène, dans une petite propriété perdue aux abords d'une rivière noire, héritage d'un vieil oncle, missionnaire en Afrique. À peine entrés dans la demeure, ils sont assaillis par une odeur épouvantable. Dans les toilettes, ils trouvent le cadavre d'un rat doté de deux queues. Le lendemain, l'homme trouve deux queues de rat sous chacun des arbres morts qu'il a plantés l'année précédente. Il n'en dit rien à sa femme. D'étranges phénomènes se produisent : les masques africains, les pièces d'échec, les livres dans sa bibliothèque-armoire s'animent. La nuit venue, il veut rejoindre sa femme dans la chambre à coucher mais elle est morte, la tête tranchée. Il s'enfuit dans les bois, espérant qu'« ils » ne le rejoindront pas.

« Tu retourneras en poussière »,
Requiem, n° 20 (vol. IV, n° 2, mars 1978), p. 15. (F)

Aux prises avec un terrible mal de tête, un homme doit quitter son bureau et rentrer chez lui où il assiste, impuissant, à la désintégration de son corps. Quand sa femme arrive, elle ne trouve qu'un amas de cendres et... la confirmation de son chapitre de thèse sur la sorcellerie.

« Le Crevard »,
Requiem, n° 23 (vol. IV, n° 5, octobre 1978), p. 6-9. (F)

À la fin du XVIIIe siècle, des Indiens sont témoins d'une explosion démoniaque qui, se répandant au Québec et dans le monde, produit les loups-garous, les feux follets, les jeteux de sort... Les effets s'en font encore sentir aujourd'hui : trois clients réguliers d'un bar en sont les victimes. Le Crevard entre dans un cimetière où il a des visions de morts qui l'attaquent. Il entend un rire maladif et entre dans un endroit grillagé réputé pour être un repaire du diable. Il revient pâle et dessoûlé sans jamais raconter ce qui s'y est passé. Bonhomme Citrouille, pour sa part, s'attaque soudainement à Crevard. Un serveur et Trouillard le neutralisent et le jettent dehors. Ce dernier rentre chez lui, sujet à des malaises et à un envoûtement. Il en ressort et se dirige vers le taudis du Crevard. En arrivant, il aperçoit sur quatre pattes une ombre au poil roux comme de la braise et aux crocs démesurés. Il entre dans la demeure, monte jusqu'à la chambre où il voit un semblant de corps se tordre de douleur et s'évanouir. Le narrateur s'immisce dans son récit pour dire que l'eau monte dans son appartement et qu'il a péri noyé.

« Le Mangeur de livres »,
le Mangeur de livres. (Contes terre-neuviens), Montréal, Pierre Tisseyre, [1978], p. 13-38. (F)

Helen Wright obtient un poste de secrétaire auprès de M. Bookson, riche éditeur excentrique qui publie à perte des auteurs terre-neuviens. Elle s'installe dans l'immense maison et s'étonne que les stocks de livres s'épuisent si rapidement. Dans la petite ville, d'étranges rumeurs circulent concernant le châtelain. M. Bookson part en voyage et Helen doit nourrir de livres une fournaise, appelée le Mangeur de livres, qui émet des grognements et des odeurs nauséabondes comme si elle était vivante. Il s'agit en fait d'un monstre mi-humain, mi-ferraille que M. Bookson a rescapé dans son parc. Négligeant d'alimenter la fournaise,

Helen la voit surgir dans sa chambre et est dévorée. À son retour, M. Bookson nettoie les restes dégoûtants pour ne pas éveiller les soupçons.

« Un sujet brûlant d'actualité : Anthony Lumett »,
le Mangeur de livres. (Contes terre-neuviens), Montréal, Pierre Tisseyre, [1978], p. 39-46. (F)

Le narrateur relate les circonstances mystérieuses de la mort de son ami et beau-frère, Anthony Lumett, qui, après le décès de sa femme, se passionne pour les allumettes et collectionne toutes les pochettes possibles. Il néglige tous ses amis et sa passion, le jeu de dames. Puis il disparaît pendant un mois pour réapparaître au championnat inter-paroissial de dames, amaigri, le nez ridiculement rouge, comme s'il s'adonnait à la boisson. Au milieu de la soirée, il frotte une allumette à l'effigie de sa défunte épouse. On entend alors un faible cri de femme. Puis Lumett s'élance vers le mur de ciment de la salle paroissiale, s'y frotte le nez et s'enflamme. Il brûle vif, à l'étonnement de tous. Les rumeurs courent qu'il était devenu une véritable allumette.

« Homard, où est ta victoire ? »,
le Mangeur de livres. (Contes terre-neuviens), Montréal, Pierre Tisseyre, [1978], p. 47-53. (F)

Fox, un enquêteur fédéral, mène une enquête pour découvrir la cause d'un transfert massif de cents noires à Terre-Neuve. Il en vient à la conviction que M. Fisher a conclu une entente commerciale avec des monstres marins qui demandent, en échange de pêches miraculeuses, des tonnes de cuivre. L'enquêteur est retrouvé assassiné dans la saumure chez M. Fisher, qui a disparu.

« Le Passager de la nuit glacée »,
le Mangeur de livres. (Contes terre-neuviens), Montréal, Pierre Tisseyre, [1978], p. 55-63. (F)

Yvent Lamarche fuit St. John's (Terre-Neuve), ville insupportable, pour retourner à Clarenville revoir sa fiancée et ses parents. Pendant qu'il roule à moto, il ressent de violents maux de tête et des malaises cardiaques. Le décor semble s'estomper, il craint une défaillance. Subitement isolé de tout, il se retrouve au centre des troupes françaises napoléonniennes qui reviennent de la campagne de Russie, puis, soudainement, au milieu des Métis de l'Ouest canadien, vaincus et mutilés. Enfin, il sort de ce nuage et se retrouve seul dans le froid glacial de la route. Yvent Lamarche atteint Clarenville. Son voyage a pris deux heures ou deux siècles.

« Le Joueur de darts [*sic*] »,
le Mangeur de livres. (Contes terre-neuviens), Montréal, Pierre Tisseyre, [1978], p. 65-72. (F)

Par une froide soirée d'automne, John Darttovski se présente au mess des officiers de Gander, Terre-Neuve, avec la ferme intention de battre les records de son sport favori, les dards. C'est le soir de la grande compétition régionale. John, inconnu, ne tarde pas à menacer Dave Feather, champion en titre, et à l'emporter facilement. Par vantardise, il réalise ensuite une série de coups incroyables et joue même les yeux bandés. Les spectateurs, terrorisés, quittent la salle. Le lendemain matin, on retrouve John, mort, les dards plantés en plein visage. Il se décompose dès que ceux-ci sont retirés.

« Les Frères Freeman »,
le Mangeur de livres. (Contes terre-neuviens), Montréal, Pierre Tisseyre, [1978], p. 81-90. (F)

Après avoir mené la dure vie de pêcheurs, les frères Samuel et Steven Freeman se retrouvent les deux seuls survivants du naufrage d'un navire coulé pendant la Deuxième Guerre mondiale. Depuis lors, ils travaillent à Halifax comme débardeurs. On raconte qu'ils doivent leur survie à un serment qu'ils ont prêté de ne plus jamais boire d'alcool. Sinon, ils devraient mourir dans d'atroces souffrances. Vingt ans plus tard, les deux frères, maintenant vieux, veulent revoir Terre-Neuve avant de mourir. Ils vont dans un bar où ils commandent six bouteilles de screech, une boisson très forte. Ils boivent tout et meurent sur-le-champ en se métamorphosant en gigantesques morues. Le barman, à la vue de ces horreurs, meurt d'une crise cardiaque.

« Le Transparent »,
le Mangeur de livres. (Contes terre-neuviens), Montréal, Pierre Tisseyre, [1978], p. 91-102. (F)

Le narrateur, un revenant, fait un voyage à St. John's (Terre-Neuve). Il est né au XIXe siècle, fils de James Quick Grand, lecteur de littérature alchimique, et il a toujours recherché un moyen de tromper la mort. Un jour, ayant atteint la cinquantaine, il rencontre par hasard un Transparent, Peter Wood, qui veut unir sa dépouille perdue en mer à celle de sa femme. Quick propose de récupérer le corps. En échange, Wood lui donne la clé de l'éternité. Le Transparent Quick épilogue sur la société terre-neuvienne, qu'il visite chaque été. Son secret, il ne le révélera peut-être qu'à une jolie fille aux yeux pâles.

« L'Horreurochose »,
le Mangeur de livres. (Contes terre-neuviens), Montréal, Pierre Tisseyre, [1978], p. 103-109. (F)

Un samedi matin tranquille, Stanley W. Lemon, militaire de carrière en garnison à Terre-Neuve, pense à son amie et à la soirée qu'ils passeront ensemble. Pour se réveiller, il va prendre une douche. Là, il entend un bruit de verre brisé et ressent un froid intense. La lumière s'éteint. Il sait alors que l'horreurochose, un monstre africain, vient réclamer sa vie pour toutes celles qu'il a prises à la guerre. Il se hâte de finir sa toilette, car il veut être propre pour mourir. Le lendemain, le concierge découvre son corps, congelé. Le major étouffe l'affaire.

« Le Raconteux d'histoires »,
le Mangeur de livres. (Contes terre-neuviens), Montréal, Pierre Tisseyre, [1978], p. 111-129. (F)

Le vieux père Gillingham retrouve ses enfants et petits-enfants pour le temps des Fêtes. Il leur raconte des histoires. Alors qu'il était marin, il avait accosté avec cinq compagnons, à la suite d'une tempête, sur une terre étrange dont les habitants étaient des nains verts. Ils en profitèrent pour dérober un énorme diamant et repartir en mer. Mais la tempête reprit de plus belle jusqu'à ce qu'un nuage vert et nauséabond vînt reprendre le diamant. À partir de ce moment, le beau temps s'installa et ils purent retourner au port.

Gillingham raconte ensuite une histoire du temps où il était bûcheron. Charles Snow, un autre travailleur, prétendait avoir vu un énorme « monstre blanc à tête d'homme » ; on retrouva des corps atrocement mutilés. Le coupable était Charles Snow lui-même, qui avait organisé la mise en scène pour vider le camp et ruiner le propriétaire, Allan Wood.

Enfin, il relate son séjour à la garnison de St. John's, où l'adjudant, très dur, est côtoyé par les corbeaux. Véritable chef des Puissances infernales, l'adjudant s'enfuit sous l'apparence d'un corbeau de vingt pieds.

« "Miroir-miroir-dis-moi-qui-est-le-plus-beau" »,
le Mangeur de livres. (Contes terre-neuviens), Montréal, Pierre Tisseyre, [1978], p. 131-137 (F) ;

Anthologie de la nouvelle et du conte fantastiques québécois au XXe siècle. Introduction et choix de textes par Maurice Émond, [Montréal], Fides, [1987], p. 15-22. (« Bibliothèque québécoise »).

Le narrateur, un aventurier, arrive à Cornerbrook où son oncle lui a laissé toute sa fortune, à la seule condition qu'il ne dérange pas l'ameublement, qu'il couche dans la même chambre que son prédécesseur et qu'il ne sorte jamais de la région. Après quelques semaines, il se regarde dans le miroir de sa chambre. Son visage commence à vieillir et à se décomposer. Pourtant, il n'a aucunement changé quand il se regarde dans un autre miroir. Au fil des jours, le miroir mystérieux reflète un corps de plus en plus hideux. Lorsqu'il voit dans une vitre le reflet de son corps devenu monstrueux et en putréfaction, il a une crise nerveuse. Il décide alors de jouer le jeu jusqu'au bout : avant d'aller disparaître du côté du marécage, il rédige un testament dans lequel il lègue tout à une jeune fille qu'il déteste à la condition qu'elle ne dérange pas l'ameublement de la maison, qu'elle couche dans la chambre du maître et qu'elle ne quitte pas la région.

« Le Manuscrit caché dans une bouteille de seven-up »,
le Mangeur de livres. (Contes terre-neuviens), Montréal, Pierre Tisseyre, [1978], p. 139-142. (F)

Une petite fille trouve une bouteille verte sur la plage. Cette bouteille contient, sur microfilm, la somme des connaissances de 3000 ans d'histoire d'une civilisation maintenant disparue. La petite fille l'échange contre deux « gommes balounes ». L'épicier considère un instant l'étrange bouchon de la bouteille, la range et l'oublie. Deux ans plus tard, une inondation détruit l'épicerie et tue son propriétaire. La bouteille retourne à la mer et disparaît.

« Eux »,
le Mangeur de livres. (Contes terre-neuviens), Montréal, Pierre Tisseyre, [1978], p. 143-150 (F) ;

Anthologie de la nouvelle et du conte fantastiques québécois au XXe siècle. Introduction et choix de textes par Maurice Émond, [Montréal], Fides, [1987], p. 23-31. (« Bibliothèque québécoise »).

Un homme désire écrire des récits d'horreur mais n'arrive jamais à en terminer un puisque, chaque fois, il boit trop de bières. Il progresse un peu, d'une fois à l'autre, et persévère afin de dénoncer la présence d'êtres d'outre-tombe, « eux », qui ont pactisé avec les Puissances infernales. Toutefois, sa femme le trouve mort à sa table de travail. L'enquête conclut à une crise cardiaque.

« Les Empreintes digitales »,
le Mangeur de livres. (Contes terre-neuviens), Montréal, Pierre Tisseyre, [1978], p. 151-158. (F)

Ambroise Philpott est un policier dont la manie consiste à prendre les empreintes de ses maîtresses. Un soir de tempête, il interpelle un individu louche : c'est une jolie femme. Il prend ses empreintes. Elles sont étrangement floues. Sept jours plus tard, nouvelle rencontre avec Vampy Stein. La fille est glaciale. Après l'amour, elle tente de le tuer ; il se débat et l'étrangle. Elle se décompose sous ses yeux. C'était une morte-vivante. Il se débarrasse des restes, mais l'esprit de Vampy revient le hanter. Elle se tient à l'extérieur de son appartement, puis traverse le mur et s'avance vers lui, menaçante. Elle va le transformer en mort-vivant.

« Celui qui se cache dans le fog... »,
le Mangeur de livres. (Contes terre-neuviens), Montréal, Pierre Tisseyre, [1978], p. 159-166 (F) ;

Erkundungen 26 kanadische Erzähler, Berlin, Verlag Volk und Welt, 1986, p. 308-314. [Traduit en allamand par Thorgerd Schücker sous le titre « Der Sich im Nebel Verbirgt »].

I. Un jeune professeur, le narrateur, s'installe dans un village de pêcheurs. Très tôt, il s'ennuie à mourir. Il commence donc à boire. II. Au printemps, la neige ne fond pas. La situation persiste jusqu'en juin où un épais brouillard recouvre le village. Il s'épaissit jusqu'à rendre toute communication avec l'extérieur impossible. Les habitants meurent tous, les uns après les autres. Le journal du narrateur s'arrête là. III. Le Premier ministre épilogue sur la catastrophe. Il désire étouffer cette histoire. Le fog a bel et bien mordu les gens et les a vidés de leur sang. Toutefois, il n'accorde que peu de crédit au journal du professeur, ce texte ayant été retrouvé dans une bouteille de gin.

« L'Ordre des choses »,
le Mangeur de livres. (Contes terre-neuviens), Montréal, Pierre Tisseyre, [1978], p. 179-187]. (F)

À son arrivée à Gander, un nouveau professeur de français rencontre la jolie Patricia Speed. Elle fait tout à une vitesse folle. Elle l'invite à faire une promenade en voiture. Ils roulent à 110 milles à l'heure sur une route de gravier. En regardant Patricia, l'homme constate qu'elle rougit et se consume à mesure qu'ils accélèrent. La fille perd le contrôle de sa voiture qui heurte un arbre. Ébranlé, le passager a tout de même le réflexe de sortir juste avant que la voiture n'explose. On le croit fou lorsqu'il raconte son histoire. Il est convaincu d'être une autre victime de « l'ordre des choses » de Terre-Neuve. Il s'en va sans demander son reste.

« Popaul et Virginie »,
le Mangeur de livres. (Contes terre-neuviens), Montréal, Pierre Tisseyre, [1978], p. 193-203. (F)

I. Hélène, une jeune princesse, vit tranquillement avec son chien Donjon dans le château de son père. Un jour, le méchant Terrible III envahit le royaume, tue les parents d'Hélène et s'empare du trône. II. Ce n'était qu'un conte que lisait Virginie. Ses parents, Tristan et Iseult, l'amènent en vacances. Ils partent en voiture. Soudain, un horrible visage se colle au pare-brise : accident. Virginie est orpheline, il ne lui reste que Popaul, le chien. On la dit folle. III. Les personnages et les morts sont le fruit de l'imagination d'un écrivain d'ailleurs capable de donner une dimension réelle à ses récits. Il se nourrit de l'épouvante et des désastres suscités par ses contes lorsqu'ils sont lus par un enfant. Il en écrit justement un autre. IV. La princesse Hélène a 15 ans. Elle épouse Terrible III. Par vengeance, elle le tue et fait accuser l'évêque qui les a unis. Elle tuera ensuite tous ses amants. Sa fille, Hélène II, suit ses traces et Hélène III fait de même, par la suite. V. La petite Virginie a maintenant 15 ans. Elle a lu le deuxième conte à satiété. Elle s'échappe de l'asile et va commencer une série de meurtres vengeurs.

« Une petite fille à Nulle Yorqe »,
le Mangeur de livres. (Contes terre-neuviens), Montréal, Pierre Tisseyre, [1978], p. 205-213. (F)

Le narrateur raconte comment il a lu le journal d'une petite fille douée de pouvoirs paranormaux. On lui a dit qu'elle se lève la nuit pour écrire en d'autres langues. Elle raconte ses visites chez les spécialistes américains de Nulle Yorqe. Ceux-ci croient qu'elle sert d'intermédiaires à une puissance extérieure qui désire communiquer avec la Terre. La petite fille est malheureuse, elle n'a pas sa place dans cette histoire. Le narrateur apprend ensuite qu'elle est morte à Nulle Yorqe, à l'âge de 13 ans. Mais les dernières pages de son journal ont disparu.

« L'Angle parfait de Franco Bollo »,
Imagine..., n° 3 (vol. I, n° 3, mars-mai 1980), p. 50-53 (SF) ;

les Années-lumière. Dix nouvelles de science-fiction réunies et présentées par Jean-Marc Gouanvic, [Montréal], VLB éditeur, [1983], p. 63-68.

Dans un monde géométrique, le grand Doigt XII désire illustrer son règne par de grandes découvertes. Il envoie en mission des explorateurs, sous la direction de l'archéologue Franco Bollo. Ceux-ci créent une brèche dans l'angle parfait de 90 degrés et se retrouvent dans notre monde, cachés dans un bois. Ils s'emparent du sac d'écolier d'une fillette et retournent dans leur monde. Après des études qui se sont révélées vaines sur le contenu du sac, Franco Bollo expose les résultats de la mission devant la cour et la foule rassemblées. Entre-temps, les partisans d'Oreille IX, prétendant au trône, s'arment. Au jour fixé, ils renversent Grand Doigt XIV (ils lui coupent les doigts et l'égorgent) et saccagent la machine à traverser les angles de Franco Bollo.

« La Dernière Personnage »,
Imagine..., n° 3 (vol. I, n° 3, mars-mai 1980), p. 54-55, 58-59. (SF)

La narratrice est la dernière survivante d'une planète où tout est féminin. Les mâles y sont gardés dans une mâlerie où on les traite pour leurs semences. Elle capture « l'œil lectrice » dont elle était en quête depuis un siècle et ramène cette divinité à son village pour se rendre compte qu'il est maintenant désert et qu'elle se trouve à être la dernière survivante des guerrières. Avant de mourir, elle décide d'écraser « l'œil lectrice ».

« Cocktail »,
la Nouvelle Barre du jour, n° 89 (avril 1980), p. 85-88 (F) ;

Déménagement. (24 contes fantastiques), [Québec, la Chasse-galerie, 1981], p. 7-8.

Un couple prépare un cocktail. Le mari ouvre les bouteilles de vin pour les faire « respirer ». Ils entendent une sorte de respiration haletante qui se mêle à la tempête faisant rage à l'extérieur. Ce sont les bouteilles : elles aspirent tour à tour les deux personnages.

« Amputation »,
la Nouvelle Barre du jour, n° 89 (avril 1980), p. 89-92 (F) ;

Déménagement. (24 contes fantastiques), [Québec, la Chasse-galerie, 1981], p. 15-16.

Une ville se détériore sous l'effet d'un mal mystérieux ; un enfant se sacrifie pour la sauver.

« Le Noëllier »,
Imagine..., n° 5 (vol. I, n° 5, septembre 1980), p. 7-29. (SF)

Dans un village clos, surveillé et contrôlé, de jeunes adolescents se révoltent contre le Conseil des sages, qui a fait abattre le noëllier et, surtout, qui capture et livre des personnes aux Spectriens, puis décident de sauter le mur du village et se retrouvent à l'extérieur, où le froid, la soif, la famine et les gouffres les déciment. Seuls survivants, Galilée et Capillère arrivent en vue des grottes des Spectriens qui, vainqueurs de la bataille de l'Halloween, ont rassemblé les vaincus dans un village conditionné, après avoir recouvert l'atmosphère de nuages, tuant toute vie sur le reste de la planète. Puis, ils se sont réfugiés dans des grottes sombres parce qu'ils ne peuvent souffrir la lumière du soleil. Sous les yeux de son ami Galilée, Capillère est attaqué par les chauves-souris qui le mordent à mort. Les vampires (Spectriens) accourent et se distribuent le sang du jeune homme. Leur village n'était qu'une réserve de sang pour les vainqueurs. Galilée décide de poursuivre sa quête d'un village construit par un commando enfoui jadis et arrive dans une plaine couverte d'ossements : les Plaines de l'Halloween.

« L'Horloge du vieux Léon »,
Infos Bulletin (Hull), n° 3 (printemps 1981), p. 12-14. (Hy)

Deux jeunes gens, en visite dans un village perdu, aperçoivent une maison dotée d'une horloge à la place du grenier et sur le perron de laquelle se berce un vieux. Au village, on leur apprend que ce vieux est mort, un an auparavant, tué par deux jeunes gens. Les villageois appellent la police. Les jeunes gens s'enfuient, ne sachant plus s'ils sont, ou non, les meurtriers.

« La Machine à boules »,
Imagine..., n°s 8-9 (vol. II, n° 4, juin 1981), p. 161-163. (SF)

Dans un bar, se trouve une étrange machine à boules. Le fond représente des femmes extraterrestres sortant d'une fusée-pénis. La nuit, celles-ci quittent la machine et, avec la collaboration du barman, dévorent le client déjoué. À l'aube, elles regagnent leur univers à deux dimensions dans l'attente d'une prochaine victime.

« La Navette spatiale *Place-Hauteville II* »,
l'Équipe. Journal du ministère des Transports (Québec), vol. XI, n° 4 (août 1981), p. 20-21. (SF)

En 2021, sur la navette *Place-Hauteville II* en périple depuis la désintégration de la Terre, des robots humanoïdes règlent la vie quotidienne pendant que l'ordinateur central maintient les 50000 passagers humains en état de congélation. Un humanoïde, Raoul Roy, est choisi par l'ordinateur pour fabriquer un numéro spécial de la revue *l'Équipe*. Après avoir consulté les fichiers des années 2011 et 1981, il se retrouve devant une page blanche et, incapable de créer, il se brise.

« La Maison aux quatre saisons »,
Imagine..., n° 10 (vol. III, n° 1, automne 1981), p. 8-23. (SF)

Sur la planète Trigmuk, la population vit grâce à Phaé, divinité qui crache du pus et déclenche ainsi le cycle de la fertilité agraire, animale... Cette divinité vient à faillir et la famine menace les Trigmukiens. Les savants proposent d'explorer les galaxies pour retrouver d'autres Phaé ou d'autres vallées semblables. Un vaisseau se pose au Nouveau-Québec. Des éclaireurs trigmukiens ayant été dévorés par des bêtes blanches féroces, ils les chassent avec l'aide d'un ordinateur, en capturent, les croisent avec un animal domestique, le glukoï. Une nouvelle race est née : le glukgluk qui permet à l'équipage extraterrestre de survivre en le pourvoyant de nourriture. Le glukgluk a enlevé et ramené aux extraterrestres un humain pour chaque saison : pour le printemps, Pierrette, candidate au niveau municipal ; pour l'été, Évelyne, qui se faisait dorer au soleil ; pour l'automne, André, qui se promène dans la forêt ; et, finalement, pour l'hiver, Hubert, qui rédige un article sur le Nord. Avec les quatre humains venant des quatre saisons, les Trigmukiens repartent vers leur planète originelle, croyant avoir rempli la mission confiée : ramener Phaé sur Trigmuk. Le vaisseau s'est élancé hors du lac artificiel poussé par un geyser.

« La Maison du Kung Fu »,
Solaris, n° 40 (vol. VII, n° 4, septembre 1981), p. 15-16. (F)

Alors qu'il essaie péniblement d'entamer sa journée, un samedi matin, un homme se remémore les événements qui se sont déroulés la veille. Il s'était rendu, selon son habitude, sur la rue Principale d'Amianteville, pour boire un verre dans une brasserie familière. En sortant, il s'était rappelé qu'un cirque était en ville ; il s'est acheté un billet puis est allé s'asseoir à une terrasse. Des étrangers l'ont abordé. Il éprouve du mal à rétablir la séquence des événements. Il se souvient d'une bâtisse inconnue, des lettres Kung Fu sur les fenêtres barricadées, d'une trappe, de sa descente dans la cave. On l'a poussé dans une pièce éclairée où un bonze l'a tatoué sur le bras. Alors qu'il termine son petit déjeuner, « un monstre ailé se montre le bout du nez », saute sur les restes du repas et s'apprête à le transformer en bout de saucisse ratatinée avant de s'envoler vers la maison du Kung Fu.

« Conte de Noël. Le cube de Rubik »,
l'Équipe. Journal du ministère des Transports (Québec), vol. XI, n° 6 (décembre 1981), p. 4-5. (Hy)

Un matin du 24 décembre, Christine et Pierre se voient offrir par un vieux marchand de jouets un cube de Rubik à la condition d'inviter à la fête leur gardienne, Kim, qui est seule à Noël. Lors du réveillon, Kim rassemble les couleurs du cube et, à la surprise de tous, sa famille apparaît miraculeusement réunie sur le pas de la porte.

« Une berceuse pour un homme seul »,
Déménagement. (24 contes fantastiques), [Québec, la Chasse-galerie, 1981], p. 9-10. (F)

Dans une petite maison d'Amianteville, une chaise berceuse attire, à tous les quatre ans, une victime qui, prise de vertige, s'affale dans la chaise et y meurt d'ennui ou d'un arrêt du cœur.

« Les Toilettes pour hommes »,
Déménagement. (24 contes fantastiques), [Québec, la Chasse-galerie, 1981], p. 11-12. (F)

Égaré dans un édifice, un téléphoniste est leurré par un appel téléphonique qu'il pensait être de son fils. Il entend un appel venant des toilettes. Il y entre et est aussitôt vidé de son sang par d'étranges tentacules gluants.

« Le Ménage du printemps »,
Déménagement. (24 contes fantastiques), [Québec, la Chasse-galerie, 1981], p. 13-14. (F)

La famille Lejeune est décontenancée par le fantôme de la veuve Lerrette, qui revient, comme à chaque avril, faire le grand ménage de la maison qu'elle habitait jadis.

« Les Hommes-arbres et les Arbres-hommes »,
Déménagement. (24 contes fantastiques), [Québec, la Chasse-galerie, 1981], p. 17. (SF)

Sur une autre planète, des hommes-arbres et des arbres-hommes se livrent la guerre. Le Néant gagne lentement leur planète. Le narrateur est lui-même menacé.

« ... ? »,
Déménagement. (24 contes fantastiques), [Québec, la Chasse-galerie, 1981], p. 19-20. (F)

Un samedi matin, une jeune femme est réveillée par le téléphone. Il n'y a qu'un étrange bruit à l'appareil qui ressemble à « ... ? ». Elle allume une cigarette. Le feu tourne au vert et ne brûle plus. Elle ne réussit pas à l'éteindre et croit entendre un « ... ? » menaçant. Elle sait que la bête ne la lâchera plus et qu'elle ne pourra s'échapper vivante.

« L'Orme centenaire »,
Déménagement. (24 contes fantastiques), [Québec, la Chasse-galerie, 1981], p. 21-22 (F) ;

James ROUSELLE, Michèle BOURDEAU et Michel MONETTE, *Repères 4e. 22 nouvelles, 22 univers. Deuxième dossier*, Montréal, Centre éducatif et culturel, [1986], p. 80-81.

Un homme est attiré par un orme qu'il voit quotidiennement dans un cimetière. Un jour, il entend l'arbre gémir. Plus tard, il s'est réincarné dans l'orme. Sa vie s'achève ; il attend une jeune femme qui prendra bientôt la relève.

« Les Rideaux »,
Déménagement. (*24 contes fantastiques*), [Québec, la Chasse-galerie, 1981], p. 23-26. (F)

Le vieil Eugène raconte, dans une taverne, une drôle d'histoire de rideaux. Pour qu'ils s'ouvrent le jour et se ferment le soir, il fallait les mettre à l'envers. Les spectateurs sont d'abord indifférents, puis se fâchent. L'un d'eux frappe Eugène et le tue. Ces gens font tout à l'envers.

« Derrière le mur »,
Déménagement. (*24 contes fantastiques*), [Québec, la Chasse-galerie, 1981], p. 27-28. (F)

François, enfant, passe tous ses temps libres à lancer une balle contre un mur. Il rêve de devenir une étoile de base-ball et de conquérir la belle Hélène. Il ignore que, derrière le mur, un pauvre enfant se meurt. Quinze ans plus tard, il travaille dans une usine et vit avec Suzie. Il se retrouve devant le même mur, mais ses rêves se sont envolés. Soudain, une balle roule à ses pieds. Il la lance comme jadis contre le mur, mais tout a vieilli. Le mur ne renvoie pas la balle, gémit et s'écroule sur François. Derrière les décombres, un enfant malade se lève du lit et se met à jouer avec la balle.

« Toutes voiles dehors »,
Déménagement. (*24 contes fantastiques*), [Québec, la Chasse-galerie, 1981], p. 29. (SF)

Un homme parle des habitants d'une autre planète, des mutants, parfaitement adaptés à des conditions difficiles et qui, bientôt, pourront envahir les autres îles-continents et dominer les créatures barbares.

« Les Gouttes »,
Déménagement. (*24 contes fantastiques*), [Québec, la Chasse-galerie, 1981], p. 31-34. (F)

Des hommes, appartenant à une étrange secte, enlèvent une vieillarde, femme d'Amianteville, redevenue enfant. Ils la soumettent à un supplice qui, lui faisant repasser les étapes de son existence, la vide de toutes les gouttes de sa vie afin qu'eux soient éternels. Ils ont déjà leur prochaine victime...

« La Poupée en robe de mariée »,
Déménagement. (*24 contes fantastiques*), [Québec, la Chasse-galerie, 1981], p. 39-41. (F)

Une petite fille hurle et lance sa poupée de mariée contre un mur avant de sombrer dans la catalepsie. La narrateur s'empare de la poupée, découvre qu'elle vit, parle et envoûte. Il l'abandonne, terrorisé. Une semaine plus tard, on découvre les corps de deux fillettes qui avaient retrouvé la poupée maléfique.

« La Folie des grandes personnes »,
Déménagement. (*24 contes fantastiques*), [Québec, la Chasse-galerie, 1981], p. 43-45. (F)

Une jeune Vietnamienne, réfugiée au Canada, se souvient des horreurs de la guerre, de sa marche d'une centaine de kilomètres pour atteindre la frontière thaïlandaise, de la mort de son frère, en chemin, qu'elle a elle-même enterré. Elle déambule maintenant dans Drumont, sa ville d'adoption. Elle emprunte une ruelle mystérieuse où la neige et le froid font place à un été luxuriant. Elle y rencontre son frère qui est « au rendez-vous comme prévu », et ils plongent dans un passé heureux.

« La Chasse est ouverte »,
Déménagement. (*24 contes fantastiques*), [Québec, la Chasse-galerie, 1981], p. 47. (SF)

Dans une civilisation inconnue, les sous-hommes et les Maîtres-Chats en quête de promotion sociale se livrent une guerre sans merci, causant d'innombrables morts.

« Le Nouveau Territoire »,
Déménagement. (*24 contes fantastiques*), [Québec, la Chasse-galerie, 1981], p. 49-51. (SF)

Pendant la semaine, le héros vit une existence tout à fait normale. Pour tromper la monotonie des fins de semaine, il écrit sans relâche mais sans grand succès. Or, « au terme d'une équipée spatio-temporelle, la civilisation zyxxah frô[le] son univers ». C'est ainsi que, pourchassé par des chasseurs de prime de cette civilisation, l'homme est fait prisonnier et est enfermé dans une prison au fin fond de la galaxie, en vertu de la « loi antifantôme » en vigueur sur le « nouveau territoire » zyxxah.

« Une expérience de laboratoire »,
Déménagement (*24 contes fantastiques*), [Québec, la Chasse-galerie, 1981], p. 53-55. (SF)

Un homme se réveille, excédé par une chaleur suffocante. Il se rend aux toilettes, en revient et constate alors que la température descend constamment. Il croit rêver mais il est victime, à son insu, d'une expérience clinique qu'effectue un extraterrestre cherchant à connaître la température minimale à laquelle un humain peut survivre. Il en meurt.

« La Partie d'échecs »,
Déménagement. (24 contes fantastiques), [Québec, la Chasse-galerie, 1981], p. 57-59. (F)

Un homme remporte le championnat d'échecs d'Amianteville, contre un jeune prodige de 16 ans. Le même soir, après la remise des prix, il rentre dans sa chambre et contemple un échiquier ouvert devant lui. Il se déshabille. Une force familière l'aide à traverser les barrières des dimensions et l'entraîne dans le monde de l'échiquier. Il est le Roi blanc régnant sur sa cour.

« Marius Tremblay, écrivain prolifique »,
Déménagement. (24 contes fantastiques), [Québec, la Chasse-galerie, 1981], p. 61-62. (F)

Marius Tremblay, écrivain prolifique de Drumont, ressent la véritable inspiration. Il écrit un texte où son héros s'installe dans un monde épicurien. L'œuvre terminée, Marius s'intègre à son double, rentre dans le texte. Cette feuille manuscrite est enfermée dans un coffre-fort par les héritiers.

« Le Baigneur »,
Déménagement. (24 contes fantastiques), [Québec, la Chasse-galerie, 1981], p. 63. (SF)

Un être d'origine inconnue s'amuse à remodeler la Terre à sa convenance, comme il ferait avec de la mousse dans son bain. Il finit par évacuer le tout et repart dans son monde donner une conférence sur la protection des protozoaires.

« Bruno Bruneau, conférencier invité »,
Déménagement. (24 contes fantastiques), [Québec, la Chasse-galerie, 1981], p. 65-67. (F)

Bruno Bruneau, écrivain, donne une conférence. Il fait des vagues avec ses paroles et, lentement, la foule et les murs se transforment en une lame de fond qui vient l'emporter. Des vacanciers découvrent, plus tard, les feuilles de son discours dans une étendue d'eau glauque.

« Le Chemin de la cabane à sucre »,
Déménagement. (24 contes fantastiques), [Québec, la Chasse-galerie, 1981], p. 69-72. (F)

Pourtant familiers avec les lieux, deux personnes se perdent en se rendant rejoindre des amis à une cabane à sucre. Des recherches sont entreprises et on découvre leurs corps dans un ravin. Étrangement, la police ne retrouve que des restes de leurs victuailles et d'un feu de camp intrigant.

« Les Sosies »,

Déménagement. (24 contes fantastiques), [Québec, la Chasse-galerie, 1981], p. 73-76 (SF) ;

Carfax, n°s 17-18 (juillet 1986), p. 25-27.

Le soir de Noël, deux enfants, Sandrine et Pierrot, attendent avec impatience le moment de déballer leurs cadeaux. Au même instant, dans un univers parallèle, deux enfants s'apprêtent à entreprendre un voyage millénaire. Sandrine et Pierrot découvrent enfin, dans l'une des boîtes qu'ils reçoivent en cadeau, mais que les parents ne se rappellent pas d'avoir enveloppée, deux poupées, sosies d'eux-mêmes. Au moment où ceux-ci les prennent, un transfert s'opère et les sosies venus d'ailleurs échangent leurs consciences avec celles des enfants, tandis que ces derniers sont condamnés à errer dans l'autre dimension jusqu'à la mort.

Greenwich,

[Montréal], Leméac, [1981], 230 p. (Collection « Roman québécois »). (F/Roman)

Greenwich Lapeau fuit son passé. Il désire oublier d'obscurs événements qui ont impliqué son amie Calypse et quelques autres personnes. Il est également atteint d'une étrange maladie qui le fait souffrir de vieillissement précoce. Il se rend d'abord à Québec, où il travaille comme commis dans une succursale de la SAQ. Apparemment, ses souvenirs ne le quittent pas : il a de fréquentes réminiscences de son ancienne vie. Le récit relate également quelques événements troublants dont il est témoin à Québec ; il est fasciné par l'immolation par le feu et les morts violentes. Il se décide à vendre sa collection de timbres pour continuer à fuir aux États-Unis. En chemin, il rencontre divers personnages qui lui rappellent ses anciens copains. Après un voyage plutôt bohème, il arrive à Boston où il mène une vie d'errance pour effacer et oublier son passé. Toutefois, ses souvenirs ne tardent pas à l'envahir à nouveau. Lors d'une invasion de sauterelles homicides, qui paralyse la ville pendant cinq jours, Greenwich, confiné à sa chambre, revoit ses amis d'enfance. Il se sent responsable du suicide de deux de ses camarades, de la mort de son jeune frère, Goliatte, et de celle de Calypse, lors d'un avortement. Enfin, les sauterelles se calment, la vie reprend comme avant. Greenwich, toujours obsédé par Calypse et Samuel qui serait son fils, continue d'errer jusqu'à ce qu'il se fasse attaquer par des voyous. Il décide de fuir à nouveau, vers le Mexique cette fois.

« Le Musée africain »,
l'Écrilu, vol. I, n° 4 (janvier 1982), p. 14-15. (F)

Claude Dupire hérite des multiples objets africains d'un ami disparu et vit en reclus dans son appartement transformé en musée. Envahi par une fièvre étrange, qui lui fait entendre les sons d'un tam-tam, il s'écroule sur son tapis et se réveille dans une case gardée par des capitaines négriers avec, à ses côtés, un compagnon de chaînes ressemblant étrangement à son ami disparu.

« À l'abri du temps »,
Imagine..., n° 16 (vol. IV, n° 3, printemps 1983), p. 31. (F)

Le narrateur, vraisemblablement mort, décrit ce qui se passe dans son quartier à partir du lieu qu'il habite : sous l'asphalte, dans un ancien cimetière. Les démolisseurs y ont érigé un chantier qui a fait place à un stationnement asphalté.

« La Bête »,
Québec français, n° 50 (mai 1983), p. 33 (F) ;

[Reproduit avec variantes dans le programme du Congrès Boréal 10, tenu à l'Université du Québec à Chicoutimi, les 16-19 juin 1988, sous le titre « le Cacachottier », p. 43].

Bien installé dans son fauteuil avec bières et cacahuètes en train de regarder un match de hockey, un homme délivre subitement, en croquant une arachide, la bête tapie dans le noir de la coquille. La bête frappe l'homme mortellement et commence sa curée.

« La Dernière Bûche »,
Québec français, n° 50 (mai 1983), p. 33. (F)

Comme tous les jours, une femme interromp son émission de télévision pour alimenter le poêle pendant que le mari lit en fumant. La femme s'empare de la hache, fend le crâne de son mari, le dépèce en copeaux qu'elle met dans le poêle. Elle va se coucher, mais des crépitements inusités gênent son sommeil. Au matin, il ne reste que de la cendre grise dans le poêle et la femme est morte de froid.

« Travail de nuit : spectateur »,
Imagine..., n° 17 (vol. IV, n° 4, juin-juillet 1983), p. 61-80 (SF) ;

SF. Dix années de science-fiction québécoise, sous la direction de Jean-Marc Gouanvic, [Montréal], Logidisques, [1988], p. 65-104. (Collection « Autres Mers, Autres Mondes »).

Azur Gariépy, jeune diplômé sérieux, arrive sur la planète Quilla pour recenser des néologismes. Dans le but d'augmenter ses revenus, il trouve un autre emploi, comme spectateur, dans une boîte de nuit. Les gens de cette planète ont des mœurs sexuelles particulières : ils sont exhibitionnistes. Azur est donc engagé pour les regarder forniquer. Une autre spectatrice remarque le jeune homme et entreprend de le séduire. Ils font l'amour. Le lendemain, Azur se réveille, le pénis gonflé et douloureux. Un médecin lui apprend qu'il a attrapé la maladie de l'exhibitionnisme. Le récit est entrecoupé de passages où Azur recherche des expressions propres aux habitants de la planète.

« Ascenseur pour le sous-monde »,
Dix contes et nouvelles fantastiques par dix auteurs québécois, [Montréal], Quinze, [1983], p. 49-64 (F) ;

Nouvelles nouvelles. Fictions du Québec contemporain. [Anthologie de] Michel A. Parmentier et Jacqueline R. d'Amboise, Toronto, Orlando, San Diego, London, Sydney, Harcourt Brace Jovanovich, [1987], p. 32-42. [Précédé d'une photo de l'auteur, p. 30, d'une biographie, p. 31, et suivi d'exercices, p. 42-44].

Guy Malenfant, un haut fonctionnaire, prend l'ascenseur au 30e étage pour aller boire un café au sous-sol. Une panne de courant le plonge dans le noir. Il se prend alors à réfléchir sur sa vie et sur sa carrière. C'est l'occasion pour lui de prendre conscience de sa médiocrité. La panne terminée, l'ascenseur, piégé, l'amène dans un sous-monde qu'habitent des sous-fonctionnaires qui ont passé leur carrière à s'enfoncer plutôt qu'à s'élever. Ils s'emparent de lui et se vengent de leur sort.

« La Grotte de Toubouctom »,
Imagine..., n° 21 (vol. V, n° 4, avril 1984), p. 55-60. (SF)

Un homme a la charge de ses trois enfants, à la mort de sa femme. Celle-ci, pendant sa troisième grossesse, s'était efforcé de maigrir pour retrouver son poids de jeune fille. Après la naissance de Nicole, elle a continué sa cure jusqu'à ce qu'elle n'ait plus que la peau et les os, mais elle est morte d'une crise cardiaque. Le père s'inquiète de ce dernier enfant qui ne parle pas. Celui-ci préfère rêver, en se berçant, au monde d'où il vient. Originaire d'une autre planète nommée Toubouctom, il se sent déchiré entre les deux mondes. Dès lors, se manifestent des forces qu'il ne maîtrise pas. Le lendemain, les voisins inquiets découvrent trois cadavres sans trace de sang et un enfant assis qui rêve de la grotte de Toubouctom.

« Rosemonde »,
Espaces imaginaires II. Anthologie de nouvelles de science-fiction réunies par Jean-Marc Gouanvic et Stéphane Nicot, Trois-Rivières, les Imaginoïdes, [1984], p. 139-157. (SF)

Les jumeaux François et Pétronille Audet, 88 ans, se retrouvent après une séparation de soixante ans. Les enfants et petits-enfants de François leur ont préparé une fête au ranch de celui-ci, dans l'Ile d'Orléans. Les vieillards se rappellent leur enfance passée sur l'Illusar, un astéroïde à l'image de l'Ile, la mort de leur père adoptif, pirate spatial, et leur départ pour la Terre avec leur mère. François est devenu fermier, Pétronille, révolutionnaire-indépendantiste aux Cornouailles. Maintenant réunis, ils veulent retourner sur l'Illusar afin de retrouver leurs origines.

« Le Caillou de Jos Violon ou Sa dernière histoire de chantier. Un pastiche de Louis Fréchette »,
Imagine..., n° 27 (vol. VI, n° 4, avril 1985), p. 11-19. (F)

Michel Bélil prétend avoir trouvé dans les archives d'un petit-neveu de Louis Fréchette un neuvième conte des célèbres récits de Jos Violon, conte qui ne devait être publié que soixante-quinze ans après la mort de l'auteur, ce qui a été respecté. Michel Bélil dit livrer ce conte à la revue *Imagine...* pour son « spécial Pastiches ». Jos Violon y explique l'origine de son surnom. Il travaillait dans un chantier avec Crotté Jolicœur. Ce dernier lui montre un plan dessiné par deux Indiens décrivant l'emplacement d'un trésor. Ils partent à sa recherche et arrivent dans une vallée verdoyante même s'ils sont en janvier. Jos Violon découvre une grotte aux voix et au feu mystérieux où il trouve un caillou en forme de violon, d'où son surnom. Subitement surgit son double, chaînes aux pieds. Jos Violon s'échappe de la caverne en récitant un *Pater noster* et deux *Ave Maria*. Les deux comparses entrent bredouilles au camp avec le caillou sans valeur. En terminant son récit, Jos Violon, le regard fixé à la fenêtre, s'écroule sur le plancher, mort. Le narrateur, qui croit avoir vu rôder le double de Jos Violon, remarque le lendemain matin, près de la fenêtre, des traces de pas qui avaient fait fondre la neige ainsi qu'un caillou en forme de violon. Une note explique que Louis Fréchette est mort quelques jours après la rédaction du conte.

« Un meurtre insoluble »,
Carfax, n° 6 (mai 1985), p. 8-11. (F)

Une nuit, selon le rituel qu'il a adopté, un jeune homme entreprend la lecture d'un roman policier dont la victime meurt, dès le premier chapitre, de coups de couteau assénés pendant qu'elle éteignait sa chandelle. Regardant sa chandelle, le lecteur est surpris de voir les ombres profilées des deux personnages du livre en pleine action ; il ferme son livre et se couche. L'ombre du personnage assassiné se traîne alors jusqu'au lecteur et lui suce le sang ; le lecteur en meurt. Le détective « réel » conclut, comme celui du roman, à un meurtre insoluble.

« Le Voyage d'Alexina »,
Carfax, n° 7 (juin 1985), p. 30-36. (SF)

Une fillette croit rêver lorsqu'elle rencontre des êtres étranges dans un vaisseau sur l'eau. Ses parents la retrouvent sur la plage. Ils se disent heureux car des enfants ont mystérieusement disparu dernièrement. La fillette se promet que, la prochaine fois, elle ne ratera pas l'aventure. Non loin de là, des ombres rôdent qui vont « s'envoler au-delà des étoiles du rêve ».

« La Légende du Kangou rouge »,
L'Équipe. Journal du ministère des Transports (Québec), vol. XV, n° 9 (décembre 1985), p. 4-5. (SF)

Un 24 décembre, les enfants demandent à Kangou Route, mascotte du journal *l'Équipe*, de leur raconter une histoire de Noël. Kangou leur parle alors de ses ancêtres, astronautes kangouriens venus de la planète Didelphes et qui ont atterri sur la Terre, en Australie, où ils se sont mêlés aux kangourous déjà présents. L'arrière-arrière-grand-père de Kangou avait décidé de faire un voyage en Europe et il avait amené avec lui des objets réchappés du vaisseau des astronautes, qu'il offrait en cadeau. À cette époque, les Kangouriens portaient leur poche sur le dos et s'habillaient toujours de rouge. C'est ainsi qu'est née la légende du Père Noël. Son conte terminé, Kangou regarde le ciel et songe à Didelphes qu'il espère voir un jour.

BELLEAU, André
[Montréal, 18 avril 1930 – Montréal, 13 septembre 1986]

« Le Fragment de Batiscan »,
Dix contes et nouvelles fantastiques par dix auteurs québécois, [Montréal], Quinze, [1983], p. 65-88. (F)

Jean-Jacques Roussel, professeur d'université, se lie d'amitié avec un jeune collègue, Gérard Émond-Brault, nouvellement engagé. Un vendredi, le jeune homme disparaît. Roussel décide de se rendre à

Batiscan afin de lui remettre un télégramme, mais il trouve Émond-Brault pendu dans la vieille maison Hamel. Peu de temps après, il reçoit une lettre comprenant une liste de quatre noms de chercheurs qui, comme Émond-Brault, se sont intéressés à un fragment manquant de *la Légende d'un peuple* de Louis Fréchette ; or, toutes les personnes citées sont mortes dans des circonstances mystérieuses en se rendant à la maison Hamel. En jouant avec la liste des noms, Roussel finit par découvrir que le mot « nimmer », qui signifie en haut-allemand « jamais », est en formation, et que ce mot est un acrostiche constitué à même les premières lettres des noms des victimes notées sur la liste en progression. Roussel comprend qu'un « Mot » exige sa ponction de « graphèmes sanglants » et réclame le signe suivant qui est le narrateur lui-même. Le 20 mai 1980, sachant l'inéluctable, Roussel part à la recherche du fragment de Batiscan.

BELZILE, Gilles
[

« Clônage »,
Urgences, n° 5 (3e trimestre 1982), p. 51-59. (SF)

Un professeur, s'en retournant chez lui, croise son ami Marc, dont la tête a quelque chose d'insolite, ses voisins, qui semblent ne pas le reconnaître, et un automobiliste agressif, dont le profil a quelque chose de singulier. Troublé, il entre chez lui et s'installe devant son téléviseur. Aux nouvelles du sport, une image le « pétrifie » : à l'écran, au lieu de l'annonceur, il voit son propre visage et entend sa voix. Croyant rêver, il passe de chaîne en chaîne où toujours la même tête revient : la sienne ! Même la petite fille au pot de confitures de la publicité de Provigo a sa tête. Il comprend alors ce qui lui semblait insolite chez les passants : ils avaient tous sa tête à lui. Il décide d'appeler un médecin. Mais en consultant l'annuaire, il croit faire un cauchemar en constatant que toutes les pages répètent le même numéro : le sien.

BENOIT, Jacques
[Saint-Jean-sur-Richelieu, 28 novembre 1941 –]

Jos Carbone. Roman,
Montréal, Éditions du Jour, [1967], 120 p. (Collection « les Romanciers du Jour », n° R-25) (Hy/Roman) ;

[Montréal, Stanké, [1980], 133 p. (Collection « Québec 10/10 », n° 21).

Dans une forêt située dans un lieu indéfini, mais peut-être au Québec, à une époque indéterminée, vivent de façon primitive deux couples, Jos Carbone avec Myrtie la blonde, Pique avec Germaine la noire. Les premiers habitent une cabane où Jos a accumulé des objets hétéroclites (fusils, bottes, livres...) ; les seconds demeurent dans un souterrain ; autour de la cabane de Jos rôde Pierrot, un homme quasiment sauvage qui vit près d'un étang. Les deux hommes essaient de l'attraper, d'abord en vain ; Germaine le trouve par hasard, fait l'amour avec lui, mais il l'expulse ensuite ; une première rencontre de Jos et Pique avec Pierrot se solde pour Jos par une blessure à la tête. Pique trouve lui aussi la cachette de Pierrot en l'absence de celui-ci et comprend que Germaine l'a trompé en trouvant la robe de daim de celle-ci. Furieux, il revient chez eux ; Germaine l'assomme et le blesse grièvement avant de repartir à la recherche de Pierrot. Celui-ci a de nouveau rencontré Jos et la poursuite s'est soldée cette fois par un match nul : les deux hommes se sont évanouis, épuisés. Germaine, amoureuse de Pierrot, le recueille et l'emmène dans son souterrain. Ils y tourmentent Pique près de mourir, puis Myrtie s'en vient. Pierrot, qu'elle attire beaucoup, essaie de l'approcher mais, effrayée, elle le tue. Germaine s'enfuit pour ne plus reparaître. Restent les cadavres gelés de Pierrot et de Pique, dans le souterrain, où, au printemps ils dégèleront.

Patience et Firlipon. Roman d'amour,
Montréal, Éditions du Jour, [1970], 182[1] p. (Collection « les Romanciers du Jour », n° R-68) (Hy/Roman) ;

Montréal-Paris, Stanké, [1981], 195 p. (Collection « Québec 10/10 », n° 37) ;

[Un extrait, correspondant aux pages 88-110, parut d'abord, sous le titre « le Vidéophone », dans *Culture vivante,* n° 12 (février 1969), p. 18-19, 22-25].

En 1978, dans la ville de Montréal où les policiers sont équipés de propulseurs dorsaux, Patience, une jeune fille venant de s'installer dans une pension, est amoureuse d'un co-chambreur, un mâle nommé Firlipon Roger. Ce dernier l'enlève un soir, après avoir volé deux propulseurs dorsaux aux policiers, et tente de faire l'amour dans les airs. Ils finissent par se marier et, après une noce orgiaque, ils rêvent d'être heureux et de faire beaucoup d'enfants.

Les Princes,
Montréal, Éditions du Jour, [1973], 172[1] p. (Collection « les Romanciers du Jour », n° R-104) (Hy/Roman) ;

Montréal-Paris, Stanké, [1981], 185 [2] p. (Collection « Québec 10/10 », n° 25)

[s. l., Oberon Press, 1977], 123 p. [Traduit par David Lobdell, sous le titre *The Princes. A Novel*]

Dans la Ville aux quatre quartiers bien différents, vivent des humains, des monstres et des chiens. Les uns comme les autres sont divisés en classes ; le quartier le plus pauvre, sorte de ghetto, est réservé aux hommes Bleus (ou Coquins, du nom de leur quartier) ; les commerçants et le gouvernement se trouvent dans le Faubourg Grâligean et son Château sur la Montagne, riche des mines situées dans son sous-sol ; les enrichis occupent le quartier de Nilaudante ; les travailleurs et les miliciens serviteurs de l'Ordre résident dans le quartier de Pétrajie. Les monstres « crieurs » et « parleurs », grands et petits, à l'origine inexpliquée mais humaine, circulent partout, sauf dans le Faubourg. Les chiens, enfin, tout aussi hiérarchisés que les hommes, intelligents, sont des animaux sacrés, que protège le Livre des Lois pour avoir, dans un lointain passé, sauvé la Ville des rats. Il n'y a ni flore ni faune dans la Ville ou la plaine qui l'entoure : seulement l'arbre géant natol, des rats, des insectes et les chiens, que mangent en secret les habitants du Faubourg. Mais, d'une part, un homme Bleu, Ronule, va tuer un chien par accident, le manger, et inciter ses semblables à en faire autant ; d'autre part, les chiens finissent par comprendre la vérité sur les « disparitions » qui ont déjà touché plus de 5 000 d'entre eux. Le fils du vice-gouverneur étant mort empoisonné après avoir mangé du chien, les chiens décident d'une ligne d'action : les membres de leur Conseil, pour se protéger, boivent régulièrement et depuis toujours un peu de l'eau du ruisseau Bleu, qui les rend impropres à la consommation. Ils décident donc que tous les chiens devront en faire autant, ce qui cause un embouteillage monstre de chiens au ruisseau Bleu. Au Faubourg, les humains s'en inquiètent. Malgré les efforts de pourparlers entre chiens et humains par l'intermédiaire de Makribi, un monstre « parleur » dont les talents médicaux sont secrètement utilisés par le gouverneur Rinalobule, malade de la gangrène, la frénésie humaine se déchaîne par étapes contre les chiens qui finissent par être tous massacrés. Un couple s'échappe pourtant, Pétrus, le chef des chiens « émissaires », et Nina, la chienne du commandant Kroknell, chef de la Milice, qu'ils égorgent chez lui alors qu'il s'y repose après la fin du massacre. Puis les deux chiens s'enfuient.

Gisèle et le Serpent. Roman,
[Montréal], Libre Expression, [1981], 252 p. (F/Roman) ;

[Un extrait, correspondant aux pages 29-34 (du chapitre 4) du roman, parut d'abord, sous le titre « la Confession de Gisèle », dans *la Nouvelle Barre du jour*, n° 89 (avril 1980), p. 44-50].

Grégoire, un médecin, rencontre un jour Gisèle, une de ses anciennes patientes, maintenant resplendissante. Il apprend qu'elle doit ce regain de vie à un pacte conclu avec le diable, qui lui apparaît sous la forme d'un serpent. En échange de la beauté et des dons d'ubiquité et de métamorphose, il peut se loger en elle. Gisèle utilise d'abord ses pouvoirs pour son plaisir, mais tombe toutefois amoureuse de Grégoire. Elle veut lui faire payer cette faiblesse, elle qui entend mener sa vie comme elle le désire. Grégoire devient donc la victime de cette femme et du serpent, métamorphosé en homme. Ceux-ci réalisent divers crimes et méfaits devant lui et utilisent son cabinet pour exécuter d'étranges opérations sur les clients du médecin avant qu'il soit jeté aux mains de Gisèle. Son pénis est alors remplacé par une partie du serpent et le pauvre médecin devient l'esclave à la fois de cet organe doué d'une volonté propre et des passions de Gisèle. Il s'adapte malgré tout à cette existence et épouse finalement la femme. Tout rentre dans l'ordre, même le souvenir de cette aventure semble s'estomper. Il est seul à se rappeler ces événements.

BER, André
[Bordeaux (France), 23 septembre 1920 –]

Ségoldiah ! Roman,
Montréal, Librairie Déom, [1964], 245 p. (Hy/Roman) ;

[Un extrait parut dans *Anthologie des écrivains lavallois d'aujourd'hui*. Responsable de la publication : Patrick Coppens, [Laval], Société littéraire de Laval, [1988], p. 29-32.]

Un homme, Léo Dagish, vient consulter un psychiatre, Charles Martin, pour lui parler de sa curieuse expérience de possession : un être, Ségoldiah, venu de son propre aveu du fond de l'espace et du temps, est entré dans son corps et dans son esprit. En lui conférant de la sorte la science infuse, Ségoldiah lui fait écrire des choses, dont sa propre histoire, qui forme un récit intercalé par intermittence dans le récit principal. Graduellement, Martin est fasciné par le manuscrit, puis commence à croire en la réalité de ce qui apparaissait à prime abord comme farfelu. Ségoldiah est décrite comme une monade errante, organisatrice de la matière, qui se promène, depuis les origines du monde, des plantes aux hommes en passant par les animaux, et qui a pour mission d'insuffler l'intelligence à la matière. Puis, Charles Martin, considéré comme atteint de folie, est soigné par un confrère psychiatre, Pierre Tinguet, qui l'assure qu'il a fait une psychose dépressive : sa personnalité se serait modifiée, il aurait perdu contact avec la réalité, ce qui l'aurait empêché de distinguer le réel de ce qui ne l'est pas. Si Charles a pu revenir à la santé mentale c'est que, inconsciemment, il luttait contre les élucubrations de Léo Dagish. Tinguet fait également le lien entre les graphies que représentent Ségoldiah et Léo Dagish : des anagrammes du même nom. Selon le docteur, l'histoire racontée par Dagish est le reflet de sa démence ; intelligent toutefois, il s'était farci le cerveau de théories, glanées çà et là, sans discipline intellectuelle. Un graphologue admet que l'écriture du manuscrit changeait selon que Dagish était soumis à des changements de personnalité, ce qui laisse croire que preuve n'est pas faite de la parfaite absurdité du phénomène de l'incarnation d'une monade dans le corps de Dagish.

BERGERON, Alain
[Paris (France), 11 février1950 –]

Un été de Jessica,
[Montréal], Quinze, [1978], 282 p. (« Science-fiction »). (SF/Roman)

Une centaine de vieillards très riches, les Maîtres, avec une seule petite fille, Jessica, se sont installés à l'écart des conflits interplanétaires en achetant la planète Mars et en la protégeant par un écran protecteur. La planète est dotée de son propre système écologique grâce à ce dispositif complexe. Les Maîtres possèdent des esclaves androïdes auxquels ils recourent pour leur protection, pour les travaux et aussi pour leurs ébats sexuels : l'amour entre humains est mal vu et la relation d'homme à femme qu'ont deux des vieillards, Jérome van Delft et Malicia Hirchst, provoque un scandale.

Dans un vaisseau spatial, *l'Impeccable*, en route de la Terre vers Ganymède, se trouvent une commandante, un ingénieur, Novotny, et le révérend Ryland, né sur Vénus. Ils subissent une attaque ennemie (les colonies spatiales sont en guerre contre la Terre) et s'enfuient avant d'être complètement détruits. Ils savent qu'ils seront accusés de trahison et font donc route vers une des lunes de Mars, Phobos. De Phobos, ils cherchent à convaincre, mais sans succès, les Maîtres de Mars de désactiver l'écran protecteur pour les laisser se poser sur la planète. Ryland, qui possède, comme tous les prêtres, un petit appareil spatial, parvient à passer au travers de l'écran et à se poser en catastrophe sur Mars. Par hasard, Jessica trouve Ryland blessé, le soigne et en fait son meilleur ami. Otis Flanagan III et quelques Maîtres cherchent à trouver l'intrus et Jessica, qui a disparu. Pendant ce temps, Ryland n'a qu'une idée : détruire la machine qui produit le champ de force autour de Mars afin de permettre à ses amis de se poser sur la planète. Quelqu'un l'en empêche et Ryland apprend, peu de temps après, que la source d'énergie de la planète est Jessica la mutante, produit de manipulations génétiques et programmée à son insu pour servir de relais nécessaire aux machines productrices du champ de force. Ryland se met à délirer et quelqu'un ordonne à des androïdes de le saisir ; dans la bataille qui s'ensuit, Ryland bascule dans le vide et meurt. Éperdue, Jessica se jette dans le vide, elle aussi, mais son chien mutant lui sauve la vie. Otis Flanagan III prend la résolution de faire changer des choses sur Mars. Dans l'espace, le vaisseau spacial qui avait quitté Phobos vogue dans le vide. L'ingénieur Novotny, devenu fou, détruit le vaisseau.

BERGERON, Bertrand
[Sherbrooke, 18 avril 1948 –]

« Surveillants et d ten s »,
la Nouvelle Barre du jour, n°s 79-80 (juin 1979), p. 63-68 (SF) ;
Parcours improbables, [Québec], L'instant même, [1986], p. 61-65.

Quelque chose d'inhabituel se passe dans le corridor infiniment propre et blanc de l'Institut : « surVeillant » ne fait pas les cent pas symboliques afin de rassurer chacun sur son état et se convaincre lui-même du sien ; « dÉtenu » s'attend donc à ce que le « courant kyponétique », qui contre habituellement toute tentative de fuite, soit coupé ; il en profite pour s'évader. « SurveillanT », le plus démuni de tous, ne l'empêche pas de se diriger vers la cité mais il prévient dÉtenu de ne pas revenir car les portes de l'Institut lui seront fermées. Il lui crie : « Ne t'avise pas de franchir le mur du courant. Tu en mourrais ». DÉtenu ne tient pas compte de ces avertissements, mais Surveillant est préoccupé par un autre désespoir : « celui de tous les SURVEILLANTS qui savaient, eux, qu'en la Cité... ».

« Strip-tease »,
la Nouvelle Barre du jour, n°s 79-80 (juin 1979), p. 85-92. (SF)

Pour la première fois depuis deux ans, le narrateur retrouve chez lui le romancier Philippe Amami, qui lui raconte une histoire, survenue l'après-midi même alors que, comme à son habitude, il ramenait chez lui une inconnue. Après avoir bavardé avec elle autour d'un verre, Amami commence à déshabiller la jeune fille qui, sous son chemisier, porte un chandail et des collants, qu'il enlève aussi. Mais, à sa grande surprise, il découvre d'autres chandails et d'autres collants et ne parvient jamais à la dévêtir. La jeune femme pleure et l'embrasse avec passion et désespoir...

« Auto sport de grand luxe »,
Imagine..., n° 12 (vol. III, n° 3, printemps 1982), p. 37-41. (F)

Pour attirer l'attention de la gent féminine, Georges Bonnefoy, après son divorce, s'achète une voiture sport à laquelle il s'attache jusqu'à la considérer comme sa confidente. Après une série de déboires, il s'en prend à sa voiture et lui assène de violents coups. Le lendemain, la voiture refuse d'avancer sur une route de campagne. Le propriétaire s'en départ alors et s'en procure une nouvelle. Mais il n'est pas au bout de ses peines : son auto sport le poursuit partout. Un jour, il s'en approche, ouvre le capot pour la mettre hors d'état de marche, mais il meurt, coupé en deux par le capot. La police conclut à une mort accidentelle.

« Jessica »,
Imagine..., n° 21 (vol. V, n° 4, avril 1984), p. 21-24 (SF) ;

Parcours improbables, [Québec], L'instant même, [1986], p. 67-73.

Un Androïde, modèle W28, refuse la compagnie de prostituées de luxe. Un jour, il remarque une femme dans la rue, différente de toutes les autres, et l'invite à monter à son appartement. Au moment où Jessica, la jeune femme, s'apprête à succomber à ses charmes, W28 se lève pour lui offrir une bière. Elle découvre alors que le jeune homme n'est pas différent des autres androïdes : il est incapable de parler debout sans bégayer. Elle s'enfuit avec empressement.

« Ruelles. Un pastiche de Julio Cortázar »,
Imagine..., n° 27 (vol. VI, n° 4, avril 1985), p. 55-60. (F)

Après avoir reçu une lettre dans laquelle Marcello lui fait part du comportement et des propos incohérents de Miguel, « Je » s'envole vers Buenos Aires. Miguel prétend que sa femme, Lina, depuis son retour de prison, n'est plus la même et il craint pour leur relation. Or, voilà, Lina n'a jamais été incarcérée. Les explications fournies par Miguel éclaire un peu le « je » qui ne semble pas étonné ; Lina se trouverait « en même temps ailleurs, détenue ailleurs, entre des murs de pierres froides ». Du même coup, elle donne l'impression d'être la réincarnation d'une « Ninon » (Ninon de Lenclos, courtisane) qui pourrait tout aussi bien se retrouver dans les ruelles de Montréal. Et c'est précisément là que l'amène le « je ».

BERGERON-HOGUE, Marthe,
[Chambord (Lac-Saint-Jean), 27 juillet 1902 – Québec, 7 mars1980]

Le Défi des dieux,
Port-au-Prince (Haïti), Éditions de l'an 2000, 1972, 95 p. (SF/Roman) ;

Sherbrooke, Éditions Naaman, [1977], 94 p.

Dans une société futuriste d'hommes-dieux où les besoins de chacun (alimentation, sexualité, reproduction) sont comblés de manière électronique et où l'immortalité est le lot commun, des savants fusionnent un spermatozoïde prélevé sur un individu mâle avec l'ovule d'une femme ; cette union artificielle donne naissance au Fils-De-La-Chimie. Le « père » de cet enfant s'intéresse aux hommes anciens et découvre leurs valeurs – l'amour, la famille et la religion. Il tombe amoureux de la mère du Fils-De-La-Chimie et s'unit à elle sexuellement. Elle accouche de Primo. Comme l'accouchement constitue un mode suranné de reproduction, cette naissance perturbe fort la société, où règne un « ordre éternel inchangeable ». Lorsque la femme devient enceinte pour une seconde fois, les autorités pratiquent sur elle un avortement, font disparaître le premier enfant – Primo – et la femme elle-même. L'homme tente de se suicider, mais l'électronique le regénère. Il reçoit la solitude et la désespérance en partage.

BÉRIAU, Alain
[

« La Porte »,
Requiem, n° 5 (vol. I, n° 5, juin-juillet 1975), p. 8-9. (F)

Un jeune homme décide, un soir, d'écouter de la musique. Il s'installe dans un fauteuil et, au son de la musique, est transporté aussitôt vers de nouveaux espaces. Soudain apparaît une grande porte dont il s'approche et en franchit le seuil. Il se retrouve en haut d'un escalier qu'il entreprend de descendre. Il comprend alors que la musique n'a aucune raison de jaillir dans sa tête puisqu'il a oublié de brancher l'appareil. Il tente vainement de revenir vers la porte, qui se referme « dans un fracas terrible ». Le jeune homme ressent une douleur atroce dans la tête et disparaît dans le désert du son. Le médecin constate son décès mais ne peut expliquer l'étrange phénomène qui a causé sa mort. En effet, la trop forte pression venait « de l'intérieur et non de l'extérieur de la tête ».

« L'Éphémère »,
Requiem, n° 13 (vol. III, n° 1, décembre 1976-janvier 1977), p. 9. (F)

Une petite fille naît. Dans l'espace d'une journée, pendant que sa mère se remet de l'accouchement, elle parvient à terminer ses études, à se marier, à avoir deux enfants, et, juste avant de mourir, à voir naître son petit-fils. Voilà une vie ou plutôt... une journée bien remplie.

« Le Canard désabusé »,
Requiem, n° 13 (vol. III, n° 1, décembre 1976-janvier 1977), p. 10. (F)

Créé pour faire rire, un canard va d'aventure en aventure. De page en page, depuis des années, son destin se dessine constamment. Mais le canard rêve d'une retraite pour enfin se « laisser aller à ne rien faire ». Un jour, son créateur lui met une carabine dans les mains. Sans attendre la séquence suivante pour presser sur la gâchette, le canard tire sur le dessinateur, cet homme qui appartient à l'autre monde. Ayant assassiné son créateur, le canard peut enfin pleurer.

BERSIANIK, Louky [pseudonyme de **Lucille DURAND**]
[Montréal, 14 novembre 1930 –]

« L'Arbre à trous »,
Châtelaine, vol. V, n° 72 (décembre 1964), p. 22-23, 58, 60-63. (Hy)

John Black, un marchand de trous, arrive un jour dans un village, y achète un terrain et y plante ses arbres à trous. Après sa première récolte, il organise une grande fête et offre ses trous aux gens. Le succès est immédiat, l'utilité des trous est jugée indéniable. De nombreuses commandes affluent au magasin de Black. Cependant, le maire est jaloux ; il établit un plan pour expulser le marchand du village.

Profitant du fait que les réserves de trous de Black s'épuisent, il commande une énorme quantité de trous. Black parcourt la campagne, achetant même les trous de la conversation et autres vides similaires. Black livre ainsi tous les trous commandés par le maire. Fou de rage, le maire fait empoisonner les cultures de Black à la mort-aux-rats. Mais Black déclare que ce produit donne une vitalité incroyable à l'arbre à trous, que celui-ci grandira hors de toute proportion et que les trous qu'il produira engloberont toute la terre et formeront même des trous dans l'espace. Les villageois, effrayés, s'empressent de couper les arbres et de punir les coupables.

L'Euguélionne. Roman triptyque,
[Montréal], la Presse, [1976], 399 p. (Hy/Roman) ;

Paris, Hachette, 1978, 400 p ;

[Montréal], Stanké, [1985], 412 p. (Collection « Québec 10/10 », n° 77) ;

Victoria/Toronto, Porcépic Press, 1982, 347 p. [Traduit par G. Denis, A. Hewitt, D. Murray and M. O'Brien, sous le titre *The Euguelionne. A Triptych Novel*].

Dans un récit en trois volets, l'Euguélionne relate la quête de sa planète positive. Dans la première partie, elle arrive d'un autre monde et raconte, aux reporters attirés par l'événement, la vie sur sa planète. Chez elle, existaient deux races, les Législateurs, masculins, et les Pédaleuses, féminines. Chaque individu est marqué au front de la devise de sa classe et la division est insurmontable. L'Euguélionne part donc à la recherche du mâle de son espèce.

Dans la deuxième partie, ses rencontres avec des hommes et des femmes de la Terre lui permettent de constater qu'il existe ici les mêmes différences ; elles sont uniquement masquées. Après en avoir assez vu, elle va s'enfermer pour apprendre ce que disent les livres.

Dans la dernière partie, elle s'attaque aux hommes et à Saint Siegfried, créateur de la loi psy, et leur reproche d'avoir depuis longtemps tenu les femmes à l'écart. Dans un long sermon, elle fait l'éloge du corps féminin et propose un nouvel ordre social. Enfin, elle s'apprête à quitter la Terre, toujours à la recherche de sa planète positive, lorsqu'arrivent des soldats, chargés de l'exécuter pour avoir troublé l'ordre social. Elle explose sous leurs balles mais son corps se recompose et elle disparaît pour aller dans un autre monde. Les femmes s'unissent alors pour attaquer et renverser les tables de la psy et sortir enfin de leur préhistoire.

BERTHIAUME, André
[Montréal, 15 mai 1938 –]

« Ludovic »,
Contretemps. Nouvelles, Montréal, le Cercle du livre de France ltée, [1971], p. 97-108. (F)

Un garçon naît, baptise les objets de sa chambre, peint des paysages et des objets qui disparaissent aussitôt reproduits. Il peint aussi son père qui « éclate comme une bulle de savon ». Le garçon du nom de Ludovic suit une jeune fille, vit avec elle, devient détective privé, rencontre son double, vieillit de manière accélérée et voit de sa fenêtre, un jour de tempête de neige, un corps d'enfant se fracasser tandis que la tête se détache et se métamorphose en oiseau qui s'envole. Il s'assoit et dit : merde.

« Fugitif »,
Contretemps. Nouvelles, Montréal, le Cercle du livre de France ltée, [1971], p. 127-130. (F)

Un détenu crache sur le soleil. Il est accusé de lèse-crépuscule. Il décide de tromper la vigilance de ses gardiens en s'évadant de son propre corps. Son plan : passer par sa bouche ouverte ! Il laisse alors son corps derrière lui, en prison, et se fond dans la nature.

« Crépuscule »,
le Mot pour vivre, [Sainte-Foy], les Éditions Parallèles [et Montréal], Parti pris, [1978], p. 9-12. (F)

Au crépuscule, dans une ville inconnue, les gens louent un lit qu'ils installent sur les trottoirs du centre-ville pour y passer la nuit. Un des dormeurs, un garçon, croit voir un cortège de motards qui trouble son sommeil.

« Le Rétroviseur »,
le Mot pour vivre, [Sainte-Foy], les Éditions Parallèles [et Montréal], Parti pris, [1978], p. 13. (F)

En plein embouteillage, un homme s'aperçoit qu'il a soudainement vieilli d'une vingtaine d'années au moins.

« La Piétaille »,
le Mot pour vivre, [Sainte-Foy], les Éditions Parallèles [et Montréal], Parti pris, [1978], p. 14-15. (SF)

Dans une ville anonyme, les automobilistes sont chargés d'éliminer les piétons afin de garder la ville propre.

« La Vérité »,
le Mot pour vivre, [Sainte-Foy], les Éditions Parallèles [et Montréal], Parti pris, [1978], p. 37-47. (F)

Lors d'une visite à la Ronde avec son fils, le narrateur constate que les limites du parc se sont agrandies. En vain, ils cherchent la sortie. Laissant son fils dormir à l'écart, le narrateur demande à un balayeur de lui indiquer la sortie et, énervé par les réponses évasives du bonhomme, il l'étouffe avec le balai. On l'enferme et il est jugé coupable par un juge nain et un jury de cirque. Depuis, le narrateur sert de cible dans un kiosque où les badauds lui envoient des tartes à la crème à la figure.

« La Malbaie »,
le Mot pour vivre, [Sainte-Foy], les Éditions Parallèles [et Montréal], Parti pris, [1978], p. 91-119. (F)

Un journaliste (le narrateur) monte dans un taxi pour se rendre à la gare. Le chauffeur est particulièrement prolixe et agaçant. Dans le train, le journaliste essaie de parler, de provoquer un vieil homme qui demeure immobile et muet. Il quitte le compartiment et commence à s'énerver quand il sent que le train accélère et dépasse La Malbaie où il voulait descendre. Inquiet, il tente d'ouvrir les portes, qui ne bougent pas. Dans un autre compartiment, il rencontre une femme très belle, qui lui plaît malgré ses airs énigmatiques. Il retourne dans l'autre compartiment et est surpris d'y retrouver le vieux accompagné d'un abbé qui semble le prendre pour un fou : résigné, le journaliste retourne auprès de la femme et essaie de se convaincre qu'il dort et que tout n'est qu'un rêve qu'il oubliera au réveil.

« Écrire »,
le Mot pour vivre, [Sainte-Foy], les Éditions Parallèles [et Montréal], Parti pris, [1978], p. 120-127. (F)

Après la projection d'un film policier, un homme sort du cinéma et voit surgir un puits lumineux à ses pieds. Il se demande si c'est la mort. Il entre au bureau, se met à écrire mais, le lendemain, en corrigeant son texte, il s'aperçoit que le puits vertigineux s'estompe, que l'émotion originelle disparaît.

« Le Parc »,
le Mot pour vivre, [Sainte-Foy], les Éditions Parallèles [et Montréal], Parti pris, [1978], p. 172-176. (F)

Un voyeur (le narrateur) écrit ce qui se passe dans un parc à partir de son balcon. Il décide d'improviser un scénario qui, bizarrement, s'actualise dans les gestes des personnages du parc. Tout ce qu'il écrit se réalise instantanément. Conscient de son pouvoir, il organise de petits événements dans le parc. Cependant, il projette d'étendre son champ d'action pour finalement devenir le maître du monde.

« L'Ascenseur »,
Imagine..., n° 16 (vol. IV, n° 3, printemps 1983), p. 25-26 (F) ;

Incidents de frontière, [Montréal, Leméac, 1984], p. 119-122. (Collection « Roman québécois », n° 82).

Un homme pénètre dans un hôtel à l'étranger. Après avoir rempli une fiche, il se dirige vers l'ascenseur en refusant l'aide du garçon. Arrivé à l'étage, il sort machinalement de l'ascenseur pour se retrouver de manière étrange dans une autre cabine d'ascenseur. Sans rien comprendre, il se balade d'une cabine à l'autre. Par l'ouverture d'une trappe, l'homme peut finalement atterrir dans une dernière cabine et revenir au rez-de-chaussée. Acceptant finalement l'aide du garçon, les deux personnages doivent remonter par l'escalier puisque « l'appareil est en panne ».

« Le Don d'ubiquité »,
Imagine..., n° 16 (vol. IV, n° 3, printemps 1983), p. 29-30 (F) ;

Incidents de frontière, [Montréal, Leméac, 1984], p. 61-63. (Collection « Roman québécois », n° 82).

Un homme et une femme désirent depuis longtemps se promener la nuit dans un musée. Ils décident donc de réaliser leur rêve en se cachant derrière un rideau à la fermeture du musée. Après avoir déambulé pendant quelque temps dans les salles, ils vont se reposer sur un banc et la jeune femme se remémore la mort de son père. Après un silence, l'homme se lève et se dirige dans une autre salle encore plus sombre. C'est alors qu'il aperçoit sa compagne debout dans le noir. Il tente d'aller vers elle, mais, effrayée, la femme recule. Comment pouvait-elle être « en deux endroits en même temps » ?

« L'Air marin »,
Incidents de frontière, [Montréal, Leméac, 1984], p. 7-16. (Collection « Roman québécois, n° 82) (F) ;

Intimate Strangers. New Stories from Quebec. Edited by Matt Cohen and Wayne Grady, [Toronto], Penguin Books, [1986], p. 95-103. [Traduit par Wayne Grady sous le titre « A Change of Air »].

Lors des vacances estivales, Ferdinand se rend au bord de la mer. Sur la plage, des curieux regardent tous du côté de la mer. Étonné, Ferdinand se trouve un poste d'observation. Il voit des gens en maillot de bain qui se dirigent silencieusement vers la mer et y disparaissent, poussés par une rangée de soldats armés. Après la disparition du dernier baigneur, les soldats regagnent leurs véhicules. Ferdinand demande à son voisin quand la plage sera rouverte et rentre à son hôtel.

« L'Arno »,
Incidents de frontière, [Montréal, Leméac, 1984], p. 25-34. (Collection « Roman québécois », n° 82). (F)

Séjournant à Florence depuis quelques semaines, un homme fait la connaissance de Léa, femme insaisissable, secrète, qui travaille au musée. Après l'inondation de la ville, il se présente au musée pour la revoir. Aucune trace d'elle. On ignore son nom. A-t-elle déjà existé ?

« Les Récalcitrants »,
Incidents de frontière, [Montréal, Leméac, 1984], p. 45-52. (Collection « Roman québécois », n° 82). (F)

Le narrateur décide, un jour, de noter ses rêves. Il se rappelle certains rêves : la prison, les Polynésiennes, le cabinet de dentiste... Mais, une nuit, ses rêves, effarouchés, désertent. Pendant plusieurs semaines, il ne dort pas mais se porte très bien. Son médecin ne lui trouve rien d'anormal. Le narrateur décide donc de jeter le cahier où il inscrivait ses rêves en espérant que ceux-ci vont revenir.

« La Vitre »,
Incidents de frontière, [Montréal, Leméac, 1984], p. 53-56. (Collection « Roman québécois », n° 82). (Hy)

Un homme heurte une porte vitrée. Il entre alors dans un long cauchemar vertigineux où tout se déréalise, où il se dédouble à l'infini, chaque partie lui envoyant diverses images et divers sons. Il désire sortir de son inconscience pour revenir à la réalité et retrouver son unité.

« La Robine »,
Incidents de frontière, [Montréal, Leméac, 1984], p. 103-108. (Collection « Roman québécois », n° 82). (F)

Un clochard, Firmin, attend son ami Honorius dans un parc du centre-ville. Soudain, un malaise l'envahit lorsqu'il s'aperçoit que tous les badauds et même la statue de Giovanni portent de petites lunettes noires. Il grimpe sur le socle pour vérifier la présence des petites lunettes noires, mais dégringole. À côté de son corps inanimé, on trouve ses petites lunettes noires en miettes.

« Réverbération »,
Incidents de frontière, [Montréal, Leméac, 1984], p. 115-118. (Collection « Roman québécois », n° 82). (F)

Le narrateur, propriétaire d'une galerie d'art, aime regarder sur la vitre couvrant son bureau le reflet renversé de l'affiche d'un masque accrochée au mur d'en face. Quand il reçoit un visiteur, le visage de celui-ci se reflète sous l'image du masque. Un jour que le propriétaire reçoit une artiste, il est surpris de voir le reflet de la jeune femme bouger, s'agrandir et lui sourire. Il n'ose lever les yeux de la vitre.

« Polygone et Abeille »,
Incidents de frontière, [Montréal, Leméac, 1984], p. 123-127. (Collection « Roman québécois », n° 82). (Hy)

Abeille, jeune garçon de huit ans et demi, passe ses soirées à dessiner des oiseaux. Il explique à son père, Polygone, qu'un jour il mettra tous les dessins dans son sac d'école et s'envolera. Une nuit, Polygone remplit le sac d'école de son fils de tous les dessins d'oiseaux, le met sur son dos et s'envole. Il survole la ville de Québec et se promet de recommencer bientôt, pour un plus long tour.

« Downtown »,
Incidents de frontière, [Montréal, Leméac, 1984], p. 131-141. (Collection « Roman québécois », n° 82). (SF)

Jour de canicule et d'embouteillage sur Montréal. Après le travail, Réjean va prendre quelques consommations à un bar-terrasse. Il y rencontre Sarah, une belle jeune femme, qu'il invite à souper chez lui. En sortant de la ville, ils subissent un léger accident de voiture dans lequel Sarah se brise le crâne sur le pare-brise. La blessure laisse entrevoir un appareillage de circuits électroniques.

BERTRAND, Charles

[

« Dans la mémoire d'une journée d'été »,
Solaris, n° 61 (vol. XI, n° 1, mai-juin 1985), p. 25-26. (SF)

Le 3 août 1985, 7h56, l'astronaute extraterrestre René Monastesse atterrit à Montréal, intersection Mont-Royal et Christophe Colomb. Grand-maman Malbœuf l'avait prédit et se précipite à sa rencontre, suivie d'une quinzaine de personnes. Il fait très chaud. Pendant que les instances gouvernementales s'emmêlent (s'en mêlent), les habitants du quartier ont effectué un contact avec le Martien, qui leur révèle qu'il vient du futur. Il les invite à émigrer sur une autre planète, avant la catastrophe nucléaire annoncée. Sortant de sa somnolence, l'astronaute ne sait plus s'il est victime d'une mémoire moléculaire ou d'une déformation temporelle pendant qu'il observe la terre dont il s'éloigne dans l'atmosphère.

BESSETTE, Gérard
[Sabrevois, 25 février 1920 –]

Les Anthropoïdes. Roman d'aventure(s),
[Montréal], la Presse, [1977], 297 p. (Hy/Roman)

Dans les temps préhistoriques, la horde anthropoïde des Kalahoumes vit à la limite de la mer-de-sable. Guito, jeune mâle, subit la phase finale de l'initiation, qui fera de lui le « paroleur » de la horde. Il répète intérieurement sa performance publique, retracant l'histoire de la horde qui s'éloigne lentement de l'animalité. D'abord primitive, la horde doit surmonter les querelles meurtrières qui résultent de la domination totale du mâle. Un jour, un des mâles aspirant à devenir chef, Venlao, s'enfuit et traverse la mer-de-sable. Il trouve de l'autre côté des conditions de vie plus propices et des hordes un peu plus avancées dans leur évolution et il crée une nouvelle horde, les Kalahoumides, en croisant avec elles les quelques Kalahoumes mâles et femelles qui l'ont suivi. Les relations des Kalahoumes avec les autres tribus anthropoïdes des environs sont loin d'être harmonieuses. Lors d'un raid, les Gonkalokas enlèvent des femelles, mais l'une d'elles, Vikéa, revient d'elle-même à la horde après avoir tué ses ravisseurs. Elle donne naissance à un hybride, Bao, qui va devenir le grand chef des Kalahoumes, et dont Guito est le fils. La plus grande partie de l'histoire que celui-ci se remémore pour l'épreuve de la parolade concerne d'ailleurs Bao et son expédition contre des hommes-singes ennemis des Kalahoumes, les Slamukis. Au cours de cette expédition, Guito est blessé en défendant Bao. Celui-ci récupère des femelles Gonkalokas captives des Slamukis et il les assaille. Il en naîtra sans doute d'autres, hybrides, accélérant l'évolution de la race. Mais après cette expédition, les deux hordes cousines, les Kalahoumes et les Kalahoumides, décident de ne plus s'agresser mutuellement. Pour ce faire, afin de désamorcer les tensions et rivalités autour des femelles, ils instituent la parolade, récit (bientôt mythique) du passé, qui permet de passer à une autre étape de l'évolution humaine.

BIBEAU Paul-André
[Sorel, 24 décembre 1944 –]

Le Château d'ombre [précédé de] **Fréquences interdites,**
Montréal, l'Actuelle, [1975], p. 79-160. (Hy)

Un être entreprend de raconter sa mutation, d'insecte à homme, grâce aux soins d'un maître qui l'enlève à son Orient d'origine. Cette transformation prend l'apparence d'une quête mystique et une sorte de combat s'engage entre les deux. Le héros semble être vainqueur, devient un homme et accède à un niveau supérieur de conscience.

Fréquences interdites suivi de **le Château d'ombre,** Montréal, l'Actuelle, [1975], p. 7-78. (Hy)

À la suite d'une catastrophe où tous les habitants de sa ville ont disparu, et se sentant lui aussi à la veille de mourir, un homme tente d'échapper au destin en remontant, dans sa mémoire, le cours du temps. Il fait alors un voyage dans un univers fantastique où tout est en constante mutation. Il atteint enfin un temple, en suivant un oiseau qui le guide continuellement, où il se fond à la source de la vie. Une femme l'accompagne tout au long de ce voyage, qui le suit sans échanger de parole avec lui.

« Flagrant Délit »,
Mille Plumes, n° 1 (printemps 1978), p. 14-17. (F)

Le narrateur, un gardien de nuit dans une club privé, écrit un troisième roman racontant l'histoire de J.-C. Aubin, professeur de cégep, qui quitte son emploi après le départ de sa femme, devient journaliste dans un journal à scandales et s'aperçoit que les fictions sadiques qu'il écrit s'actualisent dans la vie réelle. De plus en plus obsédé et dépravé, il loue deux étages d'un immeuble où les lecteurs de son courrier peuvent s'adonner à leurs tendances sadomasochistes. Le narrateur devient lui-même obsédé par son personnage. Un jour que l'écrivain fait une de ses livraisons occasionnelles, il est séquestré par un sadique qu'il croit être Aubin et qu'il ampute du bras droit lors d'une bagarre. Le lendemain, le narrateur apprend, par les journaux, qu'on a retrouvé le cadavre d'un jeune livreur séquestré lors d'une orgie, ainsi que le corps d'un gardien de nuit qui aurait tenté de se mutiler la main droite. De plus, J.-F. Beaubien, locataire des deux étages de l'immeuble, s'est effondré subitement lors d'une réception. Tous trois étaient des personnages du roman entrepris par Aubin.

« Fièvre blanche »,
Mille Plumes, n° 2 (hiver 1978), p. 12-14. (F)

Le narrateur, en regardant une feuille blanche sur son bureau, est transporté ailleurs. D'abord, marchant dans la rue, il s'arrête devant une vitrine où un bœuf, écorché et pendu, se transforme en œuf. Au centre de la rue, il voit jaillir la mer de la bouche d'égout. L'eau qui déborde se transforme en goudron. Deux hommes caressent une sphère qui change de forme et de couleur. Le narrateur s'échappe en fracassant des miroirs. Il se retrouve dans un bassin, rencontre une femme d'une rare beauté et revient dans la rue. Il se remet à fixer la feuille blanche afin de compléter les étapes qu'il lui reste à franchir.

« Le Chat à neuf queues »,
Mœbius, n° 8 (3e trimestre 1979), p. 5-15. (F)

Un journaliste, Louis V., fait un reportage sur les incidents qui sèment la panique depuis un mois, place Jacques-Cartier, dans le Vieux-Montréal. Il se joint aux badauds rassemblés autour d'amuseurs publics et s'approche d'une troupe de clowns près de la colonne Nelson. Alors que ces derniers exécutent divers numéros, Louis voit la place et ses personnages se transformer comme s'il était projeté en plein XIXe siècle. La police l'arrête lorsqu'il se porte au secours d'une victime fouettée au sang. Il est détenu en prison et accusé d'agression. Les psychiatres le croient paranoïaque. Les photos prises au moment des incidents ne révèlent rien d'anormal. Toutefois, son ami Léopold le rassure sur sa santé mentale et lui rappelle que la place Jacques-Cartier était un lieu de châtiment fort populaire, un siècle plus tôt. Quelques jours plus tard, d'étranges incidents surviennent sur la place : un cheval aurait blessé des badauds, on aurait trouvé un fouet (un chat à neuf queues)...

« Le Week-end rouge »,
Mœbius, nos 10-11 (4e trimestre 1980), p. 9-21. (F)

Pendant la grève des pompiers, un agent d'assurances se hâte de rentrer chez lui car il a promis à sa fille Louise de la reconduire à Saint-Marc-sur-le-Richelieu. En chemin, il fait monter une auto-stoppeuse, qui lui fait des propositions sexuelles. Ils s'arrêtent au 16... de la rue Wolfe où habite la jeune fille. De retour chez lui, tard en soirée, il apprend que sa fille a été violée en faisant de l'auto-stop. Un mois et demi plus tard, il retourne sur la rue Wolfe pour apprendre que le 16... et les maisons voisines ont été rasés par le feu, il y a un an plus tôt, pendant le week-end rouge.

Le Fou de Bassan,
[s. l.], les Éditions de la lune occidentale, [1980], 62 p. (Hy)

Victime d'un accident en allant au rendez-vous que lui a fixé Morgan, une fille dont il a trouvé le nom sur un mur de toilettes dans une brasserie, François, étudiant en histoire, sombre dans le coma. Durant son sommeil, il vit une étrange aventure qui l'amène d'abord auprès de Morgan, nue et inconsciente, puis le force à fuir à travers une série de pièces qui semblent apparaître et disparaître. C'est alors qu'il se réveille.

Il croit d'abord avoir vécu un mauvais rêve, mais il retrouve une lettre qu'il avait reçue dans son rêve comateux. Témoignant du caractère étrange de l'événement, le message qu'elle contient révèle que le rêve de François a été dirigé, en quelque sorte, par un ami qu'il croyait mort mais qui a plutôt réussi à se métamorphoser en oiseau. François comprend alors que le nom de Morgan signifie fou de Bassan.

« La Boîte de Pandore »,
Mœbius, n° 15 (automne 1982), p. 21-28 (F) ;

la Tour foudroyée, [Montréal], Parti pris, [1984], p. 9-17.

Un homme apprend qu'un vieil ami, juriste, est mort subitement. Dans la résidence funéraire où est exposé le corps, l'homme ressent un malaise. Pour se ressaisir, il descend au fumoir et surprend une conversation entre un vieillard et une jeune femme. Le vieil homme sanglote sur ses péchés en fixant du regard une boîte décorée de chats noirs, pendant que la jeune femme le harcèle en l'intimant de la suivre malgré les racontars. De la boîte, la jeune femme tire un slip et torture le vieil homme. Les jambes de la femme se métamorphosent en pattes de banc. Entre-temps, l'homme confie sa vision à son frère, qui le renseigne sur une partie de l'énigme : le vieillard était mort subitement, la tête couverte du slip d'une strip-teaseuse au cabaret « la Boîte de Pandore », repère de marins, de prostituées et de motards. La veille des obsèques, l'homme se rend au cabaret, dont la façade est ornée de chats noirs. La boîte est en flammes et s'effondre.

« La Maison isolée »,
Mœbius, n° 19 (automne 1983), p. 5-14 (Hy) ;

la Tour foudroyée, [Montréal], Parti pris, [1984], p. 41-53.

Son automobile en panne, un enseignant se réfugie dans une maison isolée où vivent un homme, Lucien, collectionneur d'automobiles miniatures, et sa femme, Rollande, ancienne reine de carnaval. Ils sont bientôt rejoints par un garagiste, Philippe. Ils boivent du café en écoutant des airs de Noël. Pendant ce temps, l'enseignant voit des oursons étranges sortir d'une brèche dans le mur et torturer les hôtes. Les oursons n'ont pas d'existence matérielle. Il devient de plus en plus fiévreux et perd connaissance. Des policiers le réveillent et l'accusent de cambrioler la maison, abandonnée à cause de la mousse formaldéhyde. L'isolant sortant de la brèche aurait causé la leucémie dont souffrent les anciens habitants. Un macaron portant les mots « Non merci », reliquat du Référendum du 20 mai 1980, est encore accroché au mur.

« Dans le labyrinthe »,
Mœbius, n° 19 (automne 1983), p. 15-21 (F) ;
la Tour foudroyée, [Montréal], Parti pris, [1984], p. 19-27.

Un homme croise des témoins de Jéhovah annonçant la fin du monde et se rend au Crystal palace, rue Sainte-Catherine. Il y trouve la faune humaine des jeux vidéos, dont un homme qui le harcèle avec des photos pornos. Il choisit finalement le jeu « Pacman ». L'écran se transforme et parle. L'homme aux photos pornos apparaît dans l'écran et lui lance différents défis qui ont pour objets une femme, un cagoulard et un policier. Il prophétise que le sang va couler. Des coups de feu provoquent à cet instant une bousculade. Le narrateur découvre tous les personnages de son écran impliqués réellement dans un accident. L'homme aux photos l'invite pour une revanche pendant que les témoins de Jéhovah continuent de prêcher.

« Bouche de velours »,
la Tour foudroyée, [Montréal], Parti pris, [1984], p. 29-40. (F)

Le jour de la fête du Canada (1er juillet), Fleur Mauve fait entrer dans son appartement un magnifique lévrier qu'elle aperçoit sur la rue Prince-Arthur. Elle s'absente pendant quelques minutes dans la cuisine et trouve, à son retour, un bel inconnu près de l'entrée à la place du chien. L'homme se présente comme un photographe professionnel, entreprend de la photographier et lui suggère des poses de plus en plus lascives. Tous deux s'engagent dans une relation physique amoureuse et lorsque Fleur Mauve rouvre les yeux, au moment où l'homme éjacule, elle aperçoit le lévrier au lieu du bel inconnu. Elle roue de coups le chien et l'éventre. Lorsqu'elle jette le « short » de l'homme dans le foyer de la cheminée, surgit des flammes un lévrier fantomatique qui file vers la rue Prince-Arthur en aboyant.

« Le Bateau-passeur »,
la Tour foudroyée, [Montréal], Parti pris, [1984], p. 57-68. (F)

Alerté par les cris de son chien, dans la nuit du samedi 12 juillet, Roger embarque dans un canoë et se lance à la recherche de son ami Pierre-Paul, un gérant de banque, et de ses ravisseurs. Une fois sur l'eau, il voit surgir du brouillard une embarcation où se trouvent son ami et l'épouse de celui-ci, et trois chaloupes remplies de cagoulards armés jusqu'aux dents. Le protagoniste fait feu, mais les balles ne font aucun effet sur ses adversaires. Puis des visions cauchemardesques l'assaillent. Tout à coup, le brouillard se dissipe et Roger peut regagner la rive. Les cadavres de Pierre-Paul et de son épouse gisent dans leur chalet. Au cours de son excursion nocturne, Roger a rencontré un homme qui ressemble beaucoup à Joseph D., un nautonier défunt. Deux semaines après la mort de Pierre-Paul, Roger surprend le nautonier en plein travail infernal. Puis, la chaloupe de Joseph se volatilise et le glas retentit dans le lointain.

« La Croisade des enfants »,
la Tour foudroyée, [Montréal], Parti pris, [1984], p. 83-94. (F)

Alors qu'il se trouve dans le parc Lafontaine, près d'un lac artificiel, le narrateur aperçoit deux enfants qui jouent aux chevaliers. Un réalisateur de films s'approche de lui et lui apprend que son équipe réalise une publicité pour la promotion de la tablette de chocolat Mont-Caramel. Selon le scénario, les enfants sont partis en croisade pour retrouver la recette de leur friandise préférée dérobée par le méchant dragon. Invité à se joindre aux figurants, le narrateur prend place dans un canoë. Comme il manque de s'évanouir, son équipier lui fait avaler une potion qui le plonge dans une agréable rêverie. Peu à peu, le songe prend des couleurs cauchemardesques : la narrateur voit surgir une île au centre de laquelle se dresse un gigantesque phallus de pierre. Un cortège dionysiaque, constitué de choristes, de musiciens, de jeunes filles, d'hommes et de satyres aux cous desquels pend une amulette de forme phallique, se met en marche, puis une prêtresse procède au meurtre sacrificiel d'un des garçonnets. Lorsque le narrateur, qui avait vraisemblablement perdu connaissance, ouvre les yeux, un panneau-réclame a pris la place de l'énorme phallus de pierre. Un infirmier lui apprend que le tournage s'est bien déroulé. Cependant, une amulette de forme phallique pend au cou du narrateur...

« Les Frères ennemis »,
la Tour foudroyée, [Montréal], Parti pris, [1984], p. 95-108. (F)

Mario Parenteau rencontre chez les amis de ses parents un ancien confrère de classe, Claude Laroche. Les deux hommes boivent, puis se mettent à se quereller. Hors de lui, Claude saisit un couteau à pain et lacère un jambon. Aussitôt, le téléphone sonne et Mario lui apprend que le voisin, Baptiste Péloquin, vient d'être victime d'une crise cardiaque. Quelques instants plus tard, Baptiste lui-même fait irruption dans la pièce, déclare que son cœur a cessé de battre et supplie le médecin de le sauver. Tous deux prennent place dans la voiture qui percute un chêne et prend feu. Mario voit surgir des flammes deux silhouettes vêtues de blanc et entend une voix mystérieuse proclamer : « Écoute le sang de ton frère crier vers moi du sol ! Maintenant, sois maudit et chassé du sol fertile qui a ouvert la bouche pour recevoir de ta main le sang de ton frère » (La Genèse, 4).

« La Tour foudroyée »,
la Tour foudroyée, [Montréal], Parti pris, [1984], p. 121-135. (F)

Entraîné par une prostituée, le narrateur la suit dans les ruines d'une brasserie incendiée. Alors qu'il menace les jeunes filles, il est maîtrisé par deux individus et amené devant un homme, qui est le chef d'un groupe de clochards. Ce dernier l'invite à participer à une danse qui devient rapidement une bacchanale. Le héros s'éclipse à la première occasion. Quelques jours plus tard, il apprend qu'un homme a été retrouvé pendu le lendemain de cette même nuit. Les autorités ont décidé de faire détruire l'établissement. Réalisant qu'il l'a échappé belle, le narrateur va voir le travail des démolisseurs. Juste au moment où ceux-ci vont faire tomber la potence, un orage éclate et le héros se rappelle la prédiction du chef : « Babel, la tour va s'effondrer ».

« L'Exorcisme »,
la Tour foudroyée, [Montréal], Parti pris, [1984], p. 137-146. (F)

Le narrateur rencontre un de ses anciens professeurs, l'abbé F., et le suit. Quelques années auparavant, il avait appris que l'abbé avait été promu curé de Mariecourt, village où se produisaient des phénomènes insolites et inexpliqués. Après avoir rencontré quelques personnes malfamées, le prêtre se réfugie dans l'église Notre-Dame de Lourdes. Le narrateur voit soudain la porte de l'église s'ouvrir toute grande et laisser passage à une dame vêtue de noir et à un goéland. L'abbé invite l'oiseau à se percher sur son épaule. Surgit le sacristain, qui accuse l'abbé d'avoir attiré l'oiseau dans l'église. Puis le narrateur découvre, tapi dans un confessionnal, un clochard qui encourage le sacristain à tuer le goéland. Étrangement, le vagabond et le sacristain posent les mêmes gestes, adoptent les mêmes attitudes. L'abbé exorcise le sacristain ; le clochard se volatilise du même coup. Le narrateur ouvre la porte de l'église pour laisser sortir le goéland.

« Figures du temps »,
Mœbius, n° 24 (printemps 1985), p. 45-56. (F)

Un gentleman et sa compagne se font remarquer à la Bibliothèque municipale de la ville de Montréal où a lieu une vente de livres. Tantôt adulés ou vantés, tantôt accusés de supercherie et de vol, ils réussissent à méduser la plupart des gens, lorsqu'ils sont démasqués par un gaillard qui s'empare de leur sac et le vide de son contenu constitué de montres, porte-monnaie, trousseaux de clés, cartes de crédit... Toutefois, le gentleman et sa femme disparaissent mystérieusement comme s'ils avaient franchi l'étrange miroir de forme hexagonale orné des douze signes du zodiaque, lequel se trouvait près d'eux et qui, brûlant comme du feu, se fragmente en vingt-six morceaux lorsque le narrateur, ivre d'épouvante, s'en débarrasse.

BILLON, Pierre
[Genève (Suisse), 15 juin 1937 –]

L'Enfant du cinquième nord (Mamatownee awashis),
Montréal, Québec/Amérique, [1982], 323[2] p. (Collection « 2 continents. Série Best-sellers ») (SF/Roman) ;

Paris, Éditions du Seuil, [1982], 309 p. ;

[Paris], Éditions du Seuil, [1982], 309 p. (Collection « Points », n° R-152) ;

Montréal, Éditions Québec/Amérique, [1989], 323[2] p. (Collection « Littérature d'Amérique »).

À l'Hôpital Mémorial, où sa fille est soignée pour le cancer, Lecoultre rencontre Max Sieber, un garçonnet étrange. Des intrigues mystérieuses, confirmées par la présence d'agents de la GRC, se trament autour de celui-ci. Surtout préoccupé de la santé de sa fille, Lecoultre est entraîné dans l'histoire de Max, à la suite de conversations qu'il a avec un spécialiste en informatique, Ken Hnatzynshyn, à propos des pannes incompréhensibles qui frappent les ordinateurs de l'hôpital. Les incidents bizarres se multiplient et Max est retiré à ses médecins traitants pour être envoyé dans le nord de l'Ontario, toujours entouré de mesures de sécurité sévères. Lecoultre échafaude une théorie sur Max : l'enfant est porteur d'une maladie qui contamine seulement les matériaux non organiques. Avec un des médecins de Max, Lecoultre se rend dans le nord. Arrivés au camp militaire où est gardé l'enfant, ils s'aperçoivent que « l'effet Sieber » gagne en force et en étendue. Le médecin confirme que la guérison de quatorze enfants du « cinquième nord » sont dues à Max. Les Ojibwas de la région, mystérieusement au courant de sa présence, l'appelent « Mamatowee awashis », c'est-à-dire l'enfant-qui-guérit. Mais l'armée et les services secrets s'intéressent surtout au potentiel militaire de son « pouvoir ». Au camp, les gardiens de Max sont en proie à des « visions » lumineuses qui les laissent complètement incohérents. Les autorités cherchent sans relâche à percer le secret de l'enfant. Le Canada vient d'ailleurs de « vendre » Max aux Américains. Mais, à cause du pouvoir de Max, en la force duquel un militaire n'a pas voulu croire, l'avion s'écrase après s'être perdu, et ses occupants meurent de froid. Pour essayer d'élucider quand même le pouvoir de Max, le gouvernement subventionne une recherche médicale. Hnatzynshyn, seul survivant de l'accident d'avion, raconte toute l'histoire à Lecoultre et lui déclare aussi qu'il s'est chargé de son propre chef d'empêcher les recherches d'aboutir, car ce qu'on veut, c'est une nouvelle arme destructrice. Hnatzynshyn lui explique la nature et le fonctionnement du pouvoir de Max, lié aux radiations émises par les vents solaires, et il espère que, dans plusieurs dizaines d'années, on pourra reprendre les recherches.

BILLY, Pierre de
[

« L'Entrevue »,
la Tournée,1er mai au 15 juin 1984, p. 17-18. (F)
À la suite de l'envoi d'un recueil de nouvelles fantastiques, un jeune auteur, Gilbert P., est convoqué en entrevue par Marcel Saint-Arnaud des Éditions Dix-Huit. Saint-Arnaud lui offre un contrat à la condition qu'il modifie son style trop éloigné de la réalité, ce à quoi Gilbert P. se refuse. Pour convaincre Saint-Arnaud de l'intérêt de la nouvelle fantastique, il lui fait une démonstration de divers effets possibles : il ouvre l'une après l'autre les fenêtres du bureau de l'éditeur et fait advenir des événements et intervenir des personnages fantastiques. Saint-Arnaud, quoique troublé, ne se laisse pas impressionner et met poliment Gilbert P. à la porte.

BINETTE, Jacques
[

« Les Gournous »,
Solaris, n° 51 (vol. IX, n° 3, juin-juillet 1983), p. 6-11. (SF)

Un préposé au comptoir de fruits et légumes d'un supermarché reçoit un étrange produit du Brésil : le gournou. C'est, semble-t-il, un végétal. En peu de temps, se crée une demande incroyable pour ce produit qui bouleverse l'économie mondiale. On commet les crimes les plus atroces pour s'en procurer. Bientôt, tous ceux qui en ont mangé meurent dans d'atroces souffrances. Les gournous se sont d'abord établis à l'intérieur des humains pour se développer puis se sont installés à l'extérieur. Les humains qui n'y ont pas touché organisent la résistance mais les gournous augmentent lentement la température de la Terre pour reproduire leur habitat idéal. Bientôt, tous les humains vont succomber.

BLACKBURN, Esther. V. **ROCHON, Esther** [**née BLACKBURN**].

BLANC, Michelle
[

« L'Envol »,
Mœbius, n° 24 (printemps 1985), p. 41-44. (F)

Julien, un hippie nostalgique, est serveur dans un restaurant. Son patron le ridiculise constamment. Un jour, il en a assez et quitte tout. Il se rappelle ses amis du début des années 1970. Certains sont récupérés, d'autres, disparus. Il pense surtout à Théophile, mort à 23 ans. C'est maintenant son « gourou ». Le soir de sa démission, Théophile se matérialise sous ses yeux et l'amène dans son monde.

BLANCHET, Jean
[

« L'Ère du français parlé »,
le Bulletin des agriculteurs, 58e année (août 1975), p. 80-82. (Hy)

Au printemps 1998, Pascal Livarot est nommé conseiller culturel à Paris mais il est analphabète. C'est que, au Québec, pays indépendant depuis 1993, l'enseignement de la langue s'effectue au moyen de techniques audivisuelles qui font oublier les règles de la grammaire.

« Le Fameux Chiffre 13 »,
le Bulletin des agriculteurs, 58e année (janvier 1976), p. 68-69. (Hy)

Valmore Lachance est victime d'une longue suite de coïncidences, toutes rattachées au chiffre 13, des malheurs pour la plupart, depuis sa naissance. Mais un jour, un 13 août, il remporte 13 000 $ à la loterie avec un numéro composé de chiffres 13.

« En l'an de grâce 2026 »,
le Bulletin des agriculteurs, 59e année (mars 1976), p. 74-75, 143. (Hy)

En l'an 2026, la FOL (Fédération des ouvriers libérés) fête son cinquantième anniversaire de fondation. Issue d'une association en 1976 entre la CSN, la CEQ et la FTQ, elle avait pris le pouvoir en 1980 et avait été réélue pendant les 46 années suivantes. Elle avait transformé les usages de l'Assemblée nationale, changé la devise de la province et remplacé la fleur de lys par la masse. La prospérité règne, car la FOL a fait passer une loi interdisant toute grève dans les secteurs publics et privés ; elle célèbre son cinquantenaire en votant pour ses dirigeants une nouvelle augmentation de salaire.

« Les Extra-terrestres [*sic*] étudient notre agriculture »,
le Bulletin des agriculteurs, 60e année (août 1977), p. 41-42. (SF)

Travaillant dans son champ, Claude Barlot, agriculteur, voit atterrir un appareil à trois pattes tout près de lui. Il perd connaissance et s'éveille dans une pièce où il est relié à des électrodes. Zerad, un extraterrestre humanoïde, lui parle et le questionne par le truchement d'un écran vitré, lui expliquant les origines de la planète Onarye de la galaxie code FC 2 167 située à 24000 années-lumière de la Terre. Sur Onarye, peuplée depuis deux millions d'années, on a développé l'énergie atomique et découvert les secrets de la cinquième dimension : Zerad n'a eu qu'à penser qu'il pouvait être sur une ferme de Drummondville et, presque aussitôt, il s'y est trouvé. Professeur d'anthropologie, il s'intéresse à la civilisation de l'État québécois et à ses problèmes reliés à l'agriculture, à la pollution... Il demande finalement à Barlot de répondre à certaines questions mais lui demande de ne jamais parler de cette aventure. Puis Barlot rentre simplement chez lui.

« Matricule 206-400-665 »,
le Bulletin des agriculteurs, 61e année (mai 1977), p. 112, 117. (SF)

Sur la Terre, au XXIe siècle, la société de consommation s'est transformée en société de contestation puis en société de numération entre 2 016 et 2 050. Dans ce système, les citoyens sont codifiés, les communications, les conversations et même la littérature, envahies par les chiffres. Le citoyen n° 205-400-665 rêve que le Québec est détruit par une explosion. Désespéré, il se jette du 20e étage de la Place Desjardins pour rejoindre dans la mort ses huit millions de compatriotes. Mais, le 31 décembre 2035, son réveille-matin le tire de son cauchemar.

« La Vie de famille au 28e siècle »,
le Bulletin des agriculteurs, 61e année (novembre 1978), p. 70, 73. (SF)

Le 6 février 2714, un enquêteur canadien revient de la planète Familuce où il a effectué des recherches. Il a découvert que la notion de divorce n'existe pas sur Familuce et que l'enfant y demeure la raison d'être, le but suprême de cette société, avant tout familiale, étant la propagation permanente de la race en coopérant librement à l'œuvre créatrice de Dieu.

« L'Autre Crise d'octobre »,
le Bulletin des agriculteurs, 63e année (novembre 1980), p. 80, 83-84. (Hy)

Des « révolutionnaires de droite [...] farouches ennemis des réactionnaires de gauche qui dirigeaient la province » cherchent à renverser le gouvernement du Québec. Le 20 octobre 1986, le policier de garde à la résidence du Premier ministre est abattu. Deux jours plus tard, les insurgés contrôlent l'édifice de Radio-Canada à Montréal. La population se demande s'il s'agit d'une supercherie mais, lorsque le chef des rebelles apparaît à la télévision, affirmant que ses troupes sont en train d'investir les points névralgiques, les télespectateurs se rendent à l'évidence : le révolutionnaire somme le chef du gouvernement de démissionner avec son équipe et annonce que le pont Jacques-Cartier vient de sauter. Puis, il rentre chez lui où sa femme lui fait « sa fameuse crise d'octobre » car il a oublié de fêter son anniversaire de naissance.

« La Dame de trèfle »,
le Bulletin des agriculteurs, 65e année (mai 1982), p. 112, 114. (Hy)

Claude Moutier, secrétaire au ministère des Affaires culturelles, consulte un cartomancien réputé. Ce dernier lui prédit une bonne nouvelle (un voyage de plaisir et d'affaires) et une mauvaise rencontre (une femme à chevelure noire et à la peau basanée qui lui serait de mauvaise compagnie). Après avoir hérité d'un oncle américain une somme importante, il prend des vacances en Espagne, mais son patron le charge d'une petite mission. Dans l'avion, il rencontre une femme, telle que prévue par le cartomancien – sauf pour la peau qu'elle avait rose. Celle-ci l'enjôle et lui subtilise l'objet qu'il est chargé de transmettre. La police intercepte heureusement la fille et Moutier avertit le cartomancien d'être plus précis quant à la couleur de la peau.

BLOUIN, Claude
[Sorel, 30 janvier 1944 –]

« Le Jeu »,
Atelier de production littéraire de la Mauricie, n° 8 (1979), p. 14-15. (SF)

En l'an 2500, quatre amis décident d'affronter la Maison de l'horreur, un jeu dont personne ne revient inchangé. Tour à tour, les trois premiers s'échappent, effrayés ou défaits. Seul Cass réussit à tolérer la pire des épreuves, dans une civilisation bruyante et oppressante : le silence.

BLOUIN, Louise
[21 novembre 1949 –]

« Un rêve »
Arcade, n° 8 (octobre 1984), p. 17. (Hy)

Une femme, la narratrice, arrive en Afrique et doit traverser une plage. On l'avertit de ne pas toucher les branches des arbres sinon il lui poussera des touffes de feuilles vertes sur les membres. Malgré ses précautions, la narratrice finit par être couverte de feuilles et s'étonne de ce que les indigènes aient la peau lisse. Une femme lui explique qu'ils sont immunisés.

BOILY Roger
[

« S. L. S. J. 2007 »,
le Quotidien, vol. VII, n° 80 (5 janvier 1980), p. 3. (« Cahier des loisirs »). (SF)

En l'an 2005, le Québec, et surtout la région du Saguenay-Lac-Saint-Jean, sont les seuls pourvoyeurs mondiaux en énergie. Mais le 25 décembre, un rapport révèle l'épuisement des ressources québécoises. Lors d'une réunion internationale, Dawson, le Premier ministre du Québec, avertit les autres nations qu'il est dans l'obligation de réduire et même de couper les ventes. Certains pays, dont la Russie, déclenchent la guerre nucléaire. En dernier recours, ils décident de faire sauter le complexe de la Grande pour inonder le Québec. L'opération est prévue pour le 25 décembre 2007. Loin de là, sur la planète Unm, les Unmites, pacificateurs envoyés par l'Etre Suprême, s'alarment des projets des Terriens. Ils prévoient que l'inondation va créer une explosion dévastatrice. Ils s'embarquent donc pour la Terre, le 25 décembre 2007. Leurs vaisseaux atterrissent à plusieurs endroits et, par télépathie, ils répandent un message de paix, puis ils repartent pour sauver d'autres mondes.

BOISVERT, Claude
[Amos, 13 juin 1945 –]

« Le Parendoxe originel »,
Parendoxe, [Hull], Éditions Asticou, [1978], p. 5-8. (Collection « Nouvelles Nouvelles »). (F)

Un chercheur affirme à l'humanité qu'elle n'existe pas ! C'est le vide, le néant total. En tant qu'ombre, il recherche une jeune vierge avec qui s'accoupler. Elle lui réplique que c'est impossible puisqu'il n'y a absolument personne. Son nom à lui est Adam, elle s'appelle Ève...

« Le Banquet de la dernière chance »,
Parendoxe, [Hull], Éditions Asticou, [1978], p. 9-16. (Collection « Nouvelles Nouvelles »). (Hy)

Au banquet de la dernière chance, le conférencier expose les différences entre les races québécoise et canadienne. Il livre les résultats des travaux de chercheurs : la race québécoise étant supérieure, elle se doit d'assimiler l'autre. On sert donc aux quarante convives les cerveaux de quarante anglophones.

« La Mort d'un musicien »,
Parendoxe, [Hull], Éditions Asticou, [1978], p. 17-31. (Collection « Nouvelles Nouvelles »). (F)

Jean cherche à découvrir les causes de la mort mystérieuse de son ami Georges, un musicien mort foudroyé un soir qu'il donnait un concert et dont il est le légataire universel. On ne retrouva alors sur scène qu'un squelette sans tête. Finalement, Jean perce le mystère en regardant le film d'un de ses concerts. Georges a joué « une note piégée » qui l'a emporté dans l'Ailleurs.

« Ursule ou la Collaboration avec l'ennemi »,
Parendoxe, [Hull], Éditions Asticou, [1978], p. 33-36. (Collection « Nouvelles Nouvelles »). (F).

Ursule a une grosse tête. Rejeté par son milieu, il est baptisé le Mongol. Il se retranche alors du monde et creuse la terre inlassablement. Ce « creusage » choque au début la population, mais on décide de l'exhiber en l'institutionnalisant. Ursule creuse si bien qu'à la fin les Chinois profitent du fait qu'il y a un trou de part en part de la terre pour envahir le territoire : « Ils étaient précédés d'un régiment de... Mongols ».

« Re-création »,
Parendoxe, [Hull], Éditions Asticou, [1978], p. 37-44. (Collection « Nouvelles Nouvelles »). (SF)

Dans un monde évolué déjà composé de douze planètes habitées, Yahvé obtient le droit de créer la vie sur une autre planète. Il choisit la Terre. Après une minutieuse préparation, il laisse l'homme et la femme à eux-mêmes.

« L'Œuf »,
Parendoxe, [Hull], Éditions Asticou, [1978], p. 45-55. (Collection « Nouvelles Nouvelles »). (F)

Des savants accumulent hypothèses sur hypothèses pour tenter d'expliquer la présence d'un œuf gigantesque découvert dans le désert de Gobi. Un jour, un tout petit oiseau en sort et revient avec un brin d'herbe. Des animaux de toutes espèces se mettent à en sortir, puis un homme qui, voyant que ses animaux ont fait un beau dégât en sortant, s'écrit : « Merde ». Noé parlait français.

« TNT *vs* Sphinx »,
Parendoxe, [Hull], Éditions Asticou, [1978], p. 57-60. (Collection « Nouvelles Nouvelles »). (F)

Les siècles passent sur le Sphinx. Des hommes arrivent un jour pour violer son secret. Ils veulent l'ouvrir au TNT. Lors de l'explosion, tous les hommes semblent disparaître à l'exception d'un seul qui découvre avec horreur que le Sphinx est demeuré intact.

« Photo de famille »,
Parendoxe, [Hull], Éditions Asticou, [1978], p. 61-67. (Collection « Nouvelles Nouvelles »). (F)

Un chercheur découvre le secret de la photo à trois dimensions. Comme il déteste les politiciens, il va à un de leurs meetings et les pétrifie avec sa caméra.

« Sophie »,
Parendoxe, [Hull], Éditions Asticou, [1978], p. 69-72. (Collection « Nouvelles Nouvelles »). (F)

Une belle Européenne monte au sommet d'un édifice à Montréal. Elle se lance dans le vide, sans raison apparente. Au sol, il n'y avait rien ; le corps avait disparu.

« La Dernière Migration »,
Parendoxe, [Hull], Éditions Asticou, [1978], p. 73-95. (Collection « Nouvelles Nouvelles »). (SF)

Après un désastre nucléaire, il ne reste plus que 50 000 survivants enfermés dans une cité artificielle. Divisés en deux groupes, ils se livrent de sanglantes batailles : d'un côté, les savants, qui veulent essayer de s'établir sur une autre planète, et, de l'autre, les opposants, qui espèrent refaire leur vie sur la Terre dévastée. Au moment du départ, il ne reste que 4 000 « fidèles », qui réussissent à partir au moment où les opposants font irruption pour tout saccager. Mais le chef des voyageurs décide, au dernier moment, de faire revenir son vaisseau, en laissant continuer les autres, et de le poser sur la Lune. Ils choisissent d'attendre là pendant 4000 ans avant de revenir sur Terre pour guider les survivants. Le chef se voit déjà en tant que Dieu.

« Québec-Mars-Suisse »,
Parendoxe, [Hull], Éditions Asticou, [1978], p. 97-110. (Collection « Nouvelles Nouvelles »). (SF)

Mongrain, un espion québécois, relate les événements qui opposent le Québec à la Suisse dans la lutte pour la suprématie économique terrienne et les échanges commerciaux avec Mars. Les Martiens étant d'abord arrivés au Québec, c'est là qu'ils ont établi leurs contacts. Toutefois, les Suisses n'entendent pas perdre ainsi leur domination et ils ont recours à toutes les techniques de la guerre froide. C'est alors qu'un savant du Québec découvre le moyen de gazéifier un humain, sans qu'il perde sa conscience. Mongrain est volontaire et se rend en Suisse sous forme de gaz où il apprend que son chef immédiat, Mouchard, est un espion à la solde de l'ennemi. Il revient au Québec pour tout révéler, mais Mouchard ne lui en laisse pas le temps et le fait exploser.

« Un aller simple »,
Parendoxe, [Hull], Éditions Asticou, [1978], p. 111-120. (Collection « Nouvelles Nouvelles »). (F)

Un vieux couple, Auguste et Éloïse, roule en voiture sur la route d'Amos en Abitibi. Soudain, dans un tournant, ils sont victimes d'un accident. Auguste se trouve propulsé avec sa voiture à Paris, sous l'occupation allemande en 1942, tandis qu'Éloïse reste seule sur la route. Hospitalisée, cette dernière souffre d'un violent choc nerveux et appelle son mari disparu. Lui est battu par les Allemands et est accusé d'avoir tué deux soldats allemands. Il est fusillé. À l'instant de la décharge des armes, des coups de feu résonnent dans la chambre d'hôpital. On y retrouve Éloïse et Auguste criblés de balles.

« Quand on écrit l'histoire »,
Parendoxe, [Hull], Éditions Asticou, [1978], p. 127-139. (Collection « Nouvelles Nouvelles »). (SF)

Des guetteurs temporels s'assurent que rien ne cloche dans le passé ou le futur de l'univers. C'est un travail assez fastidieux et les guetteurs s'ennuient ferme. Un jour, un jeune révolutionnaire d'une planète du système Alpha Centauri subtilise une capsule temporelle laissée sans surveillance. Les guetteurs ne sont pas longs à réagir. Ils maîtrisent l'intrus et l'envoient sur Terre, en Corse, en 1789. Il deviendra Napoléon.

« Le Chat »,
Parendoxe, [Hull], Éditions Asticou, [1978], p. 141-146. (Collection « Nouvelles Nouvelles »). (Hy)

Frank et Bill constatent qu'il n'y a plus d'électricité sur leur planète (la Terre ?), détraquée et graduellement envahie par des chats hurlant sans cesse, Frank s'aperçoit qu'il a des griffes aux doigts ; il se transforme en chat et égorge son ami. Il se sent enfin avec les siens.

« Et vive la différence »,
Parendoxe, [Hull], Éditions Asticou, [1978], p. 147-152. (Collection « Nouvelles Nouvelles »). (F)

Un homme sent réellement qu'il y a une femme en lui. Cette Autre le possède et l'obsède. La nuit, ils font l'amour. Il croit devenir fou. Finalement, un médecin lui annonce qu'il est enceinte.

« L'Increvable »,
Parendoxe, [Hull] Éditions Asticou, [1978], p. 167-176. (Collection « Nouvelles Nouvelles »). (F)

Wilbrod Leblanc sort toujours indemne d'accidents graves. Chaque fois, la presse parle de l'événement comme d'un miracle. Il est immortel. Son problème : il n'est pas assez intelligent pour jouir de ce pouvoir et il aspire à être normal, c'est-à-dire mortel. Rien n'y fait, il ne peut pas le devenir, mais, un jour, il trouve enfin la solution : le mariage. Aussitôt marié, il devient mortel.

« Exploration »,
Parendoxe, [Hull], Éditions Asticou, [1978], p. 191-195. (Collection « Nouvelles Nouvelles »). (F)

Un homme part en pleine jungle pour retrouver les traces d'une civilisation perdue. Il a vu, en rêve, l'endroit où elle se trouve. Il a décrit son temple, en ruine, et il connaît, sans l'avoir apprise, la langue de ce peuple oublié. Il convainc les derniers autochtones de se joindre à son expédition. Mû par une force inconnue, l'homme fonce vers son but, négligeant tous les dangers de la forêt.

« L'Intruse »,
Parendoxe, [Hull], Éditions Asticou, [1978], p. 197-203. (Collection « Nouvelles Nouvelles »). (F)

Un homme, en voiture depuis des heures sur une route longeant un paysage désolé, rencontre soudainement une femme nue qui lui demande son aide. Elle est très belle, mais ne sait dire que « ai...dez-moi ». Il lui apprend tout. Elle a une mémoire phénoménale. De plus, elle ne dort jamais, ne mange jamais, « comme un automate ». Elle a aussi le don de répondre à tous ses désirs sans qu'il ait à demander quoi que ce soit.

« Détours »
Parendoxe, [Hull], Éditions Asticou, [1978], p. 205-209. (Collection « Nouvelles Nouvelles »). (F)

Un automobiliste arrive à Québec où il abamdonne une fille recueillie « à la sortie de Montréal ». Il se croit fou parce qu'il vit des « événements étranges », des « pertes de mémoire », de « soudaines obscurités de consciences », des « invasions de [son] esprit par des phénomènes inconnus... et l'irruption répétée de voix qui se faufilent nuit et jour jusqu'à ses oreilles... ». Il reprend la route transcanadienne vers Montréal, rencontre à nouveau la même fille qui ne le reconnaît pas, revient à Québec et tout recommence.

« Lumière »,
Parendoxe, [Hull], Éditions Asticou, [1978], p. 211-214. (Collection « Nouvelles Nouvelles »). (F)

Un homme, marchant sous la pluie, va à la rencontre de quelque chose qu'il ne distingue pas clairement. À la fin, il se retrouve devant son moi, lumineux, incorporel, invisible. Redevenu lui-même, sa vieille carcasse rajeunit, devient éclatante... avant de se dissoudre.

« Résurrection »,
Parendoxe, [Hull], Éditions Asticou, [1978], p. 215-218. (Collection « Nouvelles Nouvelles »). (F)

Un homme vit pendant quelques instants les affres de l'agonie et de la mort. Il est d'une « lucidité diabolique » mais demeure impuissant à faire bouger son corps. Le néant le happe, puis il revient à la vie.

« On a volé le... »,
Parendoxe, [Hull], Éditions Asticou, [1978], p. 219-220. (Collection « Nouvelles Nouvelles »). (F)

Un soir, il neige comme jamais auparavant dans les Alpes. Le lendemain, skieurs et automobilistes s'engouffrent dans un trou noir : le Mont-Blanc a été volé !

« Londres, comme si vous y étiez »,
Tranches de néant. Nouvelles, [Montréal], le Biocreux, [1980], p. 9-21. (F)

Dans la tente d'un cirque, un magicien fait passer les gens, dont le narrateur qui vit l'expérience, par une porte derrière laquelle ils se trouvent instantanément transportés à Londres. Le narrateur découvre que ce qui lui arrive est dû à l'actualisation des mots de la chanson intitulée « Il y a toujours un côté du mur à l'ombre », sauf que le mot « l'ombre » y est remplacé par « Londres ».

« Vis donc, esclave ! »,
Tranches de néant. Nouvelles, [Montréal], le Biocreux, [1980], p. 23-38. (F)

Un homme porté sur le raisonnement métaphysique s'évertue à prouver à un autre, le narrateur, que les hommes ne vivent qu'en vertu de la perception que l'on a d'eux, de l'attention qu'on leur accorde. Le narrateur cherche à fuir le raisonneur, sentant qu'il commence à en être possédé. Un jour, ils se rencontrent au coin d'une rue. Le raisonneur avoue qu'il peut faire disparaître un vieillard qui vient vers eux. Il s'exécute, puis menace le narrateur du même sort. Depuis ce temps, ce dernier vit dans la crainte d'être rayé de la réalité.

« Diable ! »,
Tranches de néant. Nouvelles, [Montréal], le Biocreux, [1980], p. 39-53. (F)

Gontrand travaille dans un bureau. La vie le désespère. Il s'ennuie. Dans son esprit, un diable lui parle pour lui proposer un pacte : « vendre sa peau » en échange de l'amour de Ginette, de la richesse et de la puissance. Il refuse, puis, le diable se faisant insistant, il succombe et signe le pacte avec son sang. Quelques instants après la signature du contrat diabolique, le diable s'incarne sous forme d'une petit monstre pour l'occasion, puis disparaît avec le papier ; Gontrand peut coucher avec Ginette. Mais, dans le lit, il se sent soudain affreusement transformé. Il s'évanouit. Le lendemain, Ginette et un monceau d'or se trouvent dans le lit, mais lui, il n'a plus de peau : il avait vendu sa peau au diable !

« Cercle vicieux »,
Tranches de néant. Nouvelles, [Montréal], le Biocreux, [1980], p. 57-70. (F)

Gérald téléphone à Jacques, le narrateur, pour l'inviter à venir en voyage avec lui. Il a découvert quelque chose qu'il veut vérifier. Après avoir quitté Montréal, ils parviennent en un point où tout est noir : ils circulent sur une bande noire étroite bordée elle-même de noir. Finalement, ils découvrent qu'ils tournent en rond (d'où le « cercle vicieux »), prisonniers qu'ils sont du 47e parallèle.

« Il pleut sur Nantes »,
Tranches de néant. Nouvelles, [Montréal], le Biocreux, [1980], p. 71-88. (F)

Un homme, le narrateur, est doté du pouvoir d'écrire sans toucher à sa plume. Il est à Nantes, sur le bord d'une mer qui n'existe pas ! Rentré à Paris, il se blesse. Avec sa femme et sa fille, il part pour le Québec et fait le tour de la Gaspésie. Là, il a aussi un accident. Sa voiture tombe dans un précipice, sa femme et sa fille en meurent. En remontant en haut de la falaise, il constate que sa voiture est toujours là ! Il rentre à Paris, puis à Nantes. Tout au long du récit, une constante : le narrateur voit son double, un ivrogne, et se rappelle les chocs électriques reçus dans un asile, chocs qui l'ont transformé en ce qu'il est, c'est-à-dire un homme qui prend ses visions pour la réalité.

« Valse druidique »,
Tranches de néant. Nouvelles, [Montréal], le Biocreux, [1980], p. 89-91. (F)

Un homme gît sous un menhir dont « la pierre parlait, muette, anormalement vivante ». Dans son impuissance, il se met à pleurer et ses larmes font tomber sur lui des fragments de menhir qui le transforment lui-même en menhir.

« La Ballade des assassins »,
Tranches de néant. Nouvelles, [Montréal], le Biocreux, [1980], p. 93-95. (F)

En forme de chanson à refrain (« Ils étaient trois, trois assassins »), ce texte raconte comment un chasseur de prime bègue, mais très rapide, parvient à tuer les trois assassins en n'en visant qu'un seul. Solution proposée : « [I]l a dû utiliser une balle écho ».

« Le Piège »,

Tranches de néant. Nouvelles, [Montréal], le Biocreux, [1980], p. 97-106. (SF)

Trois scientifiques dotés d'écrans mentaux protecteurs envoient simultanément au Québec, en France et aux États-Unis un réseau d'ondes, le piège à cons, pour tester les populations. La quasi-totalité des gens tombent dans le piège, puis, à la fin, par fidélité à son peuple, un des savants se laisse séduire par son piège et désactive son écran protecteur.

« L'Escalier »,

Tranches de néant. Nouvelles, [Montréal], le Biocreux, [1980], p. 107-117. (F)

Un homme se réveille, un bon matin, obligé de monter un escalier. Il grimpe pendant un temps indéfiniment long, sans comprendre pourquoi. Devenu véritable loque, il arrive, un jour, sur une plate-forme sur laquelle repose une boîte noire et oblongue. Il rampe jusqu'à elle et se voit dans ce qui se révèle être son propre tombeau. Il y entre.

« La Vie en rose »,

Tranches de néant. Nouvelles, [Montréal], le Biocreux, [1980], p. 119-121. (F)

Un homme riche et oisif est si alcoolique qu'il en a des hallucinations : ses monstres sont roses. Il songe à arrêter de boire pour se débarrasser de ces vampires qui se nourrissent de son éthylisme, mais il a une meilleure idée : boire davantage pour que ses monstres aient eux aussi leurs visions monstrueuses. Il boit tant et si bien que, à la fin, il en est à observer « l'apparition de la 17e génération de monstres roses ».

« La Fresque »,

Tranches de néant. Nouvelles, [Montréal], le Biocreux, [1980], p. 123-136. (F)

Au XXIe siècle, Briand, un peintre, est chargé par le ministère de la Culture de créer une fresque monumentale en deux ans. Son modèle est Mélinda, femme qu'il aime par-dessus tout. Or, au bout de dix-huit mois, elle le quitte. Pendant des mois, il ne fait rien, mais, recevant un ultimatum du Ministère, il se voit obligé de se remettre à l'œuvre. C'est alors qu'il décide de parfaire sa fresque en peignant « l'aspect négatif » de Mélinda. Il la campe « plus réelle que nature » en Amazone avec un arc et une flèche en position de tirer. Une fois l'œuvre entièrement parachevée, la veille du vernissage, la représentation de Mélinda se met à s'animer. Le lendemain, lors de l'inauguration, les gens remarquent à peine le cadavre de Briand au pied de la fresque. Il avait un minuscule orifice dans l'œil et la femme peinte n'avait plus de flèche à son arc.

« Tranche de néant »,
Tranches de néant. Nouvelles, [Montréal], le Biocreux, [1980], p. 143-147 (F) ;

Invisible Fictions. Contemporary Stories from Quebec. Edited by Geoff Hancock, Toronto, Anansi, [1987], p. 257-260. [Traduit par Michael Bullock sous le titre « A Slice of Nothingness »].

Un magicien, le docteur Flamel, crée devant une foule une tranche de néant à partir de rien par la seule force de sa pensée. Il prévient toutefois les gens de ne pas entrer en contact avec cette tranche, sorte de colonne d'anti-matière, car ils seraient désintégrés automatiquement. Pendant qu'il parle, une femme, qui semble être la sienne, surgit et le gifle après lui avoir fait une scène de jalousie. Le magicien trébuche et disparaît dans sa tranche de néant.

« Rocamadour ou On ne se méfie jamais assez des statues »,
Rocamadour suivi de *Diogène. Récits humoristico-fantastiques*, [Hull], Éditions Asticou, [1985], p. 7-64. (F)

Au cours d'un séjour à Rocamadour, le narrateur et son amie découvrent une statue qui se multiplie mystérieusement. Envoûtés, ils encombrent l'hôtel de milliers de statues et s'enfuient, apeurés. À l'intérieur de l'hôtel se produisent des phénomènes mystérieux : bruits d'explosion et lueurs de plus en plus intenses. À l'aube, les policiers pénètrent à l'intérieur et ne découvrent que des décombres. L'hôtelière intente un procès aux deux voyageurs. Après cinq années de prison, le narrateur revient à Montréal et, quand il ouvre sa valise, la statue lui saute au visage.

« Diogène ou Diogène est mort, vive Diogène ! »,
Rocamadour suivi de *Diogène. Récits humoristico-fantastiques*, [Hull], Éditions Asticou, [1985], p. 65-159. (F)

Le narrateur, après la visite d'un château, prend le chemin menant à un pavillon dans un parc boisé. Soudain, tout disparaît sauf l'allée qui se prolonge à perte de vue, longée par des arbres géants. Devant lui, un nain tenant une lanterne, et qu'il baptise Diogène, l'enjoint de le suivre. Diogène entraîne le narrateur dans un monde où « les mots sont vivants ». Dans la clairière, se succèdent diverses scènes où des personnages illustrent, de façon concrète, des jeux de mots, des expressions connues et des proverbes. Après bien des péripéties dont il est parfois la victime, le narrateur se réveille chez lui entouré d'une masse d'argent que les passants pillent allégrement. Ruiné, le narrateur désire retourner auprès de Diogène. Il s'y retrouve soudainement mais Diogène disparaît peu à peu. Le narrateur s'empare de la lanterne délaissée : sa conscience s'élargit et son corps se transforme pour convenir à sa nouvelle fonction. Il se hâte d'accueillir un client, un humain.

BONELLI, André-Jean
[1933 -]

Loona ou Autrefois le ciel était bleu,
[Kénogami], Éditions Hélios, [1974], 203 p. (« Demain Aujourd'hui ») (SF/Roman) ;

[Paris], Éditions du Triangle, [1977], 203 p.

Sur une Terre du futur dégradée par la pollution, il ne reste plus que 25 millions d'humains et des insectes en grand nombre qui ont subi des mutations génétiques importantes. L'humanité est divisée en deux groupes incompatibles qui se font la lutte : des Cathares et des Cythériens. Les premiers prônent les mêmes principes que les Cathares de Montségur au Moyen Age, c'est-à-dire un idéal de perfection d'où la sexualité est bannie. Polsen, le Président du conseil cathare et Premier des Parfaits, vient de prendre le pouvoir lorsque le roman commence. Il décide d'imposer la loi cathare encore plus durement que son prédécesseur. Informé de cela par Polsen lui-même, Lars refuse de se plier à cette ligne politique. Il se prend d'affection pour une jeune élève, Loona, qui est fortement attirée à la fois par son professeur et par le mode de vie cythérien, vie où les plaisirs de la chair ne sont pas défendus. Loona se lie d'amitié et même d'amour avec Armelle, éducatrice dans un couvent de méditation cathare. Écœurée de vivre une vie très dure (le catharisme de Polsen est fondé sur la cruauté, la souffrance et la survie des plus forts ; l'entraide est exclue), Loona tente de s'échapper mais est capturée, mise en captivité, torturée et crucifiée. Polsen fait cesser le crucifixion avant qu'elle ne meure et ordonne qu'elle soit brûlée avec Armelle, car il a appris que ces deux femmes avaient manqué à l'idéal cathare. Lars, mis hors-la-loi, et Vikor, le mari d'Armelle, les libèrent. Ils s'enfuient en Afrique et en Amérique où les hommes de Polsen les poursuivent sans succès. Polsen fait détruire toute vie humaine sur la Terre et profite d'une invention de ses savants qui lui permet de se changer en statue à la pierre indestructible, mais qui laisse les cerveaux et les yeux intacts. Loona, Lars et quatre personnages qui les accompagnent finissent par trouver un petit endroit non pollué où le ciel n'est pas gris.

BONENFANT, Yvon
[Saint-Narcisse de Champlain, 3 septembre 1947 –]

« L'Homme et l'Étranger »,
le Nouvelliste, 46e année, n° 42 (19 décembre 1966), p. 25. (Hy)

Un étranger arrive chez un homme pour passer la nuit. Après son départ, son hôte se met à souffrir d'un étrange mal : tendre la main aux autres, « donner la main ». Enfin, il n'y tient plus, se coupe la main et va l'offrir au premier venu.

BONNEVILLE-LAVOIE, Josée
[

« La Censure »,
Arcade, n° 8 (octobre 1984), p. 20-22. (Hy)

La narratrice vit dans un pays où la majorité des habitants ont les yeux bruns, donc foncés. Un dictateur prend le pouvoir et décrète l'élimination de tous les êtres aux yeux pâles. La narratrice, qui a les yeux bleus, se cache pendant quelque temps puis décide de subir une opération chirurgicale risquée qui change la couleur de ses yeux en brun, mais pâle. Puis elle reprend une vie presque normale. Un jour, prise dans une rafle, elle est arrêtée : la lumière vive a fait transparaître la pâleur de ses yeux.

« Une histoire de fantômes »,
Arcade, n° 9 (février 1985), p. 48-50. (F)

La narratrice se décrit comme une maison hantée par ses fantômes. Elle ne sait plus où elle va. Ses fantômes lui ont ordonné d'écrire cette histoire.

BOUCHARD, Camille
[Forestville, 22 avril 1955 –]

« Mourir éternellement »,
Requiem, n° 20 (vol. IV, n° 2, mars 1978), p. 12. (F)

Un homme ivre rencontre une jeune fille qui pleure. Il lui parle un peu et elle finit par lui dire qu'elle vient de tuer un homme, dans sa chambre. Il y entre mais ne trouve personne. Au même moment, il reçoit un coup de couteau en plein dos. Pour expier son péché, la fille doit continuer à tuer jusqu'à ce que sa tristesse soit de la même intensité que la douleur qu'elle a infligée. Elle ressort, en pleurant, et le même homme vient la voir...

« Jadis, tu m'embrasseras »,
Requiem, n° 21 (vol. IV, n° 3, mai 1978), p. 6. (SF)

Un étudiant, qui prépare une thèse sur les voyages dans le temps, voit soudain arriver devant lui une fillette qui l'appelle « Papa ». Surviennent alors une femme qui le connaît et un homme qui reste à distance, mais qu'il croit reconnaître. C'est bien lui qui revient se voir.

« Interview »,
Requiem, n° 27 (vol. V, n° 3, juin-juillet 1979), p. 6-7, 12. (SF)

Un Terrien se rend sur la planète Mophok pour y interviewer un habitant. Voilà qui est difficile car, pour eux, le temps est totalement différent : ils réagissent des centaines de fois plus lentement que les Terriens. L'entrevue a lieu, mais la vie du journaliste se termine avant la fin de la rencontre.

« Les Ancêtres »,
Solaris, n° 30 (vol. V, n° 6, décembre 1979), p. 18-28 (SF) ;

Reflets. La revue scolaire de la langue française en Amérique, vol. I, n° 10 (juin 1980), p. 11-15. [Avec modifications].

Sur ce qui est d'abord présenté comme une planète artificielle, construite à la suite d'une guerre nucléaire, un homme, Jean Varin, prêche pour ramener les hommes à la raison, car ils ont reproduit un monde semblable à la Terre, où des Zones s'affrontent pour se partager le pouvoir. La Zone G domine grâce à ses ressources en Erquatz, sorte de nourriture synthétique. La population se révolte lorsqu'elle apprend que cette denrée est fabriquée à partir de cerveaux d'enfants. Pour empêcher l'effondrement, Varin décide de réveiller les huit ancêtres, dont le rôle est de ramener la population sur Terre. Grâce à eux, Varin fait cesser la guerre et la paix dure jusqu'à la mort du chef des ancêtres qui, la veille de son décès, révèle à la population, qui croyait que la planète volait dans l'espace à la découverte de nouveaux mondes, l'histoire véritable de leur monde : ils vivent dans une sphère enfouie sous la croûte terrestre. La révolte reprenant de plus belle, le fils de Varin décide d'appuyer sur le bouton d'autodestruction de la sphère.

« Depuis la mort de grand-père »,
la Nouvelle Barre du jour, n° 89 (avril 1980), p. 65-70. (F)

Un enfant, Valentin, retrouve son grand-père en s'observant dans un miroir qui lui appartenait. Ses parents le croient fou. Un soir, le père, ivre, décide de briser la glace. Il est englouti et se retrouve avec le grand-père. Personne ne peut expliquer la disparition. Pourtant, tous les jours, Valentin observe les deux hommes en train de se chamailler.

BOUCHARD, Claude
[Jonquière, 27 septembre 1942 –]

La Mort après la mort,
[Montréal], Quinze, [1980], 217[5] p. (Collection « Prose entière »). (Hy/Roman)

Un fils de charpentier sans instruction, Léo Tremblay, vit l'expérience de la mort clinique dans un motel près de la frontière du Q... À la clinique médicale de Saint-Pamphile, l'infirmière Margo le ranime par un massage. Puis, Tremblay est diagnostiqué comme psychotique par le docteur S. d'un hôpital de Québec. En dépit de tous les traitements (électrochocs, trépanation...), Tremblay demeure un cas particulier et insoluble pour les sciences médicales. Le docteur S. lui impose une méthode thérapeuthique au cours de laquelle il écrit un rapport sur son expérience de mort et de vie intérieure dans l'au-delà, c'est-à-dire dans la cinquième dimension où il a réellement rencontré Dieu, Satan et autres démons.

BOUCHARD, Guy
[Moncton (Nouveau-Brunswick), 18 juillet 1942 –]

« La Doublure »,
Dialogue, vol. XXI, n° 4 (décembre 1982), p. 604-605. [Fiction enchâssée dans « Esthétique et Production littéraire », p. 603-623]. (SF)

Dans un Québec souverain, Jos Poisson est engagé par Cinébec, une compagnie de film réputée pour son réalisme cinématographique. Il doit doubler un vilain dans un western et se fait véritablement tuer par le shérif.

« L'Exécution »,
Imagine..., n° 24 (vol. VI, n° 1, octobre 1984), p. 33-42 (SF) ;

Anthologie de la science-fiction québécoise contemporaine. Introduction et choix de textes par Michel Lord, [Montréal], BQ, [1988], p. 101-113. (« Bibliothèque québécoise, Littérature »).

Dans un monde utopique, trente jurés s'apprêtent à condamner un homme qui a commis un crime de lèse-humanité en osant contredire le système explicatif du monde imposé par la Démocratie sacrée. L'accusé explique que la dialectique hégélienne comporte un quatrième terme, la foutaise, et que l'homme, dont le cerveau est en régression et le corps en progression, est un « êtron ». À cause de ce discours iconoclaste, l'homme doit être exécuté. On apprend que ce genre d'exécution est quotidien dans ce monde où les hommes possèdent une tête de la grosseur d'une poire.

« L'Abominable. Un pastiche de H. P. Lovecraft »,
Imagine..., n° 27 (vol. VI, n° 4, avril 1985), p. 31-38. (F)

Un homme, fou d'alchimie, dérobe un livre très rare. Pendant qu'il le consulte, un être étrange l'aborde et l'invite dans sa demeure en lui promettant de lui montrer le Livre contenant les arcanes de cette science. Cet homme entraîne ensuite son invité dans son laboratoire où il réussit à l'attacher. L'être, métamorphosé en bête diabolique, entreprend de réciter des incantations visant à vampiriser sa victime. Désespéré, l'homme envoie un message de détresse aux télépathes qui peuvent l'entendre.

BOUCHARD, Mario

[

« S.O.S. dans l'espace »,
Recueil collectif de science-fiction, par 6 élèves de l'ESSH, Sainte-Hyacinthe, l'École du Séminaire de Saint-Hyacinthe, avril 1980, p. 23-27. (SF)

Après qu'un météorite aut brisé la capsule d'une station orbitale, l'équipage lance un S.O.S. à la Terre. Les responsables envoient une navette spatiale qui parvient à récupérer la capsule avant que l'oxygène n'y soit épuisé.

BOURNEUF, Roland
[Riom (Puy-de-Dôme, France), 28 mai 1934 –]

« Trajectoire »,
Reconnaissances. Récits, [Sainte-Foy], les Éditions Parallèles, [1981], p. 12. (F)

Un homme marche dans le désert, poursuivi par son rêve. Il devient peu à peu rocher, montagne ; il se fond dans le paysage. Quant au rêve, il est devenu comme un désert.

« La Route »,
Reconnaissances. Récits, [Sainte-Foy], les Éditions Parallèles, [1981], p. 13-15. (F)

Un homme se promène à travers un paysage d'une aride beauté et sous une chaleur si forte qu'il doit s'arrêter souvent. Il perçoit le bruit d'une moto, comme le bruit obstiné d'un insecte, qui le suit sans le rejoindre. Mais dès qu'il voit le conducteur de la moto, il se sent (dé)possédé et donne un coup de volant vers le ravin.

« Dans la bibliothèque »,
Reconnaissances. Récits, [Sainte-Foy], les Éditions Parallèles, [1981], p. 18-21. (F)

Chaque fois qu'il arrive dans une nouvelle ville, un homme se rend dans les différentes bibliothèques. Il aime le monde des livres et rêve d'être lui-même écrivain. Alors qu'il déambule à travers une bibliothèque qu'il n'avait jamais remarquée, même s'il se trouvait dans une ville qui lui était bien connue, il constate qu'il marche depuis très longtemps. C'est alors qu'il découvre, alignés sur des rayons, « tous les livres qu'il avait voulu écrire ».

« Le Désert »,
Reconnaissances. Récits, [Sainte-Foy], les Éditions Parallèles, [1981], p. 22-24. (F)

Un homme traverse montagnes et forêt vierge, affronte des indigènes, voyage jusqu'à ce qu'il parvienne en un lieu où il est persuadé qu'enfin sa trace est perdue, dans le désert rouge. C'est là qu'il aménage un grand jardin. Mais bientôt toutes les fleurs, toutes les plantes dépérissent. Il découvre au bas des tiges des cristaux rouges, des cristaux de sable. Le jardin disparaît peu à peu sous cette couche de sable et, même s'il s'est réfugié sur un arbre, l'homme en vient à ne plus vouloir échapper au sable.

« Le Doigt »,
Reconnaissances. Récits, [Sainte-Foy], les Éditions Parallèles, [1981], p. 29. (F)

Un homme remarque, à la base de son index, un petit orifice. Lorsqu'il est renversé, ce doigt laisse couler du sable, de l'eau... Brusquement le personnage n'a plus d'index. Un peu plus tard, plus d'auriculaire. Il repère par la suite, sur plusieurs parties de son corps, d'autres petits orifices.

« L'Empire vague »,
Reconnaissances. Récits, [Sainte-Foy], les Éditions Parallèles, [1981], p. 31-32. (SF)

Rassemblés dans de « grands hangars aux limites vagues », des hommes vivent sous un régime qui « avait pour système de ne pas être trop apparent... ». Les règles de ce système ne sont connues de personne, toute action peut donc être sanctionnée, que ce soit une déviation à droite ou une déviation à gauche. Il s'agit pour le régime d'« atteindre les esprits par une atmosphère insaisissable mais pénétrante comme une vapeur nocive ». Une sorte de résistance s'organise, mais les hommes finissent par regagner leurs hangars « puisqu'il n'y [a] rien et qu'il n'y [aura] plus rien d'autre à faire ».

« La Nuit absente »,
Reconnaissances. Récits, [Sainte-Foy], les Éditions Parallèles, [1981], p. 33-35. (F)

Ce jour-là, « la nuit ne se fit pas » après que le soleil eut disparu. Un vieil homme y voit alors la réalisation de son vœu car enfin il échappe aux rêves qui l'assaillent, nuit après nuit. Mais, sur les routes, dans les champs, les hommes, les animaux sont déboussolés ; le sommeil, comme la nuit, ne viennent plus. Il en est de même pour le vieil homme. Alors, de grands rassemblements ont lieu au pied des « tours porteuses, des cadrans solaires ». De sa maison, le vieil homme sent que les foules arrivent et que, avec la nuit reconquise, la mort le délivrera.

« Ce qui apparut alors »,
Reconnaissances. Récits, [Sainte-Foy], les Éditions Parallèles, [1981], p. 36-37. (F)

Un homme se réveille en sursaut, en pleine nuit. Il hésite longtemps avant d'ouvrir les yeux. Ce qu'il voit ne dure qu'une fraction de seconde. C'est comme des lueurs, qui sont partout. De la sculpture placée près de lui, dont la surface est polie comme un miroir, provient une lumière bleue. Il dit qu'il a peut-être surpris « ce » dont il n'aurait pas dû être témoin.

« Dans l'allée »,
Reconnaissances. Récits, [Sainte-Foy], les Éditions Parallèles, [1981], p. 42. (F)

Au bout d'une allée, un homme aperçoit une vieille dame qui ne semble pas le voir quand il la croise ; il se penche un instant pour ramasser une plume qu'elle a laissé tomber et, lorsqu'il se redresse, la plume est devenue un rameau sec et la femme a disparu.

« La Conquête »,
Reconnaissances. Récits, [Sainte-Foy], les Éditions Parallèles, [1981], p. 47. (F)

Une voix parle des grands hommes qu'étaient les conquistadores. Ces derniers avancent en désordre. Mais ils sont peut-être produits par la voix. Il faut répéter les paroles du récitant, intérieurement, pour bien les fixer en vue du récit futur qui est là, déjà tout donné.

« Le Livre du dormeur »,
Reconnaissances. Récits, [Sainte-Foy], les Éditions Parallèles, [1981], p. 54-55. (F)

Une femme vit sans histoire avec un mari rangé. Un jour, elle remarque un livre au chevet de son mari. Il y est question de vies d'hommes. Curieusement, le livre est différent à chaque lecture et l'histoire est infinie même si elle parle toujours du même personnage qui ressemble à son mari. Elle se demande quel homme va s'éveiller à ses côtés.

« Sur d'autres rivages »,
Reconnaissances. Récits, [Sainte-Foy], les Éditions Parallèles, [1981], p. 56-60. (F)

Un homme et une femme s'enlacent sur la plage pendant que des hommes, vêtus de peaux de loups et venus d'on ne sait où, pratiquent un rituel érotique et sacrificiel sur trois femmes. Au matin, le sable est taché de sang.

« Corridors »,
Reconnaissances. Récits, [Sainte-Foy], les Éditions Parallèles, [1981], p. 61-62. (F)

Une femme traverse des couloirs qui débouchent sur des mondes étonnants et, enfin, sur la chambre du narrateur.

« Bruits de pas »,
Reconnaissances. Récits, [Sainte-Foy], les Éditions Parallèles, [1981], p. 64-65. (F)

Un homme circule dans un musée. Des pas lointains résonnent un peu partout ainsi qu'un bruit rythmé de trompe rauque. Tout en se promenant, il aperçoit une femme, tantôt devant une fenêtre tantôt dans une autre salle ; cette femme traverse la matière. Alors qu'il observe un homme en train de peindre, il voit apparaître peu à peu sur la toile la femme dont il perçoit la présence. Puis les bruits cessent. Il est ailleurs, sentant les lèvres de la femme sur les siennes.

« L'Emmurée »,
Reconnaissances. Récits, [Sainte-Foy], les Éditions Parallèles, [1981], p. 66-68. (F)

Un homme entre souvent dans un petit salon afin d'aller se mirer dans le miroir au cadre de bronze. Le miroir ne lui renvoie pas une image très exacte, ce qui ne le préoccupe guère. Avec le temps, toutefois, il se rend compte d'un phénomène étrange : il se voit les yeux fermés alors qu'il les a ouverts ; il voit ses dents alors qu'il a la bouche fermée. Il découvre par le suite deux trous au-dessous du cadre du miroir. Ce sont des yeux de femme. Un jour, il lit la solitude dans ces yeux. « Une vague chaude monta très vite en [lui], l'envie d'aider cette femme, de la délivrer. Le désir de l'étreindre [... Il] approch[e ses] lèvres de l'endroit où devait être sa bouche ».

« L'Appartement »,
Reconnaissances. Récits, [Sainte-Foy], les Éditions Parallèles, [1981], p. 81-82. (F)

Un homme revient à son appartement vérifier si les lumières sont bien éteintes. Il remarque alors que la pièce n'est pas plongée dans la pénombre comme d'habitude. Il en fait le tour, touchant et reconnaissant au passage divers objets. Mais, peu à peu, ce qu'il touche devient froid, métallique, piquant. Il se demande où il se trouve, constate que l'avant, l'arrière, la gauche, la droite ne signifient plus rien. Il ne sait plus alors s'il lutte contre le métal ou s'il se laisse couler dans le noir. Mais il se souvient du sentier de forêt où il courait légèrement.

« Périple »,
Reconnaissances. Récits, [Sainte-Foy], les Éditions Parallèles, [1981], p. 84-86. (F)

Un homme marche dans un décor étrange et semble rencontrer son double.

« Les Veilleurs »,
Reconnaissances. Récits, [Sainte-Foy], les Éditions Parallèles, [1981], p. 87. (F)

L'apparition d'un point lumineux, ayant la forme d'un « œuf de lumière », provoque le rassemblement d'arbres qui se transforment en « silhouettes verticales », puis reprennent leurs formes originales.

« La Ligne des crêtes »,
Reconnaissances. Récits, [Sainte-Foy], les Éditions Parallèles, [1981], p. 88-90. (F)

Un groupe en escalade fait face à des changements de décors subits. Ils sont environnés de métamorphoses, d'apparitions et de disparitions multiples et étonnantes.

« Sous les arbres »,
Imagine..., n° 16 (vol. IV, n° 3, printemps 1983), p. 35. (F)

Sous des arbres, des hommes parlent. Dans les branches, des oiseaux invisibles mènent grand tapage. Soudain, ce sont les hommes qui s'envolent.

BOURQUE, Martine
[

« La Troisième Dimension »,
Défiscience. Le Journal des étudiants de science et génie de l'Université Laval, vol. VIII, n° 4 (mars 1985), p. 8. (SF)

Xavier Morneau, un inventeur, fabrique un engin servant à ôter la troisième dimension des objets. Fier de sa découverte, il s'accorde une soirée au cinéma et utilise son invention pour garer sa voiture. Après le film, un individu malhonnête voit Morneau utiliser son engin. Dans l'espoir de lui subtiliser cette invention géniale, le voleur suit l'inventeur jusque chez lui. Il entre chez Morneau, mais celui-ci le prend sur le fait, braque l'invention sur le voleur et tire. Malheureusement, un miroir se trouve derrière l'individu et renvoie le rayon sur Morneau. Les deux hommes deviennent des images.

BRADLEY, Richard
[14 novembre 1948 –]

« Luciole »,
les Nouveaux Départs. Nouvelles, Sainte-Anne-de-Bellevue, [s. é.], [1984], p. 9-97. (Hy)

Un garçon, mort en 1942 à l'âge de 14 ans, revient sur terre aider un comptable, Guy Raymond, à mieux vivre, c'est-à-dire à être moins zélé dans son travail et plus porté à s'affirmer et à s'amuser. Le garçon disparaît. L'homme se transforme complètement, quitte son emploi, s'adonne à toutes sortes de fantaisies vestimentaires. Puis, le garçon réapparaît pour lui dire qu'« il faut vivre intensément chaque minute du présent » et pour lui demander s'il veut en vivre d'autres. Ils passent ensemble une fin de semaine fort heureuse dans une auberge. Guy Raymond retourne sur les lieux et fait une petite enquête pour découvrir que l'enfant est le fils d'un couple britannique qui habite depuis plusieurs années la même chambre où il a lui-même passé une fin de semaine. Le couple affirme que leur garçon est mort en 1942, lors d'un bombardement en Angleterre. Ils montrent au visiteur une photo de l'enfant qu'il reconnaît : c'est l'enfant de son aventure. Raymond demande alors à l'enfant, réapparu, s'il est un revenant. Celui-ci lui répond qu'il a emprunté un corps pour venir sur la terre. L'enfant, une sorte d'extraterrestre, donne la main à l'homme : tous deux « montent dans le firmament ». La maison du comptable brûle inexplicablement. Il ne reste plus de trace du passage de Guy Raymond sur cette terre.

« Le Fiancé de mademoiselle »,
les Nouveaux Départs. Nouvelles, Sainte-Anne-de-Bellevue, [s. é.], [1984], p. 99-108. (F)

Une femme doit épouser son fiancé, qui meurt la veille du mariage dans un accident de voiture. Elle décide de rester célibataire et de se consacrer à l'enseignement primaire. Un jour, un nouveau arrive dans sa classe. Il a l'air de très bien la connaître : c'est la réincarnation de son fiancé dans le corps d'un enfant. Il lui rappelle une scène d'amour connue d'elle seule et du mort. S'ensuit la reconnaissance : « Regarde-moi. Ne me reconnais-tu pas ? » Il la remercie de l'avoir attendu tandis qu'elle se demande ce qu'ils vont faire.

« Iris »,
les Nouveaux Départs. Nouvelles, Sainte-Anne-de-Bellevue, [s. é.], [1984], p. 109-115. (F)

La femme qu'aime le narrateur, Jean, est aussi mystérieuse qu'une déesse venue de l'Olympe. Elle cherche l'Amour, errant, l'âme en peine. Le jeune homme se sent, pour sa part, trop étranger à la réalité contemporaine pour être en mesure d'aimer une femme normale et de s'en faire aimer. C'est un romantique impénitent qui s'accorde mal des nouveaux modes de pensée de son temps. Au fond, il cherche l'amour sublime, désincarné, tel que représenté par l'image d'Iris apparue plusieurs fois au cours de sa vie. Elle vient le chercher, comblant ainsi son désir de vivre ailleurs.

« Le Lendemain de la veille »,
les Nouveaux Départs. Nouvelles, Sainte-Anne-de-Bellevue, [s. é.], [1984], p. 117-127. (F)

Un homme, Denis Cartier, se réveille, le lendemain d'une cuite, dans une chambre qu'il ne reconnaît pas. Il s'imagine avoir couché avec une fille, mais la personne qu'il voit entrer dans la chambre, après qu'elle eut pris sa douche, est un homme musclé qui lui dit à quel point il a aimé faire l'amour avec lui (elle ?). Le personnage ne peut croire qu'il a couché avec un homme. Il enrage, mais ne dit rien. Après le départ de son « amant », il se lève, constate qu'il est en robe de chambre rose et voit dans le miroir l'image d'une « délicate jeune femme ».

BRETON, Benoît

[

« l'3trang3 m3caniqu3 de monsi3ur mort3l »,
Imagine..., n° 2 (vol. I, n° 2, décembre 1979-février 1980), p. 60-73. (SF)

Monsieur Mortel est prisonnier dans un hôpital étrange où on pratique des chirurgies barbares. On le laisse écrire, mais il est emmené à son tour en salle d'opération. Il veut s'évader, mais des automates aux armes bactériologiques veillent. Il est défiguré, démembré, et ses chairs pourrissent. Il maudit la société qui hait sa jeunesse et crétinise ses vieillards.

BROCHU, Anne

[

L'Intrus,
Libertinons, Lévis, Polyvalente de Lévis, mai 1980, [n. p.]. (SF)

Nangis, robot humanoïde, contrôle les machines qui règlent le fonctionnement de la Terre. Après la lecture d'une carte informatisée, Nangis semble pleurer la disparition des hommes.

BROCHU, Yvon
[Montréal, 18 mars 1949 –]

L'Extra-terrestre [*sic*],
Montréal, Éditions du Jour, [1975], 187 p. (Collection « Tout âge », n° J-3). (SF/Roman)

Sur l'ordre de son supérieur, le colonel Saint-Cyr, le narrateur, Georges Langelier, accueille secrètement dans sa famille un extraterrestre, membre de la race ektrodienne, qui a contacté la Terre également dans le secret. Cet E. T. se présente sous la forme d'une ravissante jeune femme, Sonia. Les allées et venues mystérieuses de l'extraterrestre amènent bientôt celui-ci à soupçonner un complot. Capturé alors qu'il suivait Sonia, Langelier est convaincu qu'un complot se trame et soupçonne le colonel Saint-Cyr d'être dans le coup. Il s'échappe de la base souterraine des E. T. en compagnie de Sonia. Sa famille a disparu, mais il la retrouve entre les mains des hommes de la Sécurité, à qui il fausse également compagnie pour aller prévenir de plus hautes autorités. Mais, dépêchés sur les lieux, le ministre de la Défense et ses hommes ne trouvent rien, la maison du crime étant détruite sous leurs yeux par une explosion. Sonia refait toutefois surface, peu après, et explique à Langelier que le coup est l'œuvre des Ektrodiens qui veulent récupérer et neutraliser les espions laissés sur Terre lors du premier réel contact, quarante ans plus tôt : ceux-ci, dont Saint-Cyr, ignorant les changements de politiques survenus sur Ektrodus, étaient prêts à s'emparer de la Terre. Mais Saint-Cyr, qui a également reparu vivant, donne enfin à Langelier la clé de l'énigme : Sonia et ses E. T. sont des espions russes, et tout a été monté pour les prendre, en utilisant Langelier comme appât. Le véritable extraterrestre est sur le point d'arriver et il ira habiter chez Langelier.

BROSSARD, Jacques
[Montréal, 24 avril 1933 –]

« Le Boulon d'Ernest »,
Écrits du Canada français, Montréal, [s. é.], n° 36 (1973), p. 123-139. (SF)

Un savant parle, en prologue, d'Ernest le robot, conçu à l'image de l'humain, avec un cerveau, des sentiments... Il ne lui manque qu'un gros boulon. Le récit correspond au journal d'Ernest. Il raconte d'abord ses conquêtes féminines. Malheureusement le boulon manquant le gêne un peu... Bientôt. les savants construisent son modèle en série (boulon en sus) pour femmes et ensuite l'équivalent pour hommes. Ernest s'ingénie à contrer les efforts des scientifiques en sabotant les deux types d'androïdes pour qu'ils ne s'intéressent plus que les unes aux autres. Malgré tout, Ernest est désespéré de la vie et des hommes ; il s'autodétruit. Le savant du début épilogue. Il a su tout le temps ce qu'a fait Ernest et il en tire une leçon pour ses projets futurs.

« Le Mal de terre »,
Écrits du Canada français, Montréal, [s. é.], n° 36 (1973), p. 140-155. (Hy)

Un hédoniste souffre du foie. Le médecin de sa compagne lui apprend que le mal vient d'un seul électron d'un atome d'une cellule. Après maintes tergiversations, la cellule est enlevée. Cet atome était un univers. En disparaissant, il crée un déséquilibre qui se traduit par un bouton sur la peau d'une femme pour qui l'univers précédent n'est qu'un atome. La femme fait détruire l'excroissance, ce qui crée un déséquilibre...

« L'Objection »,
le Métamorfaux. Nouvelles, [Montréal], HMH, [1974], p. 7-24. (Collection « l'Arbre ») (F) ;

le Golem (France), n° 5 (1977), p. 27-30 ;

le Métamorfaux.. Introduction de Michel Lord, [Montréal], BQ, [1988], p. 15-42. (« Bibliothèque québécoise, Littérature »).

Un homme est enfermé dans une maison d'où il n'y a plus moyen de sortir. Tout se détraque sans qu'il sache trop pourquoi. La neige enveloppe la maison et il semble de plus en plus perdre la raison. C'est comme si la terre s'était tout à coup détraquée (la neige ne s'arrête plus de tomber, les ondes radio sont entièrement brouillées). Le monde est à l'envers : même les appareils ménagers ne font plus leur travail proprement. Le récit se termine de façon tragique et le drame est rendu de manière patente par la désarticulation du langage du narrateur protagoniste, comme s'il devenait fou ou s'il mourait gelé. En une sorte de decrescendo, d'amenuisement de la vie et de l'intelligence, les mots se déforment un à un. La dernière lettre est un balbutiement, un « a ».

« Le Métamorfaux »,
le Métamorfaux. Nouvelles, [Montréal], HMH, [1974], p. 25-60. (Collection « l'Arbre ») (F) ;

le Métamorfaux.. Introduction de Michel Lord, [Montréal], BQ, [1988], p. 43-98. (« Bibliothèque québécoise, Littérature ») ;

A Decade of Quebec Fiction. A Special Issue of *Canadian Fiction Magazine*, n° 47 (1983), p. 170-181. [Traduit par Basil Kingstone sous le titre « The Metamorfalsis »] ;

Invisible Fictions. Contemporary Stories from Quebec. Edited by Geoff Hancock, Toronto, Anansi, [1987], p. 121-147. [Traduit par Basil Kingstone sous le titre « The Metamorfalsis »].

Au cours d'un étrange procès, douze accusés viennent témoigner à la barre devant un juge et un greffier. Chaque témoin a une vision très personnelle du meurtre qu'il a commis en état de légitime défense. Au terme du procès, le juge condamne tous les accusés « au méta, à la mort, à la faux ». Les choses se compliquent lorsqu'on fait la somme des commentaires des quatorze (au moins) personnages de cette nouvelle, et qu'on s'arrête à leurs divergences et à leur « fantasticité » : chacun y voit un reflet de ses obsessions. C'est le greffier qui semble avoir le dernier mot puisque, dans une partie ultérieure, il dit qu'il a tué le juge. Mais un postlude embrouille davantage le jeu des voix narratives et de la représentation : un narrateur, qui est peut-être encore le greffier, parle de ses errances à Bogota et à Montréal, et de ses écrits qui s'accumulent dans un tiroir.

« Le Clou dans le crâne »,
le Métamorfaux. Nouvelles, [Montréal], HMH, [1974], p. 61-79. (Collection « l'Arbre ») (Hy) ;

le Métamorfaux.. Introduction de Michel Lord, [Montréal], BQ, [1988], p. 99-126. (« Bibliothèque québécoise, Littérature ») ;

The Canadian Fiction Magazine, n° 27 (1977), p. 81-85. [Traduit par R. W. Stedingh sous le titre « From a Nail in the Head »].

Pierre Rivet d'Yphe passe sa vie à clouer des clous comme un robot. Il monte chaque semaine (de 10 jours) dans un ascenseur en forme de bouteille au flanc d'un gratte-ciel de 100 étages. L'ascenseur descend d'un étage par année. Avec le temps, Pierre devient uniquement obsédé par les clous, en art, en littérature, en amour (il rive sa femme au lit !). Vers la fin de sa vie, l'ascenseur est descendu sous terre. Pierre meurt alors sous une avalanche de clous, oubliant de se cacher dans le dernier coffre qu'il vient de fabriquer. Il se sent tomber puis monter en même temps. Durant son ascension, Pierre jouit du plus beau des spectacles : l'univers est entièrement constitué d'astres faits de milliards de clous et, très haut, le dieu des Clous règne sur « ce fabuleux spectacle ». Pierre rend hommage à son maître pendant qu'une voix dit : « Des clous, des clous, des clous », comme on chantait « au ciel, au ciel, au ciel... ».

« Le Cristal de mer »,
le Métamorfaux. Nouvelles, [Montréal], HMH, [1974], p. 81-95. (Collection « l'Arbre ») (F) ;

Anthologie de la nouvelle et du conte fantastiques québécois au XXe siècle. Introduction et choix de textes par Maurice Émond, [Montréal], Fides, [1987], p. 41-62. (« Bibliothèque québécoise ») ;

le Métamorfaux.. Introduction de Michel Lord, [Montréal], BQ, [1988], p. 127-147. (« Bibliothèque québécoise, Littérature »).

Un homme est attiré et possédé irrésistiblement par une boule de cristal magique qui contient, à ses yeux, la perfection de l'onde et de la femme aimée, idéalisée. Il finit par tomber sous l'emprise totale de la boule magique et par se noyer (se fondre ?) dans la mer, image de la perfection féminine.

« La Tentative »,
le Métamorfaux. Nouvelles, [Montréal], HMH, [1974], p. 97-118. (Collection « l'Arbre ») (SF) ;

le Métamorfaux. Introduction de Michel Lord, [Montréal], BQ, [1988], p. 149-182. (« Bibliothèque québécoise, Littérature »).

Un père écrit à sa fille et à son fils pour leur donner des nouvelles. Il commence cependant par leur parler des travaux d'éminents scientifiques, dont le docteur H. P. Lovecraft. Il leur raconte ses multiples voyages dans le temps et ses nombreuses aventures, dont ses nuits avec la femme de Charles VII, la belle Agnès. Ses enfants lui répondent que tout ça n'est pas très sérieux, qu'à l'entendre « on croirait que traverser 1 000 ou 2 000 ans, c'est la mer à boire ». Eux voudraient plutôt refaire le cours de l'histoire, par exemple aider Jésus de Nazareth ou contribuer à la chute des exploiteurs de toutes les époques. Ils terminent en l'invitant au Carnaval de Québec en 1977.

« Le Souffleur de bulles »,
le Métamorfaux. Nouvelles, [Montréal], HMH, [1974], p. 119-141. (Collection « l'Arbre ») (SF) ;

le Métamorfaux. Introduction de Michel Lord, [Montréal], BQ, [1988], p. 183-215. (« Bibliothèque québécoise, Littérature »).

Un homme raconte à un jeune aspirant le sort réservé à son ami, Graffen-Thoth, qui avait créé par la force de la pensée, aidé d'un casque spécial, sa propre maison-bulle. Il décrit la solitude du créateur. Le jeune ne l'a pas écouté. Vieux, il écrit pour dissuader un nouveau jeune de faire comme lui. Lui non plus n'a pas été écouté ; le nouveau vieillard raconte son aventure. Un autre homme raille ces futiles tentatives car il existe des objets plus perfectionnés pour fabriquer de nouveaux gadgets.

« La Tour, la Fenêtre et la Ville »,
le Métamorfaux. Nouvelles, [Montréal], HMH, [1974], p. 143-202 (Collection « l'Arbre ») (Hy) ;

le Métamorfaux. Introduction de Michel Lord, [Montréal], BQ, [1988], p. 217-310. (« Bibliothèque québécoise, Littérature »).

Entre ses livres et sa fenêtre, un homme, le narrateur, contemple un pays qu'il imagine en plein carnaval, mais, à travers « cette fête foisonnante », il « discerne mal » certains détails : des hommes et des femmes marchent avec, à leurs poignets et à leurs chevilles, des lueurs d'argent. Il va voir ce monde en brisant une verrière et découvre l'envers de ce qu'il avait imaginé. C'est le règne du glaive, de la violence, de la catastrophe. Des hommes casqués de verre noir chargent la foule assemblée autour d'une estrade. Le narrateur s'identifiant à la foule battue est écrasé par la force policière et se retire, après cette traversée cauchemardesque et catastrophique, dans son bureau, philosophant sur les deux villes, les deux pays, celui du rêve et le réel. Il rêve à des mondes inversés, équilibrés. Il se demande s'il a fait erreur « en voyant (ou en imaginant ?) le pays fabuleux d'avant sa sortie, en l'admirant ou en le contemplant ? En voyant (ou croyant voir ?) l'univers gris de son interminable marche [...] Ai-je eu tort de croire à ce que je voyais ou tort de croire à ce que je ne voyais pas ? ».

Le Sang du souvenir. Roman,
[Montréal], la Presse, [1976], 235 p. (F/Roman) ;

[Montréal], Leméac, [1987], 349 p. (Collection « Poche Québec », n° 17).

Jean B. (un schizophrène ?) est l'auteur d'une série de textes qui évoquent des événements sanglants et insolites de son passé, et la figure de sa femme et cousine adorée, Chiara. Après qu'il eut passé une nuit avec une inconnue, à Parménys, un miroir reflète son double monstrueux. Dans un restaurant de Florence, alors qu'il a douze ans, un philodendron semble orchestrer un carnage. Au matin, ses parents sont morts. Un buste, œuvre d'un ami sculpteur, constitué à même le cadavre d'une femme assassinée, semble regarder Jean B. Enfermé dans un cimetière, il est assailli par des visions qui se font extrêmement réelles et horrifiantes. La réalité de l'existence de Chiara est mise en doute par les médecins qui ont assisté Jean B. à l'heure de sa mort.

« La Clôture »,
Possibles, vol. II, n° 1 (automne 1977), p. 103-114 (Hy) ;
Écrits du Canada français, Montréal, [s. é.], n° 41 (1978), p. 76-87. [Avec variantes].

Un enfant de sept ans est emprisonné avec ses parents. Il fait un travail abrutissant et ne voit les siens qu'une fois l'an. À quatorze ans, il devient orphelin et tombe amoureux d'une fille, qu'il voit rarement. À dix-huit ans, il a l'occasion, sous les ordres des dirigeants de la prison, de coucher avec elle. Elle est stérile et ainsi expulsée du camp. Laissé seul, il devient un travailleur modèle. On lui confie progressivement des emplois plus gratifiants. Un jour, il voit l'extérieur et décide, en secret, de s'évader. Il attend pourtant jusqu'à soixante-dix-sept ans avant de poser ce geste. Il s'envole alors et disparaît dans le ciel.

« L'Aller-retour »,
Écrits du Canada français, Montréal, [s. é.], n° 41 (1978), p. 25-32. (F)

Deux personnages observent d'autres personnages déambuler dans un décor changeant. À la fin, après un déroulement très réaliste, deux vieillards observés s'envolent.

« La Grande Roue »,
Écrits du Canada français, Montréal, [s. é.], n° 41 (1978), p. 33-42. (F)

Un homme et son amie vont à la foire. Ils regardent la grande roue, vieille et décrépite. Deux couples y embarquent, un jeune et un vieux. Les vieux en sortent rajeunis, mais la roue se brise laissant les jeunes au sommet. Ils attendent jusqu'à la nuit. Rien ne se passe (on leur laisse des vivres, du papier). Pendant la nuit, la roue commence à se dégonfler comme un ballon. Les jeunes sautent mais flottent et sont recueillis par un grand oiseau lunaire.

« La Cloison de verre »,
Écrits du Canada français, Montréal, [s. é.], n° 41 (1978), p. 55-65. (F)

Des parents enferment leur jeune garçon dans leur demeure victorienne à chaque fois qu'ils sortent. Habituellement, l'enfant s'en accommode assez bien et passe son temps à lire. Mais, un matin, une jolie jeune fille s'arrête devant le bow-window où il est assis et cherche à lui parler. La conversation est impossible puisque les fenêtres sont insonorisées. Le garçon se décide donc à sortir mais la fille a disparu. Il la cherche toute la journée, sans succès. À son retour, la rue est modifiée. Leur maison a été remplacée par une conciergerie dans laquelle la jeune fille se trouve et d'où elle regarde le garçon par une grande fenêtre infranchissable. Elle a pu entrer, mais est restée prisonnière de l'édifice. Épuisés, tous deux s'étendent, chacun de son côté de la vitre, et semblent dormir de nombreuses années puisque le narrateur, qui est le voisin d'en face, décrit maintenant leur chevelure argentée. Un matin, des enfants lancent des roches sur la vitre séparant les dormeurs et la brisent. Ceux-ci semblent se réveiller et, enfin unis, ils s'élèvent dans le ciel.

« L'Apprentissage d'Adakhan, l'Oiseau de feu »,
la Nouvelle Barre du jour, nos 79-80 (juin 1979), p. 19-34. [En sous-titre : « Tome I (extraits) »] (SF) ;

[reproduit dans *l'Oiseau de feu. I. Les années d'apprentissage. Roman*, [Montréal], Leméac, [1989], p. 379-398].

Adakhan assiste, sceptique, à une cérémonie où le Dieu de sa civilisation se métamorphose plusieurs fois devant lui et une foule de fidèles. Il est persuadé qu'il s'agit d'une supercherie et veut en avoir le cœur net.

« Le Recyclage d'Adakhan, l'Oiseau de feu »,
la Nouvelle Barre du jour, nos 79-80 (juin 1979), 53-61. [En sous-titre : « Tome 2 (extraits) »] (SF) ;

Anthologie de la science-fiction québécoise contemporaine. Introduction et choix de textes par Michel Lord, [Montréal], BQ, [1988], p. 115-123. (« Bibliothèque québécoise, Littérature »).

Au cours d'une séance de questions et de réponses entre Adakhan et un ordinateur. Chaque fois, les réponses de l'ordinateur sont évasives. Une autre séance, entre Ludwik et le même ordinateur, se termine de la même façon. Les deux hommes sont frustrés et se demandent où est le vrai pouvoir de leur monde.

« L'Engloutissement »,
Dix contes et nouvelles fantastiques par dix auteurs québécois, [Montréal], Quinze, [1983], p. 89-115. (SF)

Un homme, membre d'une équipe de recherche scientifique, s'inquiète. Il est à l'abri, dans une cellule de la centrale située à deux kilomètres sous terre, mais, à la surface, tout n'est que ruines, et la terre continue de gronder. L'homme se demande s'ils arriveront, lui, son amour Maïcha et l'équipe, à partir pour Alpha, loin de cet enfer, avant d'être engloutis. Presque à chaque nuit, il se lève, quittant Maïcha, pour aller visiter les laudaires de l'Ouest afin de se rendre compte de ce que font les Centraliens (des humains), les andromates et les androïdes. Plusieurs ne font que boire et fumer. D'autres se prêtent à des expériences pénibles sur la résistance. Il assiste à un viol, à des sacrifices humains. La climatisation est détraquée. Il se rend compte qu'il vieillit rapidement et que les hommes ne pourront plus arrêter la machine en marche ni la folie des hommes. Pour le consoler, son amour lui affirme que tout ce qu'il raconte n'est qu'un cauchemar, que leur amour est tout ce qu'il y a de vrai et qu'il peut transformer le monde.

BROUILLETTE, Lise
[Montréal, 22 janvier 1952 –]

« Le Maître des heures »,
Imagine..., n° 20 (vol. V, n° 3, janvier 1984), p. 17-19. (SF)

Ilée, qui comprend le « langage vert » des végétaux, doit prouver ses capacités en passant avec succès une épreuve initiatique, avant d'être admise au sein de la Guilde des Maîtres de spécialité.

BRULOTTE, Gaétan
[Lauzon, 8 avril 1945 –]

« Les Messagers de l'ascenseur »,
Dix contes et nouvelles fantastiques par dix auteurs québécois, [Montréal], Quinze, [1983], p. 119-130 (F) ;

Ce qui nous tient, [Montréal], Leméac, [1988], p. 16-27. (Collection « Roman québécois », n° 112) ;

NYX (Paris), n° 10 (2e trimestre 1989), p. 77-87.

Monsieur Portali revient à son appartement du troisième étage et trouve, dans l'ascenseur, un message lui annonçant que les locataires du cinquième, les Maure-Zocail, organisent une soirée : ils s'excusent à l'avance du bruit qu'il en résultera. Portali en prend son parti. Cependant, il n'entend pas un son de la soirée et commence à s'inquiéter. Il sonne chez ces gens : pas de réponse ; en fait, l'immeuble entier semble vide. Il redescend et remarque un homme qui sort en vitesse. Il le suit et se retrouve au port, où il s'égare. Il doit attendre le matin avant de pouvoir revenir chez lui. L'après-midi, il remonte au cinquième pour trouver l'appartement vide ; seul le message de l'ascenseur gît sur le sol. Il sombre dans un désespoir proche de la folie lorsqu'il rencontre la concierge, qui se plaint du bruit que les Maure-Zocail ont fait toute la nuit précédente.

BUNKOCSY, Joseph

[

« Les Feux de Sira »,

Solaris, n° 61 (vol. XI, n° 1, mai-juin 1985), p. 17-19. (SF)

Sur la planète Sirius-Alpha (Sira), des hommes sont aux prises avec une étrange maladie, une sorte de cancer qui provoque la minéralisation du corps. Lem est la première victime. Mareg, cherche à en découvrir la cause : il croit à un rapport entre Medusa, une des trois lunes qui entourent la planète, et des tours immenses qui s'élèvent sur la planète. Il en escalade une, découvre qu'elle est surmontée d'un miroir qui reflète la lumière de Medusa provoquanmt la minéralisation : il brise le miroir et est aussitôt projeté dans le vide.

C

CACCIA, Fulvio
[Florence (Italie), 10 janvier 1952 –]

« L'Autre »,
Mœbius, n° 8 (3e trimestre 1979), p. 35-40. (F)

Mario, un écrivain, délaisse momentanément sa nouvelle en chantier pour aller prendre l'air. Sa promenade à pied le mène, après de longs détours, devant le bâtiment précis qui se dresse derrière sa propre résidence. Le logement porte le même numéro civique que le sien, chose logiquement impossible, puisqu'il est situé du côté de rue opposé à celui où il habite. Il pénètre dans la maison, guidé par une lumière, et découvre un homme occupé à écrire et qui semblait l'attendre. De retour chez lui, il constate avec stupéfaction que sa nouvelle est achevée : elle lui dévoile même avec une ahurissante précision les détails de sa course à travers la ville. Mario aperçoit par la fenêtre qui donne sur la cour la silhouette d'un homme qui écrit. Il pressent que l'inconnu se dirigera chez lui sans le savoir.

« Ginette ou le Sous-sol de la rue Duluth »,
Mœbius, n° 19 (automne 1983), p. 85-96. (F)

Garcia rencontre par hasard une connaissance, François Savaria, et prend rendez-vous avec lui dans l'espoir d'obtenir des nouvelles de Ginette Ladouceur, dont les deux hommes sont les anciens amants. Savaria fait découvrir à Garcia l'aleph « qui réuni[t] à la fois le microcosme et le macrocosme » logé dans sa maison. Par l'intermédiaire de ce principe vital, Garcia réussit à voir Ginette, agonisante, qui contemple l'aleph. Un an plus tard, alors qu'il se demande s'il n'a pas imaginé l'aleph, il reçoit par la poste, de la part de Ginette, une chaîne portant « en guide d'écusson, la première lettre du Zohar.

CAILYAN, Adrien
[

« La Route des cyanophycées »,
Imagine..., n° 14 (vol. IV, n° 1, automne 1982), p. 83-102. (SF)

À Paris, en 1992, Robert Clem entend parler d'une expédition au cours de laquelle des explorateurs auraient découvert une sorte d'algues rarissime, les cyanophycées. Il décide de se rendre dans l'île où la découverte a été faite au XIXe siècle. Il y découvre une cité souterraine, Harmonie, peuplée de femmes seulement. Il est toutefois fait prisonnier parce qu'il possède des connaissances scientifiques. Las de sa vie de captivité, il s'enfuit avec une Harmonienne.

« La Boutique des sens »,
Imagine..., n° 18 (vol. V, n° 1, août-septembre 1983), p. 21-23. (SF)

En 2004, un homme tient un commerce spécial, une boutique de sens : des filles sont louées une heure, deux heures ou une nuit. Lui-même jouit de ses filles tranquillement jusqu'au jour où il est surpris dans une position compromettante par son meilleur client, qui se porte acquéreur de la boutique. Ruiné et désemparé, le commerçant ne peut passer devant la boutique qu'avec une autorisation spéciale.

CARPENTIER, André
[Montréal, 29 octobre 1947 –]

« La Mappemonde venue du ciel »,
l'Écran, vol. I, n° 1 (juin 1974), p. 35-38 (F) ;

Rue Saint-Denis. Contes fantastiques, [Montréal], HMH, [1978], p. 51-57. (Collection « l'Arbre ») ;

Rue Saint-Denis. Nouvelle édition. Introduction de Michel Lord, [Montréal], BQ, [1988], p. 47-52. (« Bibliothèque québécoise, Littérature »).

Georges du Tarn se promène dans un champ du comté de Dorchester avec son petit-fils Eugène. Soudain, le temps s'arrête et les deux hommes voient apparaître quelque chose dans le ciel, qui tombe sur le sol en poussière. Ils se rendent compte que c'est une mappemonde. Georges s'amuse alors à montrer à son petit-fils les endroits où il a de la famille dans le monde. Mais, à chaque fois qu'il touche un point du globe, l'endroit s'efface à son insu. Ainsi disparaissent Montréal, Paris, Pékin, puis, finalement, l'endroit où ils sont. Il ne reste plus rien.

« *Le Fatala* de Casius Sahbid »,
l'Écran, vol. II, n° 2 (septembre 1974), p. 19-20 (F) ;

Rue Saint-Denis. Contes fantastiques, [Montréal], HMH, [1978], p. 93-100. (Collection « l'Arbre ») ;

Rue Saint-Denis. Nouvelle édition. Introduction de Michel Lord, [Montréal], BQ, [1988], p. 79-83. (« Bibliothèque québécoise, Littérature »).

Phil Lacombe, sergent-détective, cherche à éclaircir le mystère des quatre meurtres perpétrés près du navire *le Fatala*, propriété de Casius Sahbid. Il n'a encore trouvé aucun indice le jour où il constate qu'un des câbles reliant le navire au quai pend dans l'eau. En le ramenant vers lui, il se voit soudainement enroulé par l'objet qu'il tient dans ses mains puis étouffé mortellement.

« Le Double d'Udie »,
l'Écran, vol. I, n° 3 (octobre 1974), p. 39-40 (F) ;

Rue Saint-Denis. Contes fantastiques, [Montréal], HMH, [1978], p. 115-121. (Collection « l'Arbre ») ;

Rue Saint-Denis. Nouvelle édition. Introduction de Michel Lord, [Montréal], BQ, [1988], p. 93-96. (« Bibliothèque québécoise, Littérature »).

Dieu a perdu Udie, sa femme. Pour la retrouver, il crée l'univers à partir d'Adam et Ève en espérant qu'un jour les probabilités permettront d'obtenir un double d'Udie. Sur la rue Saint-Denis, il découvre Elvire, la copie la plus parfaite jamais vue de sa femme Udie. Il la prend, au grand dam de Patam Strarrick, son copain. Pourtant, Dieu ignore qu'Elvire est malade. Elle meurt au moment même où Dieu va éteindre l'incubateur universel...

L'Aigle volera à travers le soleil. Roman,
[Montréal], HMH, [1978], 176 p. (Collection « l'Arbre ») (F) ;

nouvelle édition revue par l'auteur. Introduction de Michel Lord, [Montréal], BQ, [1988], 166[2] p. (« Bibliothèque québécoise, Littérature »).

Un éditeur fictif explique comment il a reçu, des mains de Pierot-de-peu-de sens, le présent manuscrit. Un homme, Jésus-du-Diable, le narrateur, arrive par erreur dans le village de Harbouey, en Alsace. Une vieille femme l'invite à passer la nuit dans sa demeure, remplie de chats. L'homme couche dans la chambre du fils, Pierot..., au sujet duquel il fait un étrange rêve. Il imagine un être difforme qui aurait vendu son âme aux forces infernales. Le lendemain, au lieu de reprendre la route, il reste auprès de la vieille, sans trop savoir pourquoi. Il propose d'aller au village voisin, Blâmont, pour faire les courses de la vieille. Il y est témoin de l'apparition d'une adolescente de seize ans, provocante et excitante, qui est en fait Jeanne la jeune, mais néanmoins sorcière. Le narrateur s'adresse constamment à son amie, Noémie. Il essaie de reconstruire la séquence des événements, d'un seul jet et pendant une seule nuit, pour les libérer tous deux du cauchemar qui les habite. Elle-même vit un rêve récurrent où un double de son compagnon cherche à décrire son propre malheur. De retour à Harbouey, il constate que des taches jaunes apparaissent sur ses mains. De plus, une musique lancinante joue dans sa tête. Il comprend que la vieille est terrorisée par quelque chose. Il apprend plus tard que la sorcière se sert d'elle et de son fils comme intermédiaires. Il décide alors de partir pour de bon. Lorsqu'il quitte enfin Harbouey, il ne peut retourner à Blâmont. Il aboutit chez la sorcière, sans trop s'en rendre compte, s'évanouit et, inexplicablement, se réveille dans sa voiture. Il revient à Harbouey où il se réfugie chez la vieille, morte, puis dans un grenier d'où il peut voir la rue où des chats exterminent ceux qui osent sortir. Il voit aussi la sorcière, Jeanne, qui arrache les yeux des morts, selon un rituel précis. Pourtant, malgré cela, il réussit à repartir en voiture vers Blâmont, mais la sorcière l'intercepte, grâce au fils, Pierot-de-peu-de sens. Le narrateur se réveille dans un pièce où Jeanne exhibe pour lui toute une série d'artefacts de diverses époques. Elle raconte ses aventures à travers l'Histoire. Le narrateur reste lucide et refuse de la croire. Elle se fâche et, après une lutte inégale, il est vaincu. La police le retrouve, vivant mais les yeux arrachés. Jésus-du-Diable termine son récit à la pointe du jour, en même temps que son double dans le rêve de Noémie. Son travail n'a rien changé, il ne peut supporter les soupçons des policiers, encore moins les harcèlements de la sorcière. Il se suicide. En annexe, Noémie raconte qu'elle ne peut supporter cette réalité et se suicide elle aussi : quant à Pierot-de-peu-de-sens, possédé lui aussi par la sorcière, il raconte la vie de Jeanne la sorcière millénaire, qui laisse neuf filles, à qui elle transmet ses pouvoirs. Essayant de l'en empêcher, Pierot est assassiné.

« Les Sept rêves et la Réalité de Perrine Blanc »,
Rue Saint-Denis. Contes fantastiques, [Montréal], HMH, [1978], p. 9-30. (Collection « l'Arbre ») (F) ;

Intimate Strangers. New Stories from Quebec. Edited by Matt Cohen and Wayne Grady, [Toronto], Penguin Books, [1986], p. 53-74. [Traduit par Wayne Grady sous le titre « The Seven Dreams and the Reality of Perrine Blanc »] ;

Rue Saint-Denis. Nouvelle édition. Introduction de Michel Lord, [Montréal], BQ, [1988], p. 19-35 (« Bibliothèque québécoise, Littérature »).

Perrine vient d'avoir trente ans et est envahie par des craintes existentielles. Son ami, Mathieu Levant, sorte de charlatan oniriste, lui propose une cure, qu'elle accepte. Elle vivra les sept rêves qui lui feront découvrir la vérité. Ce qu'elle ignore, c'est que Mathieu veut profiter du traitement pour faire disparaître son associée, devenue gênante. Les six premiers rêves remontent dans le passé de Perrine jusqu'à sa première année. Le septième la transfère dans le corps d'Emma Brisebois, morte le jour même de la conception de Perrine, dans l'appartement qu'elle occupe maintenant avec Mathieu. C'est à la fois la fin et le recommencement d'Emma-Perrine.

« Le Mage Pichu, maître de magie »,
Rue Saint-Denis. Contes fantastiques, [Montréal], HMH, [1978], p. 33-46. (Collection « l'Arbre ») (F) ;

Rue Saint-Denis. Nouvelle édition. Introduction de Michel Lord, [Montréal], BQ, [1988], p. 37-46. (« Bibliothèque québécoise, Littérature »).

Deux frères visitent un magicien de la rue Saint-Denis pour qu'il les venge en provoquant la mort du meurtrier de leur sœur. Le Mage ignore toutefois qu'il est lui-même le coupable. Après de longues incantations, il s'écrase, foudroyé par l'aiguille qu'il entre dans la poupée fétiche à l'effigie de la victime.

« La Cloche de Bi »,
Rue Saint-Denis. Contes fantastiques, [Montréal], HMH, [1978], p. 59-73. (Collection « l'Arbre ») (F) ;

Rue Saint-Denis. Nouvelle édition. Introduction de Michel Lord, [Montréal], BQ, [1988], p. 53-64. (« Bibliothèque québécoise, Littérature »).

Arsène, surnommé le Bi, choisit d'aller à l'aventure, désespéré de tant de misères autour de lui pendant la crise des années 1930, après avoir entendu le père Doris raconter une histoire fantastique, et le curé du village évoquer l'existence d'une maison hantée à Montréal, rue Saint-Denis. Cette maison était à donner, mais il fallait passer un « horrible test » (faire sonner la cloche de la maison hantée) pour la posséder. Le Bi part donc à l'aventure, traverse une série d'épreuves horribles où la magie semble avoir part dans la maison : il perd un œil, un bras, une épaule est avalée par un miroir et il s'enroule finalement dans le câble de la cloche où il meurt étouffé. Depuis ce temps, la maison est hantée.

« Le Coffret de la Corriveau »,
Rue Saint-Denis. Contes fantastiques, [Montréal], HMH, [1978], p. 75-91. (Collection « l'Arbre ») (F) ;

Nouvelles nouvelles. Fictions du Québec contemporain, [anthologie de] Michel A. PARMENTIER et Jacqueline R. D'AMBOISE, Toronto, Orlando, San Diego, London, Sydney, Harcourt Brace Jovanovich, [1987], p. 58-67. [Précédé d'une photo de l'auteur, p. 56, d'une biographie, p. 57, et suivi de questions pédagogiques, p. 68-70] ;

Rue Saint-Denis. Nouvelle édition. Introduction de Michel Lord, [Montréal], BQ, [1988], p. 65-77. (« Bibliothèque québécoise, Littérature ») ;

Matrix (Lennoxville), n° 14 (Winter 1982), p. 41-48. [Traduit par Patricia Clark sous le titre « The Chest of Madame Corriveau »].

Mado et Benoît vivent un moment difficile. Celui-ci est réaliste alors que celle-là est éprise de fantaisie et d'aventure. Voyant que Benoît refuse obstinément d'aller en Grèce par mesure d'économie, elle décide, pour se consoler, de s'acheter un coffret chez un antiquaire, « le Chercheur de trésors », de la rue Saint-Denis. Choqué par cet achat futile, Benoît la quitte pour la soirée. Rentrée chez elle, Mado songe à ouvrir le coffret. Lorsque Benoît revient au foyer, le lendemain matin, il constate qu'il ne reste plus que le coffret dans la maison. Il croit que Mado s'est enfuie avec tous les meubles. Il retourne le coffret au marchand et exige le prix que sa femme a payé pour l'avoir. L'antiquaire accepte de bon gré. Mais, après le départ de Benoît, il téléphone aux Antilles pour offrir à un client une fille (Mado) de vingt ans. L'antiquaire garde pour lui les meubles espérant un jour pouvoir garder aussi la fille qu'il aura capturée grâce à son pouvoir magique.

« Aux fleurs de Victorine »,
Rue Saint-Denis. Contes fantastiques, [Montréal], HMH, [1978], p. 103-113. (Collection « l'Arbre ») (F) ;

Rue Saint-Denis. Nouvelle édition. Introduction de Michel Lord, [Montréal], BQ, [1988], p. 85-92. (« Bibliothèque québécoise, Littérature »).

Un homme d'affaires arrive avec son chauffeur devant la boutique « Aux fleurs de Victorine ». Propriétaire de cette maison où la fleuriste Victorine vient de mourir, il veut éclaircir le mystère de cet antre. Tout à coup, les voisins s'assemblent et accusent le chauffeur d'être de connivence avec la sorcière-fleuriste. On le fouille pour trouver un indice de sa culpabilité : le sachet d'herbes marqué d'un signe alchimique qu'il porte sur lui apparaît comme une marque évidente de son accointance avec la fleuriste maléfique. Un homme de la foule parle d'hommes, de femmes et d'enfants qui ont été torturés, brisés, anéantis par des charmes, des potions, des infusions, et certifie que le chauffeur est du complot. Les gens brisent les vitres de la boutique, d'où surgissent des plantes qui s'enroulent autour des assaillants et les tuent. L'homme d'affaires et son chauffeur sont jetés dans la boutique où l'on met le feu. La boutique, et elle seule, brûle toute la nuit. Rien d'autre alentour n'est touché par les flammes. Au matin, le corps du chauffeur demeure introuvable.

« La Bouquinerie d'Outre-Temps »,
Rue Saint-Denis. Contes fantastiques, [Montréal], HMH, [1978], p. 123-144. (Collection « l'Arbre ») ;

Anthologie de la nouvelle et du conte fantastiques québécois au XXe siècle. Introduction et choix de textes par Maurice Émond, [Montréal], Fides, [1987], p. 63-91. (« Bibliothèque québécoise ») ;

Pour changer d'aires. Récits de la Belgique romane, de la France, du Québec et de la Suisse Romande, [Sainte-Foy], Commission du français langue maternelle et Fédération internationale des professeurs de français, [1987], p. 151-168 ;

Rue Saint-Denis. Nouvelle édition. Introduction de Michel Lord, [Montréal], BQ, [1988], p. 97-114. (« Bibliothèque québécoise, Littérature ») ;

A Decade of Quebec Fiction. A Special Issue of *Canadian Fiction Magazine*, n° 47 (1983), p. 170-181. [Traduit par Frances Morgan sous le titre « Bygone Books »].

Luc Guindon, historiographe, rend public le résultat de ses recherches sur l'œuvre de son grand-père, Lucien Guidon, visionnaire et auteur de romans d'anticipation publiés entre 1878 et 1899, qu'il tente de réhabiliter malgré le mépris dont celui-ci a été l'objet en son temps. Un jour, Luc reçoit une lettre d'un vieillard, ami de son grand-père, qui l'invite à la Bouquinerie d'Outre-Temps, histoire de parler du passé. Or, Luc découvre, en faisant des recherches à la Bibliothèque nationale, que cette librairie a cessé d'exister en 1899. Il se saoule dans un bar, rue Saint-Denis, et rate son rendez-vous. Par hasard, il découvre la librairie en rentrant chez lui. Il y pénètre et met de côté des volumes des XVIIIe et XIXe siècles, étiquetés au prix d'un autre temps. Le lendemain, il ne retrouve plus la bouquinerie et, de plus, il apprend que le vieillard qui lui a donné rendez-vous est mort la veille dans la soirée. Dix jours plus tard, il retrouve la même bouquinerie mystérieuse. Il y entre à nouveau et se rend compte qu'il est entouré d'un décor du XIXe siècle. Il décide alors d'avertir son grand-père de tout ce qu'il sait sur le XXe siècle et ainsi de donner l'impulsion à sa fameuse œuvre d'anticipation romanesque. Les domestiques l'accueillent comme s'il était Lucien et non Luc Guindon. Le petit-fils est donc le grand-père et vice versa ; il est condamné à écrire son œuvre comme une œuvre d'anticipation alors qu'en fait il a vécu au XXe siècle.

« Jorge ou le Miroir du mage »,
la Nouvelle Barre du jour, n° 89 (avril 1980), p. 22-35 (F) ;

Du pain des oiseaux. Récits, [Montréal], VLB éditeur, [1982], p. 79-92.

Un modeste employé de bureau, Jorge, s'aperçoit un matin que son miroir, provenant du bureau de consultation du mage Pichu, lui renvoie une image de lui-même décalée de quelques instants dans le futur. Le soir, il constate que le décalage a augmenté. Il décide de s'enfuir mais, dans sa hâte, il accroche le pied du miroir qui tombe sur lui et le tue.

« Le Vol de Ti-Oiseau »,
Mœbius, n° 9 (2e trimestre 1980), p. 26-46 (F) ;

Du pain des oiseaux. Récits, [Montréal], VLB éditeur, [1982], p. 15-42 ;

Invisible Fictions. Contemporary Stories from Quebec. Edited by Geoff Hancock, Toronto, Anansi, [1987], p. 63-82. [Traduit par Michael Bullock sous le titre « Birdy's Flight »].

Un aviateur, Ti-Oiseau, raconte comment son meilleur ami, Drien, son mécanicien, a essayé de le tuer en provoquant une catastrophe aérienne et comment un sorcier amérindien, grâce à son pouvoir magique, a réussi à tuer le criminel en ne se servant que du passage d'une seconde de haine dans la tête de Ti-Oiseau.

« Les Larmes de Bébé »,
Solaris, n° 34 (vol. VI, n° 4, août-septembre 1980), p. 6-11 (F) ;

Du pain des oiseaux. Récits, [Montréal], VLB éditeur, [1982], p. 93-116 ;

The Canadian Fiction Magazine, n° 66 (1989), p. 124-137. [Traduit par Frances Morgan sous le titre « Bebe's Tears »].

Mathilde, l'amie de Bébé, organise une fête pour la milliardième seconde de l'existence de celui-ci. Macha, une des concubines du Prince, arrive la première et donne à Bébé une étrange plante, des larmes de Bébé. Le Prince arrive ensuite et déclare que ce cadeau sera la preuve de ses pouvoirs et source des angoisses de Bébé. Pour tromper ses angoisses, Bébé fait l'amour avec une jolie Asiatique puis sombre dans le sommeil. Une série de rêves horribles lui font sentir la proximité de sa fin, mais il se révolte, veut échapper à ces cauchemars. L'heure fatidique arrive mais, à ce moment, le temps se fige. Bébé comprend que ce n'est pas le temps qui s'est arrêté pour les autres, mais lui qui vieillit plus rapidement. C'est alors qu'il décide de se venger. Il cherche à éliminer le Prince, mais ce dernier est trop fort. Le Prince l'ensorcelle et l'attire dans un gouffre mortel.

« Le Déserteur »,
Châtelaine, vol. XXII, n° 11 (novembre 1981), p. 168-170, 172, 174, 176, 178 (F) ;

Du pain des oiseaux. Récits, [Montréal], VLB éditeur, [1982], p. 43-62.

En Nouvelle-France, lors d'une tempête de neige sur le Saint-Laurent à la hauteur de Trois-Rivières, Gabriel Beausoleil, milicien de l'armée du roi de France, est chargé de reconduire un petit groupe d'hommes malades à Trois-Rivières. Mais la tempête est si forte que les malades succombent. Seul sur le fleuve, Beausoleil est témoin d'une apparition, une sorte de Dame blanche, née soit de la réalité (une réalité autre), soit du dérèglement des sens, soit de la croyance religieuse de Beausoleil. Il décide de ne pas aller à Trois-Rivières, de déserter et de suivre sa vision. Il finit par s'enfoncer dans un gouffre.

« La Nuit du conquérant »,
Du pain des oiseaux. Récits, [Montréal], VLB éditeur, [1982], p. 63-77. (F)

En Nouvelle-France, Montréal, août 1674, près du Saint-Laurent, Jean-Baptiste, un Iroquois adopté par des Blancs, est accusé de sorcellerie. Des oiseaux lui viennent en aide, mais il meurt de ses blessures. La nature se déchaîne alors, comme lors de la mort du Christ.

« La Septième Plaie du siècle »,
Imagine..., n° 12 (vol. III, n° 3, printemps 1982), p. 43-46 (SF) ;

les Années-lumière. Dix nouvelles de science-fiction réunies et présentées par Jean-Marc Gouanvic, [Montréal], VLB éditeur, [1982], p. 69-76 ;

Pour changer d'aires. Récits de la Belgique romane, de la France, du Québec et de la Suisse Romande, [Sainte-Foy], Commission du français langue maternelle et Fédération internationale des professeurs de français, [1987], p. 169-174 ;

Anthologie de la science-fiction québécoise contemporaine. Introduction et choix de textes par Michel Lord, [Montréal], BQ, [1988], p. 125-132. (« Bibliothèque québécoise, Littérature »).

À la suite d'un orage magnétique, un vaisseau se pose à la surface d'une planète inconnue. Pendant que l'ordinateur régénère sa mémoire, endommagée au cours de la tempête, en se remémorant, entre autres, les plaies du siècle, les deux passagers sortent pour examiner un vaisseau similaire au leur. Un des deux hommes y découvre un compteur holographique. Il le braque d'abord sur le vaisseau pour constater que ce n'est qu'un hologramme. Les deux hommes se rendent compte alors que la planète entière n'est qu'une représentation holographique. Eux-mêmes ne sont que des images qui ne tardent pas à se désintégrer après qu'ils ont pris conscience de la situation. Il ne reste que l'ordinateur annonçant la septième plaie du siècle : la dépression des holos.

« Le *Aum* de la ville »,
Dix contes et nouvelles fantastiques par dix auteurs québécois, [Montréal], Quinze, [1983], p. 131-150. (F)

Une sorte de félicité envahit Montréal. Lors du « premier jour » , un son, le « aum », envahit la ville. Le deuxième jour, le son devient comme un gémissement qui se transforme bientôt en hurlement. Les gens, incommodés, commencent à s'inquiéter. Le troisième jour, les statues s'animent et s'attaquent à la foule. Le quatrième jour, les statues se noient dans le fleuve. C'est alors que l'île entière se détache et s'élève dans les airs. Le sixième jour, elle retombe et, le lendemain, elle s'immobilise dans le golfe, où la vie reprend.

« Les Lignées du Grand Chien »,
Imagine..., n° 21 (vol. V, n° 4, avril 1984), p. 73-80. (SF)

Des Isoméens et des Delméniens, représentants des lignées dominantes de la Constellation du Grand Chien, se rassemblent dans un temple pour entendre un discours qui reprend le récit des origines des deux groupes en interprétant leurs légendes et leurs fondements religieux. À l'origine, Delmen s'est dédoublé en conservant son identité et sa conscience dans chacune des entités. Isome, un androïde, s'est, lui, réincarné dans ses fidèles. Le conteur, un disciple de Cara, la femme de Delmen et l'amante d'Isome, vient dans le temps pour établir un dogme unique. L'émeute menace d'éclater lorsqu'il ouvre une cassette qu'il a placée devant lui. Des gaz s'échappent qui poursuivent les Pèlerins pour que Delmen et Isome se retirent de leur corps.

« Le Voyage de Plaisir »,
XYZ. La revue de la nouvelle, vol. I, n° 1 (printemps 1985), p. 24-34 (F) ;
Des nouvelles du Québec, [Montréal], Valmont éditeur, [1986], p. 59-71.

De retour à la maison natale après la mort de sa mère et une très longue absence, Plaisir découvre que son identité a été confondue avec celle de sa sœur nommée Douleur, morte à sept ans. En explorant la pièce où il jouait avec sa petite sœur, Plaisir s'aperçoit que l'espace rétrécit à mesure qu'il se remémore son passé, qu'il se transforme, régresse comme en une sorte de renaissance. Le lendemain, un antiquaire, amant de la mère de Plaisir, aperçoit dans l'herbe un jeune garçon de sept ans qu'il croit avoir déjà vu chez sa maîtresse.

CARRIER, Mario
[

« Rapport de recherche scientifique »,
Libertinons, Lévis, Polyvalente de Lévis, mai 1980, [n. p.]. (Hy)

Le narrateur réussit à entrer en contact avec un insecte qui lui explique le fonctionnement politique des parasites.

CARRIER, Odette
[

« Le Feu »,
la Ferme, vol. XXV, n° 6 (février 1964), p. 16-17, 47-48 ; n° 7 (mars 1964), p. 32, 53. (Hy)

Fille aînée d'Alfred Maltais, un riche cultivateur et le maire de sa paroisse, Félicie est bonne à marier. Un jeune et bel étranger, Hervé, arrive un dimanche chez Maltais, qui l'engage. Les deux jeunes gens tombent amoureux, mais le père expulse le prétendant car il est sans le sou. Un riche célibataire, Méridé Dufour, s'intéresse à Félicie mais, une nuit, il meurt dans l'incendie de ses bâtiments. Soulagée, Félicie voit revenir son amant avec un énorme sac d'argent. Le père promet alors d'accorder la main de sa fille à Hervé pour le lendemain de Noël. Peu de temps après le retour de l'étranger, les gens commencent à voir une boule de feu se promener dans la campagne. Une nuit, la boule apparaît à Hervé et, le lendemain, une grosse somme d'argent, destinée à payer des messes pour le repos de l'âme de Dufour, est trouvée sur l'autel de l'église de la paroisse. On ne revoit plus jamais Hervé, et Félicie entre au couvent.

CARRIER, Roch
[Sainte-Justine (Dorchester), 13 mai 1937 –]

« L'Oiseau »,
Jolis Deuils. Petites tragédies (pour adultes), Montréal, les Éditions du Jour, [1964], p. 9-13 (Collection « les Romanciers du Jour », n° R-12) (F) ;

Jolis Deuils, Montréal-Paris, Stanké, [1982], p. 10-13. (Collection « Québec 10/10 », n° 56) ;

Anthologie de la nouvelle et du conte fantastiques québécois au XXe siècle. Introduction et choix de textes par Maurice Émond, [Montréal], Fides, [1987], p. 91-95. (« Bibliothèque québécoise ») ;

Stories from Québec. Selected & Introduces by Philip Stratford, Toronto/New York Cincinnati/London/Melbourne, Van Nostrand Reinhold Ltd, [1974], 111-113. [Traduit en anglais sous le titre « The Bird » par Sheila Fishman] ;

Invisible Fictions. Contemporary Stories from Quebec. Edited by Geoff Hancock, Toronto, Anansi, [1987], p. 149-150. [Traduit par Sheila Fishman sous le titre « The Bird »].

Après la chute inopinée d'un oiseau au milieu de la ville, tout se met à geler et à se figer sans raison connue. Une fleur subsiste, seule sur la place publique.

« La Tête »,
Jolis Deuils. Petites tragédies (pour adultes), Montréal, les Éditions du Jour, [1964], p. 15-19. (Collection « les Romanciers du Jour », n° R-12) (F) ;

Jolis Deuils, Montréal-Paris, Stanké, [1982], p. 15-19. (Collection « Québec 10/10 », n° 56).

Un homme, Monsieur Cro, se présente à un bal costumé après s'être déguisé en guillotiné. Il laisse sa tête au vestiaire et ne la retrouve plus à la fin de la soirée. Un jour, alors qu'il se reconnaît dans la rue, il tue celui qui porte sa propre tête. Traduit devant un juge qui porte sa tête lui aussi, il est condamné à la prison à perpétuité.

« La Jeune Fille »,

Jolis Deuils. Petites tragédies (pour adultes), Montréal, les Éditions du Jour, [1964], p. 21-26. (Collection « les Romanciers du Jour », n° R-12) (F) ;

Jolis Deuils, Montréal-Paris, Stanké, [1982], p. 21-26. (Collection « Québec 10/10 », n° 56) ;

Contes d'amour & d'enchantement du Québec. Présentation, choix des contes et textes de liaison d'André Vanasse, [Montréal], Mondia, [1989], p. 59-62. (« À l'écoute de la littérature »).

À son insu, une jeune fille transforme tout en beauté sur son passage. Elle est nue et tous ceux qui la voient se déshabillent. Tout à coup, elle s'envole, métamorphosée en oiseau. Mais un policier la tire et elle tombe au sol, ayant repris sa forme de jeune fille. On lui fait des funérailles triomphales, après quoi tout le monde passe à la guillotine. De la tête coupée du policier sort la jeune fille sous forme d'oiseau.

« Les Pommes »,

Jolis Deuils. Petites tragédies (pour adultes), Montréal, les Éditions du Jour, [1964], p. 33-37. (Collection « les Romanciers du Jour », n° R-12) (F) ;

Jolis Deuils, Montréal-Paris, Stanké, [1982], p. 33-37. (Collection « Québec 10/10 » n° 56).

Un marchand itinérant vend des pommes. Chaque pomme offre quelque chose de merveilleux ou d'étrange. Un enfant laisse tomber la sienne qui explose. Le lendemain, le marchand est surpris de ne trouver qu'un endroit dévasté.

« L'Encre »,

Jolis Deuils. Petites tragédies (pour adultes), Montréal, les Éditions du Jour, [1964], p. 39-43. (Collection « les Romanciers du Jour », n° R-12) (F) ;

Jolis Deuils, Montréwal-Paris, Stanké, [1982], p. 39-43. (Collection « Québec 10/10 », n° 56) ;

Stories from Québec. Selected & Introduces by Philip Stratford, Toronto/New York Cincinnati/London/Melbourne, Van Nostrand Reinhold Ltd, [1974], 114-115. [Traduit en anglais sous le titre « The Ink » par Sheila Fischman] ;

Invisible Ficwtions. Contemporary Stories from Quebec. Edited by Geoff Hancock, Toronto, Anansi, [1987], p. 157-158. [Traduit par Sheila Fischman sous le titre « The Ink »].

Une plume servant à signer un traité de paix crache de l'encre sur le papier du traité. La tache grossit et finit par envahir dix pays. On lui déclare la guerre. Un jour, on ordonne un cessez-le-feu et on signe la paix. Le premier et le dernier paragraphes de ce texte sont identiques, laissant croire ainsi que le même phénomène incroyable peut se reproduire.

« L'Eau »,

Jolis Deuils. Petites tragédies (pour adultes), Montréal, les Éditions du Jour, [1964], p. 51-55. (Collection « les Romanciers du Jour », n° R-12) (F) ;

Jolis Deuils, Montréal-Paris, Stanké, [1982], p. 51-55. (Collection « Québec 10/10 », n° 56).

Victor est couché avec sa femme Victorine, qui entend de l'eau couler dans la chambre à coucher. La femme songe à son échec amoureux, car elle n'éprouve plus d'amour pour l'homme bedonnant qui dort à ses côtés. Elle décide alors de plonger dans l'eau (irréelle) qui monte dans la chambre. Elle s'y noie.

« La Création »,

Jolis Deuils. Petites tragédies (pour adultes), Montréal, les Éditions du Jour, [1964], p. 63-67. (Collection « les Romanciers du Jour », n° R-12) (F) ;

Jolis Deuils, Montréal-Paris, Stanké, [1982], p. 63-67. (Collection « Québec 10/10 », n° 56) ;

Stories from Québec. Selected & Introduces by Philip Stratford, Toronto/New York Cincinnati/London/Melbourne, Van Nostrand Reinhold Ltd, [1974], 116-117. [Traduit en anglais sous le titre « Creation » par Sheila Fishman].

Un homme ressemblant à Dieu, et se disant Dieu lui-même, fait exploser un édifice. On l'arrête, l'emprisonne et lui fait subir un procès au terme duquel le juge le condamne à sept ans de prison. Le narrateur prévient que, à la fin de sa réclusion, on pourrait bien rencontrer le prisonnier divin au coin d'un édifice.

« L'Amour des bêtes »,

Jolis Deuils. Petites tragédies (pour adultes), Montréal, les Éditions du Jour, [1964], p. 69-74. (Collection « les Romanciers du Jour », n° R-12) (F) ;

Jolis Deuils, Montréal-Paris, Stanké, [1982], p. 69-74. (Collection « Québec 10/10 », n° 56).

Boby invite un serin à manger avec lui. Le soir, il laisse son lit à l'oiseau et dort dans la cage. Malade, Boby se fait soigner par un vétérinaire. Un jour, le serin constate que Boby est heureux. Ce dernier quitte la maison. Le serin tente de se suicider. Boby, quant à lui, se tient parmi les pigeons sur la place publique.

« Les Pas »,

Jolis Deuils. Petites tragédies (pour adultes), Montréal, les Éditions du Jour, [1964], p. 75-79. (Collection « les Romanciers du Jour », n° R-12) (Hy) ;

Jolis Deuils, Montréal-Paris, Stanké, [1982], p. 75-79. (Collection « Québec 10/10 », n° 56) ;

Invisible Fictions. Contemporary Stories from Quebec. Edited by Geoff Hancock, Toronto, Anansi, [1987], p. 151-152. [Traduit par Sheila Fischman sous le titre « Steps »].

Un homme revient chez lui et ne trouve qu'une étendue infinie de neige. Le jour semble sans fin. Il marche. Soudain, il remarque que des pas ont croisé les siens. Il suit ces menus pas, mais ils se mettent à rapetisser jusqu'à disparaître. Alors il aperçoit son village au loin et court vers lui. On lui donne à manger, mais il refuse et va parcourir les champs à la recherche de signes précieux sur le sol.

« Histoire d'amour »,

Jolis Deuils. Petites tragédies (pour adultes), Montréal, les Éditions du Jour, [1964], p. 81-86. (Collection « les Romanciers du Jour », n° R-12) (F) ;

Jolis Deuils, Montréal-Paris, Stanké, [1982], p. 81-86. (Collection « Québec 10/10 », n° 56).

Une jeune fille ne parvient pas à dormir. Un sage hindou lui conseille de s'alléger l'esprit en songeant à de la fumée. Le soir même, un pompier entre en trombe dans sa chambre. Ils ont le coup de foudre et s'épousent. Mais le pompier ne peut plus dormir. Le sage hindou lui conseille de se laisser aller aux pulsions que la fumée engendre chez lui. La nuit suivante, il part au premier signal d'alarme, sauve une jeune fille des flammes et en tombe amoureux.

« Le Réveille-matin »,

Jolis Deuils. Petites tragédies (pour adultes), Montréal, les Éditions du Jour, [1964], p. 87-91. (Collection « les Romanciers du Jour », n° R-12) (F) ;

Jolis Deuils, Montréal et Paris, Éditions internationales Alain Stanké, [1982], p. 87-91 (Collection « Québec 10/10 », n° 56) ;

Textes et Contextes 3, 1re partie, Cécile Dubé, avec la collaboration de Marie-Noël Lefèvre, Laval, Mondia, [1984], p. 32-33.

Un réveille-matin devient de plus en plus exigeant, de plus en plus envahissant. Il sonne à la moindre occasion. Il réglemente en tortionnaire la vie d'un couple. Il aime tant les cadeaux que l'homme se ruine à le satisfaire. Un jour, l'homme demande à sa femme d'aller jeter ce monstre au fond du fleuve. Elle n'est jamais revenue à la maison.

« La Fin »,
Jolis Deuils. Petites tragédies (pour adultes), Montréal, les Éditions du Jour, [1964], p. 93-97. (Collection « les Romanciers du Jour », n° R-12) (F) ;

Jolis Deuils, Montréal-Paris, Stanké, [1982], p. 93-97. (Collection « Québec 10/10 », n° 56).

Monsieur Dupont s'est donné la mort après avoir été trompé par son amie. Stupéfait d'apprendre qu'il est mort, il écoute les détails de son suicide à la radio.

« L'Invention »,
Jolis Deuils. Petites tragédies (pour adultes), Montréal, les Éditions du Jour, [1964], p. 99-104. (Collection « les Romanciers du Jour », n° R-12) (F) ;

Jolis Deuils, Montréal-Paris, Stanké, [1982], p. 99-104. (Collection « Québec 10/10 », n° 56).

Un savant, le prof Marc Anton, travaille avec acharnement à la création d'un moteur. Le jour où il le met en marche, deux phénomènes se produisent : le savant disparaît et on ignore comment arrêter la machine qui a même des sautes d'humeur lorsqu'on essaie d'enrayer son mouvement. On décide donc de la détruire. Sous les cendres, on découvre un cœur : « La foule établit immédiatement un lien entre ce cœur et l'absence du Professeur Marc Anton ».

« L'Ouvrier modèle »,
Jolis Deuils. Petites tragédies (pour adultes), Montréal, les Éditions du Jour, [1964], p. 111-115. (Collection « les Romanciers du Jour », n° R-12) (F) ;

Fleurs de lis. Anthologie d'écrits du Canada français. Éditée par Anthony Mollica, Donna Stefoff et Elizabeth Mollica, Toronto, Copp Clark Pitman, [1973], p. 29-30. [Précédé d'une biographie, p. 23-24, et suivi de questions pédagogiques, p. 31-32] ;

Jolis Deuils, Montréal-Paris, Stanké, [1982], p. 111-115. (Collection « Québec 10/10 », n° 56).

Un homme d'affaires désire voir la plaque de cuivre portant son nom briller continuellement. À chaque année, l'ouvrier chargé de l'entretien de la plaque use un de ses membres à frotter. Il s'use littéralement à la tâche. Un jour, voyant que son employé est devenu cul-de-jatte, le patron lui fait de grands honneurs publics, puis décide de « congédier l'inutile ».

« Le Téléphone »,
Jolis Deuils. Petites tragédies (pour adultes), Montréal, les Éditions du Jour, [1964], p. 129-134. (Collection « les Romanciers du Jour », n° R-12) (F) ;

Jolis Deuils, Montréal-Paris, Stanké, [1982], p.129-134. (Collection « Québec 10/10 », n° 56).

Un téléphoniste répète constamment que « le président est aux Îles Canaries ». Bientôt, le téléphoniste meurt. Son épouse le remplace et connaît le même sort. Sous forme de fantôme, les deux téléphonistes visitent leur patron qui leur avoue qu'aux Îles on aimerait ne pas mourir.

« Magie noire »,
Jolis Deuils. Petites tragédies (pour adultes), Montréal, les Éditions du Jour, [1964], p. 135-140. (Collection « les Romanciers du Jour », n° R-12) (F) ;

Jolis Deuils, Montréal-Paris, Stanké, [1982], p. 135-140. (Collection « Québec 10/10 », n° 56).

Un Noir très riche arrive un jour dans un hôtel sordide. Le patron de l'endroit, détestant les Noirs, lui refuse l'hospitalité. Mais, il se laisse amadouer par une offre monétaire substantielle. Au matin, tous sont noirs et le patron, désespéré.

« Le Métro »,
Jolis Deuils. Petites tragédies (pour adultes), Montréal, les Éditions du Jour, [1964], p. 141-146. (Collection « les Romanciers du Jour », n° R-12) (F) ;

Jolis Deuils, Montréal-Paris, Stanké, [1982], p. 141-146. (Collection « Québec 10/10 », n° 56).

Un jeune homme, de bon matin, monte dans le métro pour se rendre à son travail. En cours de route, il constate que les gens du wagon sont très vieux. À sa sortie du métro, il se fait lui-même aider et, à sa grande consternation, est emmené dans un hospice.

« La Robe »,

Jolis Deuils. Petites tragédies (pour adultes), Montréal, les Éditions du Jour, [1964], p. 147-151. (Collection « les Romanciers du Jour », n° R-12) (F) ;

Jolis Deuils, Montréal-Paris, Stanké, [1982], p. 147-151. (Collection « Québec 10/10 », n° 56) ;

Anthologie de la nouvelle et du conte fantastiques québécois au XXe siècle. Introduction et choix de textes par Maurice Émond, [Montréal], Fides, [1987], p. 97-99. (« Bibliothèque québécoise »).

Un homme, le narrateur, voit une jeune fille passer à travers une vitrine et enfiler une robe de mariée. Le matin, il apprend d'un garçon de table que l'on a découvert cette robe ensanglantée et trouée d'une balle à la place du cœur.

« La Chambre nuptiale »,

le Devoir, vol. LVI, n° 82 (8 avril 1965), p. 20. (F)

Dans la chambre nuptiale, l'épouse se dévêt lentement, silencieusement. Elle retire son anneau presque rituellement. Elle se regarde dans la glace et son corps apparaît, beau. Soudain, une vilaine pensée l'assaille : elle est aussi éphémère que cette image dans le miroir. Triste, elle se retourne et prend son anneau. Elle remarque alors qu'il est soudainement terni, égratigné, comme écrasé par une lourde roue de fer. Son mari est muet, mais elle a étouffé sa frayeur. Elle porte à son doigt, soudainement devenu noueux, bruni et ridé, l'anneau avarié. Elle hurle, mais son mari ne l'entend plus.

« Le Fauteuil à oreilles »,

la Barre du Jour, vol. I, n° 2 (mai-juin 1965), p. 11-12. (F)

Grand-mère, lorsqu'elle est assise dans son très ancien fauteuil à oreilles, est la jeunesse même. Sa famille tient ce fauteuil en horreur et le jette au feu. Un autre fauteuil, neuf, est acheté pour le remplacer. Grand-mère s'effondre en larmes. Le fauteuil boit tout. Dans une autre pièce, on désigne l'aîné pour expliquer à Grand-mère la décision familiale. Elle l'accueille, un rayon de jeunesse au visage, assise dans son très ancien fauteuil encore humide de larmes.

« La Plage »,

le Devoir, vol. LVI, n° 254 (30 octobre 1965), p. 33 (F) ;

Écrits du Canada français, Montréal, [s. é.], n° 25, 1969, p. 141-143. [Deuxième des six contes du même auteur parus dans ce numéro et regroupés sous le titre « Contes pour mille oreilles »].

Un jeune homme flâne dans les rues d'une ville par une journée ensoleillée et extrêmement chaude. Il a soudainement soif et entre dans un café prendre un verre d'eau dont l'âcreté le saisit. Il regarde à l'intérieur et s'aperçoit que l'eau est agitée dans le verre. Soudain, il y voit une jeune femme qui se noie. Il la regarde couler. Il mentionne au garçon que l'eau n'était pas bonne et on lui en apporte un autre verre. Ensuite, il va marcher sur la plage et aperçoit un groupe de pêcheurs qui transporte le corps boueux d'une jeune fille.

« L'Escarboucle »,
le Devoir, vol. LVII, n° 250 (27 octobre 1966), p. 13 (F) ;

Écrits du Canada français, Montréal, [s. é.], n° 25, 1969, p. 137-140. [Premier des six contes du même auteur parus dans ce numéro et regroupés sous le titre « Contes pour mille oreilles »].

Abel Smington veut acquérir fortune pour pouvoir épouser Miss Angéline, riche héritière. Il part donc à la recherche de quelque pierre précieuse. Il traverse villages et mer, découvre une montagne, tue et vole. Puis, à coup de pic, il creuse la montagne. Une nuit, Abel trouve une pierre d'une lueur fulgurante. Il repart vers le pays de Miss Angéline. Il se précipite chez elle, au moment d'un bal, dépenaillé et crasseux, et lui présente ce « vulgaire » caillou. On l'empoigne et on le jette dehors. Plus tard, quand Abel se sent triste, il embrasse sa pierre religieusement. Elle devient alors limpide et dévoile le visage aimé de Miss Angéline à qui il raconte ses aventures.

« Un conte pour adulte ! »,
le Canada français, vol. CVIII, n° 30 (21 décembre 1967), p. 3. (Supplément). (Hy)

La veille de Noël, le Père Noël refuse d'aller sur la Terre (qui ne le mérite pas) malgré l'insistance de maman Noël. Les lutins sont déçus, les nains s'amusent de la situation. À minuit, le Père Noël enfourche un renne et s'envole vers la Terre où la guerre a cessé pour Noël. Il attache le renne à un arbre et entre dans une auberge où le propriétaire est l'incarnation de Dieu-le-Père. Il déclare, après plusieurs verres, qu'il est l'authentique Père Noël. Personne ne le croit. Il sort et retrouve son renne, les pattes ligotées et le cou ensanglanté, sur le toit d'une voiture. Fou de colère, il frappe les gens de ses grosses bottes. Le tribunal le condamne à la prison jusqu'à la Noël suivante.

« La Main »,
Écrits du Canada français, Montréal, [s. é.], n° 25, 1969, p. 144-145. [Troisième des six contes du même auteur parus dans ce numéro et regroupés sous le titre « Contes pour mille oreilles »]. (F)

Un objet insolite est suspendu dans les airs au-dessus de la ville. Peu à peu, il se révèle être une main qui grossit et qui finit par couvrir la ville entière. Pendant qu'elle resserre progressivement son étreinte, les gens s'attristent ou s'affolent. Soudain, la main cesse de bouger. On décrète que la main, déjà froide, est morte. Les ingénieurs annoncent qu'elle s'écroulera bientôt. Alors une immense et sourde rumeur parcourt la ville. Ceux qui ont vu la main croient que la ville a été pulvérisée.

« Les Cartes postales »,
Écrits du Canada français, Montréal, [s. é.], n° 25, 1969, p. 146-150. [Quatrième des six contes du même auteur parus dans ce numéro et regroupés sous le titre « Contes pour mille oreilles » (F) ;

Fleurs de lis. Anthologie d'écrits du Canada français. Éditée par Anthony Mollica, Donna Stefoff et Elizabeth Mollica, Toronto, Copp Clark Pitman, [1973], p. 33-37. [Précédé d'une biographie, p. 23-24, et suivi d'exrcices , p. 37-39].

Un homme écrit à son amoureuse. Sa lettre raconte qu'il ne veut plus qu'elle lui envoie de carte postale et il explique pourquoi : un jour, il reçoit une carte sur laquelle figurent des pigeons. Le soir, son appartement est encombré de pigeons. Plus tard, après avoir reçu une carte montrant des gitans en fête, l'homme trouve chez lui une troupe de ces gens festoyant et dansant. Il continue de croire qu'il s'agit de coïncidences, mais reçoit une autre carte illustrant une danseuse voluptueuse. Il la place dans la poche de son veston et, tout le jour, son cœur bat frénétiquement. Il en reçoit d'autres dont le thème est la mort. Peu à peu, il n'est plus qu'un homme angoissé en attente de ces cartes animées. La lettre reste inachevée et on trouve, à la fin du récit, une note d'un inspecteur de police qui déclare avoir trouvé dans la poche de son veston une carte postale représentant un javelot africain à la pointe empoisonnée.

« Les Lunettes »,
Écrits du Canada français, Montréal, [s. é.], n° 25, 1969, p. 151-154. [Cinquième des six contes, du même auteur, parus dans ce numéro et regroupés sous le titre « Contes pour mille oreilles »]. (F)

Monsieur Smile perd progressivement la vue. Un petit homme au visage chafoin lui vend des lunettes étranges qui lui rendent la vue et lui permettent même de percer les choses de part en part. Il voit entrer dans son bureau le squelette de sa secrétaire. Puis, il va se promener en ville à bord d'un corbillard que tirent six chevaux blancs. Son chauffeur n'est qu'un autre squelette. La ville semble morte, en ruine et en cendres. Alors, il désire marcher à pied, ce que son chauffeur lui refuse. M.

Smile lui casse les os. Il marche jusqu'à chez lui, ouvre la porte qui se referme. Il est dans son cercueil.

« La Chambre 38 »,
Écrits du Canada français, Montréal, [s. é.], n° 25, 1969, p. 155-160. [Dernier des six contes du même auteur parus dans ce numéro et regroupés sous le titre « Contes pour mille oreilles »] (F) ;

Invisible Fictions. Contemporary Stories from Quebec. Edited by Geoff Hancock, Toronto, Anansi, [1987], p. 159-164. [Traduit par Sheila Fischman sous le titre « The Room »].

Un soir, Strelinik prend possession d'une jolie et chambre calme, le n° 38. Au comble du bonheur, il s'y endort mais, avant l'aube, un bruit fort et insistant le réveille. Au matin, le silence revient. Le soir, à son retour, Strelinik trouve une fine poussière incrustée partout dans sa chambre. La nuit qu'il passe est pénible, entre le sommeil et l'éveil. Au matin, une boue recouvre étrangement le plancher. Après son travail, il décide de rentrer à pied. À son retour, la concierge lui annonce qu'on a entrepris des travaux dans sa chambre. Il s'y rend et trouve un gouffre dans lequel fourmillent hommes et machines. Alors, il rampe vers l'escalier et, avant même qu'il ne se plaigne, la concierge lui lit la clause 12 du bail leur permettant de faire ces travaux. Strelinik sort et s'endort sur un banc. Il est réveillé par la pluie et décide de rentrer. Chez lui, il va s'excuser auprès de la locataire d'en-dessous qui le félicite d'être aussi peu bruyant. En ouvrant la porte de sa chambre, il ne voit que la ville illuminée et criarde. Il se retourne et se découvre perdu dans une rue et une ville inconnues. Alors, il se rappelle sa douce petite chambre n° 38. Mais il doit marcher dans cette ville violente. Il loue finalement une chambre, où il dort pendant deux jours (peut-être). À son réveil, plus de chambre mais les décombres et les cendres d'une ville brisée et en ruine. Il aperçoit soudain une porte. Il la pousse et trouve derrière elle sa chambre n° 38 telle qu'elle était au premier soir.

« La Noce »,
Études françaises, vol. V, n° 1 (février 1969), p. 51-54 (Hy) ;

Invisible Fictions. Contemporary Stories from Quebec. Edited by Geoff Hancock, Toronto, Anansi, [1987], p. 153-156. [Traduit par Sheila Fischman sous le titre « The Wedding »].

Martine attend un enfant de Didier, qui part à la ville pour amasser de l'argent, mais qui ne revient jamais. Elle confie son enfant à des religieuses noires et part avec un cortège jusqu'à une rivière dans laquelle elle plonge, ligotée par des chapelets, suivie de quatre-vingts religieuses. Elle y retrouve Didier. Flottant, ils passent sous la fenêtre de l'enfant, devenue une jeune fille qui les reconnaît, mais dont les lèvres sont mortes.

Floralie, où es-tu ? Roman,
Montréal, Éditions du Jour, [1969], 170 p. (Collection « les Romanciers du Jour », n° R-45) (F/Roman) ;

Montréal-Paris, Stanké, [1981], 182 p. (Collection « Québec 10/10 », n° 34). [En tête de titre « la Trilogie de l'âge sombre », t. II] ;

Toronto, Anansi, 1971, 108[3] p. [Traduit par Sheila Fischman sous le titre *Floralie, where are you ?*].

Après leurs noces, Anthyme emmène Floralie dans son village. En traversant la forêt, il arrête la voiture et entraîne Floralie sous un arbre pour en faire sa femme. S'apercevant qu'elle n'est plus vierge, il entre dans une grande colère et retourne au chemin où le cheval a disparu. Il part à sa recherche en abandonnant sa femme. Floralie rejoint le chemin. Dans la nuit, elle rencontre Néron, un charlatan, qui a pris le cheval et la charrette d'Anthyme. Néron veut emmener Floralie aux États-Unis. Elle refuse et il la jette hors de la voiture. Plus tard, elle rencontre une charrette de comédiens, qui l'embarquent et lui font jouer le rôle de la Vierge dans la comédie des sept péchés capitaux. Arrivés dans une clairière, ils jouent devant des paysans venus célébrer la fête de la Sainte-Épine. Le Père Nombrillet les chasse à coup d'encensoir. Il confesse Anthyme, arrivé depuis peu, et entraîne Floralie dans la chapelle. La célébration commence. Un fanal cassé cause un incendie où plusieurs fidèles et le Père Nombrillet périssent. Anthyme s'endort sur l'herbe. Floralie le rejoint. Ils sont réveillés par les noceurs (du village d'Anthyme) qui les hissent dans une voiture. Floralie se demande si elle n'a pas rêvé.

Les Fleurs vivent-elles ailleurs que sur la terre ?,
[Montréal], Stanké, [1980], 127 p. (F/Roman)

Prudent B. Pépin, célibataire et employé à l'Assurance, revient de sa promenade nocturne lorsqu'un éclair de lumière tombe du ciel et lui brûle la poitrine. Les marques de la brûlure s'intensifient et un visage apparaît qui devient de plus en plus vivant. Obsédé par le phénomène, Prudent essaie d'en parler mais on se moque de lui. Le Visage tente de communiquer avec Prudent qui veut faire connaître son aventure à tous. Il vient montrer sa poitrine à des journalistes, mais constate la disparition du Visage. Il sait que personne ne le croira plus, mais il décide de rester à l'écoute du ciel pour capter la suite du message.

La Dame qui avait des chaînes aux chevilles. Roman,
Montréal-Paris, Stanké, [1981], 153 p. (F/Roman) ;
[Montréal], Stanké, 176 p. (Collection « Québec 10/10 », n° 76).

Pendant une tempête de neige, Victor égare l'enfant que sa femme, Virginie, lui a confié. Lorsqu'elle apprend la nouvelle, Virginie sent son corps envahi par l'esprit d'une autre femme, la Dame qui avait des chaînes aux chevilles. L'histoire de cette femme qui a empoisonné son mari lui a été racontée lorsqu'elle était enfant. Cette force étrangère maléfique pousse Virginie à empoisonner Victor, qui va ensuite s'accuser de son crime au monastère situé près de leur cabane. Pendant le procès, Victor réapparaît : Virginie a cru qu'il ne reviendrait pas de son voyage en forêt parce que le poison aurait dû faire effet. De plus, il doit lui aussi subir un procès, car, apprenant ce qu'on avait fait à sa femme, il a mis le feu au monastère. À la vue de son mari, Virginie retrouve son âme véritable ; s'étant par ailleurs laissé faire un autre enfant par Victor avant de l'empoisonner, elle accouche. La cour leur accorde le pardon à tous deux et les autorise à retourner cultiver leur terre.

CARRIÈRE, Daniel
[

« La Lettre »,
Mœbius, n° 26 (automne 1985), p. 43-50. (F)

Un écrivain finit par vivre les événements dramatiques imaginés dans son roman.

CAUCHY, Chantal,
[

[Sans titre],
Kramer, n° 4, [s. d.], p. 9. (Hy)

Monsieur Rocheleau tente de servir, lors du réveillon de Noël 1996, sa gélatine protéinée au bœuf, en dépit de la panne d'électricité. Il sert ses convives et s'aperçoit qu'il a alors offert la bûche de Noël.

CHABOT, Denys
[Val d'Or, 9 février 1945 –]

L'Eldorado dans les glaces. Roman,
[Montréal], HMH, [1978], 202 p. (Collection « l'Arbre ») (Hy/Roman) ;
nouvelle édition. Introduction de Élisabeth Vonarburg, [Montréal], BQ, [1989], 289[1] p. (« Bibliothèque québécoise, Littérature »).

Le narrateur présente le livre qui lui a été dicté par Oberlin. Ce dernier arrive en Abitibi où il est témoin de son dédoublement. Puis Lorna, cantatrice déchue, raconte son aventure amoureuse avec Oberlin, hanté par l'image d'une certaine Julie. Blake, le propriétaire d'une boutique d'antiquités où travaille Oberlin, parle à Oberlin de Simon l'Aveugle et prétend avoir senti ses pensées recouper les siennes. Oberlin voit ensuite Julie la Métisse se dresser comme un rêve immobile. Il est précipité par terre et, « par une magie sans nom [...], il se retrouv[e] dans les rues sombres [et] revi[e]nt [...] à la boutique d'antiquités, d'un pas tranquille ». Blake se demande le sens de tout cela puis Oberlin disparaît. Un autre personnage, Faustin, s'installe au Châteaupierre, maison étrange et abandonnée. À son grand étonnement, il se trouve entouré d'une foule de vieilles et de jeunes filles, et se demande si ce ne sont là qu'hallucinations. Il ne veut pas y croire, mais pense qu'il a des pouvoirs dont il ignore la nature. Il devient une sorte de sorcier commandant aux vents mauvais et aux passions les plus dévorantes. Suit la narration d'un cauchemar de fin du monde, un bris de lois du monde secouant les bases de l'univers. Béate prend ensuite la parole pour contester le discours de Faustin, mais avoue qu'elle rapporte le discours de Simon l'Aveugle et que c'est sur la foi de ces paroles qu'elle appuie sa certitude. Julie raconte la même histoire de son propre point de vue et parle de la disparition étrange du corps de Faustin. Elle voyage à travers villages et forêts, brouillards et ténèbres où tout semble incertain, irréel, au terme de quoi son esprit échappe à toute contrainte et perd toute attache avec les choses qui l'entourent. Oberlin refait alors surface. Julie, elle, « apparaît » dans une boîte téléphonique. Avec Oberlin, elle assiste à l'apparition de Faustin, mort-vivant qui semble s'avancer vers eux, s'enfler, se soulever et se dresser « avec l'affolante brusquerie d'une réincarnation ». Julie ne peut dominer la répulsion qu'elle éprouve à l'égard de « ce mélange d'âmes décomposées et d'âmes vives ». Elle s'enfuie avec Oberlin. Faustin tente de les atteindre, mais il se perd en de multiples contorsions. Julie et Oberlin prennent la route sans oser tourner la tête.

La Province lunaire. Roman,
[Montréal], HMH, [1981], 273 p. (Collection « l'Arbre »). (Hy/Roman)

Le narrateur, un caléchier de la Vieille-Capitale, doté d'« un sens presque médiéval de l'émerveillement », entreprend, avec la petite-fille de Louis-Joseph, Catherine, une vendeuse de fleurs, une aventure extraordinaire vers Champdoré, un lieu peut-être réel, peut-être imaginaire : « Quant à Champdoré, il dépendait du hasard qu'on rencontrât cet endroit, et aussi peut-être qu'il existât ». Louis-Joseph, quant à lui, « un être à l'aile icarienne [...] une sorte de cadavre bon vivant, en pleine lévitation au milieu des reflets crépusculaires », est une étrange figure puisque, déjà mort, il accomplit des prouesses au village de Pontgravé et il revient hanter l'espace des vivants : c'est lui qui révèle l'existence de Catherine au narrateur. Après une véritable descente aux enfers dans un cimetière où des brigands mangent son cheval, le narrateur quitte la capitale avec Catherine dans un train littéralement dévoreur d'espace. Ils traversent alors une sorte de labyrinthe étrange où se produit une série d'événements mirobolants.

CHAISE 1, 2, 3 et 4 [pseudonyme]
[

« La Chaise, témoin ignoré d'une boîte à chanson, se confie »,
le Nouvelliste, 46e année, n° 260 (9 septembre 1967), p. 10. (Hy)

Deux chaises racontent chacune à leur tour leur vie dans une boîte à chansons et leur mélancolie après la fermeture de l'endroit. Un troisième narrateur, humain, s'adresse à la deuxième chaise et lui raconte ses souvenirs, les débuts de la boîte, les mauvaises années, les rénovations et les regrets.

CHAMBERLAND, Paul
[Longueuil, 16 mai 1939 –]

« Dans un automne à nous »,
Écrits du Canada français, Montréal, [s. é.], n° 18, 1964, p. 129-145. (F)

En promenade sur le bord d'une route, un homme, Pierre, et une femme, Cécile, sont renversés par un automobiliste. Pierre s'en tire indemne, mais Cécile meurt. Pierre ne veut pas croire à la mort de Cécile. L'hiver suivant, il retourne à l'endroit du drame et recrée la scène en se persuadant que Cécile reviendra. L'accident se produit, mais c'est Pierre qui meurt et Cécile qui survit. L'automobiliste déclare à la police que l'homme marchait au milieu du chemin en faisant de grands gestes comme s'il déclamait quelque chose.

CHAMPAGNE, Monique
[Paris, 20 décembre 1925 –]

« Monsieur Zède »,
le Magazine Maclean, vol. 1, n° 3 (mai 1961), p. 33, 64 (F) ;
Sous l'écorce des jours. Nouvelles, Montréal, Éditions HMH, 1968, p. 23-29. (Collection « l'Arbre », n° 13).

Monsieur Zède entreprend d'étudier l'histoire. Il lit de plus en plus et s'affaiblit. Un soir qu'il lit un récit sur la Révolution française, les mots sortent du livre et se mettent à attaquer les pages suivantes. Le feu prend dans la chambre. Apeuré, M. Zède se lance par la fenêtre et se tue.

CHAMPETIER, Joël
[Lacorne (Abitibi), 30 novembre 1957 –]

« Le Nettoyage de la compté »,
Pour ta belle gueule d'ahuri, n° 5 (vol. III, n° 1, 1982), p. 6-9. (Hy)

Au XXe siècle, la famille Deroche part en vacances au pays des Hobbits. Lors d'une excursion dans un village, le garçon, Féanor, et deux cousins sont pris en otage par les Hobbits, qui se sont soulevés. Après un court combat, les hommes du roi les libèrent et mettent les Hobbits dans un camp de concentration. La famille retourne à la maison.

« Défectuosité »,
Requiem, n° 25 (vol. V, n° 1, février 1979), p. 13-14. (SF)

Deux astronautes entendent des signaux suspects venant de leur appareil. Ils s'interrogent sur leurs origines. Juste au moment où ils l'apprennent, ils réalisent qu'il est trop tard. Ils vont exploser.

« Le Chemin des fleurs »,
Solaris, n° 41 (vol. VII, n° 5, octobre 1981), p. 16-19 (SF) ;

Aurores boréales 1. 10 récits de science-fiction parus dans la revue *Solaris*, sous la direction de Norbert Spehner, [Longueuil], le Préambule, [1983], p. 147-158. (Collection « Chroniques du futur », n° 7).

Lyonel, un jeune garçon qui vient de subir une lobotomie, observe les abeilles dans le parc de l'hôpital où il est en convalescence. Il s'intéresse tant à leur manège qu'il quitte petit à petit son corps pour entrer dans celui d'une abeille.

« Bébé, Stan' et Moi »,
Solaris, n° 50 (vol. IX, n° 2, mars-avril 1983), p. 52-57. (SF)

Après l'écrasement de son vaisseau spatial sur la planète Moinine, Makan Parache se retrouve seul. Son « cervor », Tom, cerveau auxiliaire, est mort et, sans lui, il a beaucoup de difficultés à s'orienter. Il réussit tout de même à rejoindre une deuxième capsule de secours où il découvre une femme morte, Stan' Hachtich, mais dont le cervor, nommé Bébé, fonctionne toujours. Makan met ce cervor sans savoir que la personnalité de la femme s'y trouve toujours. Au début, le cervor tente de les empêcher de se rencontrer, mais l'inévitable se produit. Makan et Stan' « voient » chacun dans les pensées de l'autre. Après une difficile période d'adaptation, ils s'acceptent et vivent en harmonie.

« Le Pispodr »,
Kramer, n° 2, [1983], p. 8. (SF)

Albert Dumontier se promène dans un marché public d'Ichorec. Un indigène lui colle un aimant corporel, un pispodr, dans la main et se sauve à toute allure. Dumontier cherche à se défaire de ce pispodr, n'y parvient pas et doit se résigner à la porter sur lui.

« Le Plan Armand Guindon »,
Kramer, n° 3, [1984], p. 5-6. (SF)

À la suite de l'assassinat de sa fiancée, Armand Guindon veut tuer toute l'humanité. Après plusieurs essais, il réussit à éliminer quelques milliers de personnes. Une amie de sa fiancée cherche à le convaincre de la futilité de ses tentatives. Pendant un certain temps, il se calme, mais il poursuit des recherches en biochimie et découvre un virus qui fait disparaître l'humanité entière à l'exception de lui-même, immunisé. Pendant qu'il déambule dans les ruines, il est soudainement envahi de torpeur et s'endort. Lorsqu'il s'éveille, il ressent une douleur au côté, puis Dieu l'invite alors à procréer, avec sa fiancée ressuscitée, pour repeupler la Terre.

« Elle a soif »,
Imagine..., n° 21 (vol. V, n° 4, avril 1984), p. 83-86. (SF)

Rachel est affligée d'une grave tare génétique depuis sa naissance. Elle doit prendre un comprimé d'Anavam, quotidiennement. Un jour, la campagnie pharmaceutique est victime d'un sabotage et les pilules se révèlent inactives. Rachel ignore ce fait et devient malade. Le gène philhémoglobin, « tare génétique qui a expliqué et prouvé l'existence des vampires », court dans ses veines et, progressivement, la soif de sang s'empare d'elle, incontrôlable.

« L'Onomastique du futur »,
Kramer, n° 5, [1985], p. 4. (SF)

Dans une société future, tous les individus auront un nom original et particulier. Des agences onomastiques pourront conseiller les parents.

« Poisson-soluble »,
Solaris, n° 59 (vol. X, n° 5, janvier-février 1985), p. 15 (SF) ;

Aurores boréales 2. 10 récits de science-fiction, sous la direction de Daniel Sernine, [Longueuil], le Préambule, [1985], p. 209-212. (Collection « Chroniques du futur », n° 9) ;

Tesseracts 2. Edited by Phyllis Gotlieb & Douglas Barbour, Victoria, Toronto, Porcépic Books, [1987], p. 80-82. (« Canadian Science Fiction »). [Traduit par Louise Samson sous le titre « Soluble-Fish »].

Un enfant est fasciné par d'étranges poissons-oiseaux qui vivent dans la rivière et hors de celle-ci, près de chez sa tante. Une nuit, sa cousine le réveille pour voir un poisson-soluble naître en s'extirpant de son ancien corps de poisson. Ils l'observent jusqu'au matin mais la tante arrive et leur ordonne de laisser partir l'oiseau.

CHANTAL, Danielle
[

« L'Esprit du stand d'autobus »,
Pour ta belle gueule d'ahuri, n° 1 (vol. I, n° 1, 1979), p. 9. (F)

Un esprit du quatrième ciel soupoudre une « neige de folie » sur une pauvre fille qui attend l'autobus en lisant Guy des Cars. Elle se transforme aussitôt, se débarrasse de ses complexes et retrouve le goût de vivre.

CHAPDELAINE-GAGNON, Jean
[Sorel, 25 novembre 1949 –]

« Les Initiales »,
XYZ. La revue de la nouvelle, vol. I, n° 4 (hiver 1985-1986), p. 38-39. (F)

Un homme en observe un autre, plus âgé, et est fasciné par lui. Sautant la clôture, le plus jeune pénètre chez le plus âgé mais celui-ci ne bouge pas. Sur une feuille, sont écrites les initiales JCG, laissant supposer que le vieil homme, qui ressemble à son père, est lui-même, qui ne peut échapper à son passé. La maison se transforme et le vieil homme s'évanouit, aspiré loin du narrateur.

CHAPPAZ, Alain
[

« La Gueule de bois de monsieur X »,
Requiem, n° 13 (vol. III, n° 1, décembre 1976-janvier 1977), p. 10. (SF)

Un immortel, dans un champ de restructuration quadridimensionnel, se regarde guérir dans le miroir, après avoir été tué quelques heures auparavant. Il y a des immortels depuis l'arrivée du vaisseau spatial perdu, en 196...

CHARBONNEAU, Gérald
[

« La Carte »,
Co-Incidences, vol. I, n° 1 (mars 1971), p. 57-59. (SF)

Dans une société informatisée, la Magna Carta, la liberté et les privilèges vont de pair avec la carte de crédit. Il y en a trois sortes : les bleues, les blanches et les rouges. Le narrateur, détenteur d'une carte bleue, va au parlement assister aux débats (des détenteurs de cartes rouges) et doit se rapporter à son protecteur (une carte blanche). Si on ne paie pas ses comptes, on enlève la carte de crédit. Ceux qui n'en ont pas meurent ou deviennent esclaves.

CHARBONNEAU-TISSOT, Claudette
[Montréal, 22 juin 1947 –]

« Les Petits Trains »,
Écrits du Canada français, Montréal, [s. é.], n° 36, 1973, p. 181-189 (F) ;

Contes pour hydrocéphales adultes, Montréal, le Cercle du livre de France, [1974], p. 11-23.

Une femme se met à l'écoute d'une voix intérieure qui lui dicte une douloureuse histoire s'étant déroulée dans sa maison, dont les personnages sont elle-même, l'homme qu'elle aime et leur enfant mort tragiquement. Cette histoire, elle l'écrit sur les murs de la maison. Lorsque la voix se tait, la femme se réfugie dans une pièce déserte, déplaçant vaguement les pièces d'un jeu, seul objet qui est là. Elle s'assoupit et, à ce moment, des personnages sortent de l'histoire, attendant qu'elle reprenne la plume pour réintégrer leur place. À l'aide de sa plume, elle s'acharne à couvrir les murs de son écriture fine qui raconte comment l'homme et la femme, désespérés de voir leur enfant mourir lentement et douloureusement, décident un soir d'abréger ses souffrances en lui faisant avaler des pilules, espérant ainsi le voir s'endormir tout doucement, à jamais. Leur geste provoque malheureusement un redoublement des douleurs et le père serre alors le cou de l'enfant jusqu'à le briser Une fois l'histoire réécrite, sur les murs, il ne reste qu'un tout petit espace que la femme doit elle-même remplir, sans l'aide de la voix qui s'est tue. Un matin, à l'aube, la femme (ou bien est-ce son personnage ?) sort de la maison, va chercher l'homme qu'elle aime et, ensemble, ils remeublent et recrépissent la maison.

« Les Dessins aminés »,
Contes pour hydrocéphales adultes, Montréal, le Cercle du livre de France, [1974], p. 25-41. (F)

Une femme cherche partout dans sa chambre une lettre dans laquelle l'homme qu'elle aime lui annonce qu'il vient la rejoindre. Tout le temps de sa recherche, quatre personnes lui font subir une sorte de procès, au sujet d'un livre qu'elle a écrit et dans lequel il est question de l'homme et de la femme. Elle est harcelée de questions à propos d'un de ses livres et perd des points aux différents jeux de société qui sont utilisés pour illustrer l'affrontement ; elle est même molestée par des jouets miniatures qui se mettent en mouvement vers elle, se pulvérisent et s'incrustent dans ses chairs, la couvrant ainsi d'une douloureuse armure de ferraille. Malgré tout, elle poursuit sa recherche, et un homme, qui parcourt le fameux livre depuis son arrivée, annonce qu'il peut l'aider. La femme gagne. Tout se fige dans la chambre et des siècles passent ainsi, jusqu'au jour où l'homme ouvre la porte, débarrasse la femme de son armure de fer et l'entraîne dehors, au soleil. Puis, dans une chambre, M cherche une lettre et, avec lui, se trouvent quatre individus qui cherchent aussi, sans l'interroger.

« Mutation »,

Contes pour hydrocéphales adultes, Montréal, le Cercle du livre de France, [1974], p. 43-72 (F) ;

Anthologie de la nouvelle et du conte fantastiques québécois au XXe siècle. Introduction et choix de textes par Maurice Émond, [Montréal], Fides, [1987], 103-141 p. (« Bibliothèque québécoise »).

La narratrice, emprisonnée à perpétuité pour meurtre, se fait emmener dans un lieu labyrinthique, mouvant, situé vraisemblablement sous la prison, aux couloirs invisibles et aux portes secrètes. Dans cet endroit aveuglant, on tente de la soumettre à de nouvelles règles. Seuls les gens à lunettes écliptiques semblent bien voir. Sans cet instrument, rien n'est perceptible. Elle s'empare un jour de ces lunettes et toute la supercherie lui apparaît bien réelle et bien visible, mais encore inexplicable. Elle se sauve, tuant quiconque lui bloque la route. Elle trouve l'escalier qui remonte à la prison et elle tente de s'échapper, mais douze hommes l'accueillent, lui expliquant qu'elle arrive au terme d'une longue maladie qu'elle aura tôt fait d'oublier. Quatorze ans plus tard, elle sort de prison, ayant perdu souvenance du labyrinthe infernal. Cependant, sa ménopause libère en elle une agressivité qui la porte à poser des gestes répréhensibles. On la fait interner et, grâce aux électrochocs, tout lui revient. Elle raconte son histoire aux psychiatres, mais ces derniers n'en croient pas un mot et l'internent pour folie. Cet enfer a-t-il vraiment existé ? La narratrice en demeure convaincue, la société, non.

« Clotilde I »,

Contes pour hydrocéphales adultes, Montréal, le Cercle du livre de France, [1974], p. 73-84. (F)

Exaspérée par les images et les bruits quotidiens, une femme se bouche les oreilles avec de petits bouchons. Mais les craquements de la maison se font toujours entendre. Elle s'enferme alors dans une pièce, son temple d'exorcisme, où elle tente d'arracher de sa cornée les images qui s'y sont collées. En se concentrant, la femme expulse ces images et les projette dans la chambre qui les absorbe au fur et à mesure. Mais, ce jour-là, les bruits de l'extérieur la distraient. La femme se bouche alors les oreilles avec de la cire fondue. Lorsqu'elle reprend ses activités, elle se rend compte que les sons et les images sont en elle à jamais et qu'ils sont même la source de combinaisons infinies. Tout à fait sourde, elle « entend » tout de même, à l'avance, les scènes que vont lui faire son mari et sa fille au retour. Étouffée par le monde enfermé en elle, elle met le feu à la maison et meurt consumée de part en part. Malgré cela, elle entend et voit toujours son mari et sa fille, marchant dans la maison de cendre qui craque toujours...

« Les Termites »,

Contes pour hydrocéphales adultes, Montréal, le Cercle du livre de France, [1974], p. 131-145. (F)

Une femme cherche à échapper à un mystérieux poursuivant. Elle se tapit dans une maison isolée ayant appartenu à deux vieillards avant de devenir sa propriété et celle de M., son mari. Elle sent la présence de l'intrus dans la maison et elle le cherche et le fuit à la fois. Quelquefois, des termites qui fourmillent en elle lui sortent des yeux et de la bouche. Dans la narration qu'elle fait de cette poursuite, elle embrouille les événements de son récit dans le temps. Un mot, une situation particulière lui suffisent pour passer sans transition d'un moment à l'autre. Mais un homme au parfum dont M. lui avait déjà parlé la rattrape et la tue au moyen d'une injection, alors que les paroles qu'il lui dit à ce moment se solidifient et tombent en blocs sur sa poitrine.

« La Contrainte »,

la Contrainte. Nouvelles, Montréal, Pierre Tisseyre, [1976], p. 11-32 (F) ;

Invisible Fictions. Contemporary Stories from Quebec. Edited by Geoff Hancock, Toronto, Anansi, [1987], p. 315-328. [Traduit par Michael Bullock sous le titre « Compulsion »].

Une femme est possédée par un être étrange qui l'oblige à écrire des histoires où elle est à la fois auteur, narrateur et personnage. Elle vit dans ce monde fictif, textuel, avec un homme qui la torture. Elle réussit à se débarrasser de ce fantôme (dont elle est aussi amoureuse), mais regrette de revenir à la réalité ennuyeuse. Elle préfère souffrir dans des histoires fictives plutôt que de s'ennuyer dans la réalité. Espérant le retour de l'homme qui la faisait souffrir, elle voit un jour apparaître une femme qui n'est autre qu'elle-même et qui lui rappelle qu'elles ont conclu un pacte. Puis, le double meurt ou s'enfuit. Privée de crayons et de papier, la narratrice doit retourner malgré elle à ses travaux de routine ménagère.

« La Serre-chaude »,
la Contrainte. Nouvelles, Montréal, Pierre Tisseyre, [1976], p. 75-118 (F) ;

Illusion Two, edited by Geoff Hancock, Toronto, Aya Press, 1983, p. 87-109. [Traduit par Michael Bullock sous le titre « The Hot House »].

Lors d'une leçon de Mah-Jong (sorte de domino chinois qui signifie « Je gagne »), la narratrice prend un thé qui contient un dépôt blanchâtre. Alors commence pour elle une série d'aventures où le rêve et la réalité semblent continuellement entremêlés. Elle cherche à donner un sens à ce qui lui arrive, analyse toutes les solutions possibles, mais n'en trouve aucune, incluant la preuve d'un désordre mental. Elle croit en la métempsycose. Puis, elle entre dans un espace étrange où elle est au centre d'un jeu qui consiste à retrouver quelque chose d'indéfinissable. Or, l'objet recherché est précisément le jeu de Mah-Jong que lui a donné son maître. Les pièces de jeu contiennent une poudre blanche (héroïne ?). Lorsque les Chinois découvrent l'objet, ils la rouent de coups. Elle cherche alors à revenir à la réalité, mais découvre qu'elle est en pleine réalité. Elle a l'impression de s'enfoncer dans une eau glauque. À l'hôpital, elle revient à une autre réalité, mais une drogue la ramène à l'eau glauque où les Chinois l'enferment à jamais à l'intérieur du jeu de Mah-Jong.

« Fêlures »,
Intervention, n° 7 (1980), p. 19 (F) ;

Banc de brume ou les Aventures de la petite fille que l'on croyait partie avec l'eau du bain, [Montréal], Éditions du Roseau, [1987], p. 117-121. (Collection « Garamond »). [Avec modifications ; sous le pseudonyme de AUDE].

Une femme, s'acharnant à reproduire son corps par le dessin, entend un bruit de verre brisé provenant de l'intérieur d'elle-même. Petit à petit, elle se fissure, de fines lézardes apparaissent et des morceaux se détachent de son corps jusqu'à l'effritement total.

« Le Cercle métallique »,
Châtelaine, vol. XXI, n° 12 (décembre 1980), p. 110-112, 114, 116-117 (Hy) ;

Banc de brume ou les Aventures de la petite fille que l'on croyait partie avec l'eau du bain, [Montréal], Éditions du Roseau, [1987], p. 7-18. (Collection « Garamond »). [Sous le pseudonyme de AUDE].

Après des années de préparation méticuleuse dans de grandes serres chaudes, une femme est mise en cage puis installée dans un vaste salon, où elle est ainsi livrée en pâture aux regards des hommes. Ces derniers passent leur temps à boire et à jouer. Mais le temps fuit et la femme se fane. Les hommes retournent alors à leurs jeux. Perdue sans ces regards qui la font vivre, la femme tente de leur parler mais on ne lui a jamais appris à le faire. Elle ne peut que gémir pour tenter de communiquer. Lassés, les hommes, d'un claquement de doigt, font enlever la cage et remiser cette dernière, avec son occupante, dans un dépôt qui renferme d'autres cages avec d'autres « femmes-fleurs » , soit à demi folles, soit mortes. La dernière venue se révolte pourtant et, du fond de sa cage, elle réussit à dire son premier mot : NON ! Elle découvre ainsi qu'une autre femme encagée connaît et parle le langage des hommes. Cette dernière lui apprend l'usage des mots. Lorsqu'elle se frappe elle-même, en disant qu'elle veut briser cette femme-fleur pour ne plus être qu'« ELLE », le verre éclate en mille morceaux. Sa compagne, libérée de la même façon, l'entraîne à l'extérieur. Elles quittent alors le domaine glacé et métallique des hommes où les serres, les salons et les dépôts sont installés sur de vastes plaques métalliques. Seule subsiste, dernier symbole de leur asservissement, une chaînette d'or battant sur leurs chevilles, qu'elles espèrent, grâce à leur acharnement, voir tomber en miettes sous peu.

« Inédit »,
Québec français, n° 40 (décembre 1980), p. 57. (F)

Une femme est prisonnière dans sa chambre surchauffée qui lui tient lieu d'incubateur. Sans jamais penser à briser la fenêtre d'où elle regarde l'extérieur, elle attend sa métamorphose en une autre femme, car elle n'aime pas ce qu'elle est. Tous les matins, une autre femme vient la voir et tente de communiquer avec elle, de l'autre côté de la vitre, mais sans succès. Un jour, la femme incubée demande à l'autre de s'approcher. Cette dernière brise la fenêtre qui empêche le contact avec l'autre. Elle se retrouve prisonnière de la chambre alors que, libérée, la première femme s'éloigne en riant. La seconde sent qu'elle se transforme lentement dans la serre chaude. Mais elle, elle aimait ce qu'elle était.

« La Montée du loup-garou »,
Châtelaine, vol. XXIV, n° 11 (novembre 1983), p. 212-214, 216, 220, 222, 224 (F) ;

Banc de brume ou les Aventures de la petite fille que l'on croyait partie avec l'eau du bain, [Montréal], Éditions du Roseau, [1987], p. 73-85. (Collection « Garamond »). [Sous le pseudonyme de AUDE] ;

Pour changer d'aires. Récits de la Belgique romane, de la France, du Québec et de la Suisse Romande, [Sainte-Foy], Commission du français langue maternelle et Fédération internationale des professeurs de français, [1987], p. 139-147.

C'est l'hiver, à l'approche de Noël. Catherine a reçu trois lettres d'une dénommée Ujjala, une inconnue qu'elle suppose être une femme, et elle s'étonne, puis s'inquiète du ton de plus en plus intimiste qu'Ujjala emploie. Cette dernière connaît tous les détails de la vie passée de Catherine, ses idées même, ou des rêves inavoués. En fait, Ujjala décrit, comme si elle les avait vécus avec elle et même de l'intérieur de Catherine, tous les moments cruciaux de sa vie. Elle parle même de leur longue séparation et de son désir de la revoir. Les jours passent et Catherine sent la présence d'Ujjala de plus en plus intensément, sans la voir réellement. C'est l'appel désespéré d'Ujjala qui décide Catherine d'entreprendre le voyage à la Montée du Loup-Garou, Morin Heights. Après deux jours de route, Catherine, frigorifiée, victime d'hallucinations et sans repères spatio-temporels, touche enfin au but : elle aperçoit Ujjala qui l'attend en haut de la Montée. Elle la suit alors sur le chemin d'une maison sans porte, puis peu à peu la rejoint, fond son corps au sien et le traverse. Ce qui semble alors être Catherine précédant maintenant Ujjala s'avance vers la maison où un sapin et des cadeaux attentent Catherine. Cet être hybride (la somme d'une partie de Catherine et d'Ujjala entière), utilisant la voix (le « je ») de Catherine et celle d'Ujjala réunies, invite la Catherine restée derrière, sur le seuil de la porte, où elle pleure et a froid, à entrer et à ouvrir des boîtes qui contiennent chacune une poupée vivante, représentant Catherine à différentes époques de sa vie. Elle devra ouvrir ces boîtes à rebours, afin de se retrouver elle-même et de pouvoir revenir chez elle, entière.

L'Assembleur. Roman,
Montréal, Pierre Tisseyre, [1985], 157 p. [Sous le pseudonyme de AUDE]. (F/Roman)

À dix-sept ans, Jean-François n'a pas encore pardonné à son père, Alexandre, de l'avoir abandonné, lui et sa mère, dix ans plus tôt. Avec son double maléfique, l'Assembleur, il met au point une terrible vengeance : à l'aide de son ordinateur personnel et de sa mère, Erika, l'adolescent prépare un programme (non explicité) qui doit faire payer à Alexandre sa défection et les douleurs qu'elle a engendrées. Une fois l'opération enclenchée, Alexandre est effectivement victime de visions violentes et sanglantes, représentant des événements du passé, mais déformés par l'action occulte de l'Assembleur, semble-t-il. Elles s'imposent d'abord à lui le jour, la nuit, puis insensiblement, elles s'incarnent, par touches, dans son réel, pour devenir sa réalité même dans une dernière scène sacrificielle où Erika exécute symboliquement Alexandre. La vengeance consommée, l'Assembleur disparaît : Jean-François et Alexandre se retrouvent et Erika fait la paix avec ce dernier.

CHAREST, Blandine C.

[

« La Sorcière des Grands-Saules »,
le Nouvelliste, 42e année, n° 46 (21 décembre 1962), p. 16. (F)

Un étudiant achète chez une Métisse des remèdes pour sa grand-mère et un talisman magique destiné à protéger et à guérir sa fiancée, Louise Durand. Celle-ci fait jeter l'objet au feu par sa mère et meurt, peu de temps après.

CHARETTE, François

[

« Quel étage monsieur ? »,
Pour ta belle gueule d'ahuri, n° 1 (vol. I, n° 1, 1979), p. 18-20. (F)

À partir de l'idée suivante : « Si quelqu'un volait une banque dans le futur, il aurait le temps de fuir avant l'arrivée des poulets car il ne l'aurait pas encore dévalisée », un homme utilise un ascenseur, pourtant pas encore en service, qui a la propriété d'avancer dans le temps à mesure qu'il monte, pour commettre un hold-up à chacun des douze étages – tous semblables – d'un édifice. Pour échapper à la police, il se réfugie au sous-sol, qui n'est pas gardé... puisqu'il n'existe pas.

« Une mégagination déborvorante »,
Pour ta belle gueule d'ahuri, n° 2 (vol. I, n° 2, 1979), p. 11. (F)

Un patient raconte à son médecin qu'il est poursuivi par un tyrannosaure. Dubitatif, le psychiatre se penche à la fenêtre et se fait dévorer par le crétacé.

CHARTRAND, Jean-Jacques
[

« Le Juge fantôme »,
le Bulletin des agriculteurs, 60e année (septembre 1977), p. 106-111, 124. (F)

Méphisto, un juge cruel et impitoyable, recommande toujours la peine de mort, peu importe la gravité des cas, et il en retire un vif plaisir. Un médecin de ses amis, lui aussi habile au jeu de la cruauté, goûte volontiers les propos lapidaires du juge. Un jour, le médecin doit s'absenter juste au moment où le juge prépare la condamnation prochaine de quatre malheureux. Lors du procès, au moment de les recommandations du juge au jury, une lumière venue de l'extérieur le transfigure. Le médecin, arrivé sur les entrefaites, assiste à un discours dont il ne reconnaît plus l'auteur : le juge plaide en faveur des supposés criminels et leur octroie même une bourse, lui si mesquin d'habitude. Le médecin n'y comprend rien et accourt dans la chambre du juge. Il y découvre son cadavre et le déclare mort depuis quatre jours.

« Cassinéa »,
le Bulletin des agriculteurs, 63e année (juin 1980), p. 82-83, 85. (F)

Une Bohémienne, Cassinéa, a deux amoureux, Georges et Raoul. Le premier tue le second afin de pouvoir épouser la fille. Mais cette dernière, avant d'accepter, réclame de Georges la croix du clocher de Saint-Jérémy, surnommée la croix du diable parce que personne n'a encore pu la décrocher. Un jour, en plein midi, Georges monte au clocher mais, au premier coup de marteau, il est frappé par une force mystérieuse qui le pend à la corde. Les corbeaux dévorent son cadavre et la Bohémienne disparaît à jamais.

« La Légende du Rocher Percé »,
le Bulletin des agriculteurs, 63e année (octobre 1980), p. 66-67, 69-71, 93. (Hy)

Voulant aller combattre les Iroquois en Nouvelle-France, le Chevalier Sylvain de Montreuil quitte sa fiancée, Chantal de Chauveaux. Cette dernière veut le rejoindre quelques années plus tard dans le but de l'épouser. Toutefois, son vaisseau est attaqué par des pirates qui la violent. Désespérée, elle se jette à la mer. Au sommet du Rocher Percé, les pirates aperçoivent son spectre accusateur : le vaisseau et ses occupants sont alors changés en pierre.

« L'Impossible Découverte »,
le Bulletin des agriculteurs, 68e année (mars 1985), p. 154-157. (SF)

Après trente ans de recherche, le professeur Dubois parvient à contruire une machine qui crée le silence. La ville en est perturbée : les sonnettes, les téléphones, les klaxons, les cloches... ne font plus entendre de bruit. Les journalistes accourent. Les médecins parlent d'épidémie de « surdex », un nouveau microbe. Dubois écrit à un collègue pour lui annoncer son incroyable découverte et celui-ci répand la nouvelle. Les autorités demandent au savant de détruire sa machine, mais il s'enfuit, emportant avec lui son secret.

CHÂTILLON, Pierre
[Nicolet, 6 janvier 1939 –]

« La Geste du prince »,
Soleil de Bivouac, Montréal, Éditions du Jour, [1969], p. 9-39 (Hy) ;

Soleil de Bivouac, édition remaniée, Montréal, Éditions du Jour, [1972], p. 9-37. [Sous le titre « le Prince »] ;

l'Île aux fantômes. Contes précédés de *le Journal d'automne*, Montréal, Éditions du Jour, [1977], p. 97-132. (Collection « les Romanciers du Jour », n° R-127). [Sous le titre « le Prince »] ;

l'Île aux fantômes, [Montréal], Stanké, [1989], p. 35-65. (Collection « Québec 10/10 », n° 107). [Sous le titre « le Prince »].

Un prince préoccupé par l'existence incertaine du soleil décide de partir à sa rencontre un jour. Les habitants du pays attendent son retour et développent un culte. On lui élève une manière d'autel de pierre et des pèlerinages ont lieu. Après quelques siècles, une éclipse solaire ravive les passions. Joson part avec 300 hommes sur la mer à la recherche du Prince. Seuls quelques-uns retourneront chez eux. Isabeau la Rousse, fille de Joson, a une âme végétale et est amante du soleil. Elle se découvre un jour élue du Prince, passant alors ses nuits dans l'ivresse de ses bras immatériels. Un vieillard vient la toucher un jour, alors qu'elle se tient debout depuis longtemps sur le bord de la mer à attendre son amant, et elle tombe en poussière. Cette légende du Prince et son culte se transmettront de génération en génération.

« Catherine et le Feu »,
Nord, n° 3 (1972), p. 139-142 (Hy) ;

l'Île aux fantômes. Contes précédés de *le Journal d'automne*, Montréal, Éditions du Jour, [1977], p. 243-249. (Collection « les Romanciers du

Jour », n° R-127) [Avec modifications ; sous le titre « la Fourrure du feu »] ;

l'Île aux fantômes, [Montréal], Stanké, [1989], p. 135-139 (Collection « Québec 10/10 », n° 107) [Avec modifications ; sous le titre « la Fourrure du feu »].

À une époque où la vie a disparu sur la terre, une petite femme rouge, extraterrestre, figée dans une glace éternelle, vient réveiller son amant endormi dans la glace. Ensemble, ils découpent la terre en deux parties égales. La femme transforme la glace en fourrure rouge et ils se scellent à l'intérieur de cette boule rouge pour l'éternité.

« L'Île aux fantômes »,

l'Île aux fantômes. Contes précédés de *le Journal d'automne*, Montréal, Éditions du Jour, [1977], p. 133-159. (Collection « les Romanciers du Jour », n° R-127) (F) ;

l'Île aux fantômes, [Montréal], Stanké, [1989], p. 9-34. (Collection « Québec 10/10 », n° 107) ;

Invisible Fictions. Contemporary Stories from Quebec. Edited by Geoff Hancock, Toronto, Anansi, [1987], p. 299-313. [Traduit par Michael Bullock sous le titre « Ghost Island »].

François débarque dans l'Ile aux fantômes où il rencontre un vieillard mystérieux, Phège, qui l'emmène à la pointe de l'île pour voir des dames blanches, fées de fumées et de brumes. François y va seul le lendemain et y rencontre une dame-fée, Sabine. Au baiser qu'il lui porte, elle se matérialise et François l'épouse en l'église de Sainte-Anne-de-Sorel. Alors qu'il se rend à Nicolet en barque avec Sabine, deux hommes à bord se saoulent, l'assomment et violent Sabine. Revenu à lui, il voit les deux hommes se transformer en araignées géantes et les tue. Sabine a disparue. Son bateau s'échoue dans la tempête et des gens la secourent. Le lendemain, toutes les traces de son aventure ont disparu : Phège a-t-il jamais existé ? La pointe de l'Île n'est plus qu'un dépotoir écœurant. Ni barque, ni naufrage, ni mariage.

« La Dame bleue »,

l'Île aux fantômes. Contes précédés de *le Journal d'automne*, Montréal, Éditions du Jour, [1977], p. 161-173. (Collection « les Romanciers du Jour », n° R-127) (F) ;

l'Île aux fantômes, [Montréal], Stanké, [1989], p. 67-78. (Collection « Québec 10/10 », n° 107).

Maurice, un orphelin, part en vacances dans l'Ile d'Edisto (Caroline du Sud) où une vieille Négresse lui raconte la légende de la Dame bleue, fantôme d'une femme délaissée par son futur époux et noyée dans la Rivière Maccamau. Maurice la rencontre au bord de la mer, un soir, et reconnaît en elle sa mère perdue. Il l'abandonne quand elle tente de l'entraîner dans la mer avec elle. Jalouse, elle noie la jeune Sandy, dont Maurice est épris. Plus tard, alors que Maurice épouse Marie-Louise et part avec elle en voyage de noces dans l'Ile d'Edisto, la Dame bleue réapparaît, lui prend son cœur et son esprit, et tente de noyer Marie-Louise. Cette dernière quitte Maurice devenu fou.

« Suzelle et le Vent »,

l'Île aux fantômes. Contes précédés de *le Journal d'automne*, Montréal, Éditions du Jour, [1977], p. 225-232. (Collection « les Romanciers du Jour », n° R-127) (Hy) ;

l'Île aux fantômes, [Montréal], Stanké, [1989], p. 121-126. (Collection « Québec 10/10 », n° 107) ;

Contes d'amour & d'enchantement du Québec. Présentation, choix des contes et textes de liaison d'André Vanasse, [Montréal], Mondia, [1989], p. 37-40. (« À l'écoute de la littérature »).

Alors qu'elle n'était qu'une enfant, Suzelle avait une passion pour le vent. À dix-huit ans, elle quitte ses parents et se dirige vers le Bas du fleuve. Après deux cents milles d'auto-stop, elle installe son campement dans une petite anse déserte, enivrée de son audacieuse autonomie. Le premier jour, elle observe les goélands. Le second jour, elle exécute une folle danse dans la lumière, s'enivre du geste et un grand être invisible (le vent ?) lui fait l'amour. Elle se trouve enceinte et accouche le lendemain d'un goéland. Chaque jour suivant, un oiseau de vent sort de son ventre. Un jour, rêvant de son amant mystérieux, elle est libérée de tout poids et s'élève si haut dans les airs qu'elle ne devient plus que pure lumière.

« La Nuit »,

l'Île aux fantômes. Contes précédés de *le Journal d'automne*, Montréal, Éditions du Jour, [1977], p. 269-276. (Collection « les Romanciers du Jour », n° R-127) (Hy) ;

l'Île aux fantômes, [Montréal], Stanké, [1989], p. 183-187. (Collection « Québec 10/10 », n° 107).

Une jeune fille seule dans l'espace aperçoit des lueurs au loin. Elle lance alors des rêves de lumière en guise de signaux, créant les étoiles. Le jeune homme à l'origine de ces lueurs, appelées aujourd'hui aurores boréales, perçoit les signaux et se dirige vers eux. Ce faisant, il crée la voie lactée. Ils se rencontrent et leur amour crée la lumière et chasse les ténèbres épaisses. Il devient le soleil et elle, la beauté du monde. Finalement, ils optent pour l'alternance lumière/ténèbres.

« Nathalie-le-parfum-rose »,
l'Île aux fantômes. Contes précédés de *le Journal d'automne*, Montréal, Éditions du Jour, [1977], p. 279-290. (Collection « les Romanciers du Jour », n° R-127) (Hy) ;

l'Île aux fantômes, [Montréal], Stanké, [1989], p. 155-164. (Collection « Québec 10/10 », n° 107).

Le narrateur raconte une aventure qu'il a vécue à Paris dix ans plus tôt. Il rêvait, sur un banc d'un parc, qu'une jeune fille, incarnation d'un parfum, lui apparaissait. Il se réveille et, surpris, la voit passer en vélo. Longtemps il la cherche puis, un jour, elle lui apparaît. Ils s'épousent en l'église de Saint-Séverin et la musique du mariage tisse autour d'eux une cosse d'asclépiade, fleur rose qui devient mousse en vieillissant. Le dôme de l'église s'ouvre, puis un vent disperse la fleur et les deux amants sont emportés très haut dans le ciel, dans l'espace du rêve. Le narrateur explique que, heureuse éternellement, cette partie de lui envolée ce jour-là ne vieillira jamais.

« La Jeune Morte »,
l'Île aux fantômes. Contes précédés de *le Journal d'automne*, Montréal, Éditions du Jour, [1977], p. 291-308. (Collection « les Romanciers du Jour », n° R-127) (Hy) ;

l'Île aux fantômes, [Montréal], Stanké, [1989], p. 165-181. (Collection « Québec 10/10 », n° 107).

Une belle jeune fille morte et enterrée, lors de l'épidémie de choléra au XIXe siècle, s'ennuie. Un jour, par amour de la nature, elle parvient à faire pousser des roses sous terre. Un jeune homme passe près de sa tombe. Il reconstitue tant bien que mal le nom de la jeune morte : Églantine Mortfeuille. Celle-ci, se voyant l'objet de tant d'attention, murmure des mots d'amour au jeune homme. Un jour, il arrache le rosier qui orne la tombe et couche avec lui. Le lendemain matin, elle est dans son lit. Voulant l'épouser, il devient la risée du village, car elle n'est visible que pour lui. Il décide alors de s'installer dans une île, y plante des roses et meurt en même temps que la jeune fille-rosier.

Philédor Beausoleil,
Montréal, Leméac [et] Paris, Robert Laffont, [1978], 235 p. (Hy/Roman) ;

Roman. (Édition remaniée), [Montréal], Libre Expression, [1985], 184 p.

Charles-Auguste Beausoleil, cultivateur vieillissant et fatigué d'affronter l'hiver, voit le Vent du Nord lui enlever sa femme. Courageusement, il part à sa recherche en fonçant vers le nord avec son tracteur-souffleuse. En chemin, il rencontre la plupart des personnages des légendes québécoises qui, chacun à sa façon, l'assistent dans son entreprise. Cette aventure se transforme rapidement en quête mythique contre la mort. Charles-Auguste rencontre Dieu et le diable avant de triompher de la mort et de ramener son épouse, rajeunie, à la vie. Cet exploit accompli, Charles se voit transformé en être immortel et choisit le nom de Philédor. C'est alors qu'apparaissent une foule de nouveaux personnages, des héros de BD américaine, qui le convient à de nouvelles aventures. Philédor refuse, désirant être seul avec sa femme. Il comprend alors que ces personnages font partie de lui et il peut aborder sa nouvelle vie avec son potentiel véritable.

« Valentine »,
la Fille arc-en-ciel, [Montréal], Libre Expression, [1983], p. 5-27. (F)

Valentine, jeune femme ordonnée, logique, autonome et sans passion, craint de franchir le cap des vingt-cinq ans. Elle a deux grains de folie cependant : elle perd souvent ses clefs et a parfois des crises de féminité. Un matin de juin, Robert, son copain et amant depuis deux ans, lui écrit une lettre où il lui déclare son amour. Valentine déteste les histoires de cœur. Choquée, elle oublie de prendre ses clés en partant de chez elle. Elle fait mine de jeter son cœur à l'eau et un plouf se fait entendre. C'est alors que tout tourne à l'envers : sa bicyclette se métamorphose, la route fait des rotations de côté, elle est happée par son lit métamorphosé en huître, devient une perle, puis un tournesol. Plus tard, elle se sépare en morceaux qui deviennent chacun des fruits, puis se reconstitue, mais oublie sa tête. Enfin, elle retrouve son cœur qu'elle installe à la place de la tête et sa bicyclette la conduit tout droit dans les bras de Robert qui possède sa clé perdue et qui l'attend pour l'épouser sur-le-champ. Le soleil, maître de l'ordre du monde, rit narquoisement, alors que Valentine nage en plein bonheur.

« Isabelle la bleue »,
la Fille arc-en-ciel, [Montréal], Libre Expression, [1983], p. 29-46. (Hy)

Philippe Bellefeuille, fleuriste, se recueille souvent sous un saule pleureur près de la rivière Nicolet. Un jour, en revenant à son chalet non loin de là, il rencontre Isabelle, fille mystérieuse aux cheveux bleu-noir. Ils font connaissance, tombent amoureux et s'unissent en une osmose métamorphique : elle devient rivière et lui se confond en elle, ne laissant à leur place qu'une rivière heureuse.

« Lac Beauregard »,
la Fille arc-en-ciel, [Montréal], Libre Expression, [1983], p. 47-53. (F)

Un homme délaissé par sa femme et ses enfants cherche refuge dans l'alcool et la nature. Pêchant dans les eaux du lac Beauregard, il s'endort. À son réveil, la nuit est presque tombée. Un pressentiment l'envahit. Il s'aperçoit avec stupeur que le lac n'est plus qu'un œil immense et les paupières de la nuit se referment sur lui.

« Julien Leroux »,
la Fille arc-en-ciel, [Montréal], Libre Expression, [1983], p. 55-67. (F)

Dans une lettre à une amie, Reine, une femme d'affaires, s'inquiète du comportement bizarre de son mari, Julien Leroux, peintre paysagiste traditionnel. Amant de la nature, Leroux découvre une roche dans l'Ile-aux-Coudres dont on dit qu'elle avait attiré un fou. Comme ensorcelé par cette roche, le peintre s'applique alors à peindre une femme qui semble, même à sa femme, d'un naturel troublant. Leroux tente de « reproduire l'âme de la nature », puis se prend pour un créateur divin. Une grande lumière se dégage de l'atelier, que Reine découvre vide : la femme peinte est disparue du tableau.

« Le Rouge-gorge »,
la Fille arc-en-ciel, [Montréal], Libre Expression, [1983], p. 87-94. (F)

Un jeune musicien souffrant d'un chagrin d'amour s'établit en octobre dans une maisonnette construite autour d'un saule. Il se met à jouer du piano, jour et nuit, ne s'arrêtant que pour nourrir les petites bêtes des bois. Pendant l'hiver, sa musique fait le printemps autour de lui. De petits animaux imaginaires apparaissent et disparaissent. Au printemps, une présence mystérieuse et amoureuse s'incarne en jeune femme de duvet. En avril, une voisine semble le voir voleter de bonheur parmi les oiseaux. En mai, il se perche sur le toit et joue de la flûte au couchant et au levant. En juin, la voisine, inquiète d'entendre la musique, et de ne plus le voir, s'approche de la maisonnette et trouve dans la cabane d'oiseau le musicien métamorphosé en rouge-gorge protégeant sa compagne qui couve deux œufs.

« La Fille arc-en-ciel »,
la Fille arc-en-ciel, [Montréal], Libre Expression, [1983], p. 95-121. (Hy)

Le narrateur raconte comment, alors qu'il avait vingt ans, il a connu, sur les bords de la mer (en Provence), la Beauté sous la forme d'une jeune Américaine nommée Julie, qui s'est évaporée au milieu des vagues. Assagi et plus âgé, il rêve de se fondre dans la beauté de l'univers et de retrouver l'amour, Julie s'étant dilatée aux dimensions du cosmos, comme l'eau se désagrège en millions de gouttelettes pour former, avec le soleil, un arc-en-ciel.

« La Luciole »,
la Fille arc-en-ciel, [Montréal], Libre Expression, [1983], p. 123-139.
(F)

Parti de Trois-Rivières, dans sa camionnette, Marcel Dubois, qui a toujours aimé le papier, mais qui redoute le contenu des livres, voit apparaître puis disparaître mystérieusement, à Tadoussac, une jeune femme qui se dit extraterrestre venue du Soleil et qui lui donne l'impression d'être une « mouche à feu géante dans cette nuit de juillet pailletée de lucioles ». Ils font l'amour ensemble, discutent et découvrent qu'ils sont des personnages de Pierre Chatillon. De retour à Trois-Rivières, Dubois se demande s'il n'a pas été victime d'un vertige causé par le vallonnement de la route. Curieux et surmontant son côté raisonnable (son gros bon sens), il cherche puis trouve le livre où Chatillon parle de lui. Il se transforme alors en encre et en papier, c'est-à-dire en la représentation graphique et matérielle du livre qu'il est en train de lire et qui parle de lui.

« Premier Amour »,
la Fille arc-en-ciel, [Montréal], Libre Expression, [1983], p. 141-155.
(F)

Maurice Lafleur aime beaucoup les femmes, mais il préfère l'eau, qui l'a toujours attiré. À vingt-cinq ans, il s'installe à Port Saint-François, tout près du fleuve. Là, se joue un étrange manège fait de tensions et de jalousie entre le fleuve et Lafleur : lorsque ce dernier est avec une femme, l'eau monte, gronde et envahit la maison. Un jour que Lafleur s'apprête à offrir un anneau à sa maîtresse, l'eau entre dans la maison. L'homme fuit puis, à son retour, alors que l'eau du fleuve est encore dans sa maison, il lance, exaspéré, l'anneau dans l'eau. Le lendemain, comme par enchantement, le fleuve se retire. Il croit qu'un jour il ne pourra plus résister aux avances de l'eau.

« Le Luneau »,
la Fille arc-en-ciel, [Montréal], Libre Expression, [1983], p. 193-215.
(F)

Richard Francœur, un vendeur de meubles, mène une vie médiocre, routinière et frustrante à Nicolet. Un jour, Mireille, une belle rousse, lui tombe dans l'œil. N'osant l'approcher, il décide de se retirer dans son nouvel appartement pour y décorer son arbre de Noël. Puis, afin d'éviter de succomber à la mélancolie, il va faire du ski. Il se perd en forêt où un monde à la fois enchanté et effrayant succède à la réalité rassurante. Il se métamorphose alors en chevalier affrontant le Luneau, cyclope géant (qui est en fait la Lune, symbole apparu des ténèbres) ayant enlevé la belle Mireille. Francœur délivre la belle et amasse des trésors. Mais il semble que ce n'était qu'un rêve, car Francœur se réveille au pied de son arbre de Noël décoré des motifs rencontrés dans son « rêve ». Francœur retrouve tous les trésors accumulés au sortir des épreuves contre le Luneau dans un carrosse qui l'attend à sa porte (à Nicolet). Il se rend dans cet attelage chez Mireille où ils boivent un philtre d'amour, « l'Amoroso », dont l'effet bénéfique dure mille ans et un jour.

« La Subversion »,
Châtelaine, vol. XXVI, n° 4 (avril 1985), p. 114-116, 118-121. (F)

Un agent d'assurances très conformiste, Laurier Picotte, fait l'acquisition d'une machine électronique dotée d'une mémoire de soixante lettres, qui transforme de manière amusante les mots qu'on y tape, une fois venu le moment de les imprimer. Picotte lui-même finit par commettre des lapsus.

CHÉNIER, Claude
[23 janvier 1950 –]

Ultimatum,
[Saint-André-Avellin], les Éditions de la Petite-Nation, [1985], 211 p. (SF/Roman)

Simon Touchette et son ami, Rémi Parent, partent en vacances aux États-Unis. Ils s'arrêtent dans un village, pour se restaurer, et font la connaissance de deux filles, Sharon et Ann, avec qui ils se lient d'amitié. Pendant la nuit, Sharon est enlevée. L'enquête policière piétine. Toutefois, Simon découvre un indice important mais, à ce moment, un homme les enlève tous. Ils se retrouvent dans un abri nucléaire où Sharon est gardée. C'est le repaire d'un groupe de scientifiques, les Artisans de Paix, qui veulent mettre un terme à la terreur nucléaire. Ces gens menacent de détruire la navette américaine et un bon nombre de satellites, tant soviétiques qu'américains, pour forcer les grands à conclure un traité de désarmement. Ils réussissent finalement à obtenir l'accord et tout semble pour le mieux dans le meilleur des mondes. Les jeunes subissent à la fin un lavage de cerveau, mais se lient tout de même d'amitié.

CHEVROTIÈRE, Charles. V. LACROIX, Pierre D.

CHICOINE, Jean
[

« Les Chiens »,
Requiem, n° 20 (vol. IV, n° 2, mars 1978), p. 6-8. (SF)
Dans un monde ravagé par les bombes, des chiens normaux et hybrides fréquentent des endroits abandonnés, afin de se repaître de cadavres. Le quatrième jour de leur séjour dans une ancienne ville, un hybride lance un cri qui ressemble à un chant. Tous les autres chiens reprennent le cri et entrent en transes. Au matin suivant, « une aura de lumière [...] se met à luire autour de leurs corps ». Puis le soleil apparaît et tous les chiens disparaissent.
« L'Axe »,
Requiem, n° 25 (vol. V, n° 1, février 1979), p. 6-9. (SF)
Procyon se met en quête de l'Axe, « une entité techno-végétale extrêmement complexe, consciente et autonome ». Il parvient à la trouver avec l'aide de Célénith-pour-toujours, une téléphathe. Tous deux subissent des transformations à l'intérieur de l'Axe ; à la fin de la métamorphose, ils possèdent une puissante énergie créatrice et s'envolent vers le soleil.

CHOLETTE, Mario
[1er septembre 1961 –]

« Autoroutes intérieures »,
Imagine..., n° 14 (vol. IV, n° 1, automne 1982), p. 71-74. (SF)
Un être hermaphrodite et double voyage en lui-même sur ses autoroutes intérieures, rencontre l'autre qui sera aussi lui et se confronte à lui en un orgasme.

CHOQUETTE, Adrienne
[Shawinigan, 2 juillet 1915 – Québec, 13 octobre 1973]

« Le Rendez-vous »,
le Devoir, vol. LIV, n° 251 (26 octobre 1963), p. 25. (F)

Désireux d'emprunter une échelle, un homme se rend, après une averse, chez sa voisine, une Anglaise. Étonnamment, le jardin de celle-ci ne porte aucune trace de pluie. Comme il n'obtient pas de réponse à la porte, l'homme pénètre dans la maison, où il aperçoit sa voisine au salon qui semble recevoir avec raffinement un invité. L'Anglaise porte les yeux sur son voisin sans le voir. Le fauteuil de l'invité est vide.

CHOQUETTE, Gilbert
[Montréal, 25 novembre 1929 –]

« La Mouche »,
Liberté, n° 11 (vol. II, n° 5, septembre-octobre 1960), p. 261-262. (F)

Assis dans un train, un homme s'intègre peu à peu à la banquette. Il assimile une mouche. À la fin, le doute subsiste : a-t-il rêvé ou non ?

« Le Ver »,
Liberté, vol. IV, n° 22 (avril 1962), p. 209-210. (F)

Un homme se transforme en ver.

CHOUINARD, Christian
[

« La Terrible Affaire des œufs de Pâques »,
la Tournée. La revue des arts et spectacles de Québec, vol. I, n° 3 (avril 1982), p. 54-55. (Hy)

Soucieuse d'une saine alimentation, la population décide d'offrir des œufs naturels pour Pâques. Profitant de l'occasion, les éleveurs augmentent leur production et peignent les œufs de diverses façons. La mode est aux œufs reproduisant des têtes de politiciens connus. Par un phénomène inexpliqué, les œufs peints gagnent une certaine intelligence, mais le samedi saint, les entrepôts sont pleins d'invendus. Pendant la nuit, les œufs révoltés s'enfuient et se cassent dans la ville.

Au matin, les habitants découvrent une énorme omelette. Le nettoyage dure quarante jours.

CHOUINARD, Jeannoël
[Matane, 14 décembre 1952 –]

« Le Goût du martyr [*sic*] »,
Carfax, n° 9 (août 1985), p. 8-15. (Hy)

Un gouvernement totalitaire décrète que, pour arrêter la pluie qui tombe continuellement, le peuple doit se sacrifier. La première proclamation visera les grosses femmes. Puis les étudiants, les vieilles filles, les bonzes, les cul-terreux, les gardiens y passent. Il ne reste plus qu'Isaac Tacatac, le dictateur, et il pleut toujours.

« T. Rex Toilette »,
Pandore, vol. I, n° 2 (décembre 1985), p. 16-18. (F)

Un matin d'hiver, dans une maison décrépite de la rue Sporogone, un marjordome trouve son maître, Sigismond Hétéroclite, découpé en morceaux. L'inspecteur Fougère enquête. Le doberman de M. Hétéroclite, chien doué de parole et d'intelligence, corrobore la déposition du majordome, incriminant la femme de chambre, Alberta Docte. Mais on trouve, avec les restes découpés de cette femme, une carte d'affaires au nom de T. Rex Toilette, maître-découpeur. L'inspecteur Fougère découvre que le doberman est effectivement T. Rex Toilette, l'assassin.

CINQ, Patricia
[

« Quand il y avait encore des Ebrars et des Matrides. (Extrait de roman) »,
l'Orée close, vol. II, n° 1 (1983), p. 69-77. (SF)

Un jeune couple de Matrides, vivant sur la planète Matricia, Aya et Baom, attend un enfant. Baom en est très heureux, mais sa compagne Aya est inquiète à l'idée de mettre au monde un Nouvel-Etre au lieu d'un Etre. Les Nouveaux-Etres sont incapables de subvenir seuls à leurs besoins et causent ainsi la lente extinction de la race des Matrides. Heureusement, lorsque l'œuf éclôt, Aya et Baom constatent avec soulagement que l'enfant, un mâle, est normal.

CLERSAN, Pierre-Yves
[

« Une aventure de Pilu, le cheval qui parle !!?!?!!!! »,
Pilône, n° 7 (mai 1984), p. 8-9. [Sous le pseudonyme de PYC]. (SF)

À la ferme de ses parents, en Alsace, Pierrot possède un petit cheval nommé Pilu. Ils sont les meilleurs amis du monde. Une nuit, les hennissements du cheval réveillent Pierrot. Celui-ci fait sortir son cheval de l'écurie. Une soucoupe volante a atterri et le cheval s'entretient un temps avec les extraterrestres. Après un moment d'échange, le cheval va faire un téléphone : « Pilu phone home », explique-t-il.

CLOUTIER, Georges-Henri
[Val d'Or, 18 février 1947 –]

« L'Androïde »,
Imagine..., n° 16 (vol. IV, n° 3, mars 1983), p. 47. (SF)

Des cris d'oies, qui viennent de mordre des androïdes, font avorter une expédition temporelle.

« Pendant sa visite »,
Imagine..., n° 16 (vol. IV, n° 3, mars 1983), p. 48. (SF)

À Mégamontréal, une femme cherche à acheter de nouveaux collants. Elle est servie par un androïde puis par une mutante de Deimos.

« Cette masse »,
Imagine..., n° 16 (vol. IV, n° 3, mars 1983), p. 49. (SF)

Des explorateurs humains sont écrasés sur une planète ayant sept trillions de fois le volume de la Terre, tout juste après s'y être déposés.

« Le Colonel Karr »,
Imagine..., n° 16 (vol. IV, n° 3, mars 1983), p. 51. (SF)

Un militaire livre une ultime bataille spatiale ; les forces adverses sont sur le point de le vaincre. Soudain, il est rappelé à l'ordre : la guerre intersidérale semble n'avoir été qu'imaginée par un enfant jouant sur un hamburger cosmique dans un terrain de jeux.

CLOUTIER, Jean
[17 août 1933 –]

« Les Temps morts »,
XYZ. La revue de la nouvelle, vol. I, n° 4 (hiver 1985-1986), p. 29-31. (Hy)

Une barque flotte dans le vide, inexplicablement. Lolita, une enfant de 10 ans, s'y trouve. Elle perd lentement sa substance, qui se réarrange plus loin dans la barque en une sorte d'amas informe. Un jour, Lolita se décide à toucher l'amas. La barque oscille, l'eau se trouble et le narrateur ne peut plus rien voir.

COCKE, Emmanuel

[Nantes (France), 19 mai 1945 – Pondichéry (Inde), 19 septembre 1973]

Va voir au ciel si j'y suis. (Uniprose d'univers). Roman,
Montréal, Éditions du Jour, [1971], 206 p. (Collection « les Romanciers du Jour », n° R-72) (SF) ;

[Un extrait correspondant aux pages p. 52-53 a été reproduit sous le titre « Va voir au ciel si j'y suis », dans *le Journal de Montréal*, vol. X, n° 99 (21 septembre 1973), p. 21].

En 2058, dans une société fortement déshumanisée et réglementée par le Gouvernement, Jésus Tanné, un révolutionnaire, réussit à renverser l'ordre et à rendre les hommes heureux et immortels.

L'Emmanuscrit de la mère morte. Roman,
Montréal, Éditions du Jour, [1972], 236 p. (Collection « les Romanciers du jour », n° R-82) (Hy) ;

[Des extraits (p. 119-132) parurent d'abord, sous le titre « l'Emmanuscrit de la mère morte. Chapitres II, II *bis* et II re-*bis* », dans *le Devoir*, vol. LXII, n° 250 (30 octobre 1971), p. XXIX, XXXI].

Dans une société où l'humain dispose d'une grande variété de drogues, un homme, Dieuble, qui prétend avoir tué sa Mort et qui se prend à la fois pour Dieu et pour Diable, décide de produire un film sur sa personne. Sous l'influence des drogues et de l'alcool, Dieuble décrit les nombreuses orgies sexuelles auxquelles il s'est livré ainsi que d'incroyables aventures qui lui seraient arrivées. Une fois terminé, le film est abandonné, trop peu de salles de cinéma étant équipées pour présenter des films enregistrés sur des rubans de 210 mm. C'est alors que Dieuble provoque, apparemment, la fin d'un monde et qu'il en fonde un nouveau.

« Tout le monde doit s'arrêter un jour »,
Sexe-fiction. Nouvelles, [Montréal, les Éditions de l'Heure, 1973], p. 9-28. (Hy)

Un solitaire attend la venue de la Dame Transparente, qui doit venir le retrouver. Elle arrive et lui inspire une critique violente de la société moderne. Après lui avoir appris qu'il deviendra l'Homme transparent, elle l'exhorte à la suivre en se suicidant.

« Les Ennemis du joualbum »,
Sexe-fiction. Nouvelles, [Montréal, les Éditions de l'Heure, 1973], p. 33-54. (Hy)

Lapsus, le gardien du joualbum, parvient à empêcher les gens de l'Est de Montréal de renverser le pouvoir de l'Ouest. Les Estois voulaient restaurer le pouvoir du français et éliminer l'utilisation du joualbum.

« Le Visionneur de la fille à queue »,
Sexe-fiction. Nouvelles, [Montréal, les Éditions de l'Heure, 1973], p. 59-70. (Hy)

Kalpa, femme d'un autre monde, se substitue à son mari, Ordon, un Visionneur, fabricant de fantasmagories pour les gens de son territoire. Son premier visionnement s'intitulera « la Femme à queue ».

« Vivre à la surface »,
Sexe-fiction. Nouvelles, [Montréal, les Éditions de l'Heure, 1973], p. 75-89. (SF)

Une secrétaire androïde quitte son travail avec l'intention de refaire le monde. Elle est rapidement arrêtée et mise en prison. Un premier gardien lui arrache la tête en la forçant à le masturber et un second lui disloque le corps en s'enfonçant la tête dans son vagin. Ce dernier part avec la croupe, qu'il encule pendant la soirée.

« Les Pieds sur un disque de Marie Laforêt »,
Sexe-fiction. Nouvelles, [Montréal, les Éditions de l'Heure, 1973], p. 93-103. (F)

Un auteur se suicide parce que son éditeur tarde à lui envoyer une réponse concernant son roman, *les Pieds sur un disque de Marie Laforêt*. Son amie le retrouve, le soir, au moment où un télégramme lui annonce que le roman est accepté. Le visage de Marie Laforêt, sur la pochette d'un disque, éclate alors de rire.

« Âge préhystérique »,
Sexe-fiction. Nouvelles, [Montréal, les Éditions de l'Heure, 1973], p. 107-122. (SF)

Zoé, chef d'une tribu de l'âge préhistorique, amène sa femme Zoa vers le futur. Ils s'installent et font leur vie dans un nouveau monde. Un jour, Zoé reçoit une roche sur la tête et a une vision du XXe siècle et de ses horreurs. Il est ramené à dos d'hippopotame, mais l'animal s'enfonce dans un marécage qui se révèle être le vagin de Mère Nature.

« Sexe-fiction »,
Sexe-fiction. Nouvelles, [Montréal, les Éditions de l'Heure, 1973], p. 127-136. (SF)

Un jour, un sexe féminin apparaît dans le ciel. Il se pose sur Terre et enserre l'écorce terrestre. Il parvient ainsi à libérer les sexes masculins, prisonniers au centre de la planète. Ceux-ci en profitent pour s'envoler vers Mars. Le sexe féminin repart, non sans avoir récolté quelques gouttes de liquide séminal.

COLLIN, André

[

« Ne soyez pas trop poli »,
Requiem, n° 13 (vol. III, n° 1, décembre 1976-janvier 1977), p. 10. (SF)

La narrateur s'est installé à la campagne pour avoir la paix. Il reçoit la visite d'un extraterrestre qui atterrit dans son jardin. Ne comprenant pas ce que le visiteur lui dit, le narrateur, poli, lui assure qu'ils sont les bienvenus sur Terre, lui et ses frères. De retour sur sa planète, l'extraterrestre raconte cela à sa femme. Plusieurs millions d'extraterrestres débarquent près du bungalow du narrateur, construisent leur ville et s'installent comme s'ils étaient chez eux, au grand dam du narrateur.

« L'Échange »,
Requiem, n° 15 (vol. III, n° 3, avril-mai 1977), p. 10. (Hy)

Un riche veut échanger son royaume pour la place d'un pauvre. Le narrateur accepte. La transformation s'opère subitement et le nouveau pauvre disparaît, tandis que le nouveau riche découvre des étoiles et du noir dans une boîte que l'autre lui a laissée.

« La Saison des enfermés »,
Requiem, n° 19 (vol. IV, n° 1, janvier 1978), p. 14. (Hy)

Un prisonnier attend la saison des poussières pour écrire une page.

« Un jeu intéressant »,
Requiem, n° 19 (vol. IV, n° 1, janvier 1978), p. 14. (SF)

Dieu joue au billard avec les planètes. Il réussit un très bon coup et expédie la Terre dans un trou.

COLPRON, Francois

[

« Mission Scorpion »,

Empire, vol. I, n° 2 (deuxième trimestre 1982), p. 16-19. (SF)

Miliana, contrebandière de l'espace, est envoyée en mission par le fourbe roi Hoduras III afin de retrouver le savant Halgin, qui a découvert la théorie de l'anti-énigmatique. Après avoir visité vainement la planète Rimini, où est situé le laboratoire du savant, Miliana se dirige vers Aracasse où Halgin semble avoir disparu. Perdue dans le labyrinthe d'Aracasse avec Plzen, son copilote robot humanoïde, elle finit par s'en sortir seule. Puis, emprisonnée par le roi Hoduras III, elle est obligée d'assister à la décapitation d'Halgin par un bourreau masqué qui se révèle être Plzen.

« Adam et Ève »

Empire, n° 4 (deuxième trimestre 1983), p. 20-22. (SF)

Sur la planète Dome, Adam est surpris la nuit par une tueuse qui venait le violer, mais il survit à l'attaque. On le consacre grand-frère. Pendant ce temps, sur la planète Defame, Ève abat un tueur venu la violer. Elle est nommée gente dame. À chaque année, les gentes dames doivent se rendre sur la planète Dome. La veille de l'anniversaire de sa nomination, Adam se promène la nuit. Ève le surprend. Leur combat se transforme en relation amoureuse. Ève accouche de jumeaux : un garçon et une fille. Elle est bientôt enlevée et sacrifiée par les frères sur Dome, tandis que les dames réservent le même sort à Adam sur Defame.

COMTOIS, Michel

[10 août 1953 –]

« Heureux les gueux... »,

Solaris, n° 45 (vol. VIII, n° 3, juin-juillet 1982), p. 25-28. (SF)

Martin, jeune généticien ambitieux, a gravi rapidement les échelons du Service de contrôle des naissances du ministère de la Conservation du patrimoine génétique. Il sermonne son ex-patron, Alexandre, lui aussi généticien, qui garde chez lui un anormal qui ne correspond pas aux types parfaits. L'anormal, nommé Démon, est un nain de vilaine mine qui possède cependant des dons télékinésiques. Martin avertit Alexandre qu'une loi l'oblige à remettre les anormaux au Centre pour qu'ils servent à des expériences génétiques propres à créer des êtres parfaits aux pouvoirs télékinésiques, puisque seuls les anormaux ont ce pouvoir.

CORMIER, François
[23 décembre 1939 –]

« Légende »,
le Nouvelliste, 42e année, n° 46 (21 décembre 1962), p. 6. (Hy)

Beaudoin de Mortemart, chevalier et seigneur, va voir son voisin, le maître de Pléneuf, et l'invite à une nuit d'orgie, la veille de Noël. La discussion s'engage. Beaudoin affirme qu'il ne croira en l'Évangile que si l'on fête encore Noël dans cent ans au château. Rentrant chez lui, il retrouve son château en ruine, comme si cent ans s'étaient écoulés depuis son départ. Croyant vivre un cauchemar, il pénètre dans son domaine désolé. Dans la cour, il découvre une troupe de romanichels. Autour d'un feu, ils chantent de vieux cantiques de Noël. La paix descend sur la propriété. Au matin de Noël, les romanichels découvrent le corps d'un homme vêtu comme au Moyen Age, un sourire apaisé sur le visage.

CORMIER, Jean-Marc
[Saint-René (Beauce), 8 février 1948 –]

« Le Météorite »,
Nous, vol. VI, n° 5 (octobre 1978), p. 58-59 (F) ;

la Symphonie déconcertante, [Rimouski], Éditeq, [1984], p. 9-15.

Un vieillard, ex-super-vedette déchue, est heurté par une auto dans la rue. Un ruisseau de sang coule et se gonfle au point d'engloutir les habitants de la ville, qui ne savent pas nager. Les cadavres sont récupérés pour faire du ragoût de boulettes en conserve. Le vieillard, spectral, honoré sur le mont Royal, fait de la réclame publicitaire.

« Le Navet bleu »,
Urgences, n° 10 (2e trimestre 1984), p. 47-64 (F) ;

la Symphonie déconcertante, [Rimouski], Éditeq, [1984], p. 49-69.

Avec comme fond sonore l'air de « Il était un petit navire », deux enfants jouent dans un parc. Une brute les attaque et ils s'enfuient à travers une statue vers un nouveau parc. Ils ont survécu à la première épreuve. Une deuxième épreuve, similaire, les amène dans une salle de cinéma où des scènes horribles d'inceste et de mutilation sont présentées. La troisième épreuve consiste, pour le narrateur, à tuer, dépecer et avaler son compagnon.

« Le Gai Noël des étrangers »,
la Symphonie déconcertante, [Rimouski], Éditeq, [1984], p. 39-47. (Hy)

Au cours d'un « après-midi cosmique », le narrateur Josephat Robert, un gamin de huit ans, s'amuse avec un saxophone qu'il a acquis moyennant certaines caresses. Au sortir du délire cosmique qui s'ensuit, en cette veille de Noël, le gamin, après avoir pleuré, a « donné naissance à un double [athée] de lui-même ». Revenu au présent, Robert se retrouve chez lui, dans un décor misérable, le soir de Noël.

« Plainte désolée »,
la Symphonie déconcertante, [Rimouski], Éditeq, [1984], p. 71-96. (Hy)

Blaise, un poète, miné par un conflit intérieur, se rend dans une cabane où il semble disparaître.

« La Symphonie déconcertante »,
la Symphonie déconcertante, [Rimouski], Éditeq, [1984], p. 97-125. (Hy)

Un personnage se dit télépathe et, se promenant le long d'un boulevard, est envahi par les pensées de plusieurs personnes.

CORNUT, Tania

[

« Le Manteau rouge grenat. Un roman inédit »,
Châtelaine, vol. II, n° 8 (août 1961), p. 28-29, 42, 44, 46 ; n° 9 (septembre 1961), p. 34-35, 68, 70, 72, 74 et n° 10 (octobre 1961), p. 48-49, 86, 89-90. (F)

Un étrange manteau, dont le tissu a été ensorcelé, bouleverse la vie de celles qui le portent. À une première femme, Anita, il a donné la force de rompre avec la vie factice qu'elle menait. Il a failli être l'instrument du malheur d'une deuxième Josette. Enfin, il permet à une troisième, Barbara, d'avoir le courage d'épouser l'homme qu'elle aime.

CORRIVEAU, Monique [née **Chouinard**]
[Québec, 7 septembre 1927 – Québec, 29 juin 1976]

Les Compagnons du soleil. 1. L'Oiseau de feu 2. La Lune noire 3. Le Temps des chats. Roman,
Montréal, Fides, 1976, t. I : 333 p. ; t. II : 307 p. ; t. III : 261 p. (Collection « Intermondes »). (SF)

Oakim est membre des Compagnons du Soleil, caste supérieure ayant le privilège de toujours vivre le jour dans une société totalitaire où la plupart des gens doivent travailler un an sur deux la nuit et où des parias, les gens de la Lune Noire, ne peuvent jamais voir le soleil. Oakim rencontre Nam, un membre de la Lune Noire. Ils collaborent secrètement à un projet de résistance contre le gouvernement et sont tous deux amoureux de Nanou, également membre de la Lune Noire. Malheureusement, celle-ci est victime de ce double amour puisqu'elle meurt dans un asile après que les autorités ont découvert l'action révolutionnaire de ses deux amoureux. Malgré tout, les résistants réussissent à renverser le gouvernement et à rétablir un système juste pour tous.

CÔTÉ, Denis
[Québec, 1er janvier 1954 –]

« Prends-moi dehors au jeu de balle. *(Take me out to the ball game)* »,
Québec français, n° 20 (décembre 1975), p. 35. (SF)

En l'an 2029, Joe invite son ami à une joute de baseball. Au cours de la partie, deux joueurs meurent, l'un, électrocuté, l'autre, la tête fendue. Sans ces incidents, Jim trouve le baseball long et ennuyeux.

« La Mort de Vincent l'usurier »,
Requiem, n° 13 (décembre 1976-janvier 1977), p. 8. (F)

Vincent l'usurier vole des livres dans une boutique. Un soir d'automne, il découvre une édition unique et volumineuse des *Nouvelles Histoires extraordinaires* de Poe. La grosseur du volume sous son manteau le trahit auprès du libraire qui veut retenir le voleur. Vincent le tue d'un coup de livre. Chez lui, il découvre une nouvelle inédite intitulée « la Mort de Vincent l'usurier », qui le terrifie. Il meurt d'une crise cardiaque.

Les Parallèles célestes. Roman,
[Montréal], Hurtubise HMH, [1983], 168 p. (Collection « Jeunesse ») (SF) ;

[Montréal], HMH, [1985], 168 p. (Collection « Jeunesse ») ;

[Montréal], HMH, [1988], 168 p. (Collection « Jeunesse »).

Nommé instituteur à Lambreville, ville minière nordique, André Jacek est témoin d'une « immense explosion de lumière » dans l'autobus qui l'amène sur les lieux de son emploi. Dans sa nouvelle ville, il se bute à une conspiration du silence à laquelle tous semblent participer. Son désir de percer le mystère de ce qui pourrait bien être un point d'affluence d'ovnis dans la forêt avoisinante lui cause des ennuis : il est battu par de mystérieux agresseurs, et le directeur de l'école, Philippe Dénault, le congédie. Il décide alors d'entrer dans la base militaire secrète qu'il a découverte, chargeant un ami, Pierre Cardinal, de revenir avec des journalistes pour démasquer les responsables de ce qu'il soupçonne être une supercherie. Il y est aussitôt capturé et emprisonné, non sans avoir cependant fait la connaissance d'un jeune Californien, Julian, possédant des aptitudes « métapsychiques ou paranormales ». Celui-ci a été recruté pour entrer en contact avec une sphère où alternent incandescences et assombrissement, sphère autour de laquelle on a édifié la base puisque l'on croit qu'il s'agit d'un ovni. La sphère, d'une puissance inimaginable, finit par réclamer Julian, mais c'est Jacek que l'autorité militaire, en l'occurrence le capitaine Denault, directeur d'école au civil, désigne comme victime. Une fois à l'intérieur de la sphère, Jacek est terrassé par des visions qu'il estime par la suite être des émanations concrètes de quatre archétypes surgis de son inconscient : la Vierge, le Diable, la Mort et l'Extraterrestre. Cependant, la sphère, comme à bout de force, se désagrège, rendant à Jacek sa liberté, et laissant à Cardinal et aux deux journalistes accourus sur les lieux la vie sauve, alors qu'une tempête menaçait de les faire périr. N'ayant plus rien à en attendre, les militaires démontent le camp, sûrs du silence de Jacek.

« La Confiture de fraises »,
Blanc Citron, n° 12 (avril 1984), [n. p.] (F)

Un lendemain de la veille, la journée commence mal pour l'homme dont le pot de confiture aux fraises est vide. Il se brûle en voulant se raser, se rend compte qu'il n'a plus de chaussettes propres, démarre sa voiture dont on a volé le volant, manque le bus, arrive en retard et encaisse les railleries de ses compagnons de travail, trouve une lettre de congédiement sur son bureau, s'en retourne enfin chez lui où sa femme lui annonce qu'elle le quitte pour un autre homme. Il s'ouvre alors les veines d'où jaillit de la confiture de fraises.

« Le Chanteur Renaud vous parle. Un pastiche de Renaud »,
Imagine..., n° 27 (vol. VI, n° 4, avril 1985), p. 123-127. (SF)

Le chanteur Renaud, de passage au Québec, se rend compte qu'il est peu connu malgré les succès de ses spectacles. Il décide de faire une chanson québécoise et commande sa chanson à un célèbre auteur québécois de SF. La chanson, pleine d'argot, raconte l'histoire de Gérard Lambert aux prises avec des femmes extraterrestres.

« 1534 »,
Dix nouvelles de science-fiction, Avant-propos d'André Carpentier, [Montréal], Quinze, [1985], p. 65-81. (SF)

Dans un monde totalitaire, le temps a été arrêté en 1534 et le gouvernement force les gens à vivre un simulacre de vie de colons. Un archiviste, du nom de Winston, découvre, dans une poubelle, « le Livre » *1984*, de George Orw. Cette lecture lui fait prendre conscience de son aliénation.

« Catégorie d'étrangeté numéro 7 »,
Planéria. Anthologie de science-fiction, Montréal, Pierre Tisseyre, [1985], p. 11-51. (Collection « Conquêtes »). (SF)

André Jacek reçoit un appel de Louis Carrier qui lui demande de l'aide pour sa fille. Cette dernière a rencontré des extraterrestres qui lui ont laissé une marque sur l'épaule. Puis, Jacek reçoit la visite d'un ami télépathe, Julian, qui perçoit des messages étranges et qui rencontre Lise à son tour. Il découvre qu'elle est gravement affectée par une tumeur au cerveau. On décide de l'opérer.

CÔTÉ, Jean
[Drummondville, 29 octobre 1929 –]

Échec au président,
[Repentigny, Éditions Point de mire, 1974] 224 p. (SF/Roman)

Au début du XXIXe siècle, les Nomadiens, des extraterrestres, vivent sur une autre planète qui a besoin de la Terre pour se ravitailler en oxygène. Malheureusement, cette dernière planète risque l'auto-destruction à brève échéance. Le conseil des Nomadiens décide donc de conférer des pouvoirs surhumains à un homme dans l'espoir qu'il devienne une sorte de messie. L'homme choisi, Percival Bloom, terrien modeste et timide, après sa transformation, prend conscience de sa mission. Il quitte Chloro, son pays, pour aller à Babilus, contrée dégénérée par la pollution et qui menace la sécurité de la planète. Percival joint un groupe de révolutionnaires et, ensemble, ils font tomber le gouvernement et ramènent la paix sur Terre.

CÔTÉ, Louise
[28 novembre 1958 –]

« La Formule de l'amour »,
Châtelaine, vol. V, n° 7 (juillet 1964), p. 30-31, 56, 58, 60-61. (SF)

Sofie, nouveau spécimen de robot humanoïde doté d'émotions et de sentiments, possède son propre cerveau électronique, A+2, qui représente pour elle une « constante inquisition ». Elle va rencontrer le vieux A+1, exilé sur la colonie Gamma, pour qu'il puisse l'aider à s'en débarrasser. Il refuse de l'aider. Sofie rencontre Pol avec qui elle s'amuse. L'amour naîtra involontairement entre les deux. Les Maîtres de tout tentent alors d'en faire une formule.

COULON, Jacques
[

« La Diligence »,
le Bulletin des agriculteurs, 49e année, n° 4 (juin 1966), p. 36-38, 69. (F)

Un médecin, le narrateur, se rend trop tard auprès d'une patiente. Le mari de celle-ci déclare qu'il en est mieux ainsi puisque sa femme voyait la mort et parlait avec elle depuis un an. Il avertit le médecin, désireux de partir malgré la nuit pluvieuse, qu'il risque de prendre la diligence conduite par le fantôme du postier disparu depuis six ans lors d'un accident. Incrédule, le médecin prend une diligence qu'il croit appartenir à un ami, mais il remarque la vétusté du véhicule et trouve un vieux sac de poste. Affolé par l'accélération de la voiture, qui se dirige vers le ravin, lieu de l'accident du postier décédé, le médecin se jette à l'extérieur. Le lendemain, il remarque les ornières fraîches qui lui confirment l'étrange apparition.

COUTURE, André
[Hull, 2 septembre 1942 –]

« Le Spicilège assassin »,
l'Enfer et l'Endroit. Contes, [Hull], Éditions Asticou, [1980], p. 39-46. (F)

Un homme regarde son spicilège (album de photos). Soudain, un de ses amis en sort et déchire le livre ; il n'aimait pas sa photo. Quatre jours plus tard, le héros voit son spicilège vomir ses photos. Quelques jours plus tard, il retrouve l'album, reproduit en 3 000 exemplaires, en vente dans une librairie. L'homme devient ensuite une photo dans le spicilège. Les images se regroupent et vont dévorer son ami. À la fin, les gens entrent dans le spicilège et en sortent, au gré de leur fantaisie.

« Des agents très spécieux »,
l'Enfer et l'Endroit. Contes, [Hull], Éditions Asticou, [1980], p. 59-67. (SF)

Un groupe d'agents secrets installe son service dans un sous-sol d'église. Lors de l'inauguration du système, le héros découvre que la quasi-totalité des agents sont des traîtres. L'agence n'est en fait qu'une couverture pour un projet plus vaste : un système visant à modifier le passé et le futur. Le système est tellement efficace que le héros est bientôt assigné pour se surveiller lui-même.

« On a volé mon cercueil et ça dort mal sur une pierre tombale. Confidences vampiriques »,
l'Enfer et l'Endroit. Contes, [Hull], Éditions Asticou, [1980], p. 73-78. (F)

Les vampires d'un cimetière sont dans l'embarras : quelqu'un vole des cercueils et leurs propriétaires ne peuvent les réintégrer pendant le jour pour se reposer. Ils font appel à la police locale pour arrêter le voleur. Le chef de police et ses hommes décident alors d'échanger leur costume pour ceux des vampires pendant que ceux-ci remplissent leurs fonctions au poste de police. L'échange ne permet pas aux policiers de découvrir les voleurs mais, bientôt, le maire des vampires, qui agit comme chef de police, décide d'envoyer ses hommes liquider les faux vampires qui errent dans le cimetière.

« As-tu perdu la tête ? »,
l'Enfer et l'Endroit. Contes, [Hull], Éditions Asticou, [1980], p. 79-83. (F)

Un comédien s'aperçoit, un soir, que, derrière son maquillage, sa tête a disparu. Il n'a pas de problème tant que la pièce dans laquelle il joue reste en scène. À la fin de son contrat, il fait appel aux agents très spéciaux et retrouve sa tête. Quand il retourne chez les agents, ceux-ci l'arrêtent en alléguant que c'est lui, le voleur de tête.

« Sans titre »,
l'Enfer et l'Endroit. Contes, [Hull], Éditions Asticou, [1980], p. 101-106. (F)

Un enfant raconte d'outre-tombe comment il est mort.

COUTURE, Maryse

[

« Children of the Century »,
le Canada français, vol. CXXIV, n° 33 (11 janvier 1984), p. A-56 ; n° 34 (18 janvier 1984), p. A-54 ; n° 35 (25 janvier 1984), p. A-52 et n° 36 (1er février 1984), p. A-52. (« Les Écritures du Haut-Richelieu »). (SF)

En l'an 2122, Lydia et Marc s'enfuient d'un camp de concentration où des envahisseurs font des expériences de programmation génétique afin de contrôler les cerveaux de la minorité dominée. Ils vivent en forêt et parviennent difficilement à conserver leur liberté.

COUVILLE NICOL, Isabelle de

[

« Un amour de mer »,
L'À propos (Aylmer), vol. III, n° 1 (1985), p. 189-192. (Hy)

Une jeune princesse habite un château sur le bord de la mer. Elle ne peut en sortir avant d'avoir seize ans. Ce jour arrivé, son père l'amène sur la plage et lui explique ses origines particulières, la mort de sa mère et le choix devant lequel elle se trouve à seize ans. Elle peut à ce moment revenir à la mer puisqu'elle est fille de sirène et d'humain, ou rester avec son père définitivement. Elle opte pour la terre.

D

DANDURAND, Anne

[Montréal, 19 novembre 1953 –]

« Danger : désir brûlant »,
Mœbius, n° 12 (2e trimestre 1981), p. 13-15. (F)

Une femme, amoureuse d'un homme, prépare avec des amies une fiole et une formule incantatoire (« l'Incantation-Qui-Soumet ») afin de posséder l'homme aimé. Elle obtient ce qu'elle désire, mais elle rit au moment de sa réussite. La fiole éclate. Elle avait oublié qu'il ne fallait pas rire, parce que la fiole maudite n'aimait pas ce son. Depuis, incube et succube à la fois, ils torturent ensemble ceux qui dorment à jamais assoiffés de volupté.

« Dossier suspendu »,
la Louve garou. Nouvelles, [Montréal], les Éditions de la Pleine Lune, [1982], p. 25-27 (F) ;

Invisible Fictions. Contemporary Stories from Quebec. Edited by Geoff Hancock, Toronto, Anansi, [1987], p. 403-405. [Traduit par Basil Kingstone sous le titre « Case Still Open »].

Le client d'une dentiste, faisant une déclaration à un inspecteur de police, « ne comprend pas pourquoi la professionnelle a fabriqué un dentier avec [ses] vieilles dents, [ni] pourquoi on a trouvé son cadavre nu marqué des morsures correspondant au dentier de [ses] vieilles dents. Depuis qu'elle est morte, [il se] langui[t], [a] peur, [s']affaibli[t] ».

« Home sweet home »,
la Louve garou. Nouvelles, [Montréal], les Éditions de la Pleine Lune, [1982], p. 59-63. (F)

La narratrice écrit une lettre où elle raconte comment, par dépit amoureux, elle a consulté une sorcière et a appris les techniques permettant de prendre possession de la maison où habitent celui qu'elle aime et sa maîtresse. Par le truchement d'Amélie, sa tante et sorcière, elle écrit trois autres lettres où elle raconte comment elle est sortie de son corps pour entrer dans la maison. Elle cherche à rendre Charles fou en faisant des bruits lorsqu'il est seul. Le plan réussit. Charles est complètement terrifié et sa maîtresse le quitte. Satisfaite de sa victoire, la narratrice lui laisse un répit de trois jours, ensuite elle l'enferme avec elle et met le feu à la maison. Ils y périssent tous les deux.

« L'Autopsie de la papillonne »,
la Louve garou. Nouvelles, [Montréal], les Éditions de la Pleine Lune, [1982], p. 77-79. (F)

Après une réponse positive au référendum, une médecin pathologiste, la narratrice, doit autopsier une immense femme papillon qui avait un foulard rouge noué autour du cou. Puis, des disparitions mystérieuses surviennent. La pathologiste finit par découvrir que A., la 28e victime (scénario qui vaut pour les autres victimes), était une femme métamorphosée en papillon, morte d'un désir amoureux inassouvi. La narratrice l'envie.

« La Porte en dessous »,
la Louve garou. Nouvelles, [Montréal], les Éditions de la Pleine Lune, [1982], p. 83-85. (F)

Une femme entre un jour chez elle avec des sacs d'épicerie, mais se trompe de porte. Un monstre est entrevu alors, dans l'embrasure de la porte, qui lui raconte son histoire : le monstre, une femme, vit avec un homme qu'un soir elle a trop mordu. Il se met alors à se calcifier. Un jour, ils se retrouvent soudés, lui derrière, elle devant.

« Chaque fois dans le noir »,
la Louve garou. Nouvelles, [Montréal], les Éditions de la Pleine Lune, [1982], p. 115-119. (F)

Aude, gênée par une toison musicale qui lui pousse dans la gorge, est obligée de quitter son emploi. Elle consulte Jeanne Couteau, une sorcière de ses amies, et lui demande de la délivrer de la toison. Celle-ci lui recommande de raconter une histoire brûlante. Aude lui raconte ses étreintes avec un homme qu'elle désirait, et elle crache alors le feu, brûlant les poils de sa gorge. Jeanne promet de la délivrer de ses crachements de feu, dont Aude est maintenant affligée, lors de sa prochaine visite. Aude et Jeanne entrent l'une dans l'autre.

« Après la bombe N »,
la Louve garou. Nouvelles, [Montréal], les Éditions de la Pleine Lune, [1982], p. 139-143. (SF)

Ayant survécu à la catastrophe nucléaire, une femme et un homme amnésiques et muets voient arriver deux femmes, la Blonde et la Chauve, qui se joignent à eux. Elles désirent manger l'homme. La Blonde l'étrangle pour survivre.

« Pour endormir ma mort »,
Mœbius, n° 19 (automne 1983), p. 49-50 (Hy) ;

HERizons. A Women's News Magazine, vol. III, n° 3 (April 1985), p. 22-23 ;

Plein Chant (Châteauneuf-sur-Charente, France), n°s 37-38 (4e trimestre 1987), p. 61-62. (Nouvelles francophones d'aujourd'hui. Textes rassemblés et présentés par René Godenne) ;

Voilà c'est moi : c'est rien j'angoisse. (Journal imaginaire), [Montréal], Triptyque, [1987], p. 13-15.

Pour endormir la mort qui lui apparaît, une femme raconte une histoire : Jeanne Couteau, une sorcière, lui a donné une recette dont elle, la narratrice, s'est servie pour endormir son amant. Elle l'a ensuite déshabillé et caressé jusqu'à ce que l'enchantement se déclenche. Ils tombent tous deux dans le passé de la narratrice et arrivent dans les limbes où le passé et le présent n'ont pas accès et où ils demeurent un temps indéfini. Pour qu'ils puissent revenir au présent, il faudrait que l'homme la caresse pendant son sommeil, mais la femme garde les yeux bien ouverts.

« *1984*, ce bar où je ne suis jamais entrée »,
le Devoir, vol. LXXV, n° 268 (17 novembre 1984), p. XV (SF) ;

les Cahiers de la femme/Canadian Woman Studies, n° 6 (printemps 1985), p. 32 ;

Voilà c'est moi : c'est rien j'angoisse. (Journal imaginaire), [Montréal], Triptyque, [1987], p. 51-54.

Le 31 décembre 2014, une femme rejoint son ex-amant qui lui a donné rendez-vous dans un bar rétro, le *1984*, où l'atmosphère de l'année 1984 est recréée. La femme évoque ses souvenirs des trente dernières années.

« Pour me consoler, j'imagine que les bombes sont tombées »,
la Vie en rose, n° 21 (novembre 1984), p. 40-41. (SF) ;

Voilà c'est moi : c'est rien j'angoisse. (Journal imaginaire), [Montréal], Triptyque, [1987], p. 19-20 ;

Celebrating Canadian Women. Prose and Poetry by and about Women. Edited by Greta Hofmann Nemiroff, [Toronto], Fitzhenry & Whiteside Limited, [1989], p. 354-355. [Traduit par Luise Von Flotow-Evans sous le titre « To Console Myself I Imagine That The Bombs Have Fallen »].

Une femme raconte ce qui s'est passé durant les trois millénaires qui ont suivi l'éclatement des bombes. Les survivantes, révoltées, ont établi le matriarcat absolu. Par manipulations scientifiques, elles ont créé une race nouvelle : les femmes ont le sang froid et les jambes liées sous de fines écailles, et les hommes ont dix bras et une mémoire qui ne revient le jour que par le toucher d'une femme. Ils vivent sous la terre et mangent les fruits d'un arbre qui pousse à l'envers dans les souterrains. La narratrice, désirant remonter à la surface, est tentée d'amener son compagnon mais elle se rappelle que ses ancêtres ne savent pas aimer. Elle décide d'y aller seule.

DANDURAND, Claire. V. **DÉ, Claire** [pseudonyme de **Claire Dandurand**].

DARIOS, Louise [pseudonyme de **Daria-Luisa PACHECO DE CÉSPEDES**]
[Paris (France), 8 novembre 1913 – 1986]

« La Lettre de Jésus-Christ »,
Contes étranges du Canada, Montréal, Éditions Beauchemin, 1962, p. 13-26. (Hy)

Un descendant d'immigrant, habitant Terre-Neuve, raconte l'histoire de sa famille. Son grand-père, venu d'Irlande pendant la grande famine, épouse sa propre cousine, Cassie Higgins. Ils ont une fille unique Cathleen, qui devient une excellente pêcheuse. Elle tombe amoureuse d'un pêcheur portugais, Joâo, qu'elle avait un jour sauvé. Tous les jours, elle l'attend sur la Pointe-aux-Sables. Un soir, le revenant de Jacques-à-Terre (ou Jackatar), mort depuis deux jours, lui apparaît, lui déclare son amour et lui remet un talisman, la lettre de Jésus-Christ. Joâo revient et Cathleen tombe enceinte. Ils projettent de se marier, mais la tempête d'automne coule le bateau de Joâo et le père de Cathleen périt aussi. À Noël, Cathleen accouche sans douleurs comme la protection de la lettre de Jésus le promettait.

« La Sorcière était Écossaise »,
Contes étranges du Canada, Montréal, Éditions Beauchemin, 1962, p. 29-41. (F)

En 1928, les MacDonald subissent des calamités et vivent des événements étranges : déplacements inexplicables d'objets... Un jour, arrivent un chasseur de sorcières et sa fille qui supposent que tout est dû à un sort jeté par une sorcière écossaise. Le chasseur de sorcières tire une balle d'argent dans l'aile d'un oiseau inconnu ; la voisine des

MacDonald et Jane, leur servante, sont blessées à l'épaule. Le chasseur prédit une dernière catastrophe, qui se produit le dimanche suivant, mais le mystère demeure entier quant à l'identité des sorcières et la provenance de l'étrange.

« La Vertèbre du serpent de mer »,
Contes étranges du Canada, Montréal, Éditions Beauchemin, 1962, p. 43-55. (Hy)

Un chef indien raconte à une touriste comment, grâce à une formule magique, un sorcier rendit bénéfique une vertèbre de serpent de mer et comment les chefs indiens se la léguèrent de père en fils. Mais, après 1804, n'ayant pas d'héritier, le chef envoya la vertèbre au Grand Guerrier Blanc, Napoléon Bonaparte. Le chef indien explique la défaite de Waterloo par la perte du talisman.

« Le Septième Fils d'un septième fils »,
Contes étranges du Canada, Montréal, Beauchemin, 1962, p. 107-115. (F)

Frances Cox rêve qu'elle se fait piétiner par un troupeau de taureaux. Le lendemain, elle sort avec Bob Sullivan, septième fils d'un septième fils, qui l'entraîne dans une grange et la viole. On retrouve le cadavre de Bob Sullivan tué par la foudre. Cette même nuit, les gens entendent les bruits d'un orage et d'un troupeau lancé au galop, mais dehors il n'y a rien. Un soir, après le passage de cet étrange troupeau, on retrouve le cadavre de Frances, déchiqueté.

« Le Mercredi des cendres »,
le Soleil des morts. Nouvelles, Sherbrooke, Éditions Naaman, [1982], p. 32-42. (SF)

Le Mercredi des cendres, des habitants des Prairies se rendent au village pour savoir ce qui se passe. La radio et la télévision ne diffusent plus rien ; il n'y a plus d'eau ni d'électricité ; les trains et les avions ne circulent plus. Se produit alors un phénomène semblable à une explosion atomique qui tue tous les témoins.

« Les Visages »,
le Soleil des morts. Nouvelles, Sherbrooke, Éditions Naaman, [1982], p. 50-81. (F)

Dans un village andalou, des visages apparaissent sur la surface dallée d'une salle, devant la cheminée de la maison de Paco, un mineur. Enchâssé dans ce récit, un autre récit raconte l'histoire d'amour d'une chrétienne et d'un Juif au temps de l'Inquisition. Les amants parviennent à fuir, mais tout le quartier juif est brûlé. Ce sont ces Juifs qui apparaissent sur les dalles de la salle dans le premier récit. Puis, la mine du village s'effondre et Paco, le maître de la maison où les apparitions surviennent, meurt au fond de la mine. Sur les dalles, il réapparaît à sa femme horrifiée par le spectacle dans la pierre de ce visage aux yeux exorbités.

« La Mer était vivante »,
le Soleil des morts. Nouvelles, Sherbrooke, Éditions Naaman, [1982], p. 82-121. (SF)

Dans une civilisation contrôlée jusqu'à la « déshumanisation », où règne la pollution et où les océans sont morts, douze jeunes gens et le dernier pêcheur de la Terre partent en expédition de survie pour trouver une île viable. Ils atteignent une île volcanique où ils s'organisent, mais, un jour, ils ouvrent un tube étrange repêché à la mer qui se révèle être une arme pour tuer toute vie sur Terre.

« La Trame... »,
le Soleil des morts. Nouvelles, Sherbrooke, Éditions Naaman, [1982], p. 122-152. (F)

Anne-Françoise, la fille adoptive du gardien de cimetière, sait quelque chose qu'elle ne veut pas dire. La fille du député, Magdeleine, meurt de la peste et Anne-Françoise en est avertie par des cauchemars-visions. Elle va mettre le feu à la cabane de la morte pour empêcher celle-ci d'être enterrée auprès du docteur, mort un an auparavant, et qui était son père naturel. Ce dernier revient d'outre-tombe chercher sa fille. On la trouve morte chez elle.

« Un appel d'outre-tombe »,
le Soleil des morts. Nouvelles, Sherbrooke, Éditions Naaman, [1982], p. 170-172. (SF)

À onze heures trente du soir, au mois de janvier 2000, le président blanc convoque à son bureau un des derniers prêtres, avant de se décider à appeler le président de l'Asie et de l'Afrique pour éviter la guerre globale prévue à minuit. Mais, à ce moment, l'écorce terrestre éclate en Asie.

« La Marée rouge »,
le Soleil des morts. Nouvelles, Sherbrooke, Éditions Naaman, [1982], p. 176-178. (SF)

Autour d'un feu, avec les quelques survivants de la « Guerre d'une nuit », Popyarluk, l'Inuk, apprend que les poissons pêchés lors du phénomène de la marée rouge sont empoisonnés et mortels. Attirant à l'écart un médecin, il lui avoue que les poissons qui viennent d'être consommés ont été pêchés pendant un tel phénomène. Il ne reste qu'un seul survivant, un Père blanc qui, allergique au poisson, a mangé une grenouille.

DASSYLVA, Alain
[

« Hantise. Nouvelle floue d'un conteur hanté »,
la Conchyoline. Revue du Cercle littéraire Louis Dantin, Collège de Chicoutimi, [s. d.], p. 37-40. (F)

Un homme est troublé et craint la folie parce qu'il croit bien avoir revu ses parents, pourtant morts. Il se rappelle, alors qu'il était adolescent, la nuit où un voyageur avait demandé refuge chez lui pendant un orage. Portant le même nom que son grand-père maternel, ce voyageur aux airs familiers avait comme « ensorcelé » ses parents qui lui avaient permis d'occuper une chambre que l'on croyait hantée. Le lendemain, dans cette chambre l'adolescent avait retrouvé ses parents baignant dans leur sang, un squelette à leur côté. Sur un bout de papier, son grand-père lui expliquait être venu chercher ses parents pour les amener en enfer.

DAVIDTS, Jean-Pierre
[Liège (Belgique), 27 mars 1950 –]

« Symphonie en gris »,
Solaris, n° 43 (vol. VIII, n° 1, janvier-février 1982), p. 6-9. (SF)

Pour justifier la couleur grise de son costume, Jonathan, le narrateur, raconte que, lors d'une excursion sur la planète Grisaye à laquelle il a participé, quatre des six membres de l'équipage avaient effleuré le bras de femelles, ce qui les avait mis en état de catalepsie. Ces femelles sécrétaient en effet « un parfum violent [...] pour attirer à elles un mari ». Lorsque, à son tour, Jonathan s'aventure sur la planète grise et en examine les indigènes, il remarque, fort de son expérience de daltonien, que seul un habitant a la peau de deux gris différents : celui-là, le chef, est de sexe mâle, alors que les autres indigènes sont femelles. Le chef promet de rendre leurs sens aux compagnons de Jonathan, et ce dernier est promu ambassadeur de la Fédération de Grisaye.

DAVIS, Louise
[1er octobre 1950 –]

« La Voisine de palier »,
Passages, n° 6 (printemps-été 1985), p. 27-35. (F)

Simon reçoit des lettres non oblitérées d'une femme qui se dit sa nouvelle voisine de palier et qui l'invite à souper chez elle. Cependant, Simon sait que cet appartement est vide ; d'ailleurs, aucun bruit n'en sort. Vraiment effrayé par l'insistance de cette femme invisible qui semble le connaître, Simon se cloître chez lui et s'enivre. Quelques jours plus tard, la concierge lui apprend qu'un couple va emménager dans l'appartement voisin du sien.

DÉ, Claire [pseudonyme de **Claire DANDURAND**]
[Montréal, 19 novembre 1953 –]

« La Très Vraie et Très Tragique Historiette de Dieudonnée Latendresse »,
Hobo/Québec, n° 35 (décembre 1977), p. 59 (F) ;

la Louve-garou. Nouvelles, [Montréal], les Éditions de la Pleine Lune, [1982], p. 87-92. [Sous le titre « Dieudonnée »].

Dieudonnée Latendresse est si monstreuse que personne n'en veut. Un jour, elle s'empare d'un œuf laissé par un collectionneur. Après neuf ans, sept mois, onze jours, l'œuf craque et il en sort un ptéranodon, sorte de reptilien préhistorique, que Dieudonnée baptise Pet-Pet, « à cause d'une ressemblance étonnante avec un batracien dégénéré, bien connu dans les milieux politiques de Tawa ». Elle l'épouse. Mais un jour, Pet-Pet tranche le cou de Dieudonnée.

« Un cas de lycanthropie »,
Mœbius, n° 12 (2e trimestre 1981), p. 23-26 (F) ;

la Louve-garou. Nouvelles, [Montréal], les Éditions de la Pleine Lune, [1982], p. 15-22;

Invisible Fictions. Contemporary Stories from Quebec. Edited by Geoff Hancock, Toronto, Anansi, [1987], p. 397-401. [Traduit par Basil Kingstone sous le titre « Metamorphosis »].

Une femme achète un homard et se fait pincer par lui avant de le manger. Le soir, assoiffée, la peau croûtée, elle sort boire de la pluie (acide). Accostée par un homme, un violeur, elle se transforme en homarde et coupe son agresseur en morceaux. Elle donne ensuite naissance à des milliers de homards et de homardes qui luttent pour le retour à la nature.

« C'est beau le progrès »,
la Louve garou. Nouvelles, [Montréal], les Éditions de la Pleine Lune, [1982], p. 29-32. (F)

Un vampire, dont la mauvaise dentition est due à un accident d'enfance, décide de consulter un spécialiste en orthodontie. Il se fait installer un appareil pour redresser les dents, puis on lui rectifie « le port de tête », lui rentre « les omoplates » et ou lui corrige la position des pieds au moyen de divers appareils médicaux. Ainsi « refait à neuf », il se retrouve à Hollywood dans un rôle d'extraterrestre.

« Drôle de soirée »,
la Louve garou. Nouvelles, [Montréal], les Éditions de la Pleine Lune, [1982], p. 95-98. (F)

Une femme du monde, la narratrice, assiste, avec son mari à une soirée chez le Chef de l'opposition. Elle constate qu'ils seront treize à table. Elle s'ennuie mortellement et souhaite qu'il se passe quelque chose. Soudain, le chef éternue et se met à rapetisser jusqu'à disparaître complètement.

« Un 2 juin »,
la Louve garou. Nouvelles, [Montréal], les Éditions de la Pleine Lune, [1982], p. 131-137 (SF) ;

James ROUSSELLE, Michèle BOURDEAU et Michel MONETTE, *Repères 4e. 22 nouvelles, 22 univers. Deuxième dossier*, Montréal, Centre éducatif et culturel, [1986], p. 87-89.

La narratrice rentre chez elle après une dure journée de travail. À la télévision, on annonce les catastrophes quotidiennes. Dans la nuit du 2 juin, la bombe N éclate. La narratrice et les quelques voisins survivants s'organisent. S'apercevant que la Terre n'a pas été stérilisée sous le ciment, ils entreprennent la « dé-cimentisation » et la culture du sol. Longtemps après, un autre 2 juin, un jeune tilleul fleurit.

« Le Diable en personne »,
XYZ. La revue de la nouvelle, vol. I, n° 3 (automne 1985), p. 20-23 (F) ;

le Désir comme catastrophe naturelle, Montréal-Paris, l'Étincelle, [1989], p. 13-26.

Une femme assiste au spectacle d'un musicien extraordinaire qui lui rappelle la légende du diable beau danseur. Elle est séduite par lui mais, après de brûlantes étreintes, il la quitte. Un soir de fin novembre, quelqu'un cogne à sa porte. La femme est possédée par un être qui fait des tours de magie et qui, se défendant d'être le diable, se dit sorcier.

DE BELLEFEUILLE, Johanne
[

« Gnan »,
la Nouvelle Barre du jour, n°s 79-80 (juin 1979), p. 69-72. (Hy)

Gnan, un petit être constitué surtout d'une tête, loge dans la baignoire du narrateur, qui envisage l'éventualité de ressembler à son hôte.

« Comme un gant »,
la Nouvelle Barre du jour, n° 143 (novembre 1984), p. 79-84. (Hy)

Une femme découvre qu'elle peut retirer sa peau comme un gant. Elle prend soin de son épiderme et l'enfile lorsqu'elle le souhaite.

DEBOUT, Jacques
[

« Le Second Avènement »
l'Action nationale, vol. LVIII, n° 1 (septembre 1968), p. 90-101. (Hy)

En l'an 2000, le chanoine Broussilard découvre que le diable a laïcisé le catholicisme, que la Foi s'est émoussée et il en déduit l'imminence de la fin du monde. Au moment même où le chanoine fait ces révélations à un jeune abbé et à un instituteur, le Pape Benoît XX meurt dans des circonstances mystérieuses. Puis « le jour continu[e] indéfiniment », le Pape Pierre II est élu et « suicid[e] le catholicisme ». Une lumière vive et intense apparaît, « [d]es étoiles tomb[ent] du ciel [...], les cimetières s'ouvr[ent] vomissant leurs morts » et le fils de l'homme surgit.

DE CELLES, Michel
[Montréal, 27 mai 1934 –]

« Un homme averti »,
Possibles, vol. VI, n° 1 (1981), p. 153-164. (Hy)

Un matin, Monsieur Loignon, un fonctionnaire, se réveille doté d'un pouvoir de prémonition et d'une vue perçante ; de plus, il se sent transformé intérieurement. Il poursuit ses activités professionnelles et prédit occasionnellement certains événements.

« Récurrence »,
Liberté, n° 146 (vol. XXV, n° 2, avril 1983), p. 66-74 (SF) ;

A Decade of Quebec Fiction. A Special issue of *Canadian Fiction Magazine*, n° 47 (1983), p. 116-121. [Traduit par Basil Kingstone sous le titre « Recurrence »].

Sur la Terre, dévastée par des bombes à neutron, un homme, H(n), a trouvé refuge dans un laboratoire. Il conçoit le projet de « se fabriquer un semblable, un frère, un interlocuteur à sa mesure, par clonage ». Pour mener à bien son projet, il prélève une cellule sur son index, la fait se multiplier et transforme le suivant, qui dort dans un habitacle ovoïde, en liqueur nourricière. Naît alors H(n+1) qui engendre à son tour H(n+2)...

« Un amour de Wamz »,
Possibles, vol. IX, n° 1 (automne 1984), p. 155-166. (SF)

Un peuple qui habite une planète vouée à l'explosion envisage la possibilité de s'installer sur la Terre. Un espion, Wamz, est envoyé en éclaireur pour étudier cette éventualité. « Inséminé par transmigration directe de son microcristal dans un embryon mâle », il s'acquitte de sa mission de son mieux, mais sans grand succès. Il épouse si bien sa condition d'homme qu'il prend femme et finit par se suicider afin de partager le sort humain jusqu'au bout.

DE LAJVEC, Vamuil

[

« Orgie divagatoire »,
la Patrie, vol. XC, n° 34 (31 août 1969), p. 29. (Hy)

Le narrateur continue de vivre, même si son corps est dissous dans de l'acide.

DE LAMIRANDE, Claire. V. LAMIRANDE, Claire de.

DE LAPLANTE, Michèle. V. LAPLANTE, Michèle de.

DELAUNIÈRE, Jacques
[

« Histoire de chasse »,
Solaris, n° 30 (vol. V, n° 6, décembre 1979), p. 12. (Hy)

Une petite fille imagine être un oiseau. Elle se met à voler au-dessus de la terre. Un chasseur tire. Il la trouve dans un bosquet ; il est désolé d'avoir blessée au lieu d'un canard. Alors le chasseur s'imagine être un loup affamé et se penche sur elle.

DEMOS, J. C.
[

« Dix ans plus tôt... plus tard »,
Empire, vol. I, n° 3 (1982), p. 22-23. (F)

Le narrateur revient aux études après dix années de travail. Inquiet, il retrouve la ville, les rues et l'école comme si le temps n'était pas passé depuis son départ. En entrant dans le vestiaire, il retrouve ses compagnons morts dans un accident d'auto lors de la soirée de remise des diplômes, dix ans auparavant.

DÉRI, Francis [DUPUIS-DÉRI]
[Montréal, 24 août 1966 –]

« La Mezzanine du Salon 17 »,
Pilône, n° 1 (novembre 1983), p. 4 ; n° 2 (décembre 1983), p. 6 ; n° 3 (janvier 1984), p. 13 ; n° 4 (février 1984), p. 9 ; n° 5 (mars 1984), p. 11 ; n° 6 (avril 1984), p. 9 ; n° 7 (mai 1984), p. 4 ; hors série (mai 1984), p. 3 ; n° 8 (juin 1984), p. 17 ; n° 8 (juillet 1984), p. 18 ; n° 11 (septembre 1984), p. 8 ; n° 12 (octobre 1984), [n. p.] ; n° 13 (novembre 1984), p. 8 ; n° 14 (décembre 1984), p. 18 ; n° 15 (janvier 1985), p. 16-17 ; n° 16 (février 1985), [n. p.] ; n° 17 (mars 1985) [n. p.] ; n° 18 (avril 1985), p. 6 ; n° 19 (mai 1985), [n. p.] ; n° 22, [s. d.], p. 14-15 ; n° 23 (septembre 1985, p. 4 (SF) ;

Pilône, n° 40, [s. d., n. p.]. [Sous le nom Francis DUPUIS-DÉRI].

En Europe, en janvier 1985, le président dictateur, Big Brother, parade sur les Champs Pilôniens. Soudain, sous le coup d'une explosion nucléaire, il meurt avec près de quatorze mille de ses admirateurs. C'est la guerre des fanzines. Dériovitch, le nouveau dictateur élu, accorde l'exclusivité de l'information à *Pilône*, fanzine officiel du Parti. Il exclut *Blanc Citron*, tuant dans l'œuf l'apparition d'une presse libre et subversive. Pendant ce temps, des envoyés de Big Brother, ignorant la mort de ce dernier, poursuivent leur mission, avec promesse de récompense en retour s'ils rapportent « le fétiche factice ». Le lieutenant Déri, frère jumeau et ennemi d'Abraham Soluman, est chargé d'éliminer Jules et ses amis, Élaine, Léon et Jerry, qui ont pris le fétiche dans une pièce du Pilône 19, en Alsace. Selon les rapports de la Big Brother Communications, le peuple du Nord, fanatisé par le fétiche, a pris possession de la Lorraine et de l'Alsace et il poursuit sa poussée vers le sud. Dépassé par les événements, Dériovitch se sent vaincu. Lors d'une assemblée du Pilôneburo, Jules et ses amis obligent Dériovitch à négocier. Jules leur propose de faire la paix et de ne plus toucher au Pilône. Tout se règle, mais sans que la vérité sur le fétiche soit dévoilée.

« Drame colonial. Space »,
Pilône, n° 6 (avril 1984), p. 10, 23. (SF)

Le major Grübert revient d'une mission d'exploration sur une planète où l'on a découvert du téléphonium. Il en fait rapport à son commandant et repart le lendemain dans son véhicule spatial, *Doum III*.

« Le Syndrôme du téléphonium »,
Pilône, n° 6 (avril 1984), p. 18 ; n° 7 (mai 1984), p. 11 ; n° 9 (juillet 1984), p. 14. [Sous le pseudonyme de Docteur Déri]. (SF)

Le docteur Déri retrace, au cours de trois conférences, les faits et méfaits entourant l'exploitation et l'usage du téléphonium, un élément actif dans le microphone du téléphone.

« Broyer du noir ou Humort noire »,
Pilône, n° 8 (juin 1984), p. 12, 15, 20. (SF)

Boris est interpellé par deux militaires et une civile. On prétend recenser les Noirs. Dûment identifiés, ils sont parqués dans des camps de concentration.

« Atomicity »,
Pilône, n° 9 (juillet 1984), p. 6-8. (SF)

Les survivants américains de la guerre thermonucléaire se terrent depuis huit ans dans leur complexe souterrain. Un jour, ils apprennent que la vie en surface serait possible. La plupart se dirigent vers la sortie. Dans l'hystérie générale, un missile armé roule vers le complexe où il explose, provoquant ainsi la disparition de tous... et de l'impérialisme américain, signale-t-on ensuite en URSS.

« À la soupe !!! »,
Pilône, n° 22 (1985), p. 6-9. (F).

Un peintre se rend dans une étrange demeure pour y faire du travail. Il est enfermé dans une pièce par une vieille dame. Malgré le caractère étonnant de la chose, il commence à couvrir les murs de blanc. Il entend alors un gémissement et découvre qu'il vient du mur. Il dessine un grand cercle noir, la voix se fait plus claire, plus sensuellement invitante. Il s'engouffre à travers le trou créé. La vieille dame revient et referme le trou avec de la peinture blanche. Cette douzième prise complète le festin des sorcières.

« Apocalypse Tomorrow »,
Pilône, n° 25 (novembre 1985), p. 10-11. (SF)

En 1997, les États-Unis prolongent depuis huit ans une guerre catastrophique en Lybie. Les soldats lybiens sont soutenus par des renforts communistes. La situation ressemble étrangement à la guerre du Viêt-Nam.

« Les Ressources surnaturelles : la crise »,
Pilône, n° 25 (novembre 1985), p. 12-15. (Hy)

Le retour de Robert Bourassa sur la scène politique ravive le débat sur les richesses surnaturelles. En octobre 1970, on a assisté à la prise de contrôle américaine des richesses surnaturelles au Québec. En 1980, le Parti québécois les a naturalisées. Maintenant, les pilotes de tapis volants et les médiums demandent des garanties. Norbert Spehner, ministre du PLQ des richesses surnaturelles, déclare qu'il va s'attaquer sérieusement au problème de la menace d'une seconde prise de contrôle américaine.

« Sexe-fiction »,
Pilône, [s. d.], p. 16-18. (SF)

Le narrateur se rend dans un bar louche des bas-fonds Xbrutiziens pour s'évader un peu. Une prostituée télépathe lui procure une aventure sexuelle intense.

DEROME, Gilles

[Sainte-Agathe-des-Monts, 1er septembre 1928 –]

« Chez mon psychanalyste »,
Liberté, n° 11 (vol. II, n° 5, septembre-octobre 1960), p. 257-260. (F)

Une femme visite son psychanalyste à qui elle décrit le rêve qu'elle a fait ce matin-là : le psychanalyste y était accoutré de manière ridicule et il tenait sa secrétaire, nue, sur son bras. Lorsqu'elle se lève et se retourne, à la fin de sa séance, elle voit le médecin vêtu comme dans son rêve et, sur son bras gauche, c'est elle qui est assise, nue.

DESCHAMPS, Yvon
[Montréal, 31 juillet 1935 –]

« Entre deux bières... Conte de Noël »,
l'Actualité, vol. III, n° 12 (décembre 1978), p. 43-47. (F)

Un vieil homme, René, passe la veillée de Noël dans une taverne en pensant aux Noëls en famille. Sa femme est morte et ses enfants ne viennent plus le voir. Un homme se présente à lui sous le nom de Paul et l'entraîne dans une rue inconnue, dans un endroit où les démunis fêtent Noël. René se demande ce qu'il fait là, mais il est pris par l'atmosphère et finit par chanter et être heureux. Il se réveille, assis à la taverne, et ne se souvient plus d'y être revenu après la fête. Les habitués lui disent qu'il n'a pas quitté sa table de la soirée. Cependant, il trouve, dans sa poche de manteau, un billet (signé) de Paul.

DESCHÊNES, Jean
[14 décembre 1956 –]

« Le Coq de S[ain]t-Félix »,
Châtelaine, vol. III, n° 10 (octobre 1962), p. 28-29, 92-99. (F)

Le coq du clocher de l'église de Saint-Félix disparaît mystérieusement. Les autorités du village mènent une enquête qui ne donne aucun résultat. Lors de sa visite paroissiale, le curé trouve le coq fiché sur un poteau dans la basse-cour de LeBeau, qui ne veut pas laisser partir le coq de métal puisque, depuis qu'il est là, ses poules pondent de plus gros œufs. On en vient à un compromis : le jour, le coq sera sur le clocher, la nuit, chez LeBeau. Ce dernier meurt. Le soir de l'enterrement, le coq disparaît et on le retrouve dans la cour de LeBeau. Exaspéré, le curé met des gardes pour surveiller le clocher la nuit. Ils ne voient personne mais le coq disparaît du clocher et réapparaît chez LeBeau. Le curé décide de vendre le coq à un antiquaire et le remplace par un coq en plomb.

DESCOTEAUX, Diane

[

« C'est arrivé un jour de Noël »,
le Nouvelliste, 41e année, n° 47 (22 décembre 1961), p. 11. (F)

Michel apprend, le matin, la mort de sa mère. Mais il doit participer à un raid chez les Japonais. Au cours du combat, il est blessé. Une vieille femme et une fillette l'emmènent dans leur cabane et le soignent. Il entend des airs de fête et se rend compte que c'est Noël. Il a l'impression de connaître cette femme. Il s'endort et se réveille dans un fossé. Il a toujours un foulard que la vieille femme qui l'avait soigné lui avait noué à la cuisse. Mais on l'assure que personne n'a jamais habité la région. Michel se demande si cette femme n'était pas sa mère.

DESMARAIS, Serge

[

« Opération suicide »,
Recueil collectif de science-fiction, par 6 élèves de l'ESSH, Saint-Hyacinthe, l'École du Séminaire de Saint-Hyacinthe, avril 1980, p. 48-60. (SF)

Des extraterrestres venant d'une planète dévastée par une guerre nucléaire choisissent de s'installer sur la Terre et déclarent la guerre aux humains. Les Terriens expédient six navettes avec la mission de détruire Zorba-Affar, base des envahisseurs. Malgré la force de l'ennemi, une navette parvient au but et détruit la planète des extraterrestres.

DESPRÉS, Ronald

[Lewisville (Nouveau-Brunswick), 7 novembre 1935 –]

Le Scalpel ininterrompu. Journal du docteur Jan von Fries,
[Montréal], Éditions À la page, [1962], 136[1] p. (SF/Roman)

Sous l'influence de Miss Mesméra, Jan von Fries, savant de profession, procède à la vivisection des humains, en vue d'ouvrir la voie à une nouvelle humanité. Après avoir disséqué sa maîtresse et assistante, Miss Mesméra, et tout le reste de l'humanité, le professeur Fries se fait réduire en poudre dans une machine électronique.

DES ROCHES, Roger
[Trois-Rivières, 28 août 1950 –]

« Space-Opéra. (Deuxième temps : prose) »,
la Barre du jour, n° 29 (été 1971), p. 18-28. (Hy)

Un narrateur entremêle dans son récit des fragments d'une histoire de science-fiction et des réflexions sur la science-fiction.

Reliefs de l'arsenal,
Montréal, l'Aurore, [1974], 94 p. (Collection « Écrire ») (SF) ;
les Herbes rouges, n°s 145-146 (2e trimestre 1986), 71[1] p.

Dans une colonie, les femmes sont atteintes d'une mystérieuse maladie qui les transforme physiquement et leur donne toutes les caractéristiques masculines. L'arsenal, dirigé par M–, est attaqué par des vaisseaux ennemis. Entretemps, M–, « libertine » avec les êtres hybrides que deviennent les femmes.

« Space-Opéras. Première partie : les mouvements rythmés de la pénétration »,
Hobo/Québec, vol. I, n°s 21-22 (janvier-avril 1975), p. 14-16. (SF)

Deux êtres du futur, un humain et un androïde, discutent de science-fiction. Ils mentionnent les œuvres marquantes du XXe siècle. À la fin de leur discussion, les Roogaliens attaquent leur vaisseau spatial.

« Tous les veilleurs de nuit »,
la Nouvelle Barre du jour, n°s 79-80 (juin 1979), p. 105-109. (SF)

Un homme revient chez lui, un soir. Il craint la présence d'êtres venus d'ailleurs. Pourtant, il ne peut les voir : ils se cachent dans le noir et disparaissent à son approche. Le seul indice qu'il possède est l'agitation des chiens et des chats.

« Et, après une nuit de veille »,
la Nouvelle Barre du jour, n°s 79-80 (juin 1979), p. 111-117. (SF)

Depuis que l'Étoile du nord, Polaris, est devenue Supernova, les habitants de la Terre subissent une étrange métamorphose. Les hommes sont extrêmement violents et s'entretuent sans pitié. Les jeunes filles sont les seules à être épargnées. Elles ont été affectées physiquement : elles n'ont plus besoin de manger, parlent plusieurs langues, ont le don de télépathie et dorment en flottant à l'air libre. Un homme, vivant enfermé dans sa maison, communique avec Régine, une jeune fille. Celle-ci le convainc d'ouvrir sa fenêtre pour la prendre et la ramener au sol. Ce n'est toutefois qu'un leurre pour le faire sortir et l'exposer au tir des francs-tireurs, qui ne ratent jamais leur cible.

DESROSIERS, Christian
[

« L'Air humide »,
Mœbius, n° 19 (automne 1983), p. 37-39. (SF)

Dans un monde futur, l'air est devenu tellement vicié que les gens doivent porter un masque à gaz et acheter l'air qu'ils respirent. Dans un casse-croûte, un client discute avec le cuisinier de la hausse du prix à la pompe d'air. À l'extérieur, un couple marche. La femme s'écroule soudain, elle n'a plus d'oxygène. Dans l'indifférence générale, elle meurt et son corps se désagrège bientôt, laissant sur le sol une tache humide.

DES RUISSEAUX, Pierre
[Sherbrooke, 7 juillet 1945 –]

« La Séance »,
Mœbius, nos 10-11 (4e trimestre 1980), p. 49-55. (F)

Trois personnes se réunissent pour une séance de spiritisme. Un esprit se manifeste. Tout en restant invisible, il s'empare du crayon du narrateur pour répondre, approximativement, aux questions des participants. Malgré tout, il disparaît rapidement.

DEVAULT, Gilles
[

« Maison close »,
Co-Incidences, vol. I, n° 3 (novembre 1971), p. 53-60. (F)

Invité à une soirée dans une résidence, le protagoniste, également narrateur, avoue avoir un attrait particulier pour le sang. Il termine la soirée avec une femme qui l'embrasse au cou ; elle-même voit les dents de l'homme s'allonger sur sa lèvre inférieure.

DE VILLIERS, Francis
[

« Lame »,
Pilône, n° 26 (1985), p. 8-11. (SF)

Lame est projeté nu dans la douzième dimension et arrive dans une cave sombre où est enchaînée une jolie princesse. Il étrangle le geôlier endormi et délivre la jeune femme. Séduits l'un par l'autre, ils décident d'interrompre leur fuite pour « un p'tit remontant charnel ».

DEXTRAZE, Alain
[Saint-Simon, 5 septembre 1966 –]

« L'Entreprise en péril »,
Recueil collectif de science-fiction, par 6 élèves de l'ESSH, Saint-Hyacinthe, l'École du Séminaire de Saint-Hyacinthe, avril 1980, p. 11-22. (SF)

À Cap Kennedy, une équipe de savants et de techniciens préparent le prochain départ de la navette *Enterprise*. Dick voit deux petits Martiens verts porter un paquet dans la navette. Lorsqu'il en parle, personne ne le croit. Il s'aperçoit cependant que la navette a été sabotée. Son frère Dan vient faire des vérifications et disparaît. Dick et plusieurs savants voient une soucoupe volante s'envoler. Après de rapides réparations, Dick et Oscar partent en direction de Mars. Ils y sont faits prisonniers, mais réussissent à s'échapper et à ramener Dan sur Terre.

D'HÉLIS, Georgias
[

« Il y a de l'eau sur Mars »,
Kramer, n° 6 (1985), p. 5. (SF)

À partir d'un document découvert sur Jupiter, le narrateur déduit qu'il y a déjà eu de l'eau sur Mars puisque les Martiens se mangeaient en soupe. Cependant, le narrateur doute de son analyse parce qu'il sait que les Martiens se mangent en brochettes.

DIGNARD, Gilles
[

« DX alias DX^{38} (2×10^{27}) »,
Imagine..., n° 12 (vol. III, n° 3, mars 1982), p. 23-35. (SF)

DX subit un contrôle électronique sur le point YYYIZ.8 du cerveau. Devenu collaborateur, il est relié à une organisation inconnue mais veut ouvrir des Maisons de rock. Malgré les embûches que les contrôleurs élèvent, DX devient prospère. Épuisé, il doit subir des interventions chirurgicales. Deux inspecteurs lui confient qu'il a été blessé à la suite de défaillances dans les systèmes de communication intercontinentaux. DX prépare une offensive : il désire améliorer le sort des pauvres, mais sent qu'il va mourir.

DION, Bertrand

[

« Peindre son ombre »,

Requiem, n° 12 (vol. II, n° 6, octobre 1976), p. 5-7. (F)

Un homme habite avec un extraterrestre ou, du moins, ce qui semble l'être. Un soir, alors qu'ils s'enivrent, l'humain propose à son hôte de peindre son portrait. Tout en peignant, il l'entretient de choses et d'autres, mais l'autre ne répond rien et l'observe sans broncher. À la fin, lassé, il lui demande ce qu'il veut. Comme si leurs pensées se rejoignaient de manière magique, l'humain comprend ce que veut l'extraterrestre : coucher avec lui.

DION, Jean

[Québec, 17 septembre 1949 –]

« La Vie sur Mars »,

Solaris, n° 30 (vol. V, n° 6, décembre 1979), p. 6-11 (SF) ;

SF. Dix années de science-fiction québécoise, sous la direction de Jean-Marc Gouanvic, [Montréal], Logiques, [1988], p. 155-172. (Collection « Autres Mers, Autres Mondes », n° 3).

À l'aube de l'exploitation de la planète Mars par l'être humain, un homme rend compte de la vie terne qui prévaut sur Terre, témoignant de la quasi-absence des rapports entre les humains. Un des rares plaisirs qui unit encore les êtres réside en l'écoute de la musique sur « phono-sympathique ». Deux « amis » du narrateur simulent une agression afin d'attirer le protagoniste hors de chez lui. Étant à la poursuite des agresseurs, le protagoniste se fait voler son appareil par ceux qu'il croyait être ses amis.

« Vingt sommes »,
Imagine..., n° 11 (vol. III, n° 2, hiver 1981), p. 101-144. [Sous le pseudonyme de Michel MARTIN, avec la collaboration de Guy SIROIS] (SF) ;

les Années-lumière. Dix nouvelles de science-fiction réunies et présentées par Jean-Marc Gouanvic, [Montréal], VLB éditeur, [1983], p. 137-181.

Un arbre, habité par des mutants probablement rescapés d'une lointaine apocalypse, voyage à travers l'espace. À chaque fois qu'il s'approche d'une étoile, ses occupants se séparent en deux clans : ceux qui désirent continuer le voyage et ceux qui veulent se mettre en orbite autour de l'astre. Cette fois, ils s'approchent de la Géante jaune. Les partisans du voyage ont choisi Tango comme « Anti-navigateur ». Il devra se rendre aux racines pour élever la voiture qui permettra à l'Arbre d'échapper à l'attraction. Un vieux guide le mène à travers les failles végétales et lui permet d'échapper aux troupes des « Planétaires ». Cependant, une fois arrivé, Tango se rend compte que le guide est un traître et qu'il s'est fait jouer. L'Arbre a fini son voyage.

« Morte-Saison [*sic*] »,
Solaris, n° 50 (vol. IX, n° 2, mars-avril 1983), p. 13-17 (F) ;

Aurores boréales 1. 10 récits de science-fiction parus dans la revue *Solaris*, sous la direction de Norbert Spehner, [Longueuil], le Préambule, [1983], p. 11-31. (Collection « Chroniques du futur », n° 7).

Une centaine de personnes vivent depuis un temps indéterminé dans ce qui avait été Rome avant que ses habitants soient victimes d'un déséquilibre temporel circonscrit dans l'espace de la ville. Un jour vieux, le lendemain jeune, soudainement adolescent et d'autres fois vite devenu adulte, Nicolas observe de surprenantes variations du temps sur sa propre personne et sur ses congénères et en subit les conséquences intellectuelles (troubles de mémoire). Les chercheurs ne parviennent pas à expliquer ce désordre du temps. Puis, un jour, les montagnes ceinturant la ville s'effacent graduellement, et les êtres et choses reprennent leur état « normal », celui qu'ils avaient avant la tombée du « voile ». Soldats et secouristes pénètrent dans la ville et apprennent aux habitants qu'ils étaient victimes, depuis une soixantaine d'heures, d'une « faiblesse de la structure temporelle qui a touché deux ou trois kilomètres seulement ».

« Escale à Boston-Mort »,
l'Année de la science-fiction et du fantastique québécois 1984, [Québec], le Passeur, [1985], p. 151-170. (SF)

Albert Gluksmann procède à des expériences sur le principe du voyage dans le temps. Lors de l'unes, au cours de laquelle son assistante est envoyée dans le passé, il reçoit un appel non pas de celle-ci, mais d'un certain Gabriel qui lui demande de lui fournir cent mille fœtus, sinon il va lancer une bombe structurelle qui pourra détruire le temps et l'histoire du monde. Gluksmann refuse et se réfugie dans le passé avec quelques personnes. Il arrive à Boston, alors que Boston n'existe pas encore. De plus, Boston n'existera jamais puisque Gabriel a effacé le présent, le passé et l'avenir.

« L'Incident Chicago »,
Aurores boréales 2. 10 récits de science-fiction, sous la direction de Daniel Sernine, [Longueuil], le Préambule, [1985], p. 137-176. (Collection « Chroniques du futur », n° 9). (SF)

Un soir, David Thornbee s'engage à l'intérieur des Catacombes, un bâtiment souterrain de vingt-deux étages voué à l'assouvissement des plaisirs les plus divers, afin de tuer un ancien collègue et ami : Brady. Ce dernier aperçoit David à Esso-Barhein, l'une des sections des Catacombes, devine qu'il est pourchassé et charge Annie-Brochedor d'éliminer David ; la tentative échoue grâce au service de sécurité. Après une longue poursuite à travers divers étages des Catacombes, David parvient à rejoindre Brady. Au moment où Thornbee s'apprête à donner la mort à son ex-ami, la sécurité intervient de nouveau. David et Brady vont se réfugier au 22e étage – Parking Louxor – pour fuir les rescapés de l'ouragan nucléaire qui s'est abattu sur Chicago.

« Les Voix dans la machine » ,
Dix nouvelles de science-fiction. Avant-propos d'André Carpentier, [Montréal], Quinze, [1985], p. 83-108. (SF)

Dans un monde post-épidémique où les hommes ont perdu l'usage de la voix et où seules quarante-trois femmes font carrière dans le chant, Roxane, cantatrice qui fréquente assidûment les Caves, – lieux de ressourcement et vestiges du passé, – met au point une stratégie permettant à son ex-imprésario d'avoir accès à une Cave.

DOCTEUR DÉRY. [pseudonyme]. V. **DÉRI, Francis [DUPUIS-DÉRI].**

DORAY, Michèle
[

« Le Wagon de queue »,
Requiem, n° 13 (vol. III, n° 1, décembre 1976), p. 8. (F)

Passagère dans un train, une femme se rend dans le wagon de queue qui roule vers le cercle polaire. Le wagon est congelé et un frimas recouvre l'intérieur. La femme allume une allumette : le wagon se met alors à fondre jusqu'à ce que la femme soit prisonnière d'une nappe de glace. Le train continue sans son wagon de queue.

DOWD, Jean-François
[

« Saga vue d'en haut »,
le Canada français, vol. CXXIV, n° 28 (7 décembre 1983), p. A-70 ; n° 29 (14 décembre 1983), p. A-66, et n° 30 (21 décembre 1983), p. A-57. (« Les Écritures du Haut-Richelieu »). (Hy)

Pendant la Deuxième Guerre mondiale, un chef de troupe meurt dans un raid contre les Allemands. Une fois au paradis, il relate ce qui s'y passe par des lettres qu'il envoie à sa mère. Réincarné dans la personne du caporal Kraut contre qui il luttait de son vivant, il viole une femme qui se laisse faire dans l'espoir de s'en sortir.

DOYON, François
[

« Deux souris à la crèche »,
le Nouvelliste, 43e année, n° 47 (23 décembre 1963), p. 20. (Hy)

Deux souris visitent une crèche installée dans un salon bourgeois. Les personnages s'y animent et les souris apportent un présent : cinq chocolats dans une serviette qu'elles ont dérobés sur la table du réveillon. Elles enveloppent ensuite le corps du bambin. Les bourgeois sont surpris de trouver leur Jésus de cire enroulé dans une serviette de table.

DOYON, Paule
[Taschereau (Abitibi), 27 mai 1934 –]

« La Mort du Père Noël »,
le Nouvelliste, vol. XLVIII, n° 48 (23 décembre 1967), p. 32. (Hy)

Le Capitaine Zodiaque raconte à son fils comment s'est produite la mort du Père Noël. Ils se rendent sur la planète Vénus en fusée XL100, quelque part en l'an 2000, un 25 décembre.

« Dossier unicorps »,
Châtelaine, vol. XI, n° 4 (avril 1970), p. 26-27, 72, 74, 76-77 (SF) ;

Rue de l'Acacia et Autres Nouvelles. Science-fiction, Sherbrooke, Éditions Naaman, [1985], p. 78-89.

Unicorps est un feuillu extraterrestre à un pied, un œil, une main. Il vient sur la Terre pour évaluer les chances que son peuple (habitant la planète Uniforme) puisse y vivre. Il observe le comportement douteux des Terriens, découvre des spécimens de sa race, mais en moins évolués et meurt dans une serre, victime d'une aspersion de DDT.

« Le Règne de Kuper »,
Châtelaine, vol. XIII, n° 7 (juillet 1972), p. 24-25, 41-44 (SF) ;

Fleur de lis. Anthologie d'écrits du Canada français. Édité par Anthony Mollica, Donna Stefoff et Elizabeth Mollica, Toronto, Copp Clarck Pitman, [1973], p. 49-62. [Précédé d'une biographie, p. 48-49, suivi d'exercices, p. 62-65] ;

Rue de l'Acacia et Autres Nouvelles. Science-fiction, Sherbrooke, Éditions Naaman, [1985], p. 28-42.

Dans un univers robotisé, la paix est permanente et le vieillissement, arrêté. Malgré tout, il arrive que certaines personnes meurent très rapidement, sans explication apparente, victimes du virus de la vieillesse. Nid, une biologiste, s'intéresse à ce phénomène. Elle va sur la Lune, car il semble que les cas de cette maladie y soient plus fréquents. Elle y rencontre un homme, Urt, qui lui apprend à vivre plus près de la nature. Elle constate qu'elle ressent de l'affection pour Urt au moment où le virus s'attaque à elle. Nid et Urt s'adressent alors à Kuper, l'ordinateur central de Yo, la capitale de la Terre. Celui-ci ne comprend pas plus qu'eux, mais les envoie dans le futur, où ils ont peut-être une chance de trouver le remède à leur mal. Là-bas, ils comprennent que ce qu'ils ressentent l'un pour l'autre, c'est l'amour. Ils réintègrent leur époque pour que Kuper les guérisse de ce sentiment et leur redonne la jeunesse.

« Un procès »,
Écrits du Canada français, Montréal, [s. é.], n° 37, 1973, p. 211-218. (Hy)

Un artiste, Jacob Lefebvre, réalise un cœur parlant et pensant pour le compte de son ami Alphonse Mayot. Il intente des poursuites contre ce dernier afin de récupérer le salaire qui devait lui être versé pour son travail.

« La Troublante Histoire de Bastien »,
le Nouvelliste , 60e année, nos 155-176 (1er - 26 mai 1980). (SF)

En 1967 et 1968, une femme consigne par écrit l'étrange histoire que lui raconte son mari, Bastien, en contact avec des extraterrestres : Bastien change de corps avec un ami extraterrestre, Eso, afin d'aller explorer son monde abstrait, dont la dimension est située entre « la différence du résultat opérationnel et la réalité du cercle parfait ».

« Les Vaches marines »,
le Sabord, n° 5 (décembre 1984), p. 22-23. (Hy)

Des vaches marines ont l'habitude de flotter sur les eaux du Saint-Laurent après le repas. Par suite d'une instruction reçue du taureau Rufus, elles maigrissent, sont emportées par les flots, développent des ouïes et vont vivre au fond des eaux. Elles dépérissent à cause des produits toxiques déversés par les humains dans le Fleuve.

« Horace Parle »,
Rue de l'Acacia et Autres Nouvelles. Science-fiction, Sherbrooke, Éditions Naaman, [1985], p. 7-11. (SF)

Horace Parle ne peut plus supporter le stress du monde moderne. Il quitte son emploi et adopte un mode de vie qui lui laisse le temps de flâner à sa guise. Son oisiveté lui permet de mieux voir toutes les incongruités et les injustices de la société. Il décide de s'en éloigner encore plus. Il quitte sa femme et, lentement, se transforme en une sorte de primate qui, bientôt, ne peut plus marcher qu'à quatre pattes.

« L'Invraisemblable Aventure de John Garret »,
Rue de l'Acacia et Autres Nouvelles. Science-fiction, Sherbrooke, Éditions Naaman, [1985], p. 13-22. (SF)

Le pilote John Garret, révolté par la cruauté de ceux qui veulent larguer une bombe atomique sur une ville, décide de foncer dans le nuage radioactif qui s'élève au-dessus du lieu du bombardement. Il perd connaissance et se réveille dans un étrange espace, le monde cellulaire. Il rencontre Atomicus, le chef des atomes, qui lui explique que la vie de la cellule est strictement réglée. Seul Atomicus, le révolutionnaire, prêche la quête de l'individualisme. John comprend alors qu'il se trouve à l'intérieur d'un micro-organisme. Il apprend, par Atomicus, qu'un virus se dirige vers leur ensemble. Avec Atomicus, le pilote cherche à provoquer la scission de la cellule, pour qu'au moins une moitié échappe à la mort. John Garret réussit sa mission, mais succombe à l'attaque du virus.

« Les Yeux »,
Rue de l'Acacia et Autres Nouvelles. Science-fiction, Sherbrooke, Éditions Naaman, [1985], p. 23-27. (SF)

Un virus attaque la petite Aileen. La vie de l'enfant est en danger. Les yeux de sa mère, qui la regarde avec angoisse, se révèlent son dernier contact avec la vie. La mort se présente à Aileen sous les traits d'un être de lumière qui l'encourage à se laisser aller. La fillette hésite entre deux mondes : la vie et l'amour de sa mère ou la mort. Un matin, Aileen ouvre les yeux et se retrouve dans un grand champ où tout est calme et beau. Sa mère est là avec elle. Est-elle morte ?

« Cat »,
Rue de l'Acacia et Autres Nouvelles. Science-fiction, Sherbrooke, Éditions Naaman, [1985], p. 58-73. (SF)

Cat, un chat exposé à des radiations atomiques, grossit, se met à parler et à comprendre ce que dit Sank, son maître. L'explosion de bombes est à l'origine de ce phénomène de mutation. Sank meurt, laissant Cat seul survivant sur la Terre. De plus en plus intelligent, Cat parvient à utiliser une machine à voyager dans le temps inventée par Sank ; il espère ainsi retrouver son maître. Lors de son second essai, il se retrouve au milieu d'une manifestation en faveur de l'avortement dans un monde étrange où toutes les époques se superposent ; un enfant lui tire dessus et Cat meurt avant d'avoir revu Sank.

« Rue de l'Acacia »,
Rue de l'Acacia et Autres Nouvelles. Science-fiction, Sherbrooke, Éditions Naaman, [1985], p. 74-77. (SF)

Un homme tente de trouver un moyen de ramener au présent sa famille, qui erre dans le futur sans soupçonner sa présence. Après avoir effectué diverses tentatives, l'homme peint sa femme, qui se matérialise dans son monde. Au comble du bonheur, il en oublie les autres membres de sa famille.

« La Colombe »,
Rue de l'Acacia et Autres Nouvelles. Science-fiction, Sherbrooke, Éditions Naaman, [1985], p. 101-113. (SF)

L'amour de Crispin, chef du peuple des Cheveux Frisés, et d'Abigail, fille du chef des Cheveux Droits, permet de mettre un terme à une guerre stupide qui fait rage depuis 1 000 ans sur la planète Drusille-12. Le conflit provient d'un désaccord touchant la façon de se peigner les cheveux. Crispin épouse Abigail, mais la colère gronde toujours chez les citoyens : on se dispute la possession de satellites artificiels où, pour éviter que les guerres interminables ne détruisent l'environnement, la faune et la flore de Drusille-12 ont été transportées. Abigail réussit à convaincre les deux chefs de ramener les plantes et les animaux, ce qui procure une paix durable à la planète.

« *Benben* »,
Rue de l'Acacia et Autres Nouvelles. Science-fiction, Sherbrooke, Éditions Naaman, [1985], p. 114-122. (SF)

Un équipage, provenant du monde de l'antimatière à bord d'un vaisseau pyramidal, *le Benben*, prend forme dans le monde de la matière. Ses occupants viennent expérimenter la vie matérielle. Ils débarquent sur la Terre pendant la préhistoire et observent les formes de vie. Le commandant Jang prend conscience qu'il est un homme et qu'Énir, une assistante, est une femme. Ils s'unissent et un autre homme apparaît aussitôt. Pour célébrer cet événement, Jang élève des pyramides. Les visiteurs mâles partent explorer le monde. Pendant leur absence, Énir crée le Sphinx. L'expédition échoue, car la matérialité oblitère le pouvoir des êtres de l'antimatière. Ils semblent tous mourir ou oublier leur origine.

« Jason et la Toison de lumière »,
Rue de l'Acacia et Autres Nouvelles. Science-fiction, Sherbrooke, Éditions Naaman, [1985], p. 123-135. (SF)

Janis réussit à voyager dans le temps par la pensée. Il rencontre des êtres d'un monde futur, dont le chef, Jason, qui instruit Janis des secrets de la vie et lui permet de voir diverses civilisations, existant toutes dans le même espace, mais séparées selon les niveaux de conscience. Avec l'aide de Jason, Janis atteint une sorte d'extase suprême. Il comprend le pouvoir infini de la conscience et le contrôle qu'elle exerce sur la matière. Attiré par ce savoir, mais conscient de ne pas appartenir au monde de Jason, Janis revient à son point de départ.

DRASSE, Sylvain,
[

« La Navette ! Quelle navette ? »,
Recueil collectif de science-fiction, par 6 élèves de l'ESSH, Saint-Hyacinthe, l'École du Séminaire de Saint-Hyacinthe, avril 1980, p. 39-47. (SF)

Malgré les tentatives de sabotage, les navettes *Entreprise* [*sic*], *Atlantis* et *Challenger* partent en mission afin de détruire les bombes orbitales soviétiques camouflées parmi les débris de l'espace. Cependant l'*Entreprise* glisse dans un couloir de l'espace et se retrouve dans la région d'Alpha du Centaure à une année-lumière de la Terre. Deux extraterrestres, des Alphans, viennent à leur secours et les ramènent dans l'atmosphère terrestre. Les États-Unis et l'Union Soviétique établissent de meilleures relations.

DROLET, Bruno
[Shawinigan, 4 septembre 1926 –]

« L'Œil vert »,
Atelier de production littéraire de la Mauricie, n° 16 (1982), p. 35-42. (SF)

Le narrateur, un enseignant de l'an 4002, a trouvé un caillou vert qui ressemble à un œil. Il se sent observé par le caillou. Le soir, il se laisse hypnotiser par cette chose qui semble vouloir lui adresser un message. S'il résiste à l'œil, il fait des cauchemars, où, toujours, une dame blanche intervient de manière bénéfique. Depuis qu'il a cette pierre, chacun autour de lui constate qu'il semble avoir une seconde personnalité aux idées parfois opposées à celles qu'il exprime habituellement. Il fait analyser cette pierre, mais elle est de matière inconnue. Le narrateur se sauve avec sa pierre, avant que les chercheurs, très intéressés, ne s'en emparent.

DROUIN, Danielle
[10 octobre 1959 –]

« Les Filles-louves »,
Arcade, n° 9 (février 1985), p. 30-31. (F)

Deux filles se promènent ensemble. Elles se retrouvent dans la chambre de l'une d'elles pendant une nuit de pleine lune. Ne pouvant échapper à la malédiction, elles se transforment en femmes-louves et sont tuées.

DUBÉ, Claude
[La Sarre (Abitibi),14 février 1950 –]

« La Belle au corps hiberné »,
Nous, vol. II, n° 6 (novembre 1974), p. 50-52. (SF)

Un imprésario et une vedette des médias invitent au baptême de leur fille Isabelle les reines de beauté des sept dernières années. Au cours de la soirée, survient la première reine, que tous croyaient morte. Les six plus jeunes formulent des vœux pour le bébé, lui accordant beauté, grâce, intelligence... La plus vieille, outragée, jette un sort : un jour Isabelle mourra en se piquant avec un pyrographe. La septième atténue l'effet en souhaitant qu'Isabelle ne soit qu'endormie jusqu'à ce qu'on trouve un contrepoison. À seize ans, Isabelle est une vedette. Un admirateur masochiste veut qu'elle signe son nom dans sa chair à l'aide d'un pyrographe. Elle se pique et tombe inconsciente. À l'hôpital, on la congèle. En 2070, un jeune chercheur trouve le remède et réveille la jeune beauté. Isabelle, effrayée par le mutant (le corps humain ayant subi de multiples modifications en raison de la pollution et de trois guerres nucléaires), meurt d'une crise cardiaque. Le chercheur l'empaille et la conserve dans son musée familial.

DUBREUIL, Linda
[

Sexe en fleur,
[Montréal], Éditions du siècle inc., [1973], 141 p. (SF/Roman)

Max Landis et Charles Cole, chimistes et explorateurs, trouvent dans des grottes situées sous le lit de la mer une plante aux propriétés aphrodisiaques très puissantes. Ils mettent au point une poudre tirée de la fleur de la plante, l'expérimentent et provoquent une véritable frénésie sexuelle. S'apercevant trop tard que l'effet secondaire est de faire rajeunir l'utilisateur de la plante, ils régressent jusqu'à la première enfance.

DUBUC, Carl
[Meudon (Seine-et-Oise, France) 23 janvier 1925 – Montréal, 21 mai 1975]

« Homme où es-tu ? »,
Châtelaine, vol. X, n° 11 (septembre 1969), p. 28-29, 55-56, 58-59. (Hy)

Suzy est à la recherche de l'Homme, le vrai, « l'homme du passé auquel la femme pouvait s'intéresser, s'attacher, se donner tout entière ». Elle a rejeté tous ceux d'aujourd'hui. Un jour, sa révolte s'exprime de façon si violente que la trame du temps se déchire pour elle, lui ouvrant la faille par où elle échappe à la contrainte physique du présent. Grâce à ce pouvoir, elle se fond dans les corps et les univers de Cléopâtre, Joséphine, Jeanne d'Arc, George Sand... réintégrant le XXe siècle entre chaque voyage. Elle constate avec amertume que tous les hommes qu'avaient fréquentés ces femmes sont loin d'être aussi grands et admirables que le rapporte l'Histoire. Déçue, elle regagne une dernière fois le XXe siècle, mais elle est projetée dans un avenir dont elle sait soudain qu'elle ne sortira jamais. Elle se retrouve toutefois dans son propre corps, dans un jardin merveilleux où un groupe de femmes discutent de la parthénogenèse.

« Le Treizième Étage »,
Châtelaine, vol. IX, n° 6 (juin 1970), p. 20-21, 40-45. (Hy)

Un jeune homme vit des expériences étranges au treizième étage d'un hôtel.

« La Revanche des femmes »,
Châtelaine, vol. XII, n° 2 (février 1971), p. 23, 46-48, 50, 59. (SF)

À l'ère du Grand Changement, les femmes ont pris le pouvoir. Diane, haute fonctionnaire, décide de s'acheter un homme. Elle se heurte à un masculiniste.

DUCHESNE, Marco,
[21 septembre 1965 –]

« Les Gens de cette époque s'entretuaient »,
le Quotidien, vol. XII, n° 52 (30 novembre 1985), p. 9. (SF)

Un grand-père raconte à son petit-fils comment était le monde quelques générations avant lui : verdoyant malgré la pollution et les guerres.

DUCHESNE, Réjean-Jacques
[

« Épitaphe »,
la Barre du jour, vol. I, n° 1 (1965), p. 26-27. (Hy)

Antoine oublie de remettre sa tête pour aller travailler. Les étudiants lancent cette nouvelle mode que les séparatistes suivent au grand désespoir des autorités. Tous les ouvriers, les étudiants et les séparatistes sont arrêtés mais, comme on ne peut les pendre, de nouvelles prisons sont construites. L'euphorie règne dans les prisons. La guerre éclate et la fin du monde survient.

DUFAULT, Alain
[

« La Lampe éteinte »,
le Bien public, vol. LXI, nos 1-2 (5 et 12 janvier 1973), p. 3. (F)

Un bricoleur alchimiste fabrique une lampe spéciale qui doit durer un siècle. Utilisée par un étudiant qui travaille avec ardeur, la lampe finit par s'éteindre. L'étudiant néglige ses cours et sa lueur intérieure s'éteint en même temps que la lampe.

DUFRESNE, Michel
[

« Soir de terre sur la lune »,
Histoires, Contes et Légendes, Montréal, Éditions Cosmos, [1971], p. 23-27. (« Amorces », n° 8). (SF)

Une panne de carburant force le Commandant américain Bill McGregor et le lieutenant russe Nina Pétrovitch à alunir. Les jeunes gens en profitent pour vivre une lune de miel. Nina devient enceinte. Une fois les vivres épuisées, Bill et Nina meurent, avant même que naisse l'enfant.

« Une histoire de soucoupe »,
Histoires, Contes et Légendes, Montréal, Éditions Cosmos, [1971], p. 28-39. (« Amorces », n° 8) (Hy)

Dans la paroisse Saint-Michel-ni-d'En-Haut-ni-d'En-bas, le bedeau Baptiste entre en contact avec des extraterrestres. Ceux-ci lui annoncent leur retour imminent. Les Saint-Michellois se préparent à accueillir « l'étrange visiteur » en souhaitant qu'il s'agisse de Saint-Michel lui-même. À une « date à laquelle en étaient venus les diseurs et les devins », une foule de curieux se rend sur les lieux et attend en vain la visite promise. Baptiste disparaît le jour même du retour prédit par les extraterrestres.

« L'Homme étrange »,
Histoires, Contes et Légendes, Montréal, Éditions Cosmos, [1971], p. 43-46. (« Amorces », n° 8) (SF)

Le 3 novembre 2076, des chercheurs de l'Institut d'anthropologie réaniment Eusèbe Laframboise, un humain mort – mais pas tout à fait – depuis plus d'un siècle. À son réveil, Eusèbe, âgé de 140 ans, se retrouve dans un monde inconnu, laid et inhumain. Il se suicide peu de temps après.

DUMESNIL, Annie-Claude

[

« Le Retour »,
l'Apropos (Aylmer), vol. III, n° 1 (1985), p. 207-213. (SF)

Après un long voyage intersidéral, le narrateur revient à sa planète d'origine, Lévista, qu'il se rappelle douce et accueillante. Cependant, celle-ci le repousse pour une raison qui lui est inconnue. Le narrateur se rappelle qu'il a quitté Lévista alors qu'il n'était encore qu'un vieillard assoiffé d'inconnu et attiré par le mal. Malgré son voyage, il n'est peut-être pas devenu l'enfant attiré par le merveilleux que Lévista attendait. Il devra donc rentrer en lui-même, c'est-à-dire dans un œuf, et combattre d'autres œufs avant de retourner sur Lévista, en enfant doué du sens du merveilleux.

DUNLOP-HÉBERT, Carol

[Boston (U.S.A.), 2 avril 1946 – Paris, 2 novembre 1982]

« L'Ombre »,
Écrits du Canada français, Montréal, [s. é.], n° 32, 1971, p. 53-54. (F)

À l'orée du bois, la narratrice voit toujours une ombre. Un jour, l'ombre avance vers la maison. La narratrice court à sa rencontre. Un brouillard épais se lève. Elle met plus d'une heure à retrouver la maison dont elle ne s'était éloignée que de quelques pas.

« Le Survivant »,
Écrits du Canada français, Montréal, [s. é.], n° 32, 1971, p. 55-61. (F)

Un être se réincarne dans quatre hommes différents. Les trois premiers grandissent, mais demeurent muets. Le quatrième, fils d'un chercheur scientifique, se révèle brillant. Alors qu'il fait des recherches en laboratoire, on lui assigne une assistante jeune et aussi intelligente que lui. Ils se marient, mais parlent peu. Un jour, il se met à donner des détails et à faire état de connaissances qu'il n'a pu acquérir lui-même, mais qui concernent les trois premières réincarnations. Un soir, assis dans un fauteuil devant le foyer, toutes ses vies coïncident et, avant de mourir, il comprend que le regard du chat, assis près du foyer, est le sien.

« Le Vainqueur »,
Écrits du Canada français, Montréal, [s. é.], n° 32, 1971, p. 62-69. (F)

Martin Duchêne voit ses parents et amis mourir et a peur de la mort. Un mystique lui apprend la date de sa mort et il décide de lutter contre elle. Le jour dit, atteint d'une fièvre mortelle, il sent ses forces morales augmenter. Il se relève, va travailler et sort avec une secrétaire qui frissonne à chacun de ses touchers. Il ne peut manger et son corps est froid. Le monde fuit son odeur de putréfaction et, dans la douche, il perd des lambeaux de chair décomposée. Amer, il retourne auprès du mystique et se barricade dans la cave de la maison de celui-ci.

DUPLAIN, Jocelyn
[

« Les Inconnus sous la pluie »,
Solaris, n° 51 (vol. IX, n° 3, juin-juillet 1983), p. 39. (F)

Un homme rentre chez lui après que la pluie eut changé son identité. Il va se coucher auprès d'une femme, qu'il ne reconnaît pas même si c'est la sienne. Étendu, il pense que ce serait bien si cessaient le vent et la pluie, qui arrachent les âmes pour les transporter dans d'autres corps.

DUPONT, Jacques
[21 juillet 1945 –]

« En ce jour du 12 pleurefeuilles »,
Châtelaine, vol. IX, n° 2 (février 1968), p. 22-23, 44, 46, 48. (SF)

Cobaye dans une expérience spatiale, un homme est maintenu en vie électroniquement. Un jour, il apprend, de celle qui est son contact sur

Terre et qu'il aime, qu'une maladie mystérieuse et contagieuse replonge les Terriens dans leur passé et qu'ils se sont mis sous le contrôle des machines. Le lendemain, à l'heure du contrôle, c'est un robot qui lui répond et lui donne des ordres. L'homme se révolte et commence à débrancher tous les fils qui le font vivre. Le robot l'avertit qu'il ne pourra survivre aux dommages, mais lui demande de lui donner l'ordre de recréer la vie sur Terre, car il n'y a plus d'humains. Jean donne l'ordre, puis meurt. Sa capsule échoue sur une planète où les fourmis démantèlent son appareil.

DUPUIS-DÉRI, Francis V. **DÉRI, Francis [DUPUIS-DÉRI]**

DURAND, Lucille. V. **BERSIANIK, Louky** [pseudonyme de **Lucille DURAND].**

DUSSAUZE, Michel
[

« La Bague »,
le Bulletin des agriculteurs, 44e année, n° 8 (octobre 1961), p. 56-57, 78. (Hy)

Un modeste employé de banque rêve d'acheter une bague à sa future fiancée. La bague en question lui parle et l'invite à voler de l'argent afin de l'acquérir. L'homme subtilise quelques billets, mais une autre voix le traite de voleur. Il remet les billets en place, et son directeur, apprenant la nouvelle des fiançailles, offre de l'argent en cadeau à l'homme, qui accepte avec joie.

E

ÉLIE, Jérôme
[9 mars 1945 –]

« La Pensée à Réticunrr de Gur »,
la Nouvelle Barre du jour, n° 62 (janvier 1978), p. 77-98. (Hy)

Un homme, pilote d'astronef, est retenu prisonnier dans un endroit qu'il suppose être une base clandestine des Proxiens, dans un sous-sol de Lincolngrad. Il ignore ce que ses geôliers attendent de lui, mais il sent qu'il devient télépathe. À une certaine époque, il se trouvait sur Prox-24. Un jour, il rencontre le professeur Gideon Hazanavicius de qui il apprend qu'une Force, le « monstre génétique », veut exterminer les humains, avec l'aide des Proxiens. C'est par l'intermédiaire d'un corps de tarsier que la Force de l'Autre Côté prend contact avec les humains, les faisant passer d'une réalité connue à une réalité inconnue. Une fois mis en présence du Tarsier, l'homme, alors qu'il fait escale sur Réticunrr, commence à perdre conscience, de plus en plus souvent, jusqu'à ce qu'il entre en transe définitivement. À chacun de ses passages dans cette réalité autre, deux hommes l'examinent, attendant une réaction de sa part. Un jour, alors que son esprit a quitté Réticunrr pour de bon, une cyborg lui est offerte.

« Orgone-13 »,
la Nouvelle Barre du jour, n°s 79-80 (juin 1979), p. 155-164. (Hy)

Un journaliste, Finn, est sujet à de fréquentes et prodigieuses hallucinations. Un jour, il rencontre dans un bar un homme qui lui explique l'origine de ses « dérèglements de la perception et/ou de la réalité » : ils sont dus à l'orgone-13 qui est, selon lui, une forme d'énergie que l'on retrouve près des cadavres et des cimetières, et dont peu d'humains peuvent bénéficier. L'hypothèse veut que la vie soit une expérience « ralentie » de la mort. Finn laisse donc l'homme en songeant aux multiples possibilités de cette énergie peu commune pour les vivants, qui leur permet d'entrer en contact avec moult possibles.

ESCOMEL, Gloria
[Montevideo (Uruguay), 15 octobre 1941 –]

« Le Piano »,
Requiem, n° 14 (vol. IV, n° 2, février 1977), p. 10. (Hy)

Une narratrice raconte que sa mère aimait jouer du piano. Puis, sa mère joue du piano, meurt et semble renaître avant de s'éteindre à nouveau.

ESCAUT [pseudonyme]
[

« Sram Sunev »,
le Bulletin des agriculteurs, 65e année (mars 1982), p. 89-90, 154, 157. (SF)

Le narrateur raconte l'histoire de son frère Fernand et de son épouse, disparus à la suite de transactions ultrasecrètes entre ce dernier et une association formée par le gouvernement fédéral et des extraterrestres. Fernand avait surpris par mégarde Sram Sunev en train de faire des expériences sur sa terre, qu'il leur avait louée : le groupe expérimentait des phénomènes de croissance excessive d'animaux de ferme (porcs gros comme des hippopotames, poules géantes...) afin de pallier les problèmes de malnutrition dans le monde. Peu de temps après cet incident, la ferme est incendiée, mais on ne retrouva pas le couple dans les décombres de la maison.

« Malchance de malchance »,
le Bulletin des agriculteurs, 68e année (février 1985), p. 91-93. (SF)

Butch oublie sa montre marquée à son nom sur les lieux de son cambriolage et il a la police à ses trousses. Il se réfugie chez un savant qui a créé une machine à voyager dans le temps. L'idée lui vient de l'utiliser afin de réparer l'erreur commise la veille. Revenu à la soirée précédente, il doit voler une automobile pour se rendre sur les lieux du crime. Arrivé, il se voit lui-même en train de cambrioler. Au moment où il touche à l'épaule de son double, il se réintègre à lui-même. Mais au sortir de l'immeuble, les policiers l'arrêtent : le vol de l'automobile les a mis sur la piste.

F

F., Sabine
[

« Les Aventures de la sœur du Capitaine Haddock »,
Rose Nanane, n° 2 (août 1984), [n. p.]. (Hy)

Profitant de l'absence de son frère à Moulinsart, la sœur du Capitaine Haddock cherche à y passer quelque temps. Elle commence par voler le dépanneur de l'entourage pour faire ses provisions. Le propriétaire avise alors Nestor, le domestique, de ce méfait. Ce dernier se met à chasser l'intruse avec armes et bolide supersoniques.

FANTASIO, Erik
[

« Ego »,
Requiem, vol. I, n° 2 (1974), p. 9. (F)

Un Grand se fait rapetisser par des Petits. Plus tard, on l'invite à aller à la chasse aux Grands.

FARLEY, Claude
[

« Harold »,
Pour ta belle gueule d'ahuri, n° 2 (vol. I, n° 12, 1979), p. 15. (Hy)

Un homme est assassiné à coups de hache par sa femme. Au ciel, il rencontre sa mère qui lui rappelle qu'elle l'avait prévenu de ne pas épouser une Vénusienne.

FAVREAU, Marianne [née **Jacqueline MARJOLAIS**]
[Montréal, 1er juillet 1934 –]

« Marie-Dentelle. Histoire d'amour »,
la Patrie du dimanche, 27e année, n° 51 (17 décembre 1961), p. 1, 17. (Section Magazine). (Hy)

Une vieille dame surnommée Marie-Dentelle, chez qui des esprits se manifestent, refuse de donner ou de prêter à son petit-neveu Jean l'un des quatre dessins qui lui viennent d'un de ses anciens amoureux.

FERGUSON, Jean
[Restigouche (Gaspésie), 13 janvier 1939 –]

« Journal d'un homme au cœur greffé »,
Contes ardents du pays mauve, [Montréal], Leméac, [1974], p. 7-66. (F)

Un greffé du cœur dans la quarantaine, ayant reçu l'organe d'un jeune motard de 20 ans, se met à rédiger un journal intime après son opération. Il retrouve l'énergie de sa jeunesse et acquiert le goût d'écrire, chose que le jeune homme décédé avait. Il a des visions du jeune homme mort chez la mère de celui-ci. Un jour, il se rend comme malgré lui à l'endroit où l'accident a eu lieu. Un autre narrateur fait état de la mort du greffé : des gens assurent avoir vu une moto se confondre à l'homme lorsqu'il a été heurté par une voiture sur l'autoroute, là même où le jeune homme était mort. Mais, sur les lieux de l'accident, il n'y avait pas de moto. À l'autopsie, le médecin constate que son cœur est celui d'un homme de 40 ans ayant eu plusieurs infarctus.

« Le Petit Numéro deux mille quarante »,
Contes ardents du pays mauve, [Montréal], Leméac, [1974], p. 67-79. (SF)

Dans un centre d'élevage, le recteur est avisé d'un cas problème chez les adolescents : 2040 verse des larmes, acte défendu dans cette société hypercontrôlée. Lors d'une rencontre, le recteur, ému par l'affection que lui témoigne 2040, ne peut répondre aux questions de l'adolescent sur Dieu, les fleurs et les oiseaux, toutes choses disparues. Le lendemain, 2 040 est retrouvé mort ; le recteur laisse couler ses larmes et refuse d'absorber les capsules d'oubli.

« Ker, le tueur de Dieu »,
Contes ardents du pays mauve, [Montréal], Leméac, [1974], p. 80-94 (SF) ;

A Decade of Quebec Fiction. A Special issue of *Canadian Fiction Magazine* (Toronto), n° 47 (1983), p. 182-190. [Traduit en anglais par Basil Kingstone sous le titre « Ker, the God-Killer [*sic*] »] ;

Invisible Fictions. Contemporary Stories from Quebec. Edited by Geoff Hancock, Toronto, Anansi, [1987], p. 229-240. [Traduit par Basil Kingstone sous le titre « Ker, the God Killer »].

Ker, un chasseur, fait partie de la tribu des hommes sauvés qui ont survécu aux grands cataclysmes du dieu Radi-Atomus. Un jour, une bulle venant du ciel atterrit et des dieux raffinés en descendent. Observés par Ker, ils procèdent à certaines expériences. Juste avant leur départ, Ker se querelle avec un des dieux ; par accident, le dieu est tué. Ker est chassé de la tribu pour ce geste sacrilège.

« L'Homme aux yeux lumineux »,
Contes ardents du pays mauve, [Montréal], Leméac, [1974], p. 95-103 (F) ;

Nouvelles nouvelles. Fictions du Québec contemporain, [anthologie de] Michel A. Parmentier et Jacqueline R. d'Amboise, Toronto, Orlando, San Diego, London, Sydney, Harcourt Brace Jovanovich, [1987], p. 82-86. [Précédé d'une biographie, p.81, et suivi d'exercices, p. 87-88].

Un soir, le narrateur, voit un homme dans la rue. Puis, il le revoit quelques instants plus tard en train de faire de l'auto-stop : là, il voit des yeux d'où sortent une lumière intense. Un jour, il se sent « absolument poussé » à prendre telle route plutôt que telle autre. Sur cette route, il rencontre le même homme aux yeux étranges. Il fonce dedans. Le choc est mou, mais l'homme fait une embardée et perd connaissance. On vient le secourir. Lorsqu'il s'éloigne, il aperçoit derrière, sur la route, « les yeux lumineux qui l'épiaient ».

« Le Mort en vacances »,
Contes ardents du pays mauve, [Montréal], Leméac, [1974], p. 104-130. (SF)

Olivain Dubé meurt le 9 mars 1972 et est cryogénisé. Dans un futur lointain, le docteur Manu réussit à le réanimer. Olivain Dubé se retrouve dans un monde de haute technologie, mais sur une Terre invivable (trop polluée) et où les humains « sont contrôlés par le Dictateur Magnifique au moyen du Grand Ordinateur ». Révolté, Olivain débranche les fils reliant l'ordinateur central au cerveau du dictateur et provoque ainsi la fin du monde.

« La Bête imaginaire »,
Contes ardents du pays mauve, [Montréal], Leméac, [1974], p. 131-143]. (F)

Un homme, le narrateur, rencontre un Italien à Montréal. Ce dernier raconte qu'il est envoûté par une vieille, sa belle-mère, sorte de sorcière, croit-il. Il est convaincu qu'elle a un pouvoir et qu'une Bête, obéissant aux ordres occultes de la vieille, l'a mordu au cou. Il a effectivement une grave blessure au cou, mais le narrateur trouve que tout cela est invraisemblable et, en même temps, il est convaincu du pouvoir de la vieille. Après avoir quitté le mourant un soir, il l'entend crier : « La Bête, la Bête ». Il accourt dans la chambre pour voir la vieille le tuer à coup de fourchette.

« Le Chasseur de robots »,
Contes ardents du pays mauve, [Montréal], Leméac, [1974], p. 144-146. (SF)

En l'an 3803, la pratique des transplantations d'organes artificiels est généralisée. Cependant, la loi défend les androïdes complets, soit ceux dont le cerveau est artificiel. Monsieur Tohuboü est chasseur de robots de petites filles depuis plusieurs centaines d'années. Un jour, il se sent mal et meurt. Sa femme s'aperçoit, avec horreur, que son époux était un automate.

« L'Automobile »,
Contes ardents du pays mauve, [Montréal], Leméac, [1974], p. 147-154. (SF)

Samilu, un anthropologue, fait des recherches archéologiques dans une couche de terrain remontant au XXe siècle et situé dans un pays autrefois appelé Québec. Lir et son équipe y découvrent une automobile. Lors d'une conférence, le professeur Agnani émet l'hypothèse que cet objet, fait à l'image d'un dieu, serait un élément de culte. Il est applaudi. Samilu s'oppose à cette thèse en soutenant qu'il s'agit là d'un moyen de locomotion et que les hommes du XXe siècle étaient plus intelligents que ceux du 8000e siècle. Il est hué et disgracié, car on lui reproche de mêler la légende aux faits.

« Lettre au sujet d'un cas de délire sur Amas II »,
Imagine..., vol. I, n° 3 (mars-mai 1980), p. 9-22. (SF)

Un technicien écrit à la Terre pour relater l'étrange aventure de Charles Beaulieu, un des membres de leur équipage. En 5 672, une expédition terrienne arrive sur Amas II, une planète terraformée. Tout semble aller pour le mieux : l'endroit est magnifique et accueillant. Seul Beaulieu est gravement malade, atteint d'une maladie inconnue. Étrangement, à chaque fois que son état s'améliore, le temps devient exécrable et d'étranges phénomènes, peut-être hallucinatoires, se produisent. Une nuit, Beaulieu disparaît. Le lendemain, on retrouve son corps, horriblement lacéré. Depuis, le temps est magnifique.

FERRON, Jacques
[Louiseville, 20 janvier 1921 – Saint-Lambert, 22 avril 1985]

« La Mort du bonhomme »,
Contes du pays incertain, [Montréal], Éditions d'Orphée, [1962], p. 36-41 (Hy) ;

Contes. Édition intégrale. Contes anglais/Contes du pays incertain/Contes inédits, Montréal, Éditions HMH, 1968, p. 23-24. (Collection « l'Arbre », n° G-4) ;

Contes. Édition intégrale. Contes anglais/Contes du pays incertain/Contes inédits, Montréal, Éditions HMH, 1970, p. 23-24. (Collection « l'Arbre », n° G-4) ;

Contes. Édition intégrale. Contes anglais/Contes du pays incertain/Contes inédits, Montréal, Éditions HMH, 1973, p. 23-24. (Collection « l'Arbre », n° G-4) ;

Contes. Édition intégrale. Contes anglais/Contes du pays incertain/Contes inédits. Préface de Victor-Lévy Beaulieu, Montréal, HMH, [1985], p. 17-18. (Collection « l'Arbre ») ;

Tales from the Uncertain Country, Toronto, Anansi, 1972, p. 12-14. [Traduit par Betty Bednarski sous le titre « How the Old man Died »].

Un homme meurt, mais celui-ci, non content de partir si tôt, reste dans la cuisine à rire avec ses fils pendant que sa femme le veille dans sa chambre.

« L'Archange du faubourg »,
Contes du pays incertain, [Montréal], Éditions d'Orphée, [1962], 84-91 (Hy) ;

Contes. Édition intégrale. Contes anglais/Contes du pays incertain/Contes inédits, Montréal, Éditions HMH, 1968, p. 45-47. (Collection « l'Arbre », n° G-4) ;

Contes. Édition intégrale. Contes anglais/Contes du pays incertain/Contes inédits, Montréal, Éditions HMH, 1970, p. 45-47. (Collection « l'Arbre », n° G-4) ;

Contes. Édition intégrale. Contes anglais/Contes du pays incertain/Contes inédits, Montréal, Éditions HMH, 1973, p. 45-47. (Collection « l'Arbre », n° G-4) ;

Contes. Édition intégrale. Contes anglais/Contes du pays incertain/Contes inédits. Préface de Victor-Lévy Beaulieu, Montréal, HMH, [1985], p. 43-45. (Collection « l'Arbre ») ;

Tales from the Uncertain Country, Toronto, Anansi, 1972, p. 64-67. [Traduit par Betty Bednarski sous le titre « The Archangel of the Suburb »] ;

Other Canadas. An Anthology of Science Fiction and Fantasy. Edited by John Robert Colombo, Toronto, Halifax, Montréal, Vancouver, McGraw-Hill Ryerson Limited, [1979], p. 182-184. [Traduit par Betty Bednarski sous le titre « The Archangel of the Suburb »].

Zag, un archange en vacances sur la Terre, connaît quelques problèmes malgré son anonymat. Sous l'apparence d'un gueux, il fait la connaissance du frère Benoît qui, atterré, le voit monter vers les cieux.

« L'Enfant »,
Contes du pays incertain, [Montréal], Éditions d'Orphée, [1962], p. 111-114 (Hy) ;

Contes. Édition intégrale. Contes anglais/Contes du pays incertain/Contes inédits, Montréal, Éditions HMH, 1968, p. 56-57. (Collection « l'Arbre », n° G-4) ;

Contes. Édition intégrale. Contes anglais/Contes du pays incertain/Contes inédits, Montréal, Éditions HMH, 1970, p. 56-57. (Collection « l'Arbre », n° G-4) ;

Contes. Édition intégrale. Contes anglais/Contes du pays incertain/Contes inédits, Montréal, Éditions HMH, 1973, p. 55-57. (Collection « l'Arbre », n° G-4) ;

Contes. Édition intégrale. Contes anglais/Contes du pays incertain/Contes inédits. Préface de Victor-Lévy Beaulieu, Montréal, HMH, [1985], p. 57-58. (Collection « l'Arbre ») ;

Tales from the Uncertain Country, Toronto, Anansi, 1972, p. 68-69. [Traduit par Betty Bednarski sous le titre « The Child »].

Une femme, fatiguée de veiller son mari dont l'agonie dure exagérément, le tue en lui administrant une surdose de son remède. Le curé « l'extrémise » et la femme s'endort, heureuse, rêvant à l'enfant qu'elle n'a pas eu. Le mort se réveille, malgré tout, aperçoit sa femme et l'enfant, éteint le cierge et meurt pour de bon.

« Le Médecin ressuscité »,
Parti pris, n° 2 (novembre 1963), p. 36-37. (F)

Le narrateur, un médecin, reçoit un ancien patient (mort, immortel, vivant ?) du Docteur Dufeutreau. Les confidences du malade amènent le narrateur à s'interroger sur l'existence du Docteur Dufeutreau : est-il mort, vivant, immortel ?

« Bêtes et Mari »,
Contes anglais et Autres, [Montréal], Éditions d'Orphée, [1964], p. 15-17 (Hy) ;

Contes. Édition intégrale. Contes anglais/Contes du pays incertain/Contes inédits, Montréal, Éditions HMH, 1968, p. 104-105. (Collection « l'Arbre », n° G-4) ;

Contes. Édition intégrale. Contes anglais/Contes du pays incertain/Contes inédits, Montréal, Éditions HMH, 1970, p. 104-105. (Collection « l'Arbre », n° G-4) ;

Contes. Édition intégrale. Contes anglais/Contes du pays incertain/Contes inédits, Montréal, Éditions HMH, 1973, p. 104-105. (Collection « l'Arbre », n° G-4) ;

Contes. Édition intégrale. Contes anglais/Contes du pays incertain/Contes inédits. Préface de Victor-Lévy Beaulieu, Montréal, HMH, [1985], p. 115-116. (Collection « l'Arbre »).

Un homme connaît diverses métamorphoses au gré de ses expériences sexuelles et maritales.

Papa Boss,
[Montréal], Éditions Parti pris, [1966], 142 p. (Collection « Paroles », n° 8) (Hy/Roman) ;

les Confitures de coings et Autres Textes, [Montréal], Éditions Parti pris, [1972], p 9-110. (Collection « Paroles », n° 21) [Version corrigée et refondue] ;

les Confitures de coings et Autres Textes suivi de *le Journal des confitures de coings*, [Montréal], Éditions Parti pris, [1977], p. 177-250. [Version corrigée et refondue] ;

[Toronto], Coach House Quebec Translations, [1977], p. 13-89. [Traduit par Ray Ellenwood sous le même titre dans un ouvrage intitulé *Quince Jam*].

Par un samedi matin de novembre, une femme (ou son double ?) reçoit la visite d'un ange (double du propriétaire du logement où habite la femme). Après avoir prédit à l'élue qu'elle donnerait naissance à un messie et avoir annoncé la venue de Papa Boss, l'ange se suicide. Peu après, le concubin de la femme meurt. Papa Boss en personne, représentant de la Maison Asshold Finance, apparaît à la femme, la fait communier aux Saintes espèces de la finance, l'argent, et lui fait le récit de l'aventure qu'elle vient de vivre.

La Charrette. Roman,
Montréal, Éditions HMH, 1968, 207 p. (Collection « l'Arbre », n° 14). (Hy/Roman)

Un médecin meurt accidentellement. Son corps est déposé par Rouillé dans la charrette des morts, qui se remplit tout au long de la nuit. Rouillé conduit la charrette au cabaret « Aux Portes de l'enfer », où Bélial, le diable et Frank Archibald Campbell, le bonimenteur de la nuit, tentent en vain d'acheter l'âme de Gratien Marsan. Le diable ne réussit pas à mener le charrette au cimetière de damnation avant l'aube, de sorte que le chargement de morts ne descend pas aux enfers comme à l'accoutumée. Le médecin retourne voir son épouse en qui il semble survivre, avant de disparaître à jamais.

L'Amélanchier. Roman,
Montréal, Éditions du Jour, [1970], 162[1] p. (Collection « les Romanciers du Jour », n° R-56). [Le premier chapitre parut d'abord dans *le Devoir*, 7 mars 1970, p. 14] (Hy/Roman) ;

Paris, Robert Laffont, [1973], 162 p. ;

[Montréal], VLB éditeur, [1977], 149 p. [Sous le titre *l'Amélanchier. Récit*] ;

[Montréal], VLB éditeur, [1986], 207 p. (« Courant ») [Sous le titre *l'Amélanchier. Récit*] ;

[Montreal, Harvest House, 1975], 157 p. (« French Writers of Canada »). [Traduit par Raymond Y. Chamberlain sous le titre *The Juneberry Tree*].

Tinamer, la fille de Léon de Portanqueu, écrit sur la fin de sa vie le récit de sa première enfance. Elle raconte les apparitions surnaturelles survenues dans un bois enchanté situé derrière chez elle. Mais à la fin, elle jette un dernier regard sur ces « images » de son enfance et les voit renaître dans toute leur vérité mystérieuse, peut-être pour la dernière fois.

La Chaise du maréchal-ferrant,
Montréal, Éditions du Jour, [1972], 223[1] p. (Collection « les Romanciers du Jour », n° R-80) (Hy/Roman) ;

[Un extrait, correspondant aux pages 9-60, parut sous le même titre dans *Châtelaine*, vol. XIII, n° 4 (avril 1972), p. 24-25, 40-42, 44-49, 52] ;

[Un extrait, correspondant aux pages 9-60, parut sous le même titre dans *le Choix de Jacques Ferron dans l'œuvre de Jacques Ferron*, Charlesbourg, les Presses Laurentiennes, 1985, p. 11-37. (Collection « le Choix de... », Série A).

À l'heure de sa mort, Jean Goupil, contrebandier à la retraite, vend son âme au diable pour de l'argent. Avant que le diable n'ait eu le temps de réclamer son dû, Dieu emporte l'âme de Jean. Le diable se sauve en laissant derrière lui l'argent et la chaise du maréchal-ferrant, qui lui permettait de se déplacer dans l'espace. Un autre Jean Goupil, orphelin, celui-là, entre en possession de la chaise et réussit à se faire nommer sénateur grâce au diable, en échange d'une promesse qu'il ne tiendra pas. Dupé par les deux Goupil, le diable renonce à ses fonctions et se livre à sa passion, le jardinage.

FERRON-WEHRLIN, Élisabeth. V. **VONARBURG, Élisabeth** [née **FERRON-WEHRLIN**].

FOEX-OLSEN, Évelyne
[

« Iris »,
Châtelaine, vol. XIX, n° 11 (novembre 1978), p. 76-77, 95, 97-100. (F)

Anita, une femme de 30 ans, coud la robe d'Iris, son enfant, pendant que celle-ci dort. Soudain, une détonation résonne dans sa tête. Elle a des problèmes de vision et constate que ses mains sont vieilles. Stupéfiée, elle se lève péniblement et se rend devant un miroir et voit ses traits flétris.

FOLCH, Jacques [RIBAS]
[Barcelone (Espagne), 4 novembre 1928 –]

« L'Accélération »,
Liberté, n°s 47-48 (vol. VIII, n°s 5-6, septembre-décembre 1966), p. 28-34. (SF)

Un cerveau de l'an 3253 traduit en Ondes Totales pour ses contemporains un extrait d'une publication parue entre 2220 et 2232. Le professeur S-L y parle du Congrès de Capri et de son importance. C'est pourquoi il transcrit des extraits de la « communication aux participants du Congrès de Capri », qui parle des transformations physiques depuis l'ancêtre, l'Homme, de ses atrophies multiples dues au manque d'exercice, à l'écoute de la télévision ou de la musique et à sa mauvaise alimentation (chimique), jusqu'à l'obtention du corps sphérique des Cerveaux de l'époque suivante.

FONTAINE, Clément
[Montréal, 2 septembre 1950 –]

« Le Bâton de vieillesse »,
Nous, vol. IV, n° 3 (août 1976), p. 34-36. (F)

Opprimé par une mère castratrice, Georges se saoule et entre par inadvertance dans l'appartement voisin. Pensant à tuer sa mère, il va à la salle de bain, qu'il garde dans l'obscurité. Dans la baignoire, un clapotis lui signale une présence à l'odeur bizarre qui le touche dans le dos et l'effraie tellement qu'un choc nerveux le fait régresser à l'état d'un enfant d'un an. Sa mère, ravie, le soigne. Le voisin, un professeur, la remercie de n'avoir pas ébruité l'affaire puisque cela lui aurait créé des ennuis d'avoir à révéler la présence chez lui de « la créature ».

« Les Nourritures extra-terrestres [*sic*] »,
le Bulletin des agriculteurs, 65e année (mai 1982), p. 93, 95-96, 101. (SF)

Pete, gardien de nuit dans une usine de machines distributrices, appelle la police lorsque la vitrine de la salle de montre éclate sans raison. Après la réparation, Pete s'installe dans cette salle afin de prendre son gueuleton quotidien, mais un bruit bizarre attire son attention. Une nouvelle machine noire, sans étiquette, sans fente et sans fil électrique, l'intrigue. Il s'aperçoit qu'elle bouge et aspire la monnaie qu'il met sur le plancher devant elle. Voulant récupérer son argent, Pete glisse sa main dans l'ouverture, mais la machine lui ampute un doigt qu'elle crache ensuite sur le plancher avec les sous noirs. Il tire sur la machine « infernale », mais les balles ricochent et le blessent. Comme il essaie de joindre l'appareil téléphonique, la machine s'élève et le coince avant de l'égorger avec ses deux bras métalliques escamotables.

FONTAINE, Mia
[

« Le Mauvais Sort »,
le Bulletin des agriculteurs, 62e année (avril 1979), p. 130, 132. (Hy)

Raymond, un jeune homme d'affaires, se fiance, mais la veille du mariage, sa fiancée est tuée dans un accident d'automobile. Des années plus tard, Raymond rencontre Françoise, une professionnelle qui réussit bien. Une semaine avant leur mariage, Raymond perd sa fiancée dans un accident de la route dont il sort indemne. Accablé, Raymond se croit affligé d'un sort fatal lié aux femmes qu'il aime. À quarante ans, il rencontre Claudette. Malgré l'attirance qu'il éprouve pour elle, il essaie de l'éviter. Claudette lui demande une explication et ne croit pas au mauvais sort dont il se dit victime. Ils se fiancent. Quelques jours avant le mariage, l'automobile de Claudette plonge dans un ravin et prend feu. Raymond demeure célibataire.

FORET-ROBINSON, Monique
[

« Mariage à l'essai »,
Châtelaine, vol. XIII, n° 11 (novembre 1972), p. 30-31, 73-75, 77. (SF)

En 1981, une nouvelle loi concernant le mariage à l'essai est votée en chambre : on y propose un contrat d'une durée de trois ans avec possibilité de renouvellement. Sophie et Julien tentent l'expérience, mais, au bout de trois ans, Julien refuse de faire le point et de réévaluer leur mariage. Les époux se séparent même si rien ne les opposait réellement.

FOURNIER, François. V. **VILLENEUVE, Daniel.**

FOURNIER, Guy-Marc
[Roberval, 2 février 1939 –]

« Le Retour céleste de Jacques Cartier »,
Traces. Nouvelles. Un recueil de treize auteur-e-s du Saguenay-Lac-Saint-Jean, [Jonquière], Sagami/Québec, [1984], p. 69-76. (Hy).

À l'occasion du 450e anniversaire du premier voyage de Cartier au Canada, les fantômes de Jacques Cartier et du grand chef Stadaconé sont invités à venir fêter. Passablement éméchés, ils se disputent tous deux au sujet des rapports entre Blancs et Rouges.

FOURNIER, Martin
[

« Croûton »,
XYZ. La revue de la nouvelle, vol. I, n° 4 (hiver 1985-1986), p. 32-37. (Hy)

Lors d'une remise de prix, le narrateur, admirateur inconditionnel du peintre Croûton, lui demande une entrevue. Ému et hésitant, il invite Croûton à venir chez lui voir quelque chose d'extraordinaire. Rendu à domicile, le narrateur montre au peintre sa première toile composée de pain, de fromage, de fruits et de légumes écrasés et recouverts d'acrylique. Le narrateur avoue y avoir mordu de temps en temps, et cela lui donne une énergie incroyable.

FUSCHIA [pseudonyme]

[Sans titre],
Kramer, n° 4, [s. d.], p. 7. (SF)

Un individu est prisonnier de son imaginaire et est absorbé par son hologramme.

G

GAGNÉ, Richard
[Québec, 18 juillet 1961 –]

« Histoire de cul »,
Blanc Citron, n° 14 (juin 1984), [n. p.]. [Sous le pseudonyme de ZEP]. (SF)

Johnny tombe lorsque la gravité revient dans son vaisseau spatial. L'ordinateur signale la présence d'une planète habitée par des femmes mais, comme la mission est de ramener des reproducteurs, il désire poursuivre sa quête. Johnny, cependant, descend sur la planète. L'ordinateur poursuit sa route et se désintègre près d'une étoile d'une autre galaxie.

GAGNON, Alain
[Saint-Félicien, 8 mars 1943 –]

« La Mort du coordonnateur général »,
le « Pour » et le « Contre ». Nouvelles, Montréal, le Cercle du livre de France, [1970], p. 33-38. (F)

Hanner, l'homme de main d'Histor, le coordonnateur général, tue son patron parce que celui-ci l'a trahi. Après la mort d'Histor, un homme sort de derrière les rideaux. Il s'appelle Histor et semble être le même que l'homme assassiné.

« Lettre au procureur »,
le « Pour » et le « Contre ». Nouvelles, Montréal, le Cercle du livre de France, [1970], p. 39-45. (SF)

En 2008, un condamné à mort écrit une lettre au procureur de la République du Québec. Après le meurtre de son associé, il a été pris en main par des psychanalystes qui veulent lui faire subir un traitement de repersonnalisation pour le réinsérer socialement. Après la première phase, il est tellement écœuré qu'il implore le procureur de le faire pendre.

« Sur l'Ashuapmouchouan »,
le « Pour » et le « Contre ». Nouvelles, Montréal, le Cercle du livre de France, [1970], p. 47-52. (Hy)

Le narrateur raconte comment, dans sa jeunesse, il a entendu un cri horrible et d'origine inconnue dans un îlot de la rivière Ashuapmouchouan. Un vieil homme y chante d'étranges hymnes. À plusieurs reprises, le narrateur croit voir un grand chien noir se diriger vers le large en sortant de l'îlot.

« Le Parfum des abîmes »,
le « Pour » et le « Contre ». Nouvelles, Montréal, le Cercle du livre de France, [1970], p. 63-67. (F)

Un homme reçoit un appel téléphonique lui apprenant la mort d'une amie. Il se rend à l'hôpital mais ne peut voir le corps, et il se prépare pour les funérailles. Il est en train de se raser lorsqu'il est attiré à une fenêtre par un haut-parleur annonçant l'heure de la cérémonie. À son retour, le visage de la morte est apparu dans la glace. L'homme interroge la défunte et sort soulagé de son entretien: il craignait que les morts sachent tout.

« De pantins en pantins »,
le « Pour » et le « Contre ». Nouvelles, Montréal, le Cercle du livre de France, [1970], p. 69-73. (Hy)

Les employés d'un immense bureau sont mécontents. Ils sont bien payés, bien traités, mais en ont assez des fils qui les retiennent et les contrôlent comme des pantins. Un sous-gérant se révolte et brise ses liens ; il est bientôt imité par tout le personnel. Ils entrent dans le bureau du patron. Celui-ci est sympathique à leur cause, mais impuissant : des chaînettes d'or le retiennent et contrôlent ses mouvements.

« Journal d'un ambassadeur »,
le « Pour » et le « Contre ». Nouvelles, Montréal, le Cercle du livre de France, [1970], p. 75-79. (Hy)

Un homme reçoit d'un ami le journal d'un ambassadeur. Les notes débutent en 1943, au début du cours classique de celui qui deviendra important. Tout au long de ses études et de sa carrière, il est déçu de ne jamais pouvoir parler de choses sérieuses avec qui que ce soit. Il meurt le 8 septembre 2020. Le 8 octobre, il écrit du Paradis où il a voulu parler à Dieu le Père. Celui-ci rit et lui ordonne de s'amuser ; cette quête de « choses sérieuses » aurait pu lui coûter mille ans de purgatoire.

« Deux et deux font quatre »,
le « Pour » et le « Contre ». Nouvelles, Montréal, le Cercle du livre de France, [1970], p. 81-88. (Hy)

Un homme se trouve dans un monde de brumes (un espace intérieur). Cherchant « la » vérité, il rencontre un étrange vagabond, au visage triple, qui lui montre « une » vérité. Il raconte l'histoire d'Égalité-Ville, une cité fantôme. C'est un endroit rectiligne. Les futurs citoyens y subissent un conditionnement social. On choisit un premier couple, Marie et Joseph, pour inaugurer la cité. Au début, tout va bien. Puis Marie devient enceinte. C'est le début de la fin, car Joseph découvre qu'il n'y a plus d'égalité. Le couple se suicide. Il n'y aura personne d'autre à Égalité-Ville. Écœuré par cette histoire, l'homme se rue sur le vagabond et entreprend de tabasser son premier visage. Il passe ensuite au second, mais sa grande dureté et sa beauté l'empêchent de continuer.

« L'Égyptienne »,
le « Pour » et le « Contre ». Nouvelles, Montréal, le Cercle du livre de France, [1970], p. 97-102. (Hy)

Le fils d'un achéologue raconte depuis l'Enfer, où il se trouve, comment il a été fasciné sexuellement par un sarcophage que son père venait de ramener et que personne ne pouvait ouvrir. Un soir, le jeune homme se retrouve devant l'objet. Excité, il se masturbe. Après avoir joui, il se rend compte qu'il n'est plus devant le sarcophage mais dans les bras d'une courtisane égyptienne. Pendant plusieurs jours, ils font l'amour. Puis, la femme articule quelques mots, qui ont pour effet de la banaliser aux yeux de l'amant. Il sort le lendemain pour aller voir Mona (sa femme, son amie ?). Il la trouve morte, assassinée, et est condamné pour ce crime. Le jour de son exécution, il voit les yeux haineux de l'Égyptienne qui le regardent.

Le Gardien des glaces,
Montréal, Pierre Tisseyre, [1984], 169 p. (Hy/Roman)

Au début du XXe siècle, un gardien de relais, sur un lac gelé, – le lac Saint-Jean, – est confronté à une créature démoniaque issue de son inconscient. Non loin du relais, il y a une île mystérieuse où surviennent plusieurs manifestations étranges. Un moine tibétain lui explique l'origine de ses ennuis et lui dit comment s'en sortir : il devra aller dans l'île mystérieuse pour tuer l'entité démoniaque de ses propres mains, ce qu'il fera sans pour autant être vraiment délivré.

GAGNON, Daniel
[Giffard, 7 mai 1946 –]

« La Chanteuse inaudible »,
Liberté, n° 148 (vol. XXV, n° 4, août 1983), p. 73-76. (F)

Un professeur présente, sur disque, une chanteuse à la voix extraordinaire. Le disque tourne, le professeur est béat, mais les étudiants n'entendent rien. Le professeur leur présente Mona Campeau, qui vient chanter pour eux. Ils n'entendent rien et ne voient que ses lèvres bouger, mais ils lisent sur son corps et ses lèvres et se laissent captiver par elle.

« La Maison mortuaire »,
Liberté, n° 156 (vol. XXVI, n° 6, décembre 1984), p. 62-66. (F)

Deux jeunes adolescentes, Anne et la narratrice, sont au salon funéraire et regardent leur mère dans la tombe. Le père enlève la mère du cercueil et l'emmène à la maison. La narratrice parle de la jalousie existant entre elle et sa mère, et songe que, si sa mère revient à la maison, c'est pour tuer son père. Le père se retrouve dans la tombe, la mère, vivante, et la narratrice se demande si elle rêve.

« Les Comédiens »,
Écrits du Canada français, Montréal, [s. é.], n° 53, 1984, p. 74-84. (F)

Un vieux comédien, probablement un singe, se révolte contre la femme à barbe qui les dirige au cirque et les réduit en esclavage, lui et son amoureuse Souris. Ils s'échappent par une fenêtre éclatée grâce à la voix aiguë d'une femme.

GAGNON, Denys
[Québec, 9 juin 1954 –]

« L'Incubat »,
Deuxième Mouvement, vol. I, n° 1 (1973-1974), p. 86-89. (F)

Odile, la narratrice, morte-vivante, raconte son amour pour Laurent, pendu dont le corps est grugé par les rats. Le jeune frère de Laurent, David, est plein de sollicitude pour la narratrice et fait l'amour avec le cadavre de celle-ci.

« La Principessa del Palazzo »,
Haute et Profonde la Nuit, [Verdun], É[ditions] I[nternationales] P[ilou], [1982], p. 7-15. (Collection « Recueils »). (Hy)

Le prince Lodovico fait la cour à la Principessa del Palazzo, lui offrant ses richesses et son royaume. Elle refuse, lui reprochant d'être trop ambitieux. « Alors [...] les gargouilles ranimées déployèrent l'envergure de leurs ailes hérissées. Le toit des maisons fut soulevé ». Lodovico met le feu à son palais et trois amis le combattent : « [S]ous les coups enchantés des trois preux, Lodovico s'abattit ». Il demande que l'on porte son cœur à la princesse, qui se demande ce qu'elle peut faire « de ce petit cœur sans homme ».

« La Belle et la Bête »,
Haute et Profonde la Nuit, [Verdun], É[ditions] I[nternationales] P[ilou], [1982], p. 17-65. (Collection « Recueils »). (Hy)

Une Bête (ancien humain métamorphosé en monstre unicorne ?) aime une Belle, qui ne l'aime pas. La Belle retourne dans son pays, qu'elle passe pour avoir trahi, puis revient au pays de la Bête. Un jour, la Belle demande à la Bête de lui donner le beau jeune homme de marbre qu'elle a vu au château. La Bête le lui donne et meurt d'amour. Mais la Belle vieillit pendant que le beau métamorphosé demeure toujours jeune.

« Les Eaux légendes »,
Haute et Profonde la Nuit, [Verdun], É[ditions] I[nternationales] P[ilou], [1982], p. 67-87. (Collection « Recueils »). (Hy)

De retour de voyage, Narcisse veille au chevet de sa mère mourante, qui lui avoue son amour. Une jeune fille, le voyant se baigner en tombe amoureuse et s'offre à lui. Puis Narcisse se souvient de son vieux maître et de certains vœux de liberté. Il désire retrouver les « Eaux légendes ». Près d'un lac, il se déshabille et laisse son reflet se rapprocher de lui.

« Haute et Profonde la Nuit »,
Haute et Profonde la Nuit, [Verdun], É[ditions] I[nternationales] P[ilou], [1982], p. 101-133. (Collection « Recueils »). (Hy)

La nuit s'abat sur le royaume de la reine Héracléa. Elle convoque trois sages, qui ne peuvent l'aider. Elle décide alors de braver la nuit en organisant une immense fête pour ses sujets, mais le pays est pourri par la trop longue nuit. Elle franchit les Barrières du Royaume et rencontre, près de l'Océan, Angnervo, un enfant qui dit n'avoir jamais vu le jour. Plus tard, elle revoit Angnervo, devenu adulte, qui creuse une fosse dont il retire un « ange » d'une pâleur rayonnante. C'est son double, mais la reine lui dit qu'il ne ramènera pas le jour ainsi.

GAGNON, Jocelyn

[Asbestos, 11 septembre 1952 –]

« Le Nombril de la terre »,
les Petits Cris. Nouvelles, Montréal, Québec/Amérique, [1985], p. 67-87. (Collection « Littérature d'Amérique »). (F)

Dans un village, la mort frappe successivement plusieurs vieux. Malgré le caractère souvent étrange de ces décès, les autres habitants ne s'inquiètent pas trop. Puis, les enfants se mettent à mourir, en éclatant comme des bombes. Personne ne peut expliquer le phénomène et plusieurs autres habitants meurent aussi inexplicablement. Un jour, la ville s'enfonce dans la terre et il ne reste plus qu'une cicatrice grise à la surface.

GAGNON, Maurice
[Winnipeg (Manitoba), 13 août 1912 –]

Les Tours de Babylone,
Montréal, Éditions de l'Actuelle, [1972], 191 p. (SF/Roman)

En l'an 2386, Sévère et quelques autres sociétaires sont conviés aux dernières épreuves les séparant du grand pouvoir babylonien. Lors de ces épreuves, Sévère est appelé à affronter les Barbares insoumis, qu'il apprend à respecter, et est mêlé de près aux différentes tractations qui déchirent les forces babyloniennes (succession à la présidence). Contacté pour appuyer chacun des clans, il décide de fuir Babylone et rejoint son ancien chef et maître spirituel, Némirowski, qui a toujours entretenu d'excellents rapports avec les Barbares de l'Asie, prenant même sous sa tutelle Katherine, la fille et héritière du chef Barbare, le Grand Khan Ulagu. Sévère et Katherine rejoignent les forces barbares pour combattre l'empire babylonien, qu'ils renversent et détruisent, une dizaine d'années plus tard. Sévère enregistre alors ses dernières impressions sur bobine à l'intention de leur fils Pierre Némirowski Ulagu qui pourra les consulter quand il aura 18 ans.

GAUDETTE, Pierre et KABA, Alkaly
[Saint-Hyacinthe, 6 novembre 1952 –]

[Bamako (Mali), 10 janvier 1936 –]

Les Problèmes du diable. Récit fantastique,
Sherbrooke, Éditions Naaman, [1978], 99[2] p. (Collection « Création », n° 38). (F)

Le prince des ténèbres fait plusieurs victimes dans le village de Southdale. L'écrivain Edgar Halton est lui-même assailli par le monstre, mais les policiers doutent de sa version des faits. Avec l'aide de son ami Rodrigue Wildub, il décide de mettre un terme à ces crimes. Ils parviennent à débusquer l'être monstrueux, mais en sont les victimes. Hans, un ami d'enfance de Halton, affronte à son tour le diable et le réduit à l'impuissance.

GAUDREAU, Claude

[

« La Route est longue jusqu'à Rome quand on doit passer par Aldebaran »,

Imagine..., n° 6 (vol. II, n° 2, décembre 1980), p. 33-39. (SF)

Après l'écrasement de son vaisseau, un homme se retrouve seul en forêt et cherche un lieu habité. Au cours de son trajet, une « présence » se matérialise près de lui. Après quelques tentatives, les deux entrent en contact. La créature lui explique qu'elle est un réservoir d'énergie qui se matérialise lorsqu'un cerveau peut en avoir besoin. Elle a ainsi empêché l'homme de perdre la raison à cause de la solitude. Ils parviennent ensemble au camp le plus rapproché.

« Contact »,

Imagine..., n° 10 (vol. III, n° 1, automne 1981), p. 24-31. (Hy)

Un « marcheur » arrive un jour dans un centre de recherche, situé dans le cercle polaire. Il y passe la nuit, fait l'amour avec une des femmes et repart. Quelques jours plus tard, celle-ci annonce qu'elle quitte le centre pour devenir « marcheuse ». Un mois plus tard, les autres habitants du centre essaient, à partir du journal de la femme, de faire la même démarche intérieure. Ils y parviennent par l'introspection et les relations sexuelles, et décident de quitter le centre. On constate par le suite la disparition des membres de cet établissement où l'on ne retrouve aucun indice prouvant qu'ils soient morts. Deux hommes discutent et tentent d'expliquer cet événement à partir des notes laissées par un des occupants.

« Drosera rotundifolia »,

Imagine..., n° 16 (vol. IV, n° 3, printemps 1983), p. 27. (Hy)

Pour ne plus être dérangé par les maringouins lorsqu'il fait l'amour avec son amie Précilla, sur son balcon, Alfred Jarry plante 3 500 droseras sur son terrain. Après trois mois de labeur, il peut enfin appeler son amie mais elle est partie à Memphis pleurer sur le tombeau d'Elvis.

Découragé, Alfred se couche sur le lit de fleurs carnivores. À son retour, Précilla ne retrouve qu'un squelette.

« Sourire aux lèvres et Fleur à la boutonnière »,
Imagine..., n° 16 (vol. IV, n° 3, printemps 1983), p. 33-34. (SF)

Dans une société très sophistiquée, un homme est chargé d'un réseau de téléportation extrêmement complexe et entièrement informatisé. Soudain, une série de voyants s'allument, inexplicablement. Les robots ne découvrent rien, et l'on s'aperçoit qu'une araignée est responsable du dérangement.

GAUTHIER, Nicole
[

« Rapt initiatique »,
Dérives, n° 13 (1978), p. 29-36. (Hy)

Lors d'une soirée, un homme traîne une femme en laisse et permet à ceux qui le désirent de la posséder. Une autre femme, Frédérique, le remarque, s'avance vers lui et, sous le couvert d'une invitation, l'entraîne dans un lugubre manoir. Vingt femmes le soumettent alors à un étrange traitement. On le déshabille et on lui met une ceinture qui l'empêche d'avoir une érection. Il est ensuite confiné à une cellule où deux colosses le sodomisent et l'obligent à commettre les pires bassesses. Après deux semaines de ce régime, Frédérique revient et lui assigne une nouvelle cellule où, plusieurs fois par jour, des femmes viennent érotiser son corps et lui apprendre à ne plus jouir uniquement pour son sexe. Enfin, Frédérique l'amène avec elle dans une grande salle luxuriante, sorte de nouvel Éden, où ils font l'amour, parfait mélange de sensualité et de sexualité. Au moment de l'orgasme, l'homme s'évanouit. À son réveil, il est seul; il ne reste plus aucune trace du manoir.

GAUTHIER, Philippe
[Sorel, 14 novembre 1965 –]

« Millénium »,
Pilône, n° 8 (juin 1984), p. 8-9. (SF)

Heinrich Müller vit dans un univers concentrationnaire où les extraterrestres ont remplacé les Juifs. Il recherche un convoi de prisonniers dont l'administration a perdu la trace.

« Départ »,
Solaris, n° 59 (vol. X, n° 5, janvier-février 1985), p. 14. (SF)

À Hangbar, la dernière des Cités, les hommes vivent en paix dans un présent immuable. Aucune prophétie ne s'applique, car il n'y a plus de futur. Pourtant, dix vaisseaux blancs arrivent un jour à Hangbar. Ils sont une image du futur. Un à un, les hommes de la Cité y montent. Seul Omdurmu, le sage des sages, reste pour voir disparaître les vaisseaux.

« Cheval Vapeur l'hippomorphe »,
Carfax, n° 8 (juillet 1985), p. 10-11 (SF) ;
Samizdat, n° 10 (décembre 1987), p. 25-27.

Le cheval Vapeur arrive, tirant son train, au pays des hommes-mangeurs-de-pierre où sévit la famine depuis que les montagnes avoisinantes ont été épuisées. Le cheval Vapeur trouve des globes-champignons, en fait de la soupe et disparaît dans une grande explosion de fumée colorée. Il ne reste qu'une petite locomotive.

« La Quête de Tetragrammaton Le Quémandeur »,
Énergie pure, n° 4, [n. d.], p. 4-5. (Hy)

Tétragrammaton le quémandeur entreprend une quête qui lui fait traverser mers et mondes et éprouver de multiples dangers. Sa quête l'amène finalement à composer une mixture médicamenteuse qui le guérit à tout jamais de son hoquet chronique.

GÉRIN, Pierre
[Lyon (France), 28 juillet 1919 –]

« Le Signe »,
Dans les antichambres de Hadès, Québec, Éditions Garneau, [1970], p. 15-18. (F)

Un vieillard visite un ami en prison. Pour l'encourager, il lui raconte une étrange aventure. Il vivait une relation très discrète avec une jeune femme, Gina, assassinée un jour par un autre soupirant jaloux, condamné, plus tard, aux travaux forcés. Mais le narrateur, coupable d'avoir peut-être provoqué le drame, se rend prier sur la tombe de Gina et se sent plus léger. Sur le chemin du retour, il aperçoit Gina, montée sur une bicyclette, qui lui sourit avant de disparaître. Depuis, sa vie s'est transformée. Lors d'une vision récente, il a appris sa mort prochaine. Il met fin à son histoire et quitte la prison. Un gardien avertit le prisonnier que son vieil ami a été mortellement frappé par un autobus en sortant de la prison.

« La Maison des deux amants »,
Dans les antichambres de Hadès, Québec, Éditions Garneau, [1970], p. 29-33. (F)

Le narrateur, agent d'immeubles, raconte à son client l'histoire de la maison qu'ils regardent, baptisée « la maison des deux amants ». Le premier locataire, le docteur Saint-Germain, entreprit de créer un jardin tropical, mais les résultats furent décevants. Il annonça qu'il allait partir en voyage, liquida ses affaires, mais fut trouvé mort dans l'allée, tenant dans ses mains le portrait d'une femme brune datant du XVIIe siècle. Le soir de l'enterrement, M. et Mme Swedenborg voulurent louer la maison. Le jardin devint luxuriant. Un chat noir faisait la sentinelle sur le perron. Jamais le couple ne sortait. On voyait parfois la femme qui pleurait à la fenêtre. Le chat griffait la porte. Un soir d'orage, le garde champêtre vit la femme affolée qui hurlait tandis que le chat tentait d'entrer par la force. Une vitre éclata. Le lendemain, on trouva le corps de la femme mutilé, le cœur arraché et, auprès d'elle, le chat noir qui se léchait les babines. Bouleversé, l'interlocuteur de l'agent veut quitter les lieux quand il aperçoit le chat noir se diriger vers eux.

« Slaves »,
Dans les antichambres de Hadès, Québec, Éditions Garneau, [1970], p. 49-53. (F)

Sandra, la narratrice, raconte au commissaire comment est mort Fédor Séniawine. Après la guerre, Fédor vint s'installer à Paris avec elle. Il s'intéressa aux arts mais, après avoir échoué comme décorateur, il étudia le théâtre. Quand il fut prêt à exercer son métier, il s'enferma dans son bureau. À trois reprises, le dramaturge annonça une nouvelle naissance. En blague, Sandra lui demanda si c'était une fille ou un garçon. Sérieux, il lui répondit que c'était une fille qui lui ressemblait. Curieuse, Sandra épia Fédor par le trou de la serrure. Au début, elle n'entendit que lui qui s'adressait à trois chaises vides. Bientôt, elle perçut des murmures, les voix de deux hommes et d'une femme qui parlait comme elle. Il était question d'un complot. Un matin, Fédor retourna dans son bureau alors qu'une vive discussion était déjà engagée. Sandra accourut à l'appel de Fédor, mais tomba sur le corps de son ami dont le cœur avait été transpercé par un ciseau.

« L'Idole aux yeux de porcelaine »,
Dans les antichambres de Hadès, Québec, Éditions Garneau, [1970], p. 63-69. (F)

Le narrateur raconte comment il a connu Liébard, surnommé l'Idole à cause de ses yeux bleus de porcelaine toujours impassibles. Ils se sont rencontrés au régiment, où des légendes circulaient au sujet de sa bravoure et de son égoïsme. Après la guerre, Liébard s'enrôle dans la marine et fréquente de nombreuses femmes car, en raison de ses yeux pâles, il veut améliorer la race humaine en procréant généreusement. Un soir, le narrateur et Liébard se rencontrent dans une taverne de Tamatave. Nerveux, Liébard raconte qu'une semaine auparavant il a rencontré une Métisse indienne qui lui a remis un bouddha de porcelaire en disant que l'objet tracerait son destin ; mais il l'a cassé. À cause d'un cyclone, il s'est arrêté à Madagascar où il a rencontré une gentille fille dotée des mêmes yeux que lui. Liébard et le narrateur se séparent. Le cyclone détruit alors le quartier créole et, dans les décombres, on découvre les corps d'une jeune femme et d'un officier de la marine aux yeux délavés.

« Le Voyageur sans bagages »,
Dans les antichambres de Hadès, Québec, Éditions Garneau, [1970], p. 85-88. (F)

Un voyageur admire sur les parois de son compartiment des photos des villes qui ont été importantes pour lui au cours de sa vie. À l'arrivée, il se retrouve dans un hall désert devant trois portes marquées C, P et E. Seule la troisième s'ouvre. Il suit un corridor aux portes barrées et arrive dans son bureau. Il relit le travail qu'il terminait, le juge fade et inintéressant. Il s'assoit devant la glace et se regarde. La pièce se transforme. Il se voit nu devant la glace et comprend que l'enfer, c'est lui.

« La Musicienne »,
Dans les antichambres de Hadès, Québec, Éditions Garneau, [1970], p. 91-96. (F)

Lors d'une assemblée d'anciens du lycée Lamartine, le narrateur raconte l'histoire étrange de Jean Loup. Après la guerre, Jean Loup fut affecté aux colonies. Il passait le début de chaque après-midi à lire dans un parc. D'une villa lui parvenait une musique délicieuse. Curieux, il laissa, un jour, sur le bord d'une fenêtre, une note indiquant son morceau préféré. Le lendemain, il entendit la musique qu'il aimait. Il prit l'habitude de laisser des notes, cherchant à voir le ou la musicien(ne). Enfin, il aperçut un bras bronzé. Passionné, il envoya à la mystérieuse musicienne des cadeaux et des lettres d'amour. Jamais elle ne répondit autrement que par la musique. Un jour d'orage, le vent arracha les volets et il vit une mince jeune femme en sari jaune qui tomba avec la foudre. Le lendemain, il apprit que la petite lépreuse était morte. Désespérée, Jean Loup voulut se suicider. Le narrateur l'emmena dans une clinique, et Jean Loup prit du mieux. Un jour, une jeune étrangère, qui se disait étudiante en médecine, vint visiter la clinique. Avant de partir, elle joua au piano un air triste et exotique. On entendit alors un cri et on retrouva Jean Loup mort. L'étrangère avait disparu.

« Le Pont »,
Dans les antichambres de Hadès, Québec, Éditions Garneau, [1970], p. 123-129. (F)

Dernier habitant de son village, le vieux Kako prend soin du tombeau des anciens où reposent sa femme et ses trois fils. Sur la rive opposée, les villageois, convertis au christianisme, désirent tracer une route pour favoriser le commerce. Une délégation vient demander à Kako de déplacer son tombeau mais celui-ci ne veut pas encourir la malédiction des ancêtres. Il fait appel à l'ancien sorcier du village avec lequel il palabre en secret. La route et le pont sont construits. Un jour, on détruit et profane le tombeau. Kako lâche un cri, maudit les villageois qui profanent la terre sacrée, jette une poudre dans l'air et disparaît dans la forêt. Les travaux s'achèvent. Le village prospère. Cinq ans plus tard, le pont s'écroule pendant que deux cars remplis d'enfants le traversent. En moins d'un an, on reconstruit un pont de béton. Lors de l'inauguration, il s'écroule à nouveau, tuant le maire et tous les chefs de famille, sous une roche immense, la Roche grise, qui surplombait le cimetière des Anciens. Le village meurt.

« La Fillette à l'oiseau »,
Dans les antichambres de Hadès, Québec, Éditions Garneau, [1970], p. 141-145. (Hy)

En compagnie de son chien Boby, de son chat Tibère, de son lapin Jeannot et de son canard Gédéon, Nicole, petite fille de cinq ans, s'amuse dans le jardin pour ne pas déranger sa mère. Elle désire tout à coup prendre au piège un oiseau chanteur qui se réfugie parfois dans le fond du jardin. Sa mère, pour avoir la paix, lui tend la salière en lui disant que, si elle met du sel sur la queue de l'oiseau, elle pourra l'apprivoiser. Nicole épie les habitudes de l'oiseau, et, un jour, parvient à lui saler la queue et à le saisir. Heureuse, elle se dirige vers la maison mais le chat Tibère l'attaque voulant croquer l'oiseau que Nicole, blessée, libère aussitôt. Les blessures de Nicole s'infectent et elle meurt.

Le jour de son enterrement, un oiseau chante si intensément qu'il meurt d'épuisement sur la tombe de la fillette.

« Le Secret d'Artapharès »,
Dans les antichambres de Hadès, Québec, Éditions Garneau, [1970], p. 171-174. (SF)

Une revue d'archéologie de l'an 7435 publie la traduction d'un document, datant de l'an 2545 de l'ère de la brique, retrouvé et écrit par un certain Megabès. Ce dernier rapporte ce qu'il a entendu quand leur maître d'école, Artapharès, révéla à un autre écolier, Béliphanès, le secret de l'origine de l'ère de la brique retrouvée : des centaines d'années auparavant, peut-on lire dans le document, l'homme, très avancé technologiquement, conservait ses connaissances sur papier. Un jour, un vaisseau spatial, revenant d'une mission sur Vénus, s'écrasa en Inde et laissa échapper des échantillons. Des insectes papyrophages inconnus dévastèrent tous les documents de la Terre et, ainsi, anéantirent la civilisation. Les artisans, gardiens des antiques traditions, prirent le contrôle de la destinée des hommes et instituèrent l'ère de la brique retrouvée. Megabès ajoute qu'Artapharès fut remplacé dans ses fonctions dès le lendemain de cette révélation.

« Le Mur »,
Dans les antichambres de Hadès, Québec, Éditions Garneau, [1970], p. 183-188. (F)

M. Beugevat, un vieux professeur, tente d'expliquer à ses élèves la symbolique du mur. L'un deux, Céleste Hoarav, prétend que, parfois, les murs peuvent frapper. Et de raconter que, alors qu'il avait huit ans, M. Rodolphe s'était fiancé secrètement à sa cousine Berthine que sa famille jugeait de trop basse condition. Un jour, Rodolphe aperçoit une de ses tantes en train de prononcer des incantations tout en regardant la maison des Hoarav où travaillait Berthine. À quelque temps de là, alors que Berthine est seule à la cuisine, le mur de soutènement s'écroule. Quand on découvrit le corps de Berthine sous les décombres, Céleste conclut que le mur avait choisi sa victime.

« Un caprice d'enfant »,
Dans les antichambres de Hadès, Québec, Éditions Garneau, [1970], p. 197-203. (F)

En service aux Indes, le docteur Mouranges épouse une fille du pays, Myriam, qui lui donne une fille, Yasmina. À la suite de troubles politiques, des rebelles tuent sa femme. Il quitte le pays avec sa fille et la nourrice et ils s'installent tous trois dans un château au milieu d'une forêt. Un jour, sa fille tombe gravement malade. Sachant sa fin prochaine, elle demande à son père de lui donner un compagnon, un écureuil en cage. De mauvais gré, le docteur apprivoise un écureuil qu'il capture finalement au coucher du soleil. La petite bête meurt toutefois étranglée. En rentrant chez lui, il apprend que sa fille, en jouant, s'est étranglée à l'heure où se couchait le soleil.

« Le Vertige »,
De boue et de sang, Québec, Éditions Garneau, [1975], p. 7-13. (F)

Après des années de maquis, Marcel Grenier revient chez lui et se met à la recherche de son père et de sa sœur dont il est sans nouvelles depuis deux ans. Les voisins lui annoncent la mort de l'un et de l'autre. Marcel consulte les journaux de l'époque pour apprendre que son père, comptable dans une entreprise, avait détourné de l'argent à cause de dettes de jeux et s'était suicidé en se jetant en bas d'un immeuble. Sa sœur, de désespoir, s'était aussi précipitée en bas d'un immeuble dont l'adresse n'est pas précisée. Marcel se rend à Paris, déniche un emploi dans une compagnie d'assurances, rembourse les dettes de son père, se marie et a cinq enfants. Un jour qu'il doit aller vérifier des comptes dans la succursale de sa région natale, il voit devant lui une rue qu'il a souvent vue dans ses cauchemars. L'orage éclate. Il court se réfugier dans un immeuble moderne, monte à la terrasse et se jette en bas. Le concierge révèle que c'est le troisième suicide à se produire à cet endroit.

« L'Idole d'ébène »,
De boue et de sang, Québec, Éditions Garneau, [1975], p. 15-25. (F)

Un jeune homme, Joseph Potel, de retour d'un cours d'été à Cambridge, se retrouve avec la mallette de quelqu'un d'autre. Au bureau des objets perdus et trouvés, on lui dit que la statuette déposée dans la mallette serait sa propriété si elle n'était pas réclamée dans l'année. Il se marie et s'installe dans un nouvel appartement où il réserve la meilleure place pour la statue. En août, il part en vacances avec sa femme, et, au retour, il prend possession de la mallette. Il se renseigne sur elle : un missionnaire l'avertit de s'en débarrasser parce qu'elle est le mal. Joseph la contemple, en rêve et s'aigrit. Sa femme le quitte. Il part pour l'Afrique et travaille pour le compte d'un louche commerçant indien. Lors d'une expédition près des frontières de l'Angola, il entend le roulement d'un tambour qui entraîne la fuite des manœuvres. Il reconnaît le rythme qu'il entend dans ses rêves et s'avance, l'idole en mains, dans la clairière, où un sorcier l'attend. Joseph place sa tête au-dessus d'une cuve et un sorcier lui tranche la gorge.

« La Montre »,
De boue et de sang, Québec, Éditions Garneau, [1975], p. 69-73. (F)

Un homme de bonne famille fait la cour à une jeune fille des îles, Lydia. Lors de son départ, Lydia lui offre une montre que sa grand-mère, « véritable sorcière », a préalablement ensorcelée. Invité par son ami Bonargent à participer à une croisière, il s'amourache d'une blonde Suédoise, Solveg. Il se rend au rendez-vous qu'ils se sont fixé au fond d'un fjord. Sur la proposition du jeune homme, la jeune fille accepte de l'épouser, à la condition d'oublier le passé. Aussitôt, elle sort de sa poche deux montres de platine. Elle arrache la montre en or du poignet de Paul et, comme elle veut la lancer dans l'océan, elle glisse et s'abîme dans les flots. Paul reprend la montre qu'elle a laissé échapper et la remet à son poignet.

« Visions »,
De boue et de sang, Québec, Éditions Garneau, [1975], p. 155-160. (F)

Alphonse de Kerdrebez a écrit des livres sur des faits connus et inexpliqués avec lesquels il bâtissait des histoires qui se vérifiaient par la suite dans la réalité. Comme toutes les nuits, Alphonse et sa femme attendent le retour de leur fils engagé chez les nazis pendant la guerre. Alphonse achève un roman, intitulé *le Retour*, qui reprend les drames de leur existence et où le fils revient au cours d'un *happy ending* dont l'auteur n'est pas satisfait. Il s'applique à écrire une nouvelle fin où le fils, apprenant la mort de sa femme et de son fils, observe ses parents de loin et part pour l'Amérique. Pendant qu'il écrit, sa femme lui indique une ombre dans le jardin. Elle dit (comme la mère du roman d'Alphonse) : « Nous l'avons manqué ! ».

« La Femme d'Aubain »,
De boue et de sang, Québec, Éditions Garneau, [1975], p. 165-169. (F)

Un narrateur raconte à un interlocuteur l'histoire de Verjoux. Ce dernier fréquentait les Aubain dont il aimait l'épouse, une honnête femme, qui ne cessait de lui répondre qu'elle n'était pas libre. La femme de Verjoux, malade de jalousie, se suicide un jour, en menaçant son mari de se venger dans l'au-delà. Après un séjour d'un an à Paris, il est heureux au retour d'apprendre le décès de M. Aubain. Un jour, il aperçoit la veuve de l'autre côté de la rue, qui vient le rejoindre. Au même moment, une femme, aux yeux de la même couleur que sa défunte épouse, sort de la foule et pousse Mme Aubain sous une auto, avant de disparaître. Depuis, Verjoux est à demi-fou.

« Dans le salon d'Isis »,
De boue et de sang, Québec, Éditions Garneau, [1975], p. 177-181. (Hy)

Un soir, après une querelle, Lafcadio rentre chez lui et trouve Gloria, sa femme, morte : elle s'est suicidée. Après que son corps ait été traité à « l'Institut de beauté des morts », Lafcadio retrouve sa femme, étendue, dans sa robe de mariée. Il s'approche pour lui demander pardon. Une ombre passe. Les lèvres de Gloria semblent lui dire qu'il est trop tard.

« Œil pour œil »,
De boue et de sang, Québec, Éditions Garneau, [1975], p. 187-190. (F)

Albert Francœur, jeune enseignant diplômé, trouve un emploi dans un village. Il se prend de sympathie pour une vieille femme que les gens du pays réprouvent comme ayant le mauvais œil. Cette amitié ne plaît guère aux habitants et des vandales saccagent les propriétés de la vieille femme. On va même jusqu'à crever un œil de sa vache. Albert se rend chez la vieille, qu'il trouve dans l'étable, un couteau à la main et un seau plein d'eau dans l'autre. Dans l'eau noire, il aperçoit le visage de Mme Bonnet que la pauvre vieille, pour se venger, transperce à l'endroit de l'œil. Au village, il voit le docteur partir précipitamment. Il apprend que la mère Bonnet est tombée sur sa fourche et s'est crevé un œil.

« La Monna Pia »,
De boue et de sang, Québec, Éditions Garneau, [1975], p. 197-203. (F)

Le narrateur, le vieux Pinatello, raconte l'histoire de l'un de ses brillants élèves, Francesco Giacomo, qui lui avait caché une toile qu'il peignait. L'élève était pâle et fébrile. Inquiet, Pinatello ne mit guère de temps à découvrir la toile, qui représentait une beauté italienne. L'élève lui révèle alors que la beauté lui a elle-même commandé ce portrait en rêve. Pour le divertir, Pinatello le traîne dans les expositions et les mondanités. À un bal masqué, la belle Italienne, la Monna Pia, apparaît à minuit. Francesco va la rejoindre. La foudre éclate. Lorsque la lumière revient, Francesco et la belle ont disparu, ainsi que le tableau.

GERVAIS, Jean-Philippe

[Saint-Jean-sur-Richelieu, 1969 –]

« Écho Beach »,
Solaris, n° 59 (vol. X, n° 5, janvier-février 1985), p. 6-11 (Hy) ;

Aurores boréales 2. 10 récits de science-fiction, sous la direction de Daniel Sernine, [Longueuil], le Préambule, [1985], 290 p. 119-133. (Collection « Chroniques du futur », n° 9).

En une suite de flashes décrivant des scènes qui ont pour lieu une plage et ses environs, le personnage narrateur évoque des moments passés avec Andréa Morgan, une femme qu'il a aimée. Un personnage énigmatique apparaît à plusieurs reprises. Andréa Morgan et ce personnage semblent venir de l'« Ailleurs ».

GIARD, André

[

Manuscrits des longs vols transplutoniens,
Manuscrits des longs vols transplutoniens [précédé de] *Toucheste* d'Andrée E. Major [et suivi de] *la Disparate* de Jesse Janes, Montréal, Éditions du Jour, [1975], p. 65-142. (« Les Écrits du Jour », n° O-13). (SF)

Le capitaine Alexandre Argon et le colonel Seth Sandars remettent leur démission de l'armée Infra-Rouge parce qu'ils s'opposent au gouvernement invisible qui aurait changé le continuum temps-espace pour un faux trafiqué. La guerre éclate entre les révoltés (les Rédempteurs galactiques) et la police (les Icicles pourpres). Les belligérants passent d'une identité à l'autre et traversent le Temps (du Déluge jusque longtemps après la Grande Catastrophe) et l'Espace (de la Terre jusqu'à des planètes inconnues). Sur la planète la plus évoluée, Arturus, on construit un complexe appelé la maison des anges pour soigner le mal d'Icare, maladie mentale qui sépare l'âme du corps afin de rejoindre l'Énergie Primordiale. Cet asile sera dirigé par R. D. Bayou, archéologue de l'Esprit et minotaure, qui a tenté, par des expériences avec le Docteur Oméga, de retrouver sa première incarnation. Un vieux magicien lègue les manuscrits des longs vols transplutoniens avant de s'exiler au désert.

GIGNAC, Michel

[

« Le Kiltop »,
Requiem, n° 16 (vol. III, n° 4, juin 1977), p. 6. (SF)

Un personnage (dont le sexe n'est pas spécifié) rappelle les tueries, les guerres, les abus de pouvoir, la pollution. C'est alors qu'il entend « une explosion gigantesque : celle de la fin inévitable de ce monde ». Mais il s'agissait d'un cauchemar. C'était le bruit du Kiltop qui avait tiré le personnage de son sommeil artificiel.

GIGUÈRE, Mario
[Québec, 26 mai 1953 –]

« Le Mouchoir de Paul »,
Kramer, n° 4, [s. d.], p. 10. (SF)

Paul sort son mouchoir quelques minutes avant que son nez ne coule. Il devient alors précognitif.

GIGUÈRE, Yves
[Québec, 18 août 1957 –]

« District Hopi »,
la Tordeuse d'épinal, n° 1 (novembre 1985), p. 26-32. (SF)

Monsieur Propre, docteur en Pataphysique appliquée, est poursuivi par l'escouade antiscientifique. Une lettre de la comtesse d'Igitur, son infirmière-secrétaire et ancienne maîtresse, semble le prévenir de dangers concernant le dossier du cuisinier Hopi. Propre tente alors en vain de communiquer avec la comtesse. Après une alerte nucléaire, il s'acharne à la révision d'un livre de pataphysique appliquée, puis entre dans la glacière où sont accrochés, comme du bétail, des cadavres humains et des monstres enfants, et se casse une jambe. Revenu à son laboratoire, il tente, par hologramme digital, de rejoindre la comtesse et découvre qu'elle s'est pendue. Il essaie de contacter le cuisinier Hopi, mais sombre « dans l'inertie totale ». Recherché par l'escouade antiscientifique, et chargé par l'Eminence grise de retrouver son maître (monsieur Propre) dont on est sans nouvelle depuis deux ans, Thézaolt, le cuisinier Hopi retrouve monsieur Propre, blessé. Il s'occupe de le soigner et l'emmène avec lui en prenant soin de faire exploser le laboratoire. Sa mission accomplie, il ne lui reste qu'à sauver « [s]on peuple et le district Hopi ».

GIRARD, P.-G.
[

« L'Hiver où le froid nous oublia »,
le Quotidien, vol. VII, n° 76 (29 décembre 1979), p. 4. (« Cahier des loisirs »). (Hy)

Cette année-là, il n'y eut pas de neige à Noël au Royaume du Saguenay. « Au contraire, l'herbe se mit à verdir et quelques pissenlits pointaient ici et là, le long des solages ». Et cela durait encore au mois de mai.

GODIN, Guy
[Trois-Rivières, 23 octobre 1945 –]

« Le Réveillon du diable »,
le Nouvelliste, 45e année, vol. n° 44 (décembre 1965), p. 23. (Hy)

Une nuit de Noël, Éric reçoit la visite d'un diable qui le supplie de le laisser pénétrer en lui pour une nuit sans quoi le pauvre démon sera puni. Le pacte est conclu. Éric, ce soir-là, rencontre la femme de sa vie. Dix ans plus tard, ils sont mariés et Éric se demande si ce n'est pas ce démon, qui, à tous les Noëls, apporte sur sa table dinde et tourtières.

GODIN, Marcel
[Trois-Rivières, 10 mars 1932 –]

« Cauchemar »,
Nous, vol. III, n° 8 (janvier 1976), p. 40-41, 47 (F) ;
Confettis, [Montréal], Alain Stanké, [1976], p. 119-123.

Une femme entraîne le narrateur chez elle et l'invite à faire l'amour devant son mari qui est sourd, muet, paralysé et impuissant. Pendant les ébats, elle enjoint le narrateur de regarder son mari dans les yeux afin d'établir une complicité dans le plaisir, une identification. Le narrateur lit tout autre chose dans le regard du mari : de la tristesse et un ordre. Obéissant à ce regard, le narrateur tue la femme. Aussitôt, il devient sourd, muet et paralysé pendant que le mari quitte l'appartement en le remerciant pour le miracle.

« Le Sculpteur de morts »,
Confettis, [Montréal], Alain Stanké, [1976], p. 41-43. (F)

Un sculpteur solitaire vit caché et protégé par un ami. Il sculpte des statues à l'image du cadavre d'un vieillard. Aussitôt terminées, ces statues s'animent et pourchassent les vivants. Toutefois, en présence de son ami, les « sculptures » retournent sur leurs socles dans la pose imaginée par l'artiste. Tous regardent durement l'ami du sculpteur, lui reprochant sa présence. Soudain, les statues se désintègrent et disparaissent complètement. Troublé, l'ami n'obtient aucun réconfort du sculpteur, qui s'attarde à sculpter un monstre représentant une petite fille. Effrayé, l'ami quitte l'artiste, qui se pend.

« Les Petites Filles ailées »,
Confettis, [Montréal], Alain Stanké, [1976], p. 79-82. (SF)

Dans un vaisseau spatial contrôlé par un œil humain immense relié à un cerveau électronique, un homme se voit confier un œuf par une petite fille nue. Un groupe d'hommes nus la poursuivent. Un son sort de l'œuf et aussitôt un groupe de petites filles presque nues entourent l'homme. Sept jours plus tard, la petite fille reprend l'œuf et y découvre deux étoiles dont les rayons produisent d'autres étoiles. Soudain, les corps des fillettes s'envolent sous l'effet des rayons. L'homme reste seul avec la première petite fille qui, par ses gestes érotiques, le comble de joie.

GOUANVIC, Jean-Marc
[Pont-Aven (Bretagne), 23 janvier 1944 –]

« Étranges Aventures d'un bem [*sic*] de bonne famille et de deux astéronautes amerloquins »,
Requiem, n° 12 (vol. II, n° 6, octobre 1976), p. 8. [Sous le pseudonyme de Jean-Marc HÉOL]. (SF)

Un être vivant sur la planète Niaris voit atterrir près de chez lui un vaisseau spatial d'où sortent deux « spécimens de bipendums ». Ils croient être les premiers à poser le pied et à planter leur drapeau sur ce nouveau monde, mais l'habitant les rejoint et les invite à déjeuner. Voyant leur manque d'enthousiasme, il leur propose un voyage sur Ter. Le plus grand, Walter, accepte. L'autre, Stan, reste près de leur engin. L'habitant de Viaris installe Walter sur sa pieuvre cosmique et ils partent. Une fois arrivés sur Ter, Walter, qui a perdu du poids grâce à une dose « incognito » administrée à son insu par le Niarisien, s'extasie devant le paysage, se roule par terre dans la fange et se fait arrêter par un Ragou jaune. Le Niarisien tente d'arranger les choses, mais sans succès : la trop forte dose excite tellement Walter qu'il se liquéfie et s'échappe entre les doigts du Ragou. Le Niarisien retourne chercher Stan et se glisse dans sa peau.

« Une aventure de petit jaune »,
Requiem, n° 14 (vol. III, n° 2, février-mars 1977), p. 10. [Sous le pseudonyme de Jean-Marc HÉOL]. (SF)

Un petit cochon gambade dans les bois. Il devrait être entré chez sa maman déjà. Au bout d'un sentier, il aperçoit un château. Le roi Yul l'invite à y entrer. Petit Jaune, joyeux, s'installe dans un beau fauteuil, dans une pièce où d'autres personnes sont présentes. Malheureusement, le château du roi Yul est le Faucon de la transcosmique, vaisseau dont la destination est l'abattoir de Long Island sur Terra B. Il s'apprête à partir.

« Quelque part, l'orbe vert »,
Imagine..., vol. I, n° 1 (septembre-novembre 1979), p. 53-89. [Sous le pseudonyme de Marc LE NAVEAUSSE]. (SF)

À l'aide de documents divers, Vital Riksel explique la découverte accidentelle de Junon, l'Orbe Vert, sa colonisation par les Terriens, les maladies mystérieuses qui déciment les Juniens et son départ de cette planète pour retourner sur la Terre.

« Elle »,
Imagine..., vol. I, n° 4 (juin 1980), p. 72-74. [Sous le pseudonyme de Marc LE NAVEAUSSE]. (SF)

Un jeune garçon, le narrateur, fait ses premières expériences sexuelles avec « elle », une anthroïde enfermée dans la cage Deux, avec onze autres anthroïdes (femelles et mâles). Il apprend qu'il a un enfant et que l'on répond à ses questions. Mais l'enfant meurt et la porte de la cage Deux lui est interdite. Il se réfugie dans son arbre d'où il peut observer les anthroïdes.

« Le Passage littéral »,
Infos Bulletin, n° 2 (janvier 1981), p. 42. (SF)

Rawin, apprenti écologiste, entreprend un dangereux périple vers Jalna et retrouve l'ouro qui, avant de mourir, le charge de dire aux Groffs que les Mimosées l'ont bien accueilli. Rawin retourne prévenir les Groffs et tous déménagent chez les Mimosées.

GOULET, Pierre

[Québec, 12 juin 1948 –]

« La Colère des roses »,
Contes de feu. Nouvelles, [Montréal], Québec/Amérique, [1985], p. 11-16. (Collection « Littérature d'Amérique »). (Hy)

Les humains s'exilent sur la Lune, fuyant une épidémie de roses meurtrières. Le narrateur reste seul dans la ville déserte. Il sent la menace qui pèse sur lui : les animaux le feront sûrement payer pour ce que ceux de sa race ont fait. Il se réfugie dans un magasin de jouets et imagine la façon dont il s'en sortira. Il remarque alors le tapis de roses, « aux épines longues comme des langues de serpent ».

« La Chevelure de Bérénice »,
Contes de feu. Nouvelles, Montréal, Québec/Amérique, [1985], p. 23-26. (Collection « Littérature d'Amérique »). (SF)

Une petite planète de la constellation de la Chevelure de Bérénice, le Miroir de Bérénice, concentre et réfléchit les faisceaux lumineux de partout dans l'univers. Le récit raconte une scène automnale dans un parc de la Terre, planète disparue depuis 100 millions d'années.

« Le Ticket d'immortalité »,
Contes de feu. Nouvelles, Montréal, Québec/Amérique, [1985], p. 39-54. (Collection « Littérature d'Amérique »). (Hy)

Dans un vaste complexe étagé, les écrivains sont rémunérés en coupons de couleurs d'autant plus précieux qu'ils représentent un maigre revenu et des ventes dérisoires. Le ticket doré du poète vaut l'immortalité et récompense des œuvres invendables. Le narrateur, un jeune écrivain frais émoulu de l'université, entre dans ce système. Il fait ses débuts du côté du fantastique. Malheureusement, ses livres ne se vendent pas. Il « descend » régulièrement jusqu'à devenir poète. Un jour, le patron lui donne le fameux ticket doré. Pourtant, peu après, le système de ticket est aboli. Le poète s'éteint « dans un demi-sourire ».

« Adorable Dora »,
Contes de feu. Nouvelles, Montréal, Québec/Amérique, [1985], p. 55-63. (Collection « Littérature d'Amérique »). (F)

Un auteur sans inspiration connaît le succès lorsque sa dactylo commence à écrire d'elle-même. Elle produit les romans qu'il aurait voulu imaginer. Enfin, Dora, la machine, entame le récit de l'histoire d'un artiste qui usurpe le travail d'un assistant. Pris de remords, l'auteur décide de rédiger une longue confession sous forme de journal. Malheureusement, son éditeur juge le texte inférieur aux autres écrits de l'auteur.

« L'Hermite »,
Contes de feu. Nouvelles, Montréal, Québec/Amérique, [1985], p. 71-74. (Collection « Littérature d'Amérique »). (F)

Casanier et ermite, le personnage laisse sa maison à l'abandon, s'installe dans son jardin avec l'encyclopédie et se laisse littéralement envelopper par un cocon végétal. Finalement recherché par ses amis et la police, il ne sera pas reconnu en ce papillon brun qui voltige sous les arbres.

« La Danse des centaures »,
Contes de feu. Nouvelles, [Montréal], Québec/Amérique, [1985], p. 75-83. (Collection « Littérature d'Amérique »). (SF)

Une expédition spatiale composée de deux hommes et deux femmes quitte le système solaire et part à la découverte de l'univers. Le « spleen de l'espace » commence à miner sérieusement le moral de l'équipage lorsqu'une défaillance technique force le vaisseau à atterrir sur une étrange planète. Les cosmonautes y découvrent une intense végétation extérieure. Ils réussissent à pénétrer à l'intérieur de la planète où ils peuvent observer, sans être vus, des centaures faisant la fête. Ces êtres dansent sur des musiques terriennes provenant des enregistrements de *Voyager II*, une sonde lancée en 1977, parvenue à destination. Les Terriens s'éclipsent en douce, sans que l'on sache comment, et poursuivent leur voyage.

« Le Dôgui »,
Contes de feu. Nouvelles, [Montréal], Québec/Amérique, [1985], p. 85-88. (Collection « Littérature d'Amérique »). (SF)

Un dôgui, très lointain descendant des chiens, arrive par hasard au Parc Sacré où est conservé le dernier arbre. Le dôgui ne peut pénétrer dans le parc, que protège une ceinture magnétique. Toutefois une feuille tombe de l'arbre. Le chien la ramasse et retourne voir sa mère. Elle lui raconte que les arbres ont disparu depuis longtemps de la surface de la planète, mais celui-ci a été fabriqué en réintégrant toutes les pages de tous les livres du monde.

« Un grand livre noir à la tranche dorée »,
Contes de feu. Nouvelles, [Montréal], Québec/Amérique, [1985], p. 91-102. (Collection « Littérature d'Amérique »). (Hy)

Un homme a d'étranges visions qui lui laissent croire que l'humanité est proche de sa fin, car il constate un curieux rapport entre trois éléments : un rêve de sa femme, la présence d'un livre noir à la tranche dorée sur le lit conjugal et une de ses visions, où la Terre est comme un grand livre à la tranche dorée qui se referme sur l'homme.

« Dialogue de sourds »,
Contes de feu. Nouvelles, [Montréal], Québec/Amérique, [1985], p. 103-108. (Collection « Littérature d'Amérique »). (F)

Deux ambassadeurs, un Américain et un Soviétique, venant de signer un traité, se querellent sur une question de protocole. Ils se transforment en statues parce qu'ils ont tous deux refusé de bouger.

« L'Orgue de Barbarie »,
Contes de feu. Nouvelles, [Montréal], Québec/Amérique, [1985], p. 109-134. (Collection « Littérature d'Amérique »). (Hy)

Dans le village fantôme de Saint-Ambroise, au Vermont, l'église abandonnée et l'orgue délabré font jaser les habitants. On a vu des militaires s'y installer. Un groupe va enquêter et découvre la nef redécorée d'anges à trompettes et de versets de l'Apocalypse. La console de l'orgue commande le réseau américain de missiles nucléaires. Un homme s'installe, entonne un *Te Deum* et déclenche ainsi le départ des missiles.

GRAVEL, François
[Montréal, 4 octobre 1951 –]

La Note de passage. Roman,
[Montréal], Boréal Express, [1985], 199 p. (Hy/Roman)

Le jeune Paul Morin, un cégépien, est invité à un *party* chez un professeur, Jacques Charette. Charles-Albert Lachapelle, un des invités, lui fait consommer des champignons magiques qui sont censés le faire rencontrer Karl Marx. Lors de différents « voyages », grâce au champignon, Morin rencontre Staline, Lénine, Lachapelle, John Lennon et, finalement, Marx, qui dort. Lachapelle est électrocuté pendant un spectacle de Lennon. Puis Morin réintègre le monde réel et tout redevient comme avant.

GRAVEL, Laurent
[

« Délice »,
Requiem, n° 25 (vol. V, n° 1, février 1979), p. 14. (SF)

Dans un restaurant servant « des spécialités interstellaires », un homme commande un repas à un robot serveur. Ce dernier lui recommande le bœuf « Bételgeuse ». Tout en savourant ce mets « terrestre et extraterrestre » à la fois, l'homme voit un lézard assis à une table. Cet extraterrestre, plutôt répugnant, engage la conversation et l' homme découvre que c'est un habitant de Bételgeuse. Il apprend également que le bœuf « Bételgeuse » provient des excréments des habitants de cette planète.

« Avis »,
Requiem, n° 25 (vol. V, n° 1, février 1979), p. 15. (SF)

Le 5 décembre 2025, Gérard se lève de mauvaise humeur. Pendant qu'il déjeune et s'habille, il a l'occasion de lire plusieurs avis du ministère de la Santé. Il lit par exemple sur une boîte de café : « Avis. Le ministère de la Santé et du Bien-être social considère que le danger pour la santé croit avec l'usage. Éviter d'avaler ».

« El Conquistador »,
Solaris, n° 34 (vol. VI, n° 4, août-septembre 1980), p. 20-23. (SF)

Klashmul, une amibe fort aimable, vit seule depuis des millénaires. Un jour, des « visiteurs de l'espace » s'installent sur sa planète, mais ils se désintéressent vite d'elle. Fâchée, Klashmul sort de sa cavité rocheuse, où elle se prélasse depuis des siècles et glisse ses pseudopodes en direction de la ville en construction, se retrouve à plusieurs reprises dans les égouts ou dans les dépotoirs et rencontre un bipède, Marc Beaudouin, qui lui adresse la parole, fou de joie de se trouver enfin en présence d'un « extraterrestre ». Il l'emmène chez lui où une querelle éclate entre deux bipèdes. Beaudouin demande de l'aide à Klashmul qui ne veut pas intervenir dans les coutumes locales. Furieux, Beaudouin jette Klashmul dans le caniveau.

GRIGNON, Claude-Henri

[Sainte-Adèle, 8 juillet 1894 – Sainte-Adèle, 3 avril 1976]

« Le Mort »,
le Bulletin des agriculteurs, 44e année, n° 1 (mars 1961), p. 94-95. [En tête de titre : « Le Père Bougonneux et ses contes de la montagne »]. (Hy)

Avant le départ de Ti-Homme pour le chantier, sa blonde, Aurélia, lui promet fidélité. Aux Fêtes, il lui présente Oscar, un ami fidèle. Dans une lettre, Aurélia avoue à ce dernier son amour éternel. Apprenant la nouvelle, Ti-Homme tue Oscar. Tout le monde croit à un accident. Cependant, Ti-Homme craint que le Grand Rougette ne l'ait vu. Durant des années, des visions du Grand Rougette accusateur le poursuivent, mais il apprend que ce dernier est mort depuis longtemps.

« Une tragique mission »,
le Bulletin des agriculteurs, 45e année, n° 10 (décembre 1962), p. 52. [En tête de titre : « Le Père Bougonneux et ses contes de la montagne »]. (Hy)

Mariés depuis trois ans, Fidélia et Ti-Toine n'ont pas encore d'enfant. Comme les deux hivers précédents, Ti-Toine monte au chantier avec son ami Royal mais, durant ce troisième hiver, Fidélia a le pressentiment que son mari ne reviendra pas vivant. Cette certitude la mine et elle dépérit. À la fin de novembre, un arbre s'abat sur Ti-Toine et le tue. On charge Royal d'avertir la veuve. En arrivant chez Fidélia, il la trouve morte.

« Le Parieur »,
le Bulletin des agriculteurs, 46e année, n° 11 (janvier 1964), p. 58-59, 61. [En tête de titre : « Le Père Bougonneux et ses contes de la montagne »]. (Hy)

Le père Téles, colon et père d'une nombreuse famille, gagne constamment les paris qu'il fait. Il devient une légende et on dit de lui qu'il connaît l'avenir. Un jour, pour rembourser la principale victime de ses exploits, il mise sur la réélection du maire alors qu'il sait que celui-ci sera battu. Sa prescience lui permet ainsi de poser un bon geste.

« Une belle promesse »,
le Bulletin des agriculteurs, 47e année, n° 6 (août 1964), p. 60. [En tête de titre : « Le Père Bougonneux et ses contes de la montagne »]. (Hy)

Le père Toussaint, qui avait pris goût à la boisson, promet à son épouse mourante d'arrêter de boire. Un jour qu'il se rend au village pour affaires, il est tenté d'entrer à l'auberge. Il pénètre plutôt dans l'église. Il prie et voit sa femme apparaître près de la statue de la Vierge. Soutenu par cette apparition, le père Toussaint respecte sa promesse jusqu'à sa mort l'année suivante.

GUÉNARD, Dominique

[

« Quand la cybernétique ne tient plus. Extrait de roman »,
Libertinons, Lévis, Polyvalente de Lévis, mai 1980, [n. p.]. (SF)

Neuf cents combattants cherchent, sur une planète dirigée par des malfaiteurs mécaniques, une substance radioactive, le binitryum. Comme ils approchent d'un tunnel, les trois gardiens camouflés tuent un groupe avec leurs fusils à rayon laser.

GUÉRIN, Michelle
[Louiseville, 12 septembre 1936 –]

« L'Orage »,
Châtelaine, vol. IX, n° 7 (juillet 1968), p. 24-25, 43-44, 46-47 (Hy) ;

le Ruban de Mœbius. Contes et nouvelles, Montréal, le Cercle du livre de France, [1974], p. 127-139.

La narratrice Julie, heureuse avec son mari, Paul, et ses jumeaux de deux ans, Pierre et Lucie, voit sa vie bouleversée par l'arrivée de nouveaux voisins, Sylvain et son épouse. Elle désire Sylvain et essaie de l'éviter. Mais Paul part en voyage d'affaires et la femme de Sylvain entre à l'hôpital. La chaleur est torride. Le soir, Sylvain vient la rejoindre pour passer le temps. Une nuit, incapable de dormir, elle sort dans le jardin et veut s'installer sous la tonnelle. Sylvain survient et ils font l'amour passionnément. Après son départ, la narratrice se rendort, délivrée de son tourment. Le lendemain, l'autre voisine lui demande si l'orage de la nuit lui a fait peur. Surprise, la narratrice constate qu'elle n'a pas entendu d'orage sauf celui de son corps et se demande si elle n'a pas rêvé.

« Le Jardin interdit »,
l'Actualité, vol. XIII, n° 2 (février 1973), p. 45-49 (Hy) ;

le Ruban de Mœbius. Contes et nouvelles, Montréal, le Cercle du livre de France, [1974], p. 31-41.

Dans un monde futur, un ordinateur laisse à Isabeau (désignée par le pronom « vous ») la liberté de choisir de devenir une statue jouissant d'une vie éternelle dans un jardin paradisiaque, ou de rester humaine et de vivre dans un monde terne et uniformisé.

« La Malédiction »,
le Ruban de Mœbius. Contes et nouvelles, Montréal, le Cercle du livre de France, [1974], p. 7-15. (F)

Eugénie Gagnon, la narratrice, est réveillée, tôt le matin, par les appels d'une chatte noire. Elle s'habille à la hâte et suit l'animal dans l'appartement d'un gros immeuble où un chat jaune l'attend. Il fait comprendre à la femme qu'elle doit prendre le texte près de la machine à écrire. Tous trois reviennent à l'appartement de la narratrice. Le lendemain, elle lit dans le journal qu'un couple, M. et Mme Bernard Lanthier, a disparu. Le texte récupéré chez les chats raconte l'histoire de Bernard qui tomba amoureux d'une femme exotique, Cléo. Elle se refusait à lui en disant qu'elle était victime d'une malédiction, qu'elle était une chatte. Bernard en rit et l'épousa. Bientôt, il s'aperçut qu'elle se métamorphosait peu à peu et lui aussi. Affolé, après avoir tenté vainement d'avoir du secours, il avait écrit son histoire avant sa complète métamorphose. Bernard, le chat jaune, malheureux, se laisse mourir. Cléo se conduit normalement, peu affectée par la mort de celui qu'elle avait aimé. Eugénie se prend d'affection pour elle, mais en se regardant dans le miroir, elle voit que du poil lui couvre la figure et qu'une queue lui pousse...

« Julio l'étoile »,
le Ruban de Mœbius. Contes et nouvelles, Montréal, le Cercle du livre de France, [1974], p. 17-30. (F)

La nuit de la naissance de Julio, une étoile tombe sur la montagne. La légende transforme le météore en trésor. Trois hommes, Joachim, Gobert et Noé, partent l'un après l'autre à la conquête du trésor, mais ils disparaissent tous trois en ne laissant que quelques traces. Pour sauver Julio, sa mère demande à tous de garder le secret sur les circonstances de sa naissance. Mais la légende se répand. Lors de ses quatorze ans, la veuve de Noé l'appelle Julio l'étoile. Sa mère sait qu'il est temps de lui révéler le secret, mais l'implore de ne pas partir à la montagne. Julio lui promet d'attendre un an. Le jour de ses quinze ans, Julio regarde la montagne et cherche le chemin de l'étoile. Une lumière intérieure lui indique la route. Il s'agrippe à la paroi de la montagne, qui essaie de le repousser. De l'autre côté de la crête, il trouve autour d'un gros caillou des fleurs inconnues d'argent et d'or. Il en cueille une brassée, qu'il rapporte au village. Les gens se rassemblent sur la place. Un premier bras se tend pour saisir une fleur et tous se mettent à piller le bouquet de Julio. Celui-ci pleure ses fleurs brisées. Sa mère lui tend un bouton qui lui permettra de faire le jardin qu'il désire.

GUIGNARD, Gabriel
[

« Les Souliers du robot. An 2500 ? Conte de Noël et d'anticipation »,
le Bien public, vol. LIV, n° 51 (24 décembre 1965), p. 2. (Hy)

La nuit de Noël 2500, – quatre siècles après l'extermination par les robots des hommes et des femmes (sauf une poignée qui se sont réfugiés dans le dernier astronef), – le robot de garde dans l'usine de robots de Gigantipolis est soudainement surpris et attiré par l'éclat d'une étoile au-dessus de lui. Un « déclic » lui fait enlever ses bottes de plomb avant d'effectuer sa tournée d'inspection ; au retour, deux bébés roses (un garçon et une fille) y reposent. Ému par cette situation, le robot prend la fuite avec les poupons, qu'il élève avec l'aide d'une louve. Il reste auprès de ces enfants qu'il croit venus du ciel jusqu'à ce que leurs héritiers puissent accomplir le dessein de « Dieu tout puissant » : détruire ces villes de béton et d'acier pour recréer « une vie fraternelle faite de soleil et de charité ». Alors seulement, le robot se laisse lentement tomber en rouille et sent de nouveau cet étrange frisson de lumière et de joie venu des cieux.

« L'Axocatepelt, refuge de l'anaconda »,
le Bulletin des agriculteurs, 58e année (septembre 1975), p. 64-65, 67-68, 70-73. (Hy)

Après avoir trouvé une bouteille contenant un message vieux de dix ans, une équipe d'hommes arrivent à Axocatepelt, une immense cité étrangement silencieuse. Ils n'y trouvent que des squelettes, mais, dans une île, au centre du lac, ils aperçoivent un homme. Ils s'embarquent pour l'île, mais un énorme monstre marin, l'anaconda sacré, les attaque tuant un des leurs. Dans l'île, ils découvrent l'auteur du message qui leur raconte l'aventure de sa propre expédition en quête d'un trésor : capturé par les Jivaros, il fut d'abord séquestré, puis une femme, membre de l'expédition, vint lui rendre visite, vêtue comme une déesse et manifestement ensorcelée. Elle lui fit écrire un message en échange de la promesse de sa libération, mais il fut roué de coups et transporté dans l'île d'où il a lancé son message.

GUITARD, Agnès

[Lachine, 3 mars 1954 –]

Les Corps communicants. Roman,
Montréal, Québec/Amérique, [1981], 390 p. (Collection « Littérature d'Amérique »). (SF/roman)

Dans un univers imaginaire, où les sciences théoriques sont à un stade avancé malgré le fait que l'époque ressemble à la Renaissance européenne, Joarès, médecin et membre des « amelures », se rend à la villa de Xiela et Valence pour y rencontrer Chimion. Séduit par Xiela, il prolonge son séjour. Un jour, alors qu'il est terrassé par la migraine, Xiela lui apprend qu'il a été opéré à la tête à son insu, opération faisant de lui un possédé relié à Valence. Atterré, il s'enfuit chez lui, à Kyir, et tente de reprendre ses activités malgré la peur et les maux de tête qui l'assaillent. À distance, Valence contrôle le corps de Joarès, qui s'enferme chez lui pour ne pas perdre sa réputation. Il refuse d'obéir aux ordres de Valence et de retourner à la villa. Valence lui fait subir des représailles humiliantes et contraint Joarès à obéir. À la villa, Joarès accepte de faire une heure d'exercices d'imposition par jour. Mais Valence ne contrôle pas son désir de possession et dépasse largement les horaires prévus. À la moindre résistance, Valence punit Joarès comme un bébé, qui perd de plus en plus la connaissance de son esprit et de son corps. Un jour, Valence tente la possession complète. Joarès descend dans les limbes. Quand il revient, la fièvre l'accable. Valence doit le maintenir en vie par imposition puisqu'il craint que la mort d'un des répondants provoque la mort de l'autre. Joarès constate que, si Valence détient un pouvoir sur son corps, il influence, pour sa part, l'esprit, le subconscient de Valence. Celui-ci ne peut plus travailler efficacement depuis l'opération, il est affecté par des désirs et des impulsions inconnues. Joarès demande l'aide de Xiela, mais celle-ci lui affirme que l'opération est irréversible. Joarès décide d'accélérer l'issue inévitable et se suicide.

« Les Virus ambiance »,
Imagine..., n° 15 (vol. IV, n° 2, hiver 1982), p. 56-84 (SF) ;

les Années-lumière. Dix nouvelles de science-fiction réunies et présentées par Jean-Marc Gouanvic, [Montréal], VLB éditeur, [1983], p. 77-127.

Voyag doit explorer et analyser les ambiances de cinq planètes grâce à une puce informatique qui capte et amplifie les ambiances et les atmosphères. Il doit faire rapport à Lizone, son employeur. Cependant, l'ambiance agit comme un virus et, de planète en planète, Voyag en contracte plusieurs : ceux de Ksi Puppis IV, de Bêta Velorum IV, d'où on l'expulse, ceux de 42 Velorum I (a) et (b). Il se rend enfin sur Delta Pyxidis, où il est emprisonné par Douai, la douanière, dont les filles perquisitionnent le vaisseau de Voyag et ses instruments. Douai demande à Voyag de l'aider à résoudre les problèmes langagiers de sa planète au bord du chaos. Appelé par Voyag, Lizone vient à son aide et trouve une solution à long terme. Quant à Voyag, il est heureux d'être affecté par tous ces « virus ambiance », retrouvant ainsi le psychisme normal des Terriens perdu depuis longtemps.

« Coineraine »,
Espaces imaginaires I. Anthologie de nouvelles de science-fiction réunies par Jean-Marc Gouanvic et Stéphane Nicot, Montréal, les Imaginoïdes, [1983], p. 7-26 (SF) ;

SF. Dix années de science-fiction québécoise, sous la direction de Jean-Marc Gouanvic, [Montréal], Éditions Logiques, [1988], p. 173-207. (Collection « Autres Mers, Autres Mondes », n° 3) ;

la Frontière éclatée, Paris, le Livre de poche, 1989, p. 303-334. (n° 7 113).

Niriff, un Terrien, a décidé de voyager vers d'autres planètes, par sa conscience. Il se retrouve sur la planète Miji, réincarné dans un mutant, mi-Terrien, mi-Irgau. Sa naissance est survenue sur le territoire d'un véritable Irgau nommé Coineraine, qui a pris Niriff en charge. Au cours de son apprentissage, Niriff découvre que les Irgaux anormaux sont éliminés, car ils sont sources de danger pour les autres. Après avoir vainement cherché de l'aide auprès de Coineraine, il quitte le territoire de ce dernier, sans savoir s'il parviendra à se rendre sur une autre planète. Finalement, Coineraine le rappelle, en lui disant qu'il est prêt à partager le danger avec lui.

« Compost »,
Imagine..., n° 20 (vol. V, n° 3, janvier 1984), p. 21-40. (SF)

Ananzie, une androïde au service de la compagnie STAL, organise une grande foire dans le but de mener à bien l'opération Compost sur la planète Padééra. Un virus est inoculé aux gens, ce qui les fait déféquer et les tue. Le plus vigoureux des forains, Nickel, est le seul survivant et, parce que sa merde est très riche, Ananzie décide de le maintenir en vie. Pendant ce temps, la planète reverdit grâce au compost. Nickel reprend des forces et ingurgite autant de livres savants que de nourriture. Il finit par contrôler, avec Ananzie, les opérations de la planète. Lorsque les gens de la compagnie STAL arrivent, ils comprennent qu'ils doivent tenir compte de Nickel pour être au fait de tout ce qui se passe sur Padééra.

GUITARD, Serge

[

« [Sans titre] »,
l'Écrilu, vol. IV, n° 3 (avril 1985), p. 18. (F)

Un an exactement après la mort de sa mère, Jacques Vincent trouve un panier d'oranges de provenance inconnue dans son bureau. Il croque dans l'un des fruits, ce qui provoque chez lui des étourdissements. Sa mère lui apparaît, elle pointe l'orange et lui parle, mais Jacques n'entend rien. Il raconte son aventure à un ami policier, qui lui conseille de se reposer.

Jacques pense cependant au jour, un an auparavant, où il a donné à sa mère un panier de fruits injectés de cyanure afin de toucher l'héritage.

GUY, Georges

[

« La Succession Boisvert »,

le Bulletin des agriculteurs, 51e année, n° 7 (septembre 1968), p. 38-40, 77, 79. (Hy)

Virginie se rend chez le notaire avec ses deux fils et leurs épouses pour le calcul de l'héritage. Les deux fils, qui avaient promis de renoncer à leur part en faveur de leur mère, décident finalement de prendre l'argent. Pendant que le notaire rend compte de ses calculs, Virginie voit son mari défunt assis près d'elle et elle lui parle. Virginie consent à vendre la ferme et à aller vivre à l'hospice puisqu'elle sait que le fantôme de son mari la suivra et qu'elle pourra le voir, lui parler et même l'entendre.

H

HAMEL Jean-Claude

[

« Antéchrist »,

Quatre fois rien, Montréal, le Cercle du livre de France, [1974], p. 12-29. (Hy)

Jacques Carel, dit l'Antéchrist, commence à prêcher au moment où sa patrie a enfin obtenu son indépendance. Il voyage dans le monde entier. Au moment où le récit commence, il s'en va, accompagné d'un Américain, Peter Stewart, et de Jean Jolbin, rencontrer sa Sainteté Jean XXIV pour l'inciter à prendre sa retraite. Sur la place Saint-Pierre, la foule, déchaînée, clame la révolte, commande le changement. Mais même Carel, qu'on appelle Jésus II, n'arrive plus à calmer les foules. Parmi la foule déchaînée, il y a un homme aux cheveux noirs, qui n'est peut-être pas un homme. Alors que l'Antéchrist, le pape, les cardinaux, ainsi que Stewart et Jolbin se sont réfugiés dans un monastère de Turin, des « possédés du diable » y pénètrent aussi.

« La Planète d'oubli »,

Quatre fois rien, Montréal, le Cercle du livre de France, [1974], p. 30-35. (SF)

À la demande de son père, un homme, Jhes Cristus, part à la recherche d'une planète disparue, celle d'où les dieux sont venus. L'astronaute voyage à travers l'espace et découvre de multiples cités extraterrestres. Sur une planète nouvelle, où il rencontre une tribu dont les membres ressemblent à des hommes, l'un deux offre à Cristus une part du gibier. L'astronaute, après avoir reconnu, l'espace d'une seconde, les dieux de son père, et avoir respiré encore une fois l'atmosphère de Calva, oublie tout, reconnaît la tribu comme les siens puis lance un premier grognement, comme ils le font.

« Une main qui écrit »,

Quatre fois rien, Montréal, le Cercle du livre de France, [1974], p. 55-73. (Hy)

Serge Duvernay vient de commencer la rédaction du sixième chapitre de son roman *les Amours de Marie-Ange*. Le travail va bien jusqu'à ce qu'il se mette à écrire des choses qui ne viennent pas de lui. Pendant quelques semaines, Serge Duvernay est sous l'emprise d'une présence étrangère qui a pris possession de sa main. Sous ce joug, il écrit des fragments d'histoire fantastique et de science-fiction. Lorsque sa main n'est pas « possédée » il constate, impuissant, ce qui s'est produit et lit ce qui est écrit. Tout au long du texte, l'écrivain passe de sa réalité à lui (ville de Rigaud) à celle de la fiction (la planète Déphose, la 4e dimension...). À la fin, l'écrivain est libéré de la présence étrange.

« Les Séparés »,
Quatre fois rien, Montréal, le Cercle du livre de France, [1974], p. 76-101. (SF)

Un éditorialiste, Jean Larin, à l'instar de nombreuses autres sommités, devient progressivement aveugle, sourd et complètement paralysé. Ce mal est causé par la pollution qui s'attaque aux humains. D'après les savants, tous les humains seront touchés. Larin est transporté dans une maison, avec les autres « séparés », comme la société les appelle. Avant de revenir à la vie dans une société future, les séparés pourront communiquer entre eux par télépathie.

« Après demain »,
Quatre fois rien, Montréal, le Cercle du livre de France, [1974], p. 103-121. (SF)

Après une guerre nucléaire, André Vaillancour vit dans une société où tous ont été amenés à penser qu'ils sont « déterminés par le milieu social ». Par exemple, tous se marient après avoir consulté l'ordinateur (la « machine ») pour que leur soit présentée la personne déterminée. Mais André, qui a rencontré une femme, sans la machine, se met à parler de liberté. Il décide de s'enfuir et de vivre illégalement avec Geneviève. Cette dernière, minée par un combat intérieur entre la liberté et la machine, se suicide.

HAMELIN, Jean

[Montréal, 27 novembre 1920 – Québec, 2 octobre 1970]

« Le Mur »,
Nouvelles singulières, Montréal, Éditions HMH, 1964, p. 65-74. (Collection « l'Arbre », n° 4). (F)

Un couple a enfin trouvé la maison qu'il cherchait. Seuls, ils entendent une voix. Puis dans un des murs, un trou apparaît, grandissant jusqu'à devenir une large béance. De l'autre côté du trou, dans un autre appartement, le couple voit une vieille dame leur sourire tandis qu'un homme peint dans le vide, « ce mur qui se [désagrège] sur ses deux faces ». Lorsqu'il vient à lui, sa femme dort encore. Mais à la fenêtre il voit, sidéré, une vieille dame en noir qui le regarde en souriant et un homme « qui à grands coups peint un vaste mur blanc, entier, imperméable ».

« L'Hôtel de Londres »,
Nouvelles singulières, Montréal, Éditions HMH, 1964, p. 95-114. (Collection « l'Arbre », n° 4). (Hy)

Un couple de touristes arrive dans une petite ville et s'installe dans le seul hôtel de l'endroit, l'Hôtel de Londres, vieillot, délabré et sombre. Ils sont accueillis avec réticence et on les installe dans une chambre dénudée, sale et peu éclairée. Le lendemain matin, un garçon pénètre dans la chambre avec le déjeuner, même si la porte est verrouillée. Exaspérés, les deux touristes quittent l'hôtel.

« Les Îles »,
Nouvelles singulières, Montréal, Éditions HMH, 1964, p. 169-189. (Collection « l'Arbre », n° 4). (Hy)

Un jeune couple possède l'apparence de jeunes dieux, arrive dans un hôtel insulaire et provoque la curiosité des pensionnaires. Pendant plusieurs jours, le jeune couple suit un horaire précis, tout en ignorant les autres pensionnaires. Puis, un jour, les jeunes dieux s'avancent lentement dans les eaux et disparaissent.

HARDY, Clément
[

« Œufs durs »,
Requiem, n° 4 (vol. I, n° 4, avril-mai 1975), p. 10. (F)

Lorsque bouillis, deux œufs se transforment, l'un en œil, l'autre en araignée. L'araignée, qui dévore l'œil, est servie en salade à des invités.

« Le Squelette »,
Requiem, vol. I, n° 4 (avril-mai 1975), p. 10. (F)

Après avoir perpétré un meurtre sur la personne d'un vieillard, un homme rentre chez lui et imbrique son corps dans celui de son alter ego allongé sur le lit. Le lendemain, son corps, toujours vivant, mais en décomposition, est étendu à côté de son squelette.

HARVEY, Azade
[Grand-Ruisseau (Îles-de-la-Madeleine), 1er février 1925 –]

« Bertha la puce »,
les Contes d'Azade. Contes et Légendes des Îles-de-la-Madeleine, [Montréal], l'Aurore, [1975], p. 20-23 (Hy) ;

Contes et Légendes des Îles-de-la-Madeleine, [Montréal], Éditions Intrinsèque, [1979], p. 68-71.

Une fermière nommée la Puce passe pour une sorcière. Un soir, elle jette un sort à Todore, un jeune fanfaron, lui prédisant qu'il mourra noyé dans un trou le soir même : Todore, indifférent au sort, poursuit sa route en riant. Or, ce soir- là, la sorcière fermière le surprend à crier à l'aide dans son puits. Elle le sauve avec l'aide de trois lutins. Sur le chemin du retour, il entend soudain sa propre voix, venant d'en arrière, qui dit : « La Puce, sauve moa ! »

« La Butte du nègre »,
les Contes d'Azade. Contes et Légendes des Îles-de-la-Madeleine, [Montréal], l'Aurore, [1975], p. 27-30. (Hy)

Lors d'une traversée de l'Atlantique vers Montréal en 1812, un « négrier anglais chargé d'esclaves » coule. Seul un Noir catholique s'en réchappe, mais il meurt sur la plage. On l'enterre ; une lumière vacille alors au-dessus de l'endroit où il est inhumé. Le lendemain, le cadavre déterré gît face contre terre. On conclut qu'il voulait se faire enterrer dans un cimetière catholique.

« La Peur sur l'île »,
les Contes d'Azade. Contes et Légendes des Îles-de-la-Madeleine, [Montréal], l'Aurore, [1975], p. 31-34. (Hy)

Un jeune homme se laisse charmer par l'idée d'aller voir sa « blonde » en canot avec des pêcheurs étrangers, à la condition de ne penser ni à Dieu ni aux saints. « Autrement, tu tombes à l'eau et tu te noies ». Il monte et le canot commence à bouger de lui-même. Le jeune prend peur et saute en bas. « À peine l'eut-il quitté qu'il le vit s'élever et disparaître dans un nuage de poussière ».

« La Défunte *Flash* »,
les Contes d'Azade. Contes et Légendes des Îles-de-la-Madeleine, [Montréal], l'Aurore, [1975], p. 35-38. (F)

En 1880, aux Îles-de-la-Madeleine, alors que la goélette *Flash* est amarrée au quai, Philippe, deuxième maître à bord, est saisi d'un mauvais pressentiment à la vue des rats qui désertent le navire. Le capitaine lui répond: « Toi, tu m'fais penser à ma défunte grand-mère avec tes superstitions ». Même sa femme lui dit : « C'est rien que des superstitions » Mais le narrateur ajoute : « En était-ce vraiment ? » Le *Flash* part pour la haute mer et disparaît à jamais.

« La Maison de la dune »,
les Contes d'Azade. Contes et Légendes des Îles-de-la-Madeleine, [Montréal], l'Aurore, [1975], p. 45-48. (F)

En 1892, un garçon et une fille de douze ans sont seuls dans une cabane de pêcheurs. Soudain, la porte s'ouvre violemment, le poêle s'allume tout seul et se met à danser ; le chat se réveille les griffes sorties, comme prêt à sauter sur quelque chose d'invisible. Les enfants se sauvent, effrayés, et racontent ce qui vient de se passer. Les gens ne les croient pas. La petite fille meurt six mois plus tard : dans l'obscurité, elle voyait des hommes étranges et des fantômes se promener autour de son lit. Des spectres la suivaient partout où elle allait. Quant au « survivant », devenu adulte, il continue d'être hanté par des esprits.

« La Maison maudite »,
les Contes d'Azade. Contes et Légendes des Îles-de-la-Madeleine, [Montréal], l'Aurore, [1975], p. 49-50 (F) ;

Contes et Légendes des Îles-de-la-Madeleine, [Montréal], Éditions Intrinsèque, [1979], p. 13-15.

Connaissant l'existence d'une maison étrange où les enfants dépérissent, le narrateur décide d'y passer une nuit, dans l'espoir de trouver la cause du mal. Il remarque que des pièces de bois commencent à bouger et prennent forme humaine. Il frappe et, à chaque coup, il voit les corps tombés par terre reprendre leur forme de bois. Tout redevient normal et la maison est à nouveau habitable.

« La Trombe »,
les Contes d'Azade. Contes et Légendes des Îles-de-la-Madeleine, [Montréal], l'Aurore, [1975], p. 62-65. (F)

Une colonne d'eau pleine de poissons passe comme par magie au-dessus d'une barque de pêcheurs et les inonde de beaux poissons au lieu de les anéantir. Ils reviennent triomphants dans l'île. « Personne ne comprit très bien, car ce n'est pas tous les jours qu'une trombe remplit un bateau de poissons ».

« Le Rôdeur de dunes »,
les Contes d'Azade. Contes et Légendes des Îles-de-la-Madeleine, [Montréal], l'Aurore, [1975], p. 98-102 (Hy) ;

Contes et Légendes des Îles-de-la-Madeleine, [Montréal], Éditions Intrinsèque, [1979], p. 38-41.

Jean Décosse, un homme fort qui « ne craignait ni Dieu ni diable » voit apparaître puis disparaître des hommes sans tête. Même le curé ne croit pas à son histoire. Puis, Décosse entend des bruits de chaînes et de madriers jetés à la mer, mais il ne voit rien. Le curé lui parle alors de « phénomène parapsychique » et de visions prémonitoires. Par hasard, quinze jours plus tard, un brick chargé de madriers échoue à cet endroit. Jean se trouve sur la dune, à ce moment-là, et il revoit les événements de la fameuse nuit. Est-ce un hasard ?

« Les Marionnettes »,
les Contes d'Azade. Contes et Légendes des Îles-de-la-Madeleine, [Montréal], l'Aurore, [1975], p. 130-134. (Hy)

Deux amis, Onésime et Nicéphore, mettent à l'épreuve une croyance populaire en jouant le *reel du diable* devant des aurores boréales (aux Îles, on les nomme marionnettes). À force de jouer, le violoneux se sent de plus en plus possédé. Il panique. Les marionnettes s'enfuient avec son violon. Onésime dit à Nicéphore : « Les vieux disaient la vérité ! Ce qui me fait le plus de peine, c'est que mon violon a disparu ».

« Les Petits Lutins »,
les Contes d'Azade. Contes et Légendes des Îles-de-la-Madeleine, [Montréal], l'Aurore, [1975], p. 135-139 (Hy) ;

Contes et Légendes des Îles-de-la-Madeleine, [Montréal], Éditions Intrinsèque, [1979], p. 80-82.

Avila, un homme sceptique, découvre *de visu* que des lutins s'occupent du cheval de Todore la nuit. Charmé, il essaie de s'en faire des amis, puis disparaît : « On a prétendu que les lutins l'avaient enlevé et l'avaient emporté dans leur royaume, lui qui voulait être leur ami ».

« L'Homme de la pointe »,
Les Contes d'Azade. Contes et Légendes des Îles-de-la-Madeleine, [Montréal], l'Aurore, [1975], p. 143-146. (Hy)

Un insulaire revient dans son île. Des jeunes découvrent qu'il vit entouré de lutins. Le lendemain, on constate sa disparition.

« Une chasse à l'outarde »,
les Contes d'Azade. Contes et Légendes des Îles-de-la-Madeleine, [Montréal], l'Aurore, [1975], p. 163-165. (F)

Deux chasseurs semblent déranger l'âme de naufragés, du navire *SS Miracle*, morts et enterrés en 1847.

« Antoine et le Dieu Pan »,
Contes et Légendes des Îles-de-la-Madeleine [2]. « Azade ! – Raconte-moi tes îles », [Montréal], Éditions Intrinsèque, [1976], p. 15-17 (Hy) ;

Contes et Légendes des Îles-de-la-Madeleine, [Montréal], Éditions Intrinsèque, [1979], p. 51-53.

Antoine s'aperçoit que son cheval est harassé et couvert d'écume chaque matin. Voulant en avoir le cœur net, il fait le guet dans l'étable. À minuit et demi, le dieu Pan entre et se met à jouer de la flûte pour le cheval et les lutins, qui dansent. Antoine se joint à eux. À l'aube, lorsqu'il se réveille, Antoine se demande s'il a rêvé.

« Jésus de la dune du nord »,
Contes et Légendes des Îles-de-la-Madeleine [2]. « Azade ! – Raconte-moi tes îles », [Montréal], Éditions Intrinsèque, [1976], p. 21-24. (Hy)

Le matin du jour de Pâques, Nathaël part en charrette chercher du petit bois sur la dune. Il embarque un étrange personnage qui lui dit être Jésus de Nazareth. Incrédule, Nathaël lui demande de faire un miracle. Aussitôt, Jésus disparaît et la charrette se remplit de bois et n'enfonce pas. Émerveillé, Nathaël rentre chez lui et raconte son aventure à sa femme qui ne le croit pas. Déçu, Nathaël se rend à la messe.

« La Caverne du pirate McQuaig »,
Contes et Légendes des Îles-de-la-Madeleine [2]. « Azade ! – Raconte-moi tes îles », [Montréal], Éditions Intrinsèque, [1976], p. 27-29. (F)

Un jour de tempête, Polyte Leblanc et Jean Turbide visitent un trou inexploré de la falaise. Dans la caverne, ils découvrent une pierre couverte d'inscriptions anglaises. Au fond de la caverne, un fantôme apparaît. Les deux explorateurs s'enfuient en apportant la pierre. Edwin leur traduit l'inscription, qui est l'épitaphe du cruel pirate McQuaig, enterré dans la caverne.

« La Fée Noël »,
Contes et Légendes des Îles-de-la-Madeleine [2]. « Azade ! – Raconte-moi tes îles », [Montréal], Éditions Intrinsèque, [1976], p. 33-35. (Hy)

Baptiste, père de famille très pauvre se désole de ne pouvoir rien offrir en cette veille de Noël. Une flammèche s'échappe du poêle et se transforme en Fée Noël. Elle lui donne quinze minutes pour exprimer ses vœux et il n'a pas le temps de trouver un cadeau pour sa femme. De retour de la messe, il trouve, dans la cuisine, un manteau pour elle. Les curieux ne croient pas son histoire.

« La Légende du moine qui prie »,
Contes et Légendes des Îles-de-la-Madeleine [2]. « Azade ! – Raconte-moi tes îles », [Montréal], Éditions Intrinsèque, [1976], p. 41-43 (Hy) ;

Contes et Légendes des Îles-de-la-Madeleine, [Montréal], Éditions Intrinsèque, [1979], p. 9-12.

Des moines irlandais, apeurés par les Vikings, partent à l'aventure sur la mer. Ils accostent à l'île Brion et s'y installent. Huit années plus tard, ils explorent le reste de l'archipel et construisent leur monastère dans l'île de Havre-aux-Maisons. Un matin, le moine Jean est foudroyé et pétrifié sur le bord de la mer. Il demeure à cet endroit mille ans. Dans les années 1960, une vague le renverse.

« La Tabagane enchantée »,
Contes et Légendes des Îles-de-la-Madeleine [2]. « Azade ! – Raconte-moi tes îles », [Montréal], Éditions Intrinsèque, [1976], p. 51-52. (Hy)

Un soir, un jeune garçon glisse avec ses amis. Soudain, il sent avec effroi la luge s'envoler dans le ciel. Sa peur s'atténue lorsqu'il s'aperçoit qu'il peut avoir un certain contrôle. Cependant, comme il tente sans succès de revenir auprès de ses compagnons ébahis, il entend une voix féminine ordonner à la luge de redescendre. Le lendemain, le garçon s'aperçoit que sa luge ne vole plus.

« La Tache d'encre »,
Contes et Légendes des Îles-de-la-Madeleine [2]. « Azade ! – Raconte-moi tes îles », [Montréal], Éditions Intrinsèque, [1976], p. 53-54 (F) ;

Contes et Légendes des Îles-de-la-Madeleine, [Montréal], Éditions Intrinsèque, [1979], p. 106-107.

Pierre essaie péniblement de faire son devoir de composition. Par mégarde, il laisse échapper une grosse goutte d'encre qui s'étend sur sa feuille et prend des formes de personnages qui se mettent à bouger. Pierre, fasciné, se met à écrire ce qu'il voit. Le devoir terminé, la tache d'encre disparaît. La maîtresse le félicite pour son imagination. L'écolier n'ose lui parler de son aventure, étant sûr de son incrédulité.

« Le Cri du "banshee" »,
Contes et Légendes des Îles-de-la-Madeleine [2]. « Azade ! – Raconte-moi tes îles », [Montréal], Éditions Intrinsèque, [1976], p. 55-56. (Hy)

Le narrateur raconte comment, lorsqu'il avait treize ans, par un beau soir de mai, il a entendu le cri du « banshee », être surnaturel annonceur de mort. Le lendemain, trois pêcheurs de la région se noyaient.

« Le Gardien de boucanerie »,
Contes et Légendes des Îles-de-la-Madeleine [2]. « Azade ! – Raconte-moi tes îles », [Montréal], Éditions Intrinsèque, [1976], p. 57-59 (Hy) ;

Contes et Légendes des Îles-de-la-Madeleine, [Montréal], Éditions Intrinsèque, [1979], 72-74.

Un soir que Gildas, gardien de boucaneries, surveille ses feux, il s'aperçoit que ceux-ci diminuent sans raison apparente. Quand il revient peu avant l'aube, il surprend des lutins qui arrosent d'eau ses feux. Éberlué, il les apostrophe et les petits êtres disparaissent.

« Le Jardin magique »,
Contes et Légendes des Îles-de-la-Madeleine [2]. « Azade ! – Raconte-moi tes îles », [Montréal], Éditions Intrinsèque, [1976], p. 61-62 (F) ;

Contes et Légendes des Îles-de-la-Madeleine, [Montréal], Éditions Intrinsèque, [1979], p. 48-50.

Paul a un jardin où tout pousse de façon extraordinaire et qui devient une attraction touristique. Un jour que Paul bêche, il découvre un solage de pierres couvertes de signes autour de son jardin. Il en dégage un bloc et, aussitôt, tout son jardin dépérit et sèche.

« Le Mystère de la maison sur la falaise »,
Contes et Légendes des Îles-de-la-Madeleine [2]. « Azade ! – Raconte-moi tes îles », [Montréal], Éditions Intrinsèque, [1976], p. 69-72. (F)

Un soir, Arsène part chercher du bois. Un orage le surprend et il décide de s'abriter dans une vieille maison abandonnée à flanc de falaise, où le dernier résidant, Octave, a disparu. Arsène s'y endort. Vers minuit, il est réveillé par des bruits étranges, bruits de pas et de sanglots, qui s'approchent de lui. Soudain, il aperçoit une main lumineuse et décharnée et, ensuite, le visage spectral d'Octave apparaît. Terrifié, Arsène s'enfuit chez lui et s'évanouit. Rétabli, il raconte son aventure à sa femme, qui ne le croit pas. Il en parle à son cousin Maurice, qui a, lui aussi, déjà perçu des bruits étranges à cet endroit. Ils partent fouiller la maison et y découvrent le cadavre d'Octave assassiné.

« Le Quêteux »,
Contes et Légendes des Îles-de-la-Madeleine [2]. « Azade ! – Raconte-moi tes îles », [Montréal], Éditions Intrinsèque, [1976], p. 77-78. (Hy)

Au cœur de l'hiver, le vieux Tom part avec sa luge quêter de la nourriture chez ses voisins. Le soir, la luge pleine, Tom revient péniblement chez lui. Soudain, il aperçoit un gros chien blanc qui lui sourit. Tom l'attelle à la luge et se laisse emporter. Sa tâche accomplie, le chien s'élève dans le ciel et devient une boule de feu blanc qui se mêle aux autres étoiles.

« Le Vieux Sapin »,
Contes et Légendes des Îles-de-la-Madeleine [2]. « Azade ! – Raconte-moi tes îles », [Montréal], Éditions Intrinsèque, [1976], p. 81-82. (Hy)

Malgré son chagrin, Octave doit couper le sapin plusieurs fois centenaire afin que ses enfants ne périssent pas de froid. Étrangement, le bois du sapin se consume lentement procurant des journées entières de chaleur pour une seule brassée.

« Le Vieux Sorcier »,
Contes et Légendes des Îles-de-la-Madeleine [2]. « Azade ! – Raconte-moi tes îles », [Montréal], Éditions Intrinsèque, [1976], p. 83-85 (Hy) ;

Contes et Légendes des Îles-de-la-Madeleine, [Montréal], Éditions Intrinsèque, [1979], p. 87-89.

Débarqué un vendredi soir, un vieil homme, appelé le vieux sorcier, s'installe en pension dans une famille de Barachois. Il guérit des maladies bénignes et, un jour, chasse le mauvais esprit de l'abdomen de Jérémie en disant des invocations. Un jour, il quitte l'île sans faire d'adieux.

« Les Habitants du plâtre à Arsène »,
Contes et Légendes des Îles-de-la-Madeleine [2]. « Azade ! – Raconte-moi tes îles », [Montréal], Éditions Intrinsèque, [1976], p. 89-91 (Hy) ;

Contes et Légendes des Îles-de-la-Madeleine, [Montréal], Éditions Intrinsèque, [1979], p. 16-19.

Près d'une source, Placide voit de petits êtres qui disparaissent. Il les cherche et trouve un trou, l'entrée d'un tunnel. Il s'y glisse et arrive dans une grande salle illuminée où travaillent des lutins. Il entend un rire et une incantation qui l'endorment. Placide se réveille dans le pré et constate la disparition du trou malgré de nombreuses traces de petits pas.

« Les Joueurs de poker... et le Diable »,
Contes et Légendes des Îles-de-la-Madeleine [2]. « Azade ! – Raconte-moi tes îles », [Montréal], Éditions Intrinsèque, [1976], p. 93-94. (F)

Un soir de tempête, plusieurs pêcheurs passent la nuit à jouer au poker. À quatre heures du matin, Chrysostome perd ses derniers sous. Fâché, il crie au diable de venir chercher ses cartes. Un gros chien noir aux yeux rouge vif pénètre dans la maison. Le paquet de cartes va se ranger dans sa gueule. Le chien disparaît dans un nuage de soufre.

« L'Idiot du Canton du Grand Ruisseau »,
Contes et Légendes des Îles-de-la-Madeleine [2]. « Azade ! – Raconte-moi tes îles », [Montréal], Éditions Intrinsèque, [1976], p. 107-109 (Hy) ;

Contes et Légendes des Îles-de-la-Madeleine 3. « Azade nous ramène dans ses îles », [Montréal], Éditions Intrinsèque, [1977], p. 81-83 ;

Contes et Légendes des Îles-de-la-Madeleine, [Montréal], Éditions Intrinsèque, [1979], p. 57-59.

Denis est un enfant marginal et handicapé. Saül, un voisin, le suit discrètement jusqu'en forêt où le pauvre bossu disparaît entouré de lutins.

« L'Oiseau de malheur »,
Contes et Légendes des Îles-de-la-Madeleine [2]. « Azade ! – Raconte-moi tes îles », [Montréal], Éditions Intrinsèque, [1976], p. 111-112. (Hy)

À l'époque de la grippe espagnole, François a remarqué que, la veille de la mort de sa femme et de cinq de ses fils, un oiseau noir venait se poser sur la cheminée. Le dernier fils de François est atteint de la fièvre. François sort et aperçoit l'oiseau noir. Il lui lance des pierres et réussit à le blesser. L'oiseau s'enfuit. Aussitôt, la fièvre de l'enfant tombe.

« Anaclet et la Rose noire »,
Contes et Légendes des Îles-de-la-Madeleine 3. « Azade nous ramène dans ses îles », [Montréal], Éditions Intrinsèque, [1977], p. 11-13. (Hy)

Un garçon de douze ans, Anaclet, découvre une rose noire qui bouge et qui parle.

« Le Cordonnier volant »,
Contes et Légendes des Îles-de-la-Madeleine 3. « Azade nous ramène dans ses îles », [Montréal], Éditions Intrinsèque, [1977], p. 25-27 (Hy) ;

Contes et Légendes des Îles-de-la-Madeleine, [Montréal], Éditions Intrinsèque, [1979], p. 108-111.

Édouard le cordonnier se découvre le pouvoir de léviter et s'envole vers une île mystérieuse pour l'explorer. Après sa mort, on croit que son cercueil sillonne le ciel à la brunante.

« Les Habitants du plâtre à Arsène... face à la SOQUEM »,
Contes et Légendes des Îles-de-la-Madeleine 3. « Azade nous ramène dans ses îles », [Montréal], Éditions Intrinsèque, [1977], p. 43-46 (Hy) ;

Contes et Légendes des Îles-de-la-Madeleine, [Montréal], Éditions Intrinsèque, [1979], p. 20-24.

Placide trouve des lutins dans un trou menant à des tunnels souterrains. Ces derniers déclarent la guerre à la Soquem qui, exploitant des mines de sel, cause trop de dommages à leur monde caché. La Soquem, après de nombreux incidents inexpliqués, déménage.

« Le Rasoir ensorcelé »,
Contes et Légendes des Îles-de-la-Madeleine 3. « Azade nous ramène dans ses îles », [Montréal], Éditions Intrinsèque, [1977], p. 89-91. (F)

Henri perd le contrôle de sa main qui lui rase les cheveux à la manière indienne. Un ancêtre indien lui apparaît et lui demande d'être chef à son tour. Henri refuse et retrouve ses cheveux.

« Les Trois Sous du pêcheur »,
Contes et Légendes des Îles de la Madeleine [*sic*]. Tome IV, préface de Auray Blain, Montréal, Éditions de la Marquise inc., [1983], p. 13-16. (F)

Aux Îles-de-la-Madeleine, deux pêcheurs surpris par la tempête jettent des sous noirs à la mer pour apaiser la colère de la nature, conformément aux enseignements de la tradition orale. Le vent tombe dès que le troisième sou touche l'eau.

« Les Bottes de mon oncle »,
Contes et Légendes des Îles de la Madeleine [*sic*]. Tome IV, préface de Auray Blain, Montréal, Éditions de la Marquise inc., [1983], p. 61-65. (Hy)

Des bottes ensorcelées tirent à maintes reprises leur propriétaire de situations dangereuses.

« M. Dupanloup a été désintégré »,
Contes et Légendes des Îles de la Madeleine [*sic*]. Tome IV, préface de Auray Blain, Montréal, Éditions de la Marquise inc., [1983], p. 31-35. (SF)

M. Dupanloup, savant biologiste en vacances aux Îles-de-la-Madeleine, marche seul « sur la dune du Nord » et aperçoit un mystérieux personnage qui disparaît subitement. Pendant trois jours, le savant retourne à la même heure matinale sur les lieux de l'apparition afin de percer le mystère et revoit chaque fois le même personnage, une jeune femme d'à peu près sept pieds de hauteur qui disparaît toujours subitement. Au troisième matin, elle apparaît plus près de lui et prend sa main ; ensemble, ils se désintègrent graduellement pour apparaître dans une autre dimension, un autre univers : « la galaxie verte ». Communiquant par pression des mains, la femme offre au savant de visiter la galaxie ou de s'en retourner sur Terre. Pris de panique, il préfère revenir. Au retour, il se promet de garder cette aventure pour lui, puisqu'il n'a ramené aucune preuve « de l'autre monde », tout en songeant qu'une prochaine fois il en rapportera sûrement si on lui en donne l'occasion.

« La Revanche des baleines »,
Contes et Légendes des Îles de la Madeleine [*sic*]. Tome IV, préface de Auray Blain, Montréal, Éditions de la Marquise inc., [1983], p. 92-96. (SF)

Les baleines acquièrent une grande autonomie intellectuelle après une série d'essais de la bombe à neutron qui ont permis l'émergence de forces mystérieuses venues de l'intérieur de la planète. Ainsi développées, les baleines prennent conscience de la cruauté des hommes à leur endroit. Elles décident d'agir en attaquant les bateaux des baleiniers ; les hommes réagissent en votant une loi mondiale interdisant la chasse à la baleine.

« Casimir, le corbeau »,
Contes et Légendes des Îles de la Madeleine [*sic*]. Tome IV, préface de Auray Blain, Montréal, Éditions de la Marquise inc., [1983], p. 133-136. (F)

Un vieil homme, Luc, se lie d'amitié avec Casimir, un corbeau. Fasciné par ces oiseaux qu'il envie, Luc apprend leur langage. Les gens du canton finissent par craindre cet homme toujours accompagné d'un ou de plusieurs corbeaux. Un matin, Luc part vers le nid de Casimir, suivi de curieux qui sont témoins de l'ascension du vieillard vers le nid où l'attend Casimir. Il entre dans le nid, y disparaît puis deux corbeaux en sortent, que l'on revoit souvent en train de voler ensemble par la suite.

« Des traces de pas dans le sable »,
Contes et Légendes des Îles de la Madeleine [*sic*]. Tome IV, préface de Auray Blain, Montréal, Éditions de la Marquise inc., [1983], p. 139-143. (SF)

Un homme se promène sur une plage des Îles-de-la-Madeleine, tôt le matin, et aperçoit des traces géantes de pieds palmés qui vont de la mer à une falaise. Il revient la nuit suivante et voit deux êtres étranges, –

deux géants d'apparence humaine, aux pieds et aux mains palmés, - sortir de la mer et aller vers la falaise où ils disparaissent comme s'ils pénétraient dans le roc. L'homme se rappelle alors avoir lu, dans une revue scientifique, un reportage touchant l'hypothèse de l'existence probable de civilisations très avancées à l'intérieur de la Terre.

« Les Diables du pont à Amable »,
Contes et Légendes des Îles de la Madeleine [*sic*]. Tome IV, préface de Auray Blain, Montréal, Éditions de la Marquise inc., [1983], p. 159-163. (F)

Un samedi soir, le diable et ses acolytes circulent sur le pont à Amable et effraient ls habitants.

HARVEY, Jean-Guy
[

« Cartons bleus »,
Carfax, n° 1 (mars-mai 1984), p. 4. (F)

Un instituteur suppléant, qui « s'adonnait à sa petite jouissance [...] les mains dans son tiroir », est aspiré dans le tiroir de son bureau sous les yeux d'un collègue qui ne lui prête aucun secours parce qu'il n'aime pas ce genre d'individus.

HÉBERT, Anne
[Sainte-Catherine-de-Fossambault, 1er août 1916 –]

« L'Ange de Dominique »,
le Torrent suivi de *deux nouvelles inédites*, Montréal, Éditions HMH, 1963, p. 67-106. (Collection « l'Arbre », n° 1) (Hy) ;

le Torrent. Nouvelles, [Montréal], HMH, [1976], p. 47-75.

Dominique souffre d'une paralysie des jambes. Elle reçoit souvent la visite d'Ysa le mousse, venu d'elle ne sait où et qui s'est déclaré son ange gardien. Il danse devant elle et Dominique rêve d'en faire autant. Un jour, envoûtée par Ysa, elle danse et meurt.

Les Enfants du sabbat. Roman,
Paris, Éditions du Seuil, [1975], 186[3] p. (F/Roman) ;

[Paris], Éditions du Seuil, [1975], 186[2] p., (Collection « Points », n° R-117) ;

Don Mills (Ontario), Musson Book Company, [1977], 198 p. [Traduit par Carol Dunlop-Hébert sous le titre *Children of the Black Sabbath*].

Sœur Julie de la Trinité qui s'est enfermée au couvent, initialement pour « protéger » son frère parti à la guerre, a certains problèmes à mesure qu'approche la date de sa prise de voile définitive. Elle revit en pensée son enfance dans la montagne de B... où elle a été initiée comme sorcière par son père et sa mère (sabbat et incestes). Julie provoque diverses manifestations paranormales et use de ses pouvoirs de « sorcière » dans le couvent et, à l'extérieur de celui-ci. Les aumôniers et le docteur de la communauté puis le grand exorciste sont « visités » par elle la nuit. La vie du couvent se dégrade de plus en plus. D'autres manifestations paranormales surviennent : Julie devient inexplicablement enceinte et accouche d'un bébé que l'aumônier étouffe dans la neige. Heureuse, car pour elle sa « mission [est] accomplie », Julie rejoint alors son « maître » qui l'attend à l'extérieur du couvent.

Héloïse. Roman,
Paris, Éditions du Seuil, [1980], 123[1] p. (F/Roman) ;

[Un extrait parut d'abord sous le titre « l'Appartement », dans *Études littéraires*, vol. XII, n° 3 (décembre 1979), p. 403-405].

Bernard et Christine vont se marier et en sont très heureux. Un matin, dans le métro, Bernard voit une jeune femme étrange, Héloïse, dont il tombe instantanément amoureux. Héloïse est en fait un vampire qui a jeté son dévolu sur Bernard. Xavier Bottereau, un autre vampire, réussit à attirer Bernard et Christine dans un appartement désuet, situé aux limites de Paris, où ils sont tous deux victimes d'Héloïse et de son compagnon.

HÉBERT, Louis-Philippe
[Montréal, 20 décembre 1946 –]

« Parallèlement »
Liberté, n° 53 (vol. IX, n° 5, septembre-octobre 1967), p. 57-59. (Hy)

Sur Terre, l'heure de « Cela » a sonné. Tous savaient que ce phénomène invisible, indescriptible, devait arriver. Mais voilà, le temps est venu. D'abord, quelques cas isolés : un homme, une femme pétrifiés sous une mince couche de gel. Puis New York qui ne répond plus. De plus en plus de grandes villes sont touchées. C'est l'exode. Le narrateur part avec un groupe, droit devant, sur le « chemin de la lumière ». Mais rien n'y fait. Cela progresse par bonds, sans méthode, mais impitoyablement. En chemin, le groupe diminue. Mais le narrateur survit toujours. Il sait maintenant que Cela l'épargne, car c'est avec lui seul que doit se faire la rencontre ultime. Il faut qu'il affronte Cela, cette chose « qui était en nous bien avant de s'imposer dans toute son évidence ».

« Comment Antonio perdit la raison »,
Écrits du Canada français, Montréal, [s. é.], n° 31, 1971, p. 11-25 (Hy) ;

le Roi jaune. Récits, Montréal, Éditions du Jour, [1971], p. 11-36. (Collection « Prose du Jour », n° O-1).

Un jour, Antonio, un rat blanc, emménage dans sa nouvelle demeure, une chambre que ses parents lui ont léguée. Un peu de nourriture sèche, un bassin d'eau, des feuilles de papier et une roue d'exercice fixée au mur composent son mobilier. Son activité préférée est l'écriture. Sur les feuilles, il inscrit indéfiniment son nom. Le reste du temps, il tourne dans sa roue ou regarde par la fenêtre. C'est ainsi qu'il observe un rite étrange qui consiste en l'élimination régulière et systématique des vieilles qui habitent l'immeuble, élimination que des enfants semblent superviser. Il observe également son voisin de palier alors qu'il se rend au travail. L'homme, qui attend sur le trottoir, ramasse un bout de papier qu'Antonio a laissé tomber de sa fenêtre du 32e étage. Il y lit « OINOTNA » et, en regardant précisément la fenêtre d'Antonio, il est pris de panique. Un matin, Antonio se rend compte que l'immeuble s'est enfoncé d'un étage sous terre. Puis, la déconstruction de l'immeuble, par étage, s'accélère de manière désordonnée. Accroché à sa roue, Antonio voit sa chambre et tout ce qui l'entoure se défaire pour se reconstruire. Il comprend que des menaces de guerre obligent le pays à changer radicalement l'ordre des chambres en les reconstituant, mais en des points stratégiques, menaçant ainsi l'ennemi d'invasion par un processus d'expansion rapide. Toutefois, pendant le « déplacement » du pays, un court-circuit s'est produit. C'est le mouvement inhabituel de la roue d'Antonio qui en serait la cause. Le nom du coupable est écrit sur tous les murs : « OINOTNA ». Alors qu'Antonio tourne désespérément dans sa roue, des porteurs poussant une chaise roulante se dirigent vers sa chambre.

« La Fourmi extrême »,
Récits des temps ordinaires, Montréal, Éditions du Jour, [1972], p. 31-38. (Collection « les Romanciers du Jour », n° R-86). (Hy)

Dans un hôpital, une vieille religieuse consulte la Fourmi extrême, chirurgienne, pour s'assurer de la légitimité des revendications des visiteurs. Lorsqu'elle possède l'information, elle est en mesure de diriger ceux-ci vers l'une des quatre portes.

« Le Cirque de Joséphine »,
Récits des temps ordinaires, Montréal, Éditions du Jour, [1972], p. 39-48. (Collection « les Romanciers du Jour », n° R-86). (F)

Un « personnage », « Il », s'avance vers un hôtel dont il remarque l'absence de la lettre centrale dans l'enseigne « HO EL ». Il suit un dédale de corridors, d'ascenseurs pour se rendre à sa chambre où il découvre un spectacle baroque fait de corps enfouis dans un sofa (est-ce Joséphine (sa mère ?) ou un chat ?). Et lui, est-il le rat de Joséphine ?

« L'Heure »,
Récits des temps ordinaires, Montréal, Éditions du Jour, [1972], p. 70-80. (Collection « les Romanciers du Jour », n° R-86). (Hy)

Des fragments de souvenirs rattachés à un accident mortel semblent se dérouler dans la tête d'une femme, dont on ne peut clairement départager si elle est morte, vivante ou morte-vivante, mais qui est assise au soleil en train de lire. L'accident impliquerait la disparition d'un corps et l'arrivée d'un fantôme.

« À propos d'une musique »,
Récits des temps ordinaires, Montréal, Éditions du Jour, [1972], p. 97-103. (Collection « les Romanciers du Jour », n° R-86). (F)

Un humain ayant subi des métamorphoses se rappelle son passé. Il semble que cette créature fasse désormais partie d'un cirque et que sa tête soit visitée par des touristes. L'être veut se libérer, tout comme les mouches musiciennes qu'il décrit, lesquelles s'installent dans le corps d'enfants ou de cadavres.

« La Bête plate »,
Récits des temps ordinaires, Montréal, Éditions du Jour, [1972], p. 105-112. (Collection « les Romanciers du Jour », n° R-86). (F)

Sous la table d'un restaurant où mange une dame, une flaque de café se transforme en une bête plate affamée et s'attaque à la dame.

« La Paix dans les familles nombreuses »,
Récits des temps ordinaires, Montréal, Éditions du Jour, [1972], p. 121-128. (Collection « les Romanciers du Jour », n° R-86). (F)

Des objets (meubles et machines) attaquent les gens afin de se repaître de chair humaine.

« Le Discours d'utilité »,
la Manufacture de machines, [Montréal], Quinze, [1976], p. 11-17. (SF)

Un fonctionnaire, préposé aux inventions, est chargé de ne breveter que les inventions déjà connues et répertoriées. Il oppose aux auteurs de découvertes non cataloguées – et donc jugées anarchistes – un refus catégorique assorti de rappels de la loi, c'est-à-dire du discours d'utilité.

« L'Aqueduc »,
la Manufacture de machines, [Montréal], Quinze, [1976], p. 19-28. (Hy)

Le narrateur, un gardien de funérarium, décrit l'espace labyrinthique où il se trouve. Cet espace semble avoir été pensé par des fondateurs de cette société, maintenant morts (morts/vivants ?), pour se distraire et amuser les générations successives. Des chenilles creusent sans cesse de nouveaux couloirs et poursuivent le gardien, qui ne trouve d'autre issue que vers le bas, c'est-à-dire la mort.

« Le Robot I »,
la Manufacture de machines, [Montréal], Quinze, [1976], p. 29-35. (SF)

Des gens visitent la manufacture de machines dans l'espoir d'apercevoir un certain robot, constitué de deux parties qui n'entretiennent entre elles aucun contact. Le narrateur craint que ne s'envole la manufacture, retenue à la terre par de seuls tendeurs.

« Les Cogneurs »,
la Manufacture de machines, [Montréal], Quinze, [1976], p. 37-40. (Hy)

Des êtres, « les cogneurs [...], résidus de peuples nomades [...] viennent quelquefois se heurter contre [des] murs ». Ces monstres à tête verte se déplacent comme des fantômes en quête d'une chose qu'ils ne peuvent pas trouver et emporter avec eux.

« Lettre à propos d'un trapèze »,
la Manufacture de machines, [Montréal], Quinze, [1976], p. 51-57. (Hy)

Une manufacture reçoit d'un client le plan d'un trapèze et le mandat de le fabriquer. Des événements bizarres contrarient toutefois la réalisation de l'objet, qui serait un piège à volatiles humains. Submergés par la tâche, le directeur, la secrétaire et les employés de l'usine semblent pris au piège...

« L'Activité cérébrale des gardiens de nuit »,
la Manufacture de machines, [Montréal], Quinze, [1976], p. 59-66. (Hy)

Des robots, les gardiens de nuit, se promènent dans les rues, la nuit, grâce à des crânes sans poil (sorte de crânes de bœuf). Ils peuvent aussi se mouvoir avec leurs corps, mais sans tête. S'ils rencontrent un passant, ils peuvent interchanger leurs têtes.

« L'Extracteur de jus (robot 2) »,
la Manufacture de machines, [Montréal], Quinze, [1976], p. 67-75 (SF) ;

Anthologie de la science-fiction québécoise contemporaine. Introduction et choix de textes par Michel Lord, [Montréal], BQ, [1988], p. 133-141. (« Bibliothèque québécoise, Littérature »).

Un homme se sent transformé petit à petit : son apparence et ses perceptions se modifient, ses déplacements s'effectuent verticalement plutôt qu'horizontalement, sa survie dépend d'un moteur. Il finit par devenir une machine (un extracteur de jus) et s'en trouve heureux.

« L'Horloge musicale »,
la Manufacture de machines, [Montréal], Quinze, [1976], p. 77-86. (SF)

Dans un monde étrange réglé mécaniquement, la vie des villageois est liée au fonctionnement d'une énorme horloge musicale. Lorsque la pile qui alimente celle-ci s'éteint, les villageois meurent.

« L'Hôtel »,
la Manufacture de machines, [Montréal], Quinze, [1976], p. 93-100. (Hy);

Invisible Fictions. Contemporary Stories from Quebec. Edited by Geoff Hancock, Toronto, Anansi, [1987], p. 165-168. [Traduit par Alberto Manguel sous le titre « The Hotel »].

Le narrateur, homme le jour et rat la nuit, danse dans un hôtel pour divertir les clients. La nuit, un mécanisme de sécurité met les clients à l'abri de la voracité des rats ; pourtant, un certain soir, le rat pressent qu'un beau carnage aura lieu.

« Le Manoir de la taupinière »,
la Manufacture de machines, [Montréal], Quinze, [1976], p. 101-113. (F)

Le narrateur achète un bureau contenant des tiroirs multiples non communicants. L'un deux contient un manoir où est exposée une toile représentant une taupe qui bouge les tentacules qu'elle a au bout de son museau. Il semble que le narrateur soit entré dans le manoir contenu dans le tiroir de son bureau. Puis, le narrateur se sent poursuivi par quelqu'un (un homme ?) dans le manoir, donc toujours dans le tiroir du bureau. Cet homme lui demande « des nouvelles d'*ailleurs* ».

« Les Portiers »,
la Manufacture de machines, [Montréal], Quinze, [1976], p. 115-121. (Hy)

Postés de chaque côté d'une sorte d'entrée, des portiers (des doubles ?), qui semblent n'entretenir aucun contact entre eux, commandent l'ouverture et la fermeture de portes qui donnent sur un immeuble inexistant. Leur but ? User le système en douceur.

« Le Vaisseau »,
la Manufacture de machines, [Montréal], Quinze, [1976], p. 123-124. (Hy)

Des volontaires reçoivent un excellent salaire pour observer à travers un système complexe de lentilles les yeux d'autres employés assignés à la même tâche qu'eux. Ces observateurs travaillent pour le compte de la Fraternité des opticiens.

« Le Bernard-l'ermite (robot 3) »,
la Manufacture de machines, [Montréal], Quinze, [1976], p. 135-143. (SF)

Les habitants d'un village prennent place dans une « cage libératrice » et se retrouvent sous la forme d'un petit carré aplati et luisant. Toutes ces petites plaques sont ensuite transférées sur un moteur baptisé le Bernard-l'ermite. Le narrateur, un cyborg, veille au bon fonctionnement du moteur, afin que les gens ne soient pas catapultés hors de la cage, et raconte aux touristes comment les villageois ont été réduits grâce à la cage libératrice.

« Histoire d'incendie »,
Hobo/Québec, vol. I, n° 33 (avril-juin 1977), p. 25 (F) ;

Manuscrit trouvé dans une valise. Cinéma, [Montréal], Quinze, [1979], p. 89-90. (« Prose entière »).

À la sortie d'un cinéma, les lunettes d'un homme prennent feu. En fait, dans son entourage, les histoires d'incendie sont très populaires. Tous les arts sont prétextes à des scènes « brûlantes » : queue incandescente des animaux, buisson ardent des jardins, pas un objet ou un décor où il n'y ait un incendie. Au théâtre même, le spectacle n'est pas complet sans les cris « Au feu » et la panique générale qui s'ensuit. Au cinéma pourtant rien de semblable : tout se passe plus loin sur l'écran, à la verticale. Après avoir éteint ses lunettes avec sa bonbonne de poche, l'homme se félicite de l'incident qui le fera passer à l'histoire, croit-il.

« Les Cônes »,
la Nouvelle Barre du jour, n° 58 (septembre 1977), p. 47-80. (Hy)

Un narrateur « je » fait la description de son monde (monde réel et monde imaginaire). Les habitations sont des cônes inversés dans lesquels les locataires des étages supérieurs jouent au jeu des Planètes. Ce jeu semble être essentiel à l'équilibre de chaque habitation conique qui abrite les joueurs et ceux des étages inférieurs. Après quelques considérations sur les peintres, la religion, le maire, l'architecture de son monde, le narrateur explique en détail le fonctionnement du jeu vital. Ses propos se terminent sur un terrible doute : l'équilibre des cônes est-il véritablement dépendant des décisions des joueurs ? Du déplacement des blocs du jeu ? Si cela se révèle faux, tous les habitants de ce monde, le narrateur compris, sont dupes depuis des millénaires...

« Le Négateur »,
la Nouvelle Barre du jour, n° 61 (décembre 1977), p. 31-59. [Suite du texte « les Cônes »]. (Hy)

Un groupe de personnes oisives invite le narrateur à faire partie de leur Club. Ravi, il accepte, son rêve le plus cher ayant toujours été d'être membre d'un Club sélect. Les autres membres, l'informant qu'ils veulent inventer un autre « jeu » de société, lui confient la tâche de la rédaction du manuel des règlements. Au fur et à mesure de la rédaction, le narrateur se rend compte qu'il n'est qu'un pion servile au sein du Club. Car, s'il conçoit le jeu en terme de victoire possible d'un joueur, les autres croient, au contraire, qu'il faut penser les règlements de telle sorte qu'aucune victoire ne soit possible. Ses interventions personnelles sont donc très mal venues et contestées avec dédain et hauteur. Le narrateur ne se décourage pourtant pas. Son entêtement, tout au long de cette laborieuse élaboration des lois du jeu, provoque une interminable conversation où l'on juge, sous un couvert « ludique », non seulement le jeu de société, mais la société elle-même. Finalement la majorité impose la conclusion suivante : malgré tous ses efforts, le narrateur ne pourra jamais échapper au jeu, à ses subtiles et complexes embranchements, malgré une victoire possible, mais pratiquement improbable.

« La Pelure »,
la Nouvelle Barre du jour, n° 62 (janvier 1978), p. 52-56 (Hy) ;

Manuscrit trouvé dans une valise. Cinéma, [Montréal], Quinze, [1979], p. 95-99. (« Prose entière »).

Pour le narrateur, tout (humains, animaux, choses, lieux) a des pelures. Les médecins de la clinique où il se retrouve prétendent qu'il s'agit d'une « maladie de la matière ». Soucieuse de ne laisser aux choses qu'une seule pelure, la direction procède au nettoyage des lieux. À la cuisine, seuls les oignons auraient été épargnés par le grand ménage...

« La Maladie des yo-yo »,
Voix et Images, vol. IV, n° 3 (avril 1979), p. 375-376 (SF) ;

Manuscrit trouvé dans une valise. Cinéma, [Montréal], Quinze, [1979], p. 147-151. (« Prose entière »).

Dans un village où le dernier embaumement a été effectué, vingt-trois générations auparavant, les habitants, qui ont mis au point au fil des ans une technique de disparition, – qui tient lieu de mort, – perdent cet art petit à petit. Entre deux disparitions imprévues, une jeune fille raconte qu'elle a vu un homme, au corps de plumes, mort.

« Lettre d'une ménagère à une compagnie de robots »,
Voix et Images, vol. IV, n° 3 (avril 1979), p. 387-390. (Hy)

Une femme renvoie à ses concepteurs un petit robot domestique, dûment emballé, qu'elle avait offert à son jeune fils. Dans une lettre d'accompagnement, elle explique que ce jouet, qui se veut éducatif, est en fait un objet dangereux, imprévisible et tout à fait incontrôlable une fois programmé pour une tâche quelconque. Robot 4 a le défaut de ne pas comprendre les ordres les plus simples : il met en charpie les pieds du petit garçon qui lui demande de lui enlever ses chaussures simplement. Plus tard, à l'hôpital, il scalpe quasiment le pauvre enfant, lorsqu'un des médecins, désireux de trouver la clef de l'énigme de son fonctionnement, ordonne de lui donner un coup de peigne, et ce, malgré un grand nombre de données précises incluses dans son programme. Désespérée, la mère décide de se débarrasser de Robot 4, mais elle lui demande d'écrire cette lettre lui-même, en son nom à elle. Il s'exécute sans bavure cette fois, mais, lorsqu'elle lui demande de s'emballer lui-même, il se sert d'elle, de sa peau comme papier d'emballage, de sa robe lacérée pour la paille...

« Si vous saviez »,
Voix et Images, vol. IV, n° 3 (avril 1979), p. 390-393 (F) ;

Manuscrit trouvé dans une valise. Cinéma, [Montréal], Quinze, [1979], p. 131-137. (« Prose entière »).

La plate-forme qui jouxte la maison du narrateur et où un garde-fou apparaît et disparaît à son gré serait la réplique exacte et agrandie de la galerie. Les visiteurs de la plate-forme prétendent voir, du côté où ne s'est jamais aventuré le narrateur, un château habité par un géant à l'image du narrateur. Ce dernier croit plutôt que la plate-forme débouche sur une autre galerie et que la pelouse donne sur un petit univers qui conduit aux jardins suspendus.

« La Suite »,
Voix et Images, vol. IV, n° 3 (avril 1979), p. 393-394 (F) ;

Manuscrit trouvé dans une valise. Cinéma, [Montréal], Quinze, [1979], p. 139-141. (« Prose entière »).

Le narrateur, constatant que « l'ennemi » a choisi la forme de la maison pour dévorer ou tromper l'humain, a besoin de toute sa volonté pour résister à la tentation d'entrer dans une petite maison qui parle « la langue des gâteaux ».

« Répondre aux questions D-C9 à D-C13 »,
la Nouvelle Barre du jour, n°s 79-80 (juin 1979), p. 35-44. (SF)

Un homme à la recherche d'un emploi va remplir un questionnaire au Centre de travail. C'est la publicité alléchante (un emploi adéquat pour chacun, commencez à travailler dès maintenant...) qui l'a attiré. Une fois sur place, il se rend compte que les questions n'ont rien à voir avec le poste affiché. S'il avait su, il serait resté couché. De plus, dès son arrivée, on a essayé de lui faire rebrousser chemin. Le portier tentait de le décourager. L'homme est un irradié, peut-être un robot. Il connaît les mœurs de ces derniers pour avoir été agressé par un ferblank (clochard mécanique) avant d'entrer dans l'immeuble de l'agence. Ce ferblank est-il un candidat déchu (chômeur) ou un détective du centre d'emploi ? Rien n'est sûr, même s'il semble impossible pour qui que ce soit de simuler le chômage. Avant de conclure sa réponse aux questions D-C9 à D-C13, l'homme souligne qu'il y a un parasite dans le programme de la secrétaire qui l'a reçu parce qu'elle s'est arrêtée de lui servir du café lorsqu'il a ôté sa montre. Si son emploi pouvait être de l'alimenter en café (liquide qu'il ne boit jamais), le sien peut bien être de remplir ce formulaire ? Pourquoi alors cherche-t-on maintenant à lui faire perdre son emploi en lui posant des questions auxquelles il n'a pas de réponse ?

« Adieu les petites mamans »,
la Nouvelle Barre du jour, nos 79-80 (juin 1979), p. 133-140. (SF)

Un homme écrit à son ami Claud, parti en voyage. Il lui explique ce qui se passe chez lui et dans la ville. Il en a en assez des marsupiales, ces « petites mamans », animaux moitié vivants, moitié électroniques. Malgré le plaisir sexuel qu'elles procurent, il ne peut décidément se faire à la mode qui exige le port vertical de la marsupiale, sur la tête, comme un chapeau. Il lui dit encore qu'il préfère maintenant les « carpes », autres animaux de plaisir et tout aussi illégaux que les marsupiales. En fait, il a maintenant un nouvel ami, un ichtyoïde, ces êtres qui sont pourvus de minuscules nageoires dorsales. C'est lui qui l'a initié à la pratique de la carpe. Son appartement est situé juste au-dessus du bassin aquatique où sont les carpes de son immeuble. Les autorités n'approuvent pas plus la présence des carpes que celle des marsupiales, dans les boutiques du rez-de-chaussée des immeubles, ou dans des pièces secrètes sur lesquelles la loi du silence règne.

« La Rue de la Visitation »,
Manuscrit trouvé dans une valise. Cinéma, [Montréal], Quinze, [1979], p. 25-27. (« Prose entière »). (F)

Le narrateur est vampirisé par un chat imprimé sur un sac de librairie.

« Cosmogonie horticole »,
Manuscrit trouvé dans une valise. Cinéma, Montréal, Quinze, [1979], p. 75-77. (« Prose entière »). (F)

Un auteur est témoin des métamorphoses de l'espace (un jardin) et spécule sur les Formes d'explication qui changent d'une année à l'autre suivant les hypothèses que les savants veulent bien avancer. Rien n'est fixe, ni certain. L'univers est entièrement problématique, tout est possible, métamorphosable, explicable de mille manières.

« Entrée libre »,
Manuscrit trouvé dans une valise. Cinéma, [Montréal], Quinze, [1979], p. 125-129. (« Prose entière »). (F)

Des œufs semblent sortir d'un écran cinématographique et provoquent diverses réactions parmi les spectateurs (les incrédules sortent et les jouisseurs se masturbent avec les œufs). Dans une autre salle, des fœtus sortent de l'écran. Sont-ce des hologrammes, comme le suggère *un* des points de vue ?

« Le Thème du singe »,
Manuscrit trouvé dans une valise. Cinéma, [Montréal], Quinze, [1979], p. 153-155. (« Prose entière »). (Hy)
Le narrateur focalisateur écrit qu'il voit un singe et il en voit un. Puis il le fait disparaître à volonté. Lorsque le narrateur cesse d'écrire, il disparaît lui-même en tant que narrateur.

« Les Ouvreuses »,
Manuscrit trouvé dans une valise. Cinéma, [Montréal], Quinze, [1979], p. 163-164. (« Prose entière »). (F)

La narratrice, propriétaire de cinéma, – et ouvreuse elle-même – se demande qui des ouvreuses ou des choses venues de l'écran ou d'ailleurs dévorent les spectateurs. On trouve des ossements près des fauteuils. Les gens portent plainte, mais la question n'est pas tranchée.

« Le Procès du concierge par ses locataires mêmes ? »,
Manuscrit trouvé dans une valise. Cinéma, [Montréal], Quinze, [1979], p. 165-168. (« Prose entière »). (Hy)

Dans un cinéma qui offre un spectacle continuel et où les appuie-bras des fauteuils sont constitués de meutes de chiens dévorants, les spectateurs ne redoutent pas leur mort, d'ailleurs inévitable ; ils craignent seulement de mourir avant la fin de la projection cinématographique.

HÉOL, Jean-Marc [pseudonyme]. V. **GOUANVIC, Jean-Marc.**

HOLDEN, Hélène P[apachristidis]
[1935 –]

« Les Petits Tableaux lourds »,
Écrits du Canada français, Montréal, [s. é.], n° 40, 1976, p. 107-114. (Hy)

Élise laisse partir son mari de plein gré vers une femme plus jeune. Elle lui avoue l'avoir d'ailleurs elle-même trompé avec Florian, l'amour de sa vie, puis, après la mort de ce dernier, avec des amants de passage. Une fois son mari parti, elle se couche et meurt tranquillement. Son fantôme rejoint ceux de Florian et de sa grand-mère, qui l'accompagnent à l'extérieur, sur le balcon du deuxième étage.

HOLLIER, Robert

[

« Après »,

Liberté, n° 11 (vol. II, n° 5, septembre-octobre 1960), p. 251-256. (F)

Dans un univers d'après-vie, un être s'étonne de pouvoir encore parler et même de pouvoir s'étonner encore. Soldat, mort au combat, il tente de faire comprendre à un nouveau venu que, en cette espèce de purgatoire, seul l'oubli, l'allègement total de tous les souvenirs, représente la récompense finale.

J

JACQUES, Bernard
[Longueuil, 17 avril 1963 –]

« Ce matin, des baleines »,
Solaris, n° 45 (vol. VIII, n° 3, juin-juillet 1982), p. 21-23 (SF) ;

Aurores boréales 1. 10 récits de science-fiction parus dans la revue *Solaris*, sous la direction de Norbert Spehner, [Longueuil], le Préambule, [1983], p. 33-44. (Collection « Chroniques du futur », n° 7.)

Sur une étrange planète, une vieille dame, Maria, sort un matin pour aller jusqu'à la falaise devant sa demeure. Elle découvre avec horreur des cadavres de baleines sur la grève. Lorsqu'elle était jeune, sur Terre, Maria avait choisi de quitter son amant pour aider son frère, un terroriste écologique. Avec tout un groupe, ils luttaient contre les forces gouvernementales pour limiter les désastres causés par l'industrialisation. À la mort de son frère, elle avait décidé de rejoindre son amant et ils avaient quitté la Terre pour une nouvelle planète. Après des siècles de voyage, sous l'effet de la cryogénisation, ils s'étaient établis sur une planète vierge, dans un endroit paradisiaque. Malheureusement, la vieille Maria se rend compte que maintenant les hommes polluent tout ce qu'ils touchent.

JACQUES, Claire
[

« Un Noël sur la terre »,
le Droit, vol. LVIII, n° 224 (19 décembre 1970), p. 22. (SF)

La veille de Noël, deux enfants, X-15 et Y-10, arrivent d'une autre planète. Ils rencontrent un Terrien, Pierrot, qui leur parle de la Fête de Noël. X et Y repartent bientôt, après avoir échangé des cadeaux avec Pierrot.

JAHJAH, Maher
[Le Caire (Égypte), 19 novembre 1960 –]

« Chaleureux Accueil »,
Pour ta belle gueule d'ahuri, n° 1 (vol. I, n° 1, 1979), p. 5. (SF)

Des habitants d'une autre planète débarquent sur Terre. Aussitôt, les gens s'emparent d'eux, car ils ressemblent à des billets de 100 $.

« Seulement une étape de plus »,
Pour ta belle gueule d'ahuri, n° 1 (vol. I, n° 1, 1979), p. 5. (SF)

Un robot s'éveille un matin et comprend que les hommes ont tout fait sauter. Il prend la relève pour rebâtir la planète. Le robot représente une étape de plus dans le plan complexe de l'évolution.

« Un aller simple »,
Pour ta belle gueule d'ahuri, n° 1 (vol. I, n° 1, 1979), p. 17. (SF)

Le narrateur assiste au départ du premier voyage spatio-temporel. Il n'en entend plus jamais parler.

« Quel curieux hasard »,
Pour ta belle gueule d'ahuri, n° 2 (vol. I, n° 2, 1979), p. 10. (F)

Après une explosion, un homme se retrouve en présence de son double. Malgré ses blessures, il réussit à le tuer, de peur qu'il ne prenne sa place. L'autre constate avec horreur qu'il va mourir. Le survivant, doutant de son identité véritable, répare la maison, car sa femme et ses enfants reviennent de voyage. À son retour, celle-ci le trouve changé...

« La Diabolique Machination de monsieur X »,
Défiscience, avril 1983, p. 4. (SF)

Monsieur X, un savant dont l'indiscutable génie lui permet de résoudre absolument tous les problèmes, s'est fabriqué une superbe femme, malgré sa misanthropie. À cause de sa laideur, il est bientôt certain que sa « femme » le trompe. Pour en être sûr, il feint un voyage d'affaires et revient s'introduire, de nuit, dans le vagin de Mme X, grâce à un vaisseau qu'il peut réduire à volonté. Son intention est d'émasculer le coupable au moyen d'un laser et d'étriper ensuite sa femme en ramenant l'appareil à sa taille initiale. Mais, M. X meurt au moment où un objet s'introduit dans l'ouverture : Mme X est allée se faire avorter par son amant, qui est gynécologue.

« La Graine magique »,
Blanc Citron, hors série, n° 0 (printemps 1984), p. 11-12 ; n° 14 (juin 1984), p. 10-11. (Hy)

Jack, employé à la publicité des « cannes » de petits pois du géant vert, doit trouver une idée afin de conserver son emploi. Sur le chemin de sa maison, il rencontre une vieille qui lui vole sa canne de petits pois en lui disant qu'elle peut faire quelque chose pour lui. Cette nuit-là, il rêve qu'il se réveille avec une érection gigantesque. Après l'éjaculation, son gland étant coincé au ciel, Jack est tiré au-dessus des nuages. Il y trouve un château avec un géant vert. Jack secoue un plan de pois dont les cosses sont de belles femmes vertes, mais l'une d'elles tombe dans l'œil du géant. Jack se réveille lorsque le sexe du géant se dresse en le voyant.

JASMIN, Claude
[Montréal, 10 novembre 1930 –]

« Un tout petit voyage »,
Châtelaine, vol. I, n° 3 (décembre 1960), p. 30-31, 56, 61, 64. (F)

Une femme est mariée depuis un peu plus de dix ans à Robert, devenu ennuyeux et routinier avec les années. Un matin, alors que Robert se rend à son travail, sa femme reçoit la visite d'un sosie de son mari d'il y a dix ans, enthousiaste et novateur. Avec elle, il transforme des choses dans la maison et il lui propose un voyage, pour « se retrouver ». Elle accepte. Son mari revient du travail et son comportement a changé. Il lui propose dans les mêmes mots de faire un voyage, un tout petit voyage. Il ne semble pas conscient qu'il ait pu y avoir dédoublement.

« Le Cosmonaute romantique »,
Châtelaine, vol. VI, n° 4 (avril 1965), p. 28-29, 92-94, 96. (SF)

En 2001, un homme est forcé de se séparer de sa compagne passionnée d'antiquités et de vie parisienne alors que lui est résolument tourné vers l'avenir et l'espace. Il entend fréquenter une Vénusienne.

« Nicole sans micro ni caméra. (Feuilleton exclusif) »,
Québec-Presse, vol. I, n° 1 (19 octobre 1969), p. 24 ; n° 2 (26 octobre 1969), p. 24 ; n° 3 (2 novembre 1969), p. 20-A ; n° 4 (9 novembre 1969), p. 24-A ; n° 5 (16 novembre 1969), p. 24-A ; n° 6 (23 novembre 1969), p. 24-A ; n° 7 (30 novembre 1969), p. 24-A ; n° 8 (7 décembre 1969), p. 24-A ; n° 9 (14 décembre 1969), p. 24-A, et n° 10 (21 décembre 1969), p. 24. (SF)

Nicole Marceau travaille à Télé-Québec. Deux hommes s'intéressent à elle : Roger Bleau, jeune agent de publicité de la station, et Lucien, un garçon de la paroisse, docile et mystérieux. Ce dernier emmène Nicole au cinéma puis au cimetière où il lui montre un être insolite ressemblant à un porc. Elle rentre chez elle, horrifiée. Apprenant, le lendemain, la disparition de Lucien, Nicole informe Roger, qui décide d'aller le chercher. Ils sont au lac Connelly et Roger disparaît à son tour. En faisant du « stop », Nicole est recueillie par une femme aux cheveux verts et est emmenée dans une île en Floride, dans une villa seigneuriale. Elle découvre qu'il s'agit d'une secte d'amazones féministes qui, grâce à un sérum, transforment des hommes en singe et en porcs. Nicole assomme la cheftaine et se sauve avec Roger qui était prisonnier, laissant derrière elle Lucien à moitié métamorphosé. Après cette aventure, Roger tombe amoureux fou de Nicole et ils décident de se marier.

JASMIN, Claude-Guy
[

« Fièvre »,
Liberté, n° 116 (vol. XX, n° 2, mars-avril 1978), p. 49-55. (F)

Comme tous les soirs de pleine lune, le narrateur se rend chez son ami et maître, Léon, pour une séance de « nettoyage de l'esprit et de l'âme ». Mais, celui-ci est malade, alité dans sa maison en ruine, cachée par d'énormes platanes. Le narrateur va chercher à boire pour le malade. Deux femmes identiques (seule la couleur des robes diffère) surviennent. Léon les présente sous les noms de Vous et Moi. Ils passent toute la nuit à se regarder. Les deux jumelles, muettes, expriment par leurs regards du désir envers le narrateur, qui en est troublé et qui médite sur ces noms, pour finir par voir les différences entre Vous à la robe rouge et Moi à la robe blanche. À ce moment, Léon appelle Moi, et la mort blanche vient l'embrasser.

JOBIN, François,
[

« L'Hirondelle »,
Solaris, n° 33 (vol. VI, n° 3, juin 1980), p. 6-7. (F)

Un chasseur a fait construire dans son parc une grange, une maison avec plusieurs cheminées et une maison couverte de fenêtres pour attirer les hirondelles de granges, de cheminées et de fenêtres. Ce matin-là, il s'embusque dans sa salle de bains, dont la fenêtre donne sur la grange, avec son arme (bousirondelles-de-granges). Enfin, une hirondelle arrive et virevolte dans les airs. Le chasseur tire, mais son projectile perce la voûte céleste d'où le bleu s'écoule. Fâché, le chasseur tire sans plus viser et perfore le ciel à maints endroits. Le ciel pâlit et la boue bleue envahit la chambre ; le chasseur expire.

JOUBERT, Patrice de G.
[Montréal, 3 décembre 1955 –]

« L'Ombre dans l'ombre »,
Carfax, n° 1 (mars-mai 1984), p. 20-21. (F)

Une jeune fille, Mélinda, se dépêche d'entrer chez elle un soir. Terrifiée, « la lune [s'étant, de surcroît, mise] à sa poursuite », elle sent une présence dans l'ombre et, au moment où elle se croit hors de danger, une « bête affamée », comme surgie de l'ombre, la tue.

« Folie funèbre »,
Carfax, n° 3 (automne 1984), p. 20-22. (F)

Un soir, au cimetière, un ivrogne, Rathbone, rend visite à sa fille Christine, morte du cancer à l'âge de 17 ans, selon les souvenirs du père. À la fin de la rencontre, alors qu'il l'embrasse et lui souhaite le bonsoir, il se sent poursuivi. Réfugié dans une fosse, il est victime d'une main qui lui ouvre le ventre et lui fouille les entrailles. Il lit alors sur une stèle : « Christine Rathbone, assassinée le... ». Il nie en lui même avoir tué sa fille. Mais deux mains froides (celles du cadavre de Christine ?) lui saisissent la tête.

JOURNEL, Francis
[

« Dernier Métro »,
Requiem, vol. I, n° 4 (avril-mai 1975), p. 5. (F)

Dans le métro, les portes s'ouvrent soudain des deux côtés, toutes grandes. Des gens basculent dans le vide. Puis le sol se dérobe, les wagons se retournent, le toit se déchire ; d'autres personnes s'envolent dans le vide. À la station suivante, le métro n'a plus qu'une passagère : une enfant qui lit *Alice au pays des merveilles*.

JUTEAU, Gilbert
[

« Émilie »,
l'Année de la science-fiction et du fantastique québécois 1984, [Québec], le Passeur, [1985], p. 141-149. (F)

Émilie a élevé un sanctuaire d'oiseaux. Un jour, elle casse un miroir et se retrouve alors spontanément dans divers lieux. Plus tard, elle se jette en bas d'une fenêtre et meurt après avoir avalé du verre brisé.

JUTRAS, Yves

[

« L'Écrivain »,

Requiem, n° 7 (vol. II, n° 1, novembre-décembre 1975), p. 15. (SF)

Un éditeur, dont la tête est « en forme de cylindre, autour duquel perlaient une douzaine de proéminences de la grosseur d'un pois », demande à un écrivain de changer la description du monstre dans son récit.

« L'Espion »,

Requiem, n° 2 (vol. I, n° 2, 1974), p. 5. (Hy)

Un espion russe emprisonné dans une base américaine tente d'envoyer un message à un de ses collègues, Igor. Il l'informe du fait que le professeur Philipson, un transfuge venu de l'Ouest, qui a découvert un vaccin anti-rhume est, en fait, de connivence avec les U. S. A., et que le vaccin a la propriété de faire tousser ceux qui cherchent à mentir. Ainsi, les Russes peuvent être facilement repérés et, bien pire encore, la Russie court à sa perte.

« Routine »,

Requiem, n° 4 (vol. I, n° 4, avril-mai 1975), p. 8. (Hy)

Un matin, un homme décide qu'il a droit à une journée de congé. Depuis la conception du monde qu'il remonte le même ressort, du matin au soir !

K

KABA, Alkaly. V. **GAUDETTE, Pierre** et **KABA, Alkaly.**

KARCH, Pierre-Paul
[Saint-Jérôme, 20 juin 1941 –]

« La Bague »,
Contes et Nouvelles du monde francophone. Concours 2. Quinze auteurs, sept concurrents, Sherbrooke, Éditions Cosmos, [1971], p. 32-43 (F) ;

Nuits blanches, [Sudbury], Prise de Parole, 1981, p. 27-39 ;

Contes et Récits de l'Ontario français, Jacqueline Martin [éditeur], [Montréal], les Éditions Ville-Marie, [1986], p. 161-170. [Suivi d'une « étude de texte », p. 171-172].

Gilles Lemoyne coupe le doigt de son oncle couché dans son cercueil afin de s'emparer d'une bague, qu'il met aussitôt à son doigt. Dès lors, son doigt se met à enfler, sa main s'engourdit et rien ne peut plus réchauffer son corps frileux. Lorsque son doigt se met à puer, il se l'ampute et cache la bague maudite. Se desséchant peu à peu, en cinq ans, il a l'air d'un vieillard. Son corps se met à dégager une odeur nauséabonde. Gilles comprend qu'il subit le même sort que le cadavre de son oncle. Ayant de plus en plus de difficulté à bouger, il en vient à la paralysie complète. Le médecin le déclare mort et on l'enterre. Il est un mort-vivant depuis qu'il a pris possession de la bague.

« Le Vestibule de la mort des Apôtres saint Pierre et saint Paul »,
Nuits blanches, [Sudbury], Prise de Parole, 1981, p. 13-18. (F)

Le Révérend Père O'Hara désire fermer les portes de l'église pour la nuit. Cependant, un homme lui demande de rester à l'intérieur du temple afin de se protéger du diable. Impatienté, le Père O'Hara lui propose de l'entendre en confession. Au moment de partir, l'homme dit sentir la présence du diable. Un vent froid passe par l'entrebâillement de la porte, glace les deux hommes pendant qu'un tourbillon soulève toutes choses. L'inconnu est projeté dans le vitrail. Deux mains saisissent le cou du prêtre et l'étranglent. Au matin, le Père Martin trouve son confrère « les doigts enfoncés dans sa gorge déchirée et [...] le cadavre d'un inconnu ».

« Partie de chasse »,
Nuits blanches, [Sudbury], Prise de Parole, 1981, p. 19-26. (F)

Madame Brothers raconte l'histoire du dernier propriétaire d'une plantation abandonnée depuis deux cents ans. Un marquis français, ayant épuisé tous les plaisirs sadiques qu'offrait Versailles, s'installe en Louisiane avec sa femme et sa fille. Il mène une vie dissolue et va même jusqu'à manger ses victimes. Au cours d'une partie de chasse au renard, les chiens perdent la trace du gibier ; humilié, le marquis fait pendre les chiens et leur éleveur. Peu après, sa femme se suicide. Il réengage un nouvel éleveur, ressemblant étrangement au premier, et achète d'autres chiens. L'année suivante, il organise une nouvelle chasse où il doit présenter sa nouvelle fiancée. Lors de la chasse, les chiens cessent de suivre les renards et attaquent le marquis. L'éleveur s'empare ensuite du cadavre déchiqueté, le ramène à la chambre du maître. Il surprend la fiancée, la viole et la tue. L'éleveur disparaît. La fille pria le reste de ses jours pour exorciser la maison qui demeure toujours hantée par des chiens-fantômes menaçants.

« En famille »,
Nuits blanches, [Sudbury], Prise de Parole, 1981, p. 41-44. (F)

Peu de temps après l'enterrement de sa femme Agathe, le sieur de L... épouse sa maîtresse beaucoup plus jeune que lui. Isidore de L..., fils du sieur de L..., se met à courtiser sa belle-mère qui n'est guère indifférente. Trouvant son père de trop, Isidore l'étrangle pendant le souper. Il demeure sous le même toit que sa belle-mère sans plus s'intéresser à elle. Elle le craint. Isidore s'amuse de son pouvoir. Une nuit, il lance un couteau qui se plante près de la tête de la belle-mère, laquelle s'évanouit. Le lendemain, il lui fixe un rendez-vous et l'entraîne au cimetière, dans le caveau familial, pour en faire sa femme devant sa famille. Il déchire ses vêtements. Elle sent dans son dos une peau froide et visqueuse et des ventouses qui lui sucent le sang. Isidore essaie de la faire bouger, mais le corps est pétrifié. Effrayé, il veut sortir, mais ferme la porte sur lui et sent qu'il doit faire face à la colère de sa famille.

« Les Protéons »,
Nuits blanches, [Sudbury], Prise de Parole, 1981, p. 45-54. (F)

Amenemhat, scribe de Ptolémée, s'intéresse à un aventurier revenu des sources du Nil et ramenant dans une boîte une fourmi immobile. L'aventurier raconte à Amenemhat qu'il a trouvé, avec cinquante compagnons, une ville fortifiée, mais déserte. Ils l'ont visitée et y ont découvert des statues étranges. Chaque statue touchée se désagrégeait en millions de fourmis carnivores et prenait les formes de ses victimes après les avoir dévorées. Seul le narrateur s'était échappé. Amenemhat lui demande de mettre la fourmi dans ses viscères après sa mort afin de punir les profanateurs de cercueil. Près d'un millénaire plus tard, un groupe de savants s'apprête à ouvrir le cercueil. Un égyptologue lit la menace sur le sceau, mais ne la comprend pas. Après avoir ouvert le cercueil et développé le corps, les savants s'étonnent de la fraîcheur de la peau et de sa consistance granuleuse...

« Solange »,
Nuits blanches, [Sudbury], Prise de Parole, 1981, p. 55-59. (F)

Solange sculpte dans un bloc de pierre la ligne d'un homme couché dans la position d'un chat. Elle se fatigue de plus en plus. Solange continue de polir la statue maintenant achevée. Elle lui transmet sa chaleur, sa vie. Elle s'étend dans les bras de la statue et s'endort pour ne plus se réveiller. Le soir, les camarades ont vu un homme sortir de l'atelier de Solange et, sur place, il ne restait qu'une sculpture grandeur nature de Solange étendue, nue.

« Le Docteur Ti-Hi »,
Nuits blanches, [Sudbury], Prise de Parole, 1981, p. 61-65 (F) ;

Liaison, automne 1985, p. 38-42. [Version en photo-roman].

Le docteur E. N. Harvey soigne les habitants du village de Tilly et a une clientèle fidèle et nombreuse. Une nuit, Jean-Baptiste Trottier arrive avec un bras infecté que le médecin doit couper. Jean-Baptiste Trottier avertit le médecin, que, s'il ne guérit pas, son bras viendra le hanter et lui chatouiller les pieds jusqu'à sa mort. Le docteur Harvey l'opère, mais l'infection s'étant généralisée, le patient meurt. Lors des funérailles, le docteur est pris d'un fou rire qui ne cesse plus. Il perd sa clientèle et est surnommé le docteur Ti-Hi.

« La Tablette de verre »,
Nuits blanches, [Sudbury], Prise de Parole, 1981, p. 67-74. (F)

Philippe demande à sa femme Anne-Marie de lui acheter une bibliothèque vitrée pour son anniversaire. Elle trouve un petit meuble en chêne chez un antiquaire. Il entreprend d'en nettoyer les tablettes ; la tablette du haut semble lui glisser des mains et lui coupe le pouce. Après s'être pansé, il se remet au travail et sent une force de succion lui tirer les poignets vers le bord coupant de la tablette. Sa femme vient à son secours, mais Philippe lui échappe et est projeté sur le meuble où ses poignets se scient. Philippe passe deux semaines à l'hôpital. De retour à la maison, ils constatent avec stupeur que le sang a disparu du meuble. Philippe et Anne-Marie apprennent qu'un homme est mort, égorgé par une tablette de verre, en voulant déménager ce meuble. Philippe tente de se débarrasser de la bibliothèque, mais, alors qu'il la manipule, la tablette de verre est projetée sur sa gorge et le tue.

« La Chambre »,
Nuits blanches, [Sudbury], Prise de Parole, 1981, p. 75-80. (F)

Gisèle, enfant nouveau-né, arrive dans la chambre qui l'attend. En plus de ses deux parents naturels qui s'occupent d'elle, deux ombres la veillent. Gisèle dort très peu, devient malingre en vieillissant et garde son secret. À douze ans, elle est violée par son Autre père, et sa mère humaine croit que ses premières menstruations l'ont traumatisée. Elle veut en parler à ses parents humains, mais des mains invisibles l'en empêchent. Gisèle vieillit à vue d'œil. Un soir, sa mère, l'Autre, plante une hache dans le dos de son mari et tue Gisèle. Les parents naturels, alarmés par le bruit, enfoncent la porte verrouillée de la chambre pour trouver leur fillette de 12 ans, morte, blanche, dans un corps trop vieux. Les parents de Gisèle quittent la maison, et la chambre hantée attend de nouveau.

« Le Marteau »,
Nuits blanches, [Sudbury], Prise de Parole, 1981, p. 81-87. (F)

Un voisin raconte comment Antoine et Élisabeth s'installent dans le quartier. Élisabeth, ne voulant pas être anonyme parmi les banlieusards, entreprend une collection d'antiquités. Sur la porte d'entrée est installé un heurtoir représentant un poing frappant un cœur sur lequel est inscrit : « J'ouvre à qui me touche le cœur ». Le heurtoir apporte le malheur. Un homme est tué dans le garage. Plus tard, la maison prend feu, causant la mort d'Élisabeth et la folie d'Antoine, son mari. Un second narrateur découvre le heurtoir et le pose sur sa porte, mais, les voisins refusant d'entrer chez lui, il le remise au garage. Le heurtoir revient magiquement sur la porte. Sa femme n'est pas sortie de la maison depuis une semaine, et le narrateur, envahi par un engourdissement, est incapable de demander du secours.

« Fleur de pavot »,
Nuits blanches, [Sudbury], Prise de Parole, 1981, p. 89-95. (F)

Le docteur H. Weingarten, botaniste à la retraite, fait des expériences avec des potions et des plantes. Un soir d'hiver, il détruit toutes les plantes à fleurs rouges de ses serres. Anna-Maria, la servante, récupère les choses utiles dans les serres, y compris une plante à fleur rouge qui déteste son créateur et cherche à se venger. Un jour que José Francisco et Anna-Maria se rendent compte de la menace, ils cherchent à fuir, mais les lierres et les autres plantes vertes bloquent les issues. L'air, chaud et humide, se raréfie. Ils reviennent près de leur maître et constatent la verdeur de son teint pendant que la fleur de pavot adopte de plus en plus la physionomie du docteur. José Francisco saisit la tige et arrache la plante, malgré le venin. La racine se dégage et se plante dans le cœur du jardinier qui tombe près d'Anna-Maria. Dans la maison, la fleur de pavot règne.

« Ben Swift »,
Liaison, juin 1984, p. 52-55. (F)

Ben est un enfant étonnant. Septième et dernier de la famille Swift, il a toujours hâte au lendemain et passe le plus rapidement possible d'une chose à l'autre. Un jour, sa mère l'emmène à l'Oratoire Saint-Joseph. Interpellé par un vieux monsieur, Ben accepte de donner sa signature en échange d'un oiseau magique dans une petite cage en or, lequel, libéré, accélère le temps. À soixante-cinq ans, Ben se rend compte qu'il a brûlé toutes les étapes de sa vie et se met à perdre son temps, oubliant l'oiseau au grenier. Malheureusement, le petit Benjamin, neveu de Ben, libère l'oiseau-temps...

« La Main de Dieu »,
XYZ. La revue de la nouvelle, vol. I, n° 4 (hiver 1985-86), p. 41-52. (Hy)

L'abbé Credenzi est chargé par ses paroissiens de se rendre à Rome pour en ramener une relique qui redonnerait du prestige à leur paroisse déchue. Il rapporte un petit tabouret confectionné par Jésus lui-même, authentifié par Mgr Di Martiri. Les paroissiens se montrent sceptiques devant la relique et l'abbé est prié de quitter le village. La relique aura alors un effet bénéfique sur tout son être, le soulageant de ses peines et de ses maux.

KIEPURA, Jean
[

« Tout est relatif »,
Solaris, n° 30 (vol. V, n° 6, décembre 1979), p. 30. (SF)

Un homme, déformé par les radiations, fait un horrible cauchemar. Il rêve à un paisible sous-bois où vivent de nombreux animaux.

KRANE, Samuel

[

« Naissance »,

Empire, vol. I, n° 2 (deuxième trimestre 1982), p. 38-39. (SF)

Christerlan, pilote d'un navire stellaire, s'écrase sur une planète désolée. Après avoir enlevé sa combinaison pressurisée, il souffre du manque d'oxygène. Se croyant l'objet d'hallucinations, il entend la planète lui parler. De plus, elle se met à le caresser. Il s'unit à elle. À l'aube, un bourgeon perce l'écorce à l'endroit de leur union et Christerlan meurt heureux d'avoir donné la vie.

L

LABELLE, Patrick
[Loretteville, 4 février 1967 –]

« L'Alliance »,
Carfax, n° 9 (août 1985), p. 4-7. (SF)

Un jour, Dieu est convoqué d'urgence par le directeur des attributions divines. Les inspecteurs du service, souvent assimilés aux extraterrestres, ont fait une inspection de la création de Dieu, tout comme ils inspectent celle de toute autre divinité. Ils constatent que les hommes tentent de communiquer avec d'autres civilisations, ce qui est strictement défendu par le contrat de création signé par Dieu. Celui-ci, qui n'a rien vu à cause de ses vacances qui durent depuis 2 000 ans, doit réagir : il fait mourir le soleil, les hommes disparaîtront.

« La Mer jaune »,
Solaris, n° 64 (vol. XI, n° 4, novembre-décembre 1985), p. 6-7. (SF)

Sur une étrange planète, existent deux cités. Entre elles, il y a un immense tapis de micro-organismes qui dévorent tout ce qui les touche, à part quelques matériaux très résistants. Des hélicoptères font la navette entre les deux villes. Le narrateur, un pilote, décrit l'expérience terrifiante qu'il a vécue lorsque son appareil a plongé dans la mer jaune, un océan de micro-organismes. Il raconte ses sensations lors de la lente immersion de son appareil. Au moment où il va être mangé, il se souvient qu'il est fait de cuivre, un des matériaux résistant aux dévoreurs. Le pilote est un robot.

LABELLE, Philippe
[Montréal, 16 septembre 1955 –]

« Le Gastronaute »,
Kramer, n° 4, [s. d.], p. 7. (SF)

Une voyageuse lit le vidéo-menu d'un restaurant quatre étoiles. Elle ne comprend goutte aux plats offerts et demande au robot-serveur quelque chose de terrien. Celui-ci lui propose aussitôt une terrine en argile.

LABINE, Marcel
[Montréal, 25 février 1948 –]

« Pages sportives »,
la Nouvelle Barre du jour, n° 163 (novembre 1985), p. 75-78. [Avec la collaboration d'André LAMARRE]. (F)

Un télespectateur, regardant une bataille entre deux joueurs lors d'un match de hockey à la télévision, ressent les coups que s'échangent les joueurs. Épuisé et le corps endolori, il se traîne jusqu'à la salle de bains et constate que sa chemise est déchirée.

LACHANCE, André
[Jonquière, 8 juin 1949 –]

« Jour de chance »,
Solaris, n° 61 (vol. XI, n° 1, mai-juin 1985), p. 29-31. (F)

Alors qu'il se promène à pied, Louis Lachance trouve sur son chemin plusieurs billets de banque. Il s'étonne de ces coïncidences qu'il impute à la chance. Cependant, la chance le poursuit tout au long de la journée à son bureau comme au cinéma, où il est allé avec sa femme, Marie. L'inquiétude puis la peur le gagnent. Sa femme se met à questionner à son tour ces manifestations inexplicables, mais elle finit par acheter, avec tout l'argent ramassé, des billets de loterie pour chacun des tirages de Loto-Québec. De retour chez eux, ils trouvent leur maison complètement brûlée, leurs deux enfants et la gardienne, morts. Le lendemain un journal publie deux entrefilets : le premier rapporte les trois morts de l'incendie, et le second, la chance fantastique de deux gagnants à la loto : chacun des jeux de Loto-Québec a été remporté par Louis et Marie, le même jour.

LACROIX, Pierre D.
[Hull, 4 avril 1950 –]

« Octobre »,
Carfax, n° 5 (2e année, mars 1985), p. 22-26. [Avec la collaboration de Olav SANDSTROM, pseudonyme de Charles CHEVROTIÈRE] (Hy) ;

la Peur au ventre. Nouvelles, Hull, [s. é., 1985], p. 20-22. (Collection « Carfax-bis », n° 2) ;

Histoires simples, [Montréal, s. é., 1987], p. 34-37.

Après avoir trouvé successivement les cadavres de son père et de son frère, figés dans une grimace d'indicible horreur, Edmond redoute la chose horrifiante, peut-être Satan lui-même, qui semble accomplir une vengeance d'outre-tombe en éliminant sa famille. Inquiet et soupçonneux, il se barricade chez lui et sombre, avec les années, dans une légère folie. Un soir d'octobre, il entend des bruits inquiétants sur la galerie. On cogne. Effrayé, Edmond ouvre la porte. Devant lui, un garçonnet habillé en sorcier passe pour l'Halloween. Depuis, Edmond fait résonner son rire tonitruant dans l'asile où il est interné.

« Cauchemar en bulles »,
Carfax, n° 7 (juin 1985), p. 24-29. [Avec la collaboration de Marc-François ROULEAU] (F) ;

la Peur au ventre. Nouvelles, Hull, [s. é., 1985], p. 11-15. (Collection « Carfax-bis », n° 2) ;

Histoires simples, [Montréal, s. é., 1987], p. 38-45.

Un publiciste, renvoyé de son travail, noie son désespoir en buvant du thé dans un restaurant. Il remarque soudain, à la cinquième tasse, des bulles d'air vivantes à la surface du liquide. Les bulles se multiplient, le regardent, rient méchamment de leurs petites dents pointues. Il agite le contenu et une bulle le pique au doigt et se nourrit de son sang. Pris de panique, il renverse la table, s'enfuit, poursuivi par un régiment de petites bulles, gueules béantes. Il atteint sa voiture, démarre en catastrophe et aperçoit contre sa vitre le visage de la serveuse, la bouche entrouverte sur une rangée de dents tranchantes et de bulles verdâtres. Il roule à vive allure et perd le contrôle de sa voiture qui plonge dans un lac. On entend le rire cristallin des bulles montant à la surface, éclatant de férocité.

« Dans la gueule du loup »,
Résonance magnétique, n° 4 (septembre 1985), p. 18-25 (F) ;

Histoires simples, [Montréal, s. é., 1987], p. 51-63.

Le narrateur découvre au hasard d'une promenade en forêt, un homme, Larry, vivant au milieu d'une meute de loups. Il est frappé par ce spectacle inusité d'autant plus que Larry a le regard étrange et qu'il semble lire dans les pensées. Un jour, le narrateur commence à avoir des cauchemars – qui se révéleront prémonitoires – dans lesquels il vagabonde dans la forêt avec d'énormes loups à ses côtés. Puis, Larry le convoque pour lui raconter l'étrange relation qui s'est établie entre lui et ses bêtes depuis que deux loups se sont mystérieusement joints à sa meute. Alors qu'il raconte cela, des loups pénètrent dans la pièce où il se trouve, l'égorgent, puis ils entourent le narrateur, lui signifiant qu'ils l'ont choisi comme chef du clan.

« Joyeux Centenaire, Monsieur Gérard Demier »,
l'Apropos, vol. III, n° 2 (1985), p. 89-90 (F) ;

la Peur au ventre. Nouvelles, Hull, [s. é., 1985], p. 18-19. (Collection « Carfax-bis », n° 2) ;

Histoires simples, [Montréal, s. é., 1987], p. 31-33.

À quarante ans, Gérard Demier désire devenir centenaire comme son père. Un jeune chauffeur de taxi lui apporte un colis d'origine inconnue qui contient une montre de poche en or massif. Demier la nettoie, la remonte et meurt peu de temps après. « Chaque seconde écoulée équivalait à la durée d'un an d'une vie ».

« Personne de parfait »,
la Peur au ventre. Nouvelles, [Hull, s. é., 1985], p. 16-17. (Collection « Carfax-bis », n° 2) (F) ;

Histoires simples, [Montréal, s. é., 1987], p. 16-18. [Sous le titre « Un vœu pour Maggie »].

Maggie demande au Malin de faire disparaître de sa vue tout ce qu'elle n'aime pas. Transportée dans le néant, elle continue de se plaindre, car l'absence de sol sous ses pieds lui donne le vertige.

LAFLEUR, Jacques
[Granby, 26 janvier 1946 –]

« Penser... »,
Décors à l'envers. Nouvelles, Sherbrooke, Éditions Naaman, [1981], p. 13-32. (Collection « Création », n° 90) (F) ;

Décors à l'envers. Nouvelles, Sherbrooke, Éditions Naaman, [1985], p. 16-26. (Collection « Création », n° 90).

Un technicien en électronique, homme taciturne et rangé, Georges Bisson, se met à s'intéresser passionnément à l'occultisme, lui qui pourtant possède un esprit tout à fait rationnel. Il en vient à croire que la pensée pourrait bien être toute-puissante. Or, un jour, il conçoit « l'inconcevable », « sa pensée faisant corps avec le temps ». Comme s'il était entré dans la quatrième dimension, il voit à la fois tous les moments de sa vie. Épuisé après cette expérience, il s'évanouit. À son réveil, il se voit, dans le miroir, tout transformé, terriblement vieilli et il n'arrive pas à s'expliquer un trou de deux jours dans son emploi du temps.

« Dix-huit heures dans la vie d'un homme ?... »,
Décors à l'envers. Nouvelles, Sherbrooke, Éditions Naaman, [1981], p. 33-57. (Collection « Création », n° 90) (F) ;

Décors à l'envers. Nouvelles, Sherbrooke, Éditions Naaman, [1985], p. 27-46. (Collection « Création », n° 90).

Martial, directeur de la section des prêts hypothécaires dans une banque, se réveille et se prépare pour arriver à huit heures et demie au bureau. Là, il ne trouve personne et un agent l'informe qu'il n'est que six heures trente. Il retourne se coucher et, même s'il s'est dévêtu, son épouse, Hélène, le réveille parce qu'il est tout habillé. Sa journée de travail se déroule comme si la réalité lui semblait irréelle, comme s'il était étranger à lui-même, dédoublé. Il remet en question le sens de la vie.

« Hier, c'était demain... »,
Décors à l'envers. Nouvelles, Sherbrooke, Éditions Naaman, [1981], p. 59-74. (Collection « Création », n° 90) (F) ;

Décors à l'envers. Nouvelles, Sherbrooke, Éditions Naaman, [1985], p. 48-60. (Collection « Création », n° 90).

Un homme d'affaires, Frédéric Marceau, cherche à élucider le mystère de la confusion entre deux personnes, Marcel Côté et Louis Lambert, qu'il a connues lors de colloques à Sherbrooke et à Toronto. L'un se serait-il substitué à l'autre ? S'agit-il d'une distorsion du temps ? Troublé par ces étrangetés, Marceau émet des hypothèses qui ne trouvent aucune réponse satisfaisante.

LAFORGE, Christiane
[Vielsalm (Belgique), 3 mars 1948 –]

« À son esprit et à leur ressemblance »,
Traces. Nouvelles. Un recueil de treize auteur-e-s du Saguenay-Lac-Saint-Jean, [Jonquière], Sagamie/Québec, [1984], p. 83-93. (SF)

Alexandre d'Auteuil, scientifique mondialement reconnu pour ses découvertes sur la reconstitution génétique, est piétiné à mort à l'aéroport de Mirabel le jour où il se rend recevoir le prix Nobel. Andréa, sa compagne et collaboratrice, refuse de croire à sa mort. Le fait qu'il ait été impossible de reconnaître le cadavre piétiné et de procéder à la reconstitution génétique lui permet de redonner vie à Alexandre d'Auteuil sans trop éveiller les soupçons. Favori pour devenir un jour le premier président mondial, d'Auteuil reconstitué se lance en campagne électorale pour la présidence de l'Amérique du Nord et il se relève mystérieusement de tous les attentats dont il est la cible. Le jour de son élection, son discours est télévisé et suivi attentivement à la maison, par Andréa qui, pourtant, est, au même instant, aux côtés du nouveau président.

LAFRAMBOISE Serge

[Montréal, 6 juillet 1954 –]

« Le Rêve »,

Requiem, n° 3 (vol. I, n° 3, février-mars 1975), p. 7-8. (Hy)

Un poète, Denis Leblanc, vit une étrange, mais intense expérience de sons et de lumières dans sa propre maison. Enfermé dans une bulle, elle-même incrustée dans un insolite instrument de musique qui occupe toute une pièce, il devient l'extension humaine de la machine. Il perçoit même les odeurs de la couleur et il les voit. Il atteint ainsi une volupté et un bonheur intraduisibles. Le son monte, la bulle éclate. Il tente alors de transcrire sa vision, mais s'endort avant d'y être parvenu. Il fait alors un rêve étrange où il rencontre le dieu pervers et maléfique, Orzth, vêtu d'une tunique orange. Orzth l'invective, lui crie des blasphèmes. Alors qu'il va perdre conscience et qu'il s'agrippe à Orzth, Leblanc se voit dans l'esprit du dieu, à sa place. Ils finissent par ne faire plus qu'un. Au matin, on retrouve Leblanc mort, assis dans son fauteuil, un morceau d'étoffe orange dans les mains.

« Le Seigneur Lachëp »,

Requiem, n° 6 (vol. I, n° 6, septembre-octobre 1975), p. 8-11. (SF)

Lachëp, seigneur d'Aziru'ooq, se réveille après un sommeil artificiel de dix ans, pendant lequel son astronef a voyagé dans l'espace. Arrivé aux portes d'une galaxie où la vie existe, Lachëp doit bientôt partir. Après quelque temps, il s'échappe de son corps et son esprit bondit d'astre en astre. Il s'arrête ainsi sur une planète bleutée où un vieillard évoque un démon, Sinortz, pour contrecarrer l'avance de huit puissants guerriers ; Lachëp assiste alors à la destruction des huit géants par le démon. Curieux de connaître les raisons de cet affrontement, l'esprit de Lachëp prend place dans le corps du vieil homme, Burt Strucom, sorcier, héritier de dix-neuf siècles de magie. Strucom fait route vers une vieille maison où son ennemi Birlau tient séquestrée sa bien-aimée Sylma depuis cinquante ans. Arrivé à destination, Stucom se livre à un rituel magique avant de monter à la chambre de Sylma. Ce faisant, son physique change. C'est un jeune homme qui pousse la porte de la chambre. À l'intérieur, il aperçoit, sur l'autel du dieu-rat Xurobask, le corps déchiqueté de Sylma. Des créatures blasphématoires, à figures bestiales, procèdent à un rite sacrificiel. L'esprit de Lachëp tente alors en vain de s'échapper du corps de Strucom. Des ailes se déploient soudain dans l'air lourd et enveloppent le corps de Sylma, entraîné dans un espace-temps aux cycles éternels.

LA FRANCE, Henri

[Montréal, 10 janvier 1914 –]

À l'aube du verseau,
Montréal, Presses Sélect ltée, [1980], 261[1] p. (SF/Roman)

Un anthropologue, Jean Lenip, et son amie, Nicole Chevalier, entrent par hasard en contact avec des survivants de l'Atlantide, qui mènent une vie extraordinairement sophistiquée dans une ville souterraine. Ces gens se déplacent en soucoupe volante et détiennent le secret de la longévité. Jean et Nicole permettent aux Atlantes de contrer les plans d'un être malfaisant qui projette de dominer le genre humain et l'ensemble du système solaire. Puis, une bombe nucléaire explose et cause d'innombrables changements géologiques, provoquant le ressurgissement de l'Atlantide, attendu depuis des millénaires.

Les Capsules du temps,
[Montréal], Éditions Bergeron, 1982, 232[1] p. (SF/Roman)

Deux savants, Bernard Lorimer, physicien, et Rolline Saint-Jacques, paléontologue, pris dans une tempête de neige au Mont-Tremblant, sont guidés par un loup jusqu'à une cabane où ils rencontrent deux Atlantes qui leur enseignent ce qu'est le temps avant de les envoyer voyager, à bord de capsules du temps, dans chacune des ères du Zodiaque, du début à la fin du monde. Pendant la plus grande partie de leur voyage, ils doivent se contenter d'être observateurs car aucune interaction n'est possible puisque ce qu'ils voient n'existe plus ou n'existe pas encore pour eux. À leur retour, ils sont envoyés pour compléter leur formation à l'Aggarttha.

LAFRANCE, Micheline
[Montréal, 1944 –]

« L'Enfant bleue ne dort pas (extraits) »,
Arcade, n° 9 (février 1985), p. 43-45. (Hy)

Une fille de douze ans, la narratrice, révèle avoir été enlevée et tuée par des fourmis géantes qui semblent être les sœurs d'un couvent.

LAFRANCE, Roger
[

« Fait divers »,
Requiem, n° 21 (vol. IV, n° 3, mai 1978), p. 11. (SF)

En l'an 2080, la ville de Belvil est le lieu du suicide d'un vampire, Josef Hanjvin. Ce dernier est retrouvé dans le grenier d'un vieil édifice, couché dans son cercueil, un pieu de bois planté dans la poitrine. L'enquête démontre de façon formelle la présence de traces de vampirisme, chose plutôt étonnante dans ce monde peuplé uniquement de robots.

LAHAIE, Christiane
[Québec, 4 juin 1960 –]

« Le Grand Architecte »,
Pour ta belle gueule d'ahuri, n° 1 (vol. I, n° 1, 1979), p. 7-8. (SF)

Le Grand Architecte, un extraterrestre venu de Gamma, a créé la Terre pour observer le développement de la vie. Il s'est installé dans la Grande Pyramide et a introduit son émissaire, le Voyageur, alias Jésus, pour guider le monde. L'Architecte a créé l'Amour ; malheureusement la Haine s'y est ajoutée. Maintenant désabusé, il veut tout détruire pour recommencer à neuf. Pourtant, le Voyageur aime toujours l'humanité et tente de fléchir l'Architecte, qui s'en veut d'avoir créé ce monde et fait souffrir celui auquel il tient.

LALIBERTÉ, Marie
[

« L'Envers du miroir »,
l'Orée close, vol. III, n° 1 (décembre 1983), p. 25. (Hy)

Sur un mur, un miroir fond en laissant un trou.

LALONDE, Robert
[Sudbury, 10 novembre 1936 –]

Ailleurs est en ce monde. (Conte à l'ère nucléaire),
[Ottawa], Éditions de l'Arc, [1966], 144 p. (Hy)

À l'ère atomique, un gros champignon menace de détruire Nerfville et toute la Terre. Pinouquet, un garçon de douze ans, part consulter les douze sages de la Terre pour essayer de détruire le gros champignon. Freluche, une petite fille, l'accompagne. Ils subissent plusieurs épreuves et sont aidés par une sauterelle, une étoile filante, un clown, un arbre, un caillou et beaucoup d'autres choses. Enfin, lorsque les douze sages, venus de différents pays, s'assemblent, la réunion tourne à la bagarre, et Pinouquet et Freluche partent. Une souris sans queue offre son aide et finit par les trahir au profit de Lucrefernoir, maître de la noirceur et du gros champignon. Pinouquet, grâce à la souris, est transformé en diamant par une plume enchantée. Freluche jette la plume dans un ravin et pendant des semaines, un brouillard s'abat sur la Terre qui, elle, se met à tourner plus vite. Dans le brouillard, les lucioles et l'étoile filante luttent contre les lucrefergris, disciples de Lucrefernoir. Un matin, le soleil du printemps réapparaît. Le gros champignon est désintégré en particules de chaleur. Un vieux pêcheur donne à Freluche le moyen de faire retrouver sa forme humaine à Pinouquet.

LAMAMY, Claude
[

« Le Piège »,
Requiem, n° 4 (vol. I, n° 4, avril-mai 1975), p. 8. (F)

Voyageant en automobile, un homme part en vacances. Soudain, il voit un ptérodactyle. Éberlué, il descend de l'auto et va examine de plus près l'oiseau préhistorique. Comme il pense à le photographier, il s'aperçoit que son auto a disparu. Un homme préhistorique, muni d'un menaçant gourdin, s'avance et lui demande du feu.

LAMARRE, André. V. **LABINE, Marcel.**

LAMARRE, Louis
[

« Dix jours dans la vie de Médée »,
Écriture française dans le monde, n°s 13-14 (vol. V, n°s 3-4, novembre 1984), p. 39-54. [Numéro spécial : « Contes et Nouvelles de langue française », Concours 5]. (Hy)

Traumatisé dans son enfance par un « grand homme », qui lui a ordonné de ne pas quitter sa ferme parce qu'il appartient à la terre, Médée Longchamps s'enfuit de chez ses parents et s'installe à Montréal. S'avouant volontiers comme possédé de folie, il est obsédé par les grands hommes et regarde constamment le sol. Un jour, il entend dire qu'une femme a les yeux bleus comme le ciel et, alors, un désir impérieux s'empare de lui : il veut voir le ciel et y vivre. Chaque jour, il s'enhardit davantage, commençant par regarder les pieds des dames, et montant d'un cran. À mesure qu'il progresse dans son processus de libération qu'il sait mortel, il déménage dans des appartements plus élevés. Un jour, il est poursuivi par de grands hommes jusqu'à son appartement du quinzième étage où il se dévêt et se jette du balcon dans le ciel. Enterré, il constate son échec et sa folie puisqu'il appartient bien à la terre comme on le lui avait dit.

LAMBERT, Claude

[

« Le Train sifflera trois fois »,

Requiem, n° 14 (vol. III, n° 2, février-mars 1977), p. 10. (SF)

Un voyageur s'informe du lieu où se trouve la gare. Un bon samaritain lui répond que les trains n'existent plus et soupire contre ces « humanoïdes anachroniques » qui arrivent tout perdus au centre d'aiguillage spatio-temporel.

LAMBERT, David

[

[Sans titre],

Kramer. Le fanzine du futur antérieur, n° 4, [1984], p. 9. (SF)

Les hommes sont partis à la recherche d'une nouvelle planète après avoir pollué la leur. Aucun des 672 mondes visités n'est habitable. Il s'en trouvera finalement un qui convient, mais il est toutefois déjà vendue.

LAMBERT, Jean

[

« Extrait des "Conversations du grand fauteuil" »,

Kramer. Le fanzine du futur antérieur, n° 1 (1983), p. 8 ; n° 3 (1984), p. 8-9 ; n° 5 (1985), p. 7. (SF)

Interrogé par Q., monsieur Glan explique certains moments de la chute de la libidocratie avant la Réforme. La division venait de la trop grande diversité des motifs sexuels de cette société.

À l'aide du diffuseur, Gli écoute l'entretien de trois commissaires et d'un interlocuteur qui ne veut pas devenir un homme des abîmes et qui se transforme en énergie pure. Leur réunion est ajournée. Gli éteint l'écran, réfléchit et dit à son danois qu'il y a encore de l'espoir.

Padih est l'empereur de la cité d'Urdu. Une stèle ancienne est découverte et rappelle une prédiction. L'empereur choisit de s'exiler devant les menaces de soulèvement. Il trouve sa retraite dans une grotte d'un volcan sacré. Il y termine ses jours.

LAMIRANDE, Claire de
[Sherbrooke, 6 août 1929 –]

Jeu de clefs. Roman,
Montréal, Éditions du Jour, [1974], 139[1] p. (Hy/Roman)

Jean-Marc, le narrateur, sourcier et serrurier, est engagé comme gardien de nuit auprès de deux femmes. L'aînée, Marie-Ange, est trouvée morte ; on soupçonne la sœur cadette, Sophie, qui se suicide. L'affaire est classée. Le neveu des deux défuntes met la maison en vente car elle se dévalue constamment ; on la dit hantée : là où Sophie se berçait, la chaise vide se balance. Jean-Marc achète la maison, sachant que le balancement de la chaise est dû à la résonance du ronronnement du chat blotti sous le plancher dans la cave. Un inspecteur lui apprend toutefois que la maison a auparavant appartenu à quatre sorcières qui se sont pendues dans le grenier. Jean-Marc explore l'endroit et y trouve quatre cahiers contenant des formules de magie blanche et noire. Puis, il épouse Armande qui garde sa sœur infirme, Julie. Armande s'enferme dans une pièce et peint. Pendant l'absence des deux femmes, Jean-Marc inspecte la pièce où sa femme peint et est effrayé de voir un tableau représentant quatre pantins suspendus par des crochets à la poutre du grenier. Il brûle les cahiers des sorcières, place Julie dans une famille et vend la maison. Julie dépérit et meurt. Plus tard, après la mort d'Armande, Jean-Marc perd tout au jeu.

L'Opération fabuleuse,
Montréal, Quinze, [1978], 191 p. (Hy/Roman)

Maude, douée de multiples facultés exceptionnelles, est maître-chirurgien et « inventeuse ». Elle crée une machine à diagnostiquer qu'elle a vue en rêve. Munie d'écrans et d'un enregistreur, cette machine « fabuleuse » lui permet d'opérer avec succès des cas jugés impossibles. Elle a aussi créé d'autres instruments de chirurgie et elle travaille sans cesse, s'épuisant à la tâche. Après un esclandre, Maude est forcée par l'administration de l'hôpital de prendre des vacances. Pendant un voyage, elle fait le bilan de sa vie et constate que son combat contre la mort est voué à l'échec mais elle sait que, en revenant à Montréal, elle perfectionnera sa machine et préparera sa relève.

L'Occulteur,
Montréal, Québec/Amérique, [1982], 259 p. (Collection « Littérature d'Amérique »). (Hy/Roman)

Jean-François, narrateur et enquêteur, cherche à découvrir les responsables d'un vol de cinq mille briques d'or. Installé dans un village du Nord, il poursuit son enquête depuis vingt ans et soupçonne plusieurs villageois, qui le surnomment « l'occulteur ». Il connaît, par télépathie, les cauchemars de Jude qui peut, lui aussi, sentir les pensées de l'enquêteur. Jean-François pressent que la lumière va bientôt se faire sur le mystère. Effectivement, les journaux annoncent la découverte des briques à l'endroit même du vol, à Montréal.

La Rose des temps. Roman,
Montréal, Québec/Amérique, [1984], 320 p. (Collection « Littérature d'Amérique »). (F)

Charles Riverin, conseiller du maire de Montréal, Noël Oliphant, enquête depuis douze ans sur une affaire de complot avorté visant à tuer le maire et le général de Gaulle, lors de l'ouverture de l'Exposition universelle en 1967. Il croit que la bombe a été posée par une organisation criminelle. Riverin part pour la France et laisse le volumineux dossier de son enquête à Lassonde, un ami. De son côté, Simon Clavel, journaliste international, croit que l'Œil, chef du terrorisme international, est responsable de l'attentat de 1967. Lors d'un cocktail chez le chef de police Nil Livernois, on l'enlève et on l'emprisonne pendant trente jours puis on l'amène à une réunion de l'Organisation de l'Œil où on lui révèle qu'il a été télécommandé et qu'il est maintenant auto-commandé ; on l'invite à faire partie du Conseil. Clavel veut refuser mais sent une force qui tente d'annihiler sa volonté. Cependant, il persévère dans son refus, mais comprend que sa propre énergie psychique a détraqué la bombe en 1967. En s'opposant au mal en 1979, il a créé des antineutrons qui ont remonté le temps et empêché la bombe d'exploser.

LAMONTAGNE, Michel
[Montréal, 23 juillet 1954 –]

« Hypercruise »,
Solaris, n° 58 (vol. X, n° 4, novembre-décembre 1984), p. 17-24 (SF) ;

Aurores boréales 2. 10 récits de science-fiction, sous la direction de Daniel Sernine, [Longueuil], le Préambule, [1985], p. 9-36. (Collection « Chroniques du futur, n° 9).

Un trafiquant d'armes terrien, le capitaine Reith, est en panne sèche sur la planète Pehor. Pour obtenir du carburant, il va rencontrer au bar l'Hypercruise un Gra-val du nom de Jack, sorte de cyclope batracien, qui contrôle le négoce interstellaire de cette planète. Jack tombe amoureux de Reith succombe à ses avances dans l'espoir d'obtenir ce qu'il veut. Pendant les ébats sexuels, Reith est plongé dans un monde de rêves étranges.

LAPIERRE, René
[Saint-Hyacinthe, 26 juillet 1953 –]

« Le Diagnostic »,
Nous, vol. IV, n° 2 (juillet 1976), p. 55. (Hy)

À la fin de sa journée, le psychiatre Granger écoute la bande magnétique de ses entrevues. Il a la surprise de s'entendre recevoir un patient dont il n'a aucune souvenance. Il découvre avec effroi qu'il s'agit de lui-même. Répondant à la voix du magnétophone, il se sent devenir fou et interrompt cette conversation à trois entre lui, lui-même et encore lui, en détruisant la machine.

LAPLANTE, Michèle de
[

Grand-Remous,
[Lanoraie, les Éditions de la Tombée, enr., 1982], 68 p. (F)

Un géologue et poète, Antoine Le Fort, vit seul dans une forêt près de Grand-Remous. Une nuit de pleine lune, la fille d'un chef de tribu amérindienne, Maniwaki, se retrouve chez lui et accepte ses avances, exactement comme dans la légende qu'il vient de lire. À l'aube, la fille n'est plus là et Le Fort se demande s'il a rêvé. Un an plus tard, il décide de partir à la recherche de Maniwaki dans la forêt afin de découvrir s'il y a un rapport entre la légende et sa propre réalité.

LAPOINTE, Louis

[

« Un simple accident »,
Requiem, n° 20 (vol. IV, n° 2, mars 1978), p. 13. (SF)

Le 19 septembre 1979, Gilles Fournier, professeur d'anthropologie, quitte Montréal au volant de sa vieille Chevrolet et roule vers le sud. Largué et perdu depuis 13 000 siècles lors de la Bataille de Sotrist, un missile se dirige vers un petit soleil jaune. Le 21 janvier 4881 après Jésus-Christ, Jorg Trisil s'apprête à « remonter le cours du temps et [à] remplacer une portion de l'histoire qui n'avait rapporté que des déboires à l'homme par un segment temporel déjà préparé et remisé ». Mais, dès qu'il quitte l'espace inter-dimensionnel, Jorg Trisil voit les systèmes d'alarme rougir. Il repère rapidement le missile qui fonce sur lui, mais il ne peut manœuvrer à temps. Les débris du G-401, dans lequel se trouve Jorg Trisil, sont projetés très loin dans le temps et émergent un peu partout, inondant diverses époques. Un morceau du G-401 tombe, le 21 septembre 1979 à 11h45, sur le satellite militaire *Eye* lancé par les Américains la veille. Déséquilibré, le satellite quitte son orbite et heurte de plein fouet l'aile gauche d'un Boeing 747 qui se dirigeait vers Mexico. À l'endroit exact de la catastrophe, une vieille chevrolet roulait vers le sud.

« La Prison cosmique »,
Requiem, n° 20 (vol. IV, n° 2, mars 1978), p. 15. (SF)

La Terre est devenue une prison à sécurité totale, servant de modèle à toute la galaxie et dont les Urxlycks, des extraterrestres, sont très fiers. Trente soucoupes volantes survolent la Terre afin d'implanter par les ondes les caractéristiques cérébrales de dix mille criminels dans les cerveaux de dix mille fœtus âgés de huit mois.

LAPOINTE, Pascal

[Québec, 14 février 1964 –]

« Les Visiteurs »,
Solaris, n° 62 (vol. XI, n° 2, juillet-août 1985), p. 5-8. (SF)

Des visiteurs, en mission scientifique, étudient l'évolution de la Terre, 250 millions d'années après la disparition de l'homme.

LAROCHE, Marc-Raoul [pseudonyme]. V. **LEMAIRE, Marc.**

LA ROCHELLE, Diane
[

« Métamorphose »,
le Canada français, vol. CXXIV, n° 30 (21 décembre 1983), p. A-57 ; n° 31 (28 décembre 1983), p. A-44 ; n° 32 (4 janvier 1984), p. A-42 et n° 33 (11 janvier 1984), p. A-56. (« Les Écritures du Haut-Richelieu »). (F)

Une secrétaire est harcelée au téléphone par une vieille femme. Après son travail, elle rate son autobus et se foule la cheville. Une centenaire, aux yeux sans iris, vient la chercher en voiture et l'emmène dans une demeure qui ressemble à un château médiéval. À l'intérieur, la secrétaire constate que sa cheville est miraculeusement guérie ; elle suit la vieille dans les dédales du château où sont accrochées des photos d'événements antérieurs à l'invention de l'appareil photo ainsi que des photos datant de l'an 2000. Devant un miroir, elle découvre qu'elle a vieilli, et elle se voit flétrie et morte dans un cercueil. Se retournant, elle constate qu'elle est effectivement dans ce cercueil, refermé sur elle.

LAROCQUE, François
[Saint-Antoine-sur-Richelieu, 25 avril 1964 –]

« Au-delà de l'univers »,
Recueil collectif de science-fiction, par 6 élèves de l'ESSH, Saint-Hyacinthe, l'École du Séminaire de Saint-Hyacinthe, avril 1980, p. 3-10. (SF)

En 1985, *l'Entreprise II* part en orbite pour essayer de trouver les causes de l'écrasement de *l'Entreprise I,* en 1980. Cependant, le vaisseau sort de son orbite et est entraîné dans le néant. Un atomome, homme atomique, explique à l'équipage que leur vaisseau est sur la voie de la mort menant à Dieu. Les membres de l'équipage forment un plan, parviennent à revenir dans la voie lactée,mais un météore, contrôlé par des atomomes, les anéantit.

LAUZON, Adèle
[

« 16 juin an 2010 »,
Châtelaine, vol. IV, n° 5 (mai 1963), p. 30-31, 75-79. (SF)

Emma fête ses soixante-quinze ans, mais elle n'en paraît que quarante grâce à la chirurgie esthétique. Elle se rappelle l'époque de la Troisième Guerre mondiale, vingt-cinq ans auparavant, au cours de laquelle un continent a été ravagé et dont les habitants sont devenus leurs esclaves. Elle se sent isolée dans un monde où chacun conserve sa bonne humeur à coup de drogues. Pour sa part, elle se refuse à camoufler ses émotions. Elle meurt et sa famille célèbre son enterrement en brûlant tous ses livres.

LAVERDIÈRE, Michel
[Saint-Eustache, 1949 –]

« Mission secrète »,
Requiem, n° 15 (vol. III, n° 3, avril-mai 1977), p. 10. (SF)

À la suite d'une éclipse sur une lointaine planète, un extraterrestre raconte comment 200 000 terriens ont été enlevés pour fournir de l'énergie vitale à une personnalité de là-bas.

LE BLANC, Huguette
[Dugal, 18 décembre 1943 –]

« L'Homme emmuré »,
Châtelaine, vol. XXIII, n° 10 (octobre 1982), p. 159-166. (Hy)

En s'amusant près de la tour d'une crypte, une enfant entend d'étranges cris semblant venir du mur lui-même. Elle revient les jours suivants et commence à tracer les contours de l'homme sur le mur. Lentement, il prend vie, mais il effraie la fillette par sa dureté. Elle continue malgré tout. En dessinant le nombril, elle creuse un trou au travers du mur. De l'autre côté (à l'intérieur de l'homme), elle observe une étrange procession de morts-vivants : des squelettes piétinent des enfants venant de naître. La fillette chante alors pour un des jeunes, qui écoute. Ravie, elle agrandit le trou, au désespoir de l'homme emmuré, pour libérer l'autre, mais la crypte se désagrège. Les habitants du village ne comprendront jamais ce qui s'est passé.

LEBLANC, Léo
[

Les Incommunicants,
Montréal, les Presses libres, [1971], 136 p. (SF/Roman)

Monsieur de Paul, président de la compagnie Son de Cloche, a été enlevé par les Incommuniquants, des terroristes qui veulent l'immoler en signe d'opposition à l'importance prise par les communications et par la ville de Montréal, devenue le centre du monde depuis Expo 67. L'Oiselau, animateur à la mondovision réussit à le sauver et à éliminer les principaux Incommuniquants.

LEBUSSY, Alain
[

« Dialogues »,
Requiem, n° 5 (vol. I, n° 5, juin-juillet 1975), p. 9. (SF)

Un enfant discute avec son grand-père, sa grand-mère et son père. Il les interroge sur divers sujets. Il apprend ainsi que les Terriens sont tous morts parce qu'ils aimaient trop se battre, que la Terre est l'endroit où l'on est heureux, que le paradis, c'est l'enfer parce qu'on n'en revient pas et que les grandes villes sont vides parce que les gens sont partis vers les étoiles, vers l'inconnu.

LECLAIR, Stéphane
[

« La Nuit du *Titanesque* »,
le Canada français, vol. CXXIII, n° 34 (19 janvier 1983), p. A-52, et n° 35 (26 janvier 1983), p. A-42. (« Les Écritures du Haut-Richelieu »). (SF)

Mille ans après le naufrage du *Titanic*, le *Titanesque*, gigantesque vaisseau spatial, fait naufrage lorsqu'il tombe sur un météorite.

LECLERC, Claude
[1949 -]

« La Maison ronde »,
Actualité, vol. XIV, n° 3 (mars 1974), p. 42-45. (F)

Marie-Merveille et son fils jouent depuis longtemps une pièce où le garçon tient le mauvais rôle : il trahit et tue sa mère. Marie fait merveille et reçoit de nombreux éloges ; son fils est jaloux. Un soir, elle meurt sur scène. Son fils croit l'avoir vraiment tuée, mais elle a été victime d'une commotion cérébrale. Après les funérailles, le fils se retrouve seul à la maison. Il se rappelle alors une histoire que sa mère lui contait et qui parlait d'une maison hantée, où demeurait un jeune homme, et d'un incendie au village. Le fils de Marie, seul dans sa maison ronde, s'identifie alors au jeune homme de l'histoire. Deux ans s'écoulent et un incendie éclate au village. Quelqu'un vient l'implorer à sa porte. Il ouvre, une vieille s'écrase alors devant lui. Il la retourne, c'est Marie-Merveille.

« Dernier Arrêt »,
le Maître des ténèbres. Nouvelles, Westmount, Desclez, [1981], p. 21-26. (Collection « Nuit d'encre », n° 1). (F)

Un homme se lève, sent la réalité comme étrange, prend l'autobus, se voit en son voisin et découvre qu'il est mort.

« Le Dernier Voyage de Mira et Marki »,
le Maître des ténèbres. Nouvelles, Westmount, Desclez, [1981], p. 27-32.(Collection « Nuit d'encre », n° 1). (F)

Mira et Marki (morts/amoureux) cherchent à sortir de l'univers de l'après-vie pour revenir sur Terre et réintégrer leur corp respectif. Mira surtout le désire, mais se rappelle une mise en garde du Grand Mage sur la difficulté d'un retour, sans en comprendre le sens. Elle finit par comprendre lorsqu'elle voit son squelette : « Il ne lui restait plus que son âme », car son beau corps était détruit.

« Journal d'un mutant »,
le Maître des ténèbres. Nouvelles, Westmount, Desclez, [1981], p. 33-45. (Collection « Nuit d'encre », n° 1). (F)

Le narrateur note les changements qui s'opèrent en lui. Il ne comprend pas d'abord, mais constate l'évolution de son goût pour la viande saignante et de son dégoût pour le cuit et pour tout ce qui représente la civilisation et l'ordre social. Il se sait mutant et, paradoxalement, nouveau Messie de l'incroyance totale. Rien est son credo. Il va se noyer, pour se purifier, dans les eaux du fleuve, lui qui se considère comme étant déjà mort. Il a conscience de partir pour un autre univers.

« Le Maître des ténèbres »,
le Maître des ténèbres. Nouvelles, Westmount, Desclez, [1981], p. 73-114. (Collection « Nuit d'encre », n° 1). (F)

Pierre Blanchard, le dernier de la lignée des Blanchard, vient chercher l'héritage laissé par son oncle. Toutefois, une condition est posée dont le notaire ignore la teneur. L'héritier doit accepter de pactiser avec le diable afin que l'oncle puisse cesser de souffrir et soit délivré de son pacte. Pierre doit s'en remettre au jugement de la servante de l'oncle qui dira au notaire si Pierre est digne d'hériter. Or, une nuit, il voit son oncle, mort/vivant, en compagnie de sa servante et complice. Avec l'aide du curé, Pierre entreprend de lutter contre le démon, en laissant croire qu'il accepte les conditions de l'oncle. La servante officie, le soir même, à un rituel satanique, une messe noire avec une hostie profanée et le sang d'un jeune garçon assassiné. Mais Pierre remplace la fausse hostie par une vraie, met de l'eau bénite dans le sang du garçon assassiné qu'il fait boire au « mort », qui se trouve ainsi délivré du diable. Mais le démon, en colère, entre dans le corps de la servante. Le curé se livre à un exorcisme, mais est tué par la servante douée d'une force démoniaque. La maison brûle. Pierre s'en échappe juste avant qu'elle n'explose et ne s'effondre. Le lendemain, le notaire demande à Pierre la raison de son départ. Pierre lui répond qu'il ne peut avoir l'héritage, n'ayant pas satisfait à la condition posée par son oncle. L'héritage reste sous les décombres. Le notaire, voulant faire main basse sur la fortune laissée dans un coffre-fort, est trouvé le cœur arraché.

« L'Odyssée d'Albertine Miranda »,
le Maître des ténèbres. Nouvelles, Westmount, Desclez, 1981, p. 47-71. (Collection « Nuit d'encre », n° 1). (F)

Albertine Miranda cherche à secouer ses compagnes (de couvent ?) qui meurent mystérieusement, les unes après les autres. Finalement, Albertine forme avec Mimi et les autres filles (traîtresses), un plan d'évasion qui échoue. Mais Albertine découvre que Mimi a le pouvoir de lire dans les pensées, de communiquer avec les morts, de les apaiser et de déplacer les objets à distance par la seule force de sa pensée. Elles réussissent à s'enfuir grâce à ces pouvoirs et Albertine sent qu'elle commence à développer les mêmes dons. Elle s'apprête à faire une « odyssée irréelle ».

LECLERC, Richard
[19 juillet 1963 –]

« Le 477e libre service »,
Requiem, n° 3 (vol. I, n° 3, février-mars 1975), p. 9. (F)

Le narrateur raconte sa rencontre avec Alain à l'école secondaire. Ils deviennent de bons amis. Alain devient mécanicien et installe son garage, avec lave-auto, à Sainte-Agathe. À la même époque, 476 personnes disparaissent inexplicablement dans la région. La police est confondue. Le narrateur retourne voir son ami, qui lui présente sa nouvelle installation. Pendant que le visiteur va s'acheter des cigarettes, Alain, faisant laver une nouvelle voiture, disparaît. Son ami examine le lave-auto, entièrement automatique, et découvre, presque à ses dépens, qu'est la source de toutes les disparitions. On le retrouve inconscient.

LEFEBVRE, Jean-Pierre
[Montréal, 17 août 1941 –]

« Mara de la Lune »,
Châtelaine, vol. V, n° 2 (février 1964), p. 16-17, 53-55. (SF)

Un homme raconte comment la Terre s'est désintégrée et comment la population terrestre, après son exode vers la Lune, y a formé une nouvelle civilisation, sans animaux, où les hommes semblent avoir le don de voyager dans le temps et l'espace. Mara, la fille de cet homme, qui naîtra sur la Lune.

LEFORT, Suzanne-Jules
[Montréal, 18 juillet 1951 –]

« La Pyramide de cristal »,
XYZ. La revue de la nouvelle, vol. I, n° 2 (été 1985), p. 37-46. (F)

La reine Hatshepsout se fait passer pour un homme et se fait nommer Pharaon Amenthê. Elle consulte un astrologue, Ramose, qui lui fait prendre des drogues et la plonge dans des états hypnotiques. À la troisième séance, pendant une absence momentanée de Ramose, elle vole de la « poudre magique » et meurt d'une dose trop forte. Elle voit malgré tout son corps que des chirurgiens préparent pour les funérailles.

Pensant d'abord qu'il s'agit encore d'une hallucination, elle comprend finalement qu'elle est vraiment morte, ce qui finit de l'affoler.

LEFRANÇOIS, Isabelle
[

« Le Noël de Mélanie »,
Perspectives, vol. XXI, n° 51 (semaine du 22 décembre 1979), p. 2-3. (F)

Une jeune fille, un soir de Noël, rencontre une vieille dame qui porte un chapeau identique à celui qu'elle s'est elle-même confectionnée. Après avoir parlé avec elle, elle découvre qu'il s'agit d'elle-même lorsqu'elle sera vieille.

LÉGARÉ Huguette
[Québec, 18 août 1948 –

« Les Madelœil ou le Raz-de-marée »,
Mœbius, n°s 10-11 (4e trimestre 1980), p. 87-99. (SF)

Entre 1987 et 2030, les Madelœil vivent des moments difficiles à Québec, détruite en partie par un raz-de-marée au tournant du siècle et vivant sous différents régimes successifs (démocratie, monarchie, socialisme...).

« Les Trains-bulle de janvier »,
Imagine..., n° 10 (vol. II, n° 1, automne 1981), p. 83-89 (SF) ;

les Années-lumière. Dix nouvelles de science-fiction réunies et présentées par Jean-Marc Gouanvic, [Montréal], VLB éditeur, [1983], p. 129-136 ;

Nouvelles nouvelles. Fictions du Québec contemporain, [anthologie de] Michel A. Parmentier et Jacqueline R. d'Amboise, Toronto, Orlando, San Diego, London, Sydney, Harcourt Brace Jovanovich, [1987], p. 130-134. [Précédé d'une biographie, p. 129, et suivi d'excercices, p. 134-145].

Evan et Gabriella font le trajet de Québec à Bathurst par une nuit de janvier, dans les trains-bulle. Une tempête les retarde et ils arrivent à destination avec quatre heures de retard après une longue attente dans la gare de Lévis.

LÉGARÉ, Jean-Claude
[

« Des gars de la Pointe courent la chasse-galerie »,
le Droit, vol. L, n° 299 (22 décembre 1962), p. 23. (F)

Des bûcherons décident d'aller chez leurs parents pour Noël en empruntant la voie des airs : la chasse-galerie. Au cours du voyage, l'un deux prononce « bon yeu », ce qui provoque leur chute sur la glace. Par la suite, une île prend forme à cet endroit (« l'Ile du diable ») et cinq arbres (pour les cinq bûcherons sains et saufs malgré tout) y poussent.

LÉGER, Dyane
[Notre-Dame-de-Kent (N.-B.), 11 septembre 1954 –]

« Ce soir, dans le creux de la nuit, les mots sont déterminés »,
Estuaire, n° 36 (été 1985), p. 31-35. (Hy)

Une femme, vivant un cauchemar éveillé, note les choses incroyables qu'elle perçoit.

LEMAIRE, Marc
[

« Subway Song »,
Fais-moi peur ! Nouvelles, Hull, Pierre D. Lacroix éditeur, [n. d.], p. 22-25. (Collection « Carfax-bis », n° 3). [Sous le pseudonyme de Marc-Raoul LAROCHE].

Dans le métro, un homme est assommé par quelqu'un dont il a perçu la sihouette noire. À son réveil, une chanson qu'il avait en mémoire, « Subway Song », lui rappelle étrangement ce qu'il vient de vivre. Il aperçoit une femme effrayée et semblant être prisonnière d'une forme obscure qui s'approche d'elle et l'atteint avec ses mains crochues.

LEMAIRE, Marie-Claire
[Charleroi (Belgique), 6 juillet 1943 –]

« Les Chaleurs »,
Solaris, n° 61 (vol. XI, n° 1, mai-juin 1985), p. 20-21. (SF)

Une femme vit dans une société où les enfants mâles quittent le monde matriarcal, vers l'âge de quinze ans, pour aller vivre en permanence dans une île. La femme s'interroge sur ce rituel et sur celui au cours duquel les femmes de sa société vont, à intervalles réguliers, à leur tour dans l'île des hommes pour y accomplir des rites spécifiques.

LEMAIRE, Michel
[Ciboure (France), 13 février 1946 –]

« L'Accident »,
Liberté, n° 78 (vol. XIII, n° 6, 1972), p. 32-35. (Hy)

Un homme, victime d'un accident, se remémore des instants de sa vie et se force à éprouver des sensations pour s'assurer qu'il est vivant puisqu'il doute de son existence.

« L'Homme en gris »,
Liberté, n° 123 (vol. XXI, n° 3, mai-juin 1979), p. 89-97. (Hy)

Un écrivain, qui « avait le sentiment très net de ne pas appartenir à la même race que les gens de cette terre [p]eut-être était-il Martien », vit une existence terne et se raconte des histoires pour tromper son ennui.

LEMIEUX, Sylvain
[Boucherville, 1953 –]

« Les Extraterrestres sont parmi nous »,
Imagine..., n° 16 (vol. IV, n° 3, printemps 1983), p. 54-55. (SF)

Des extraterrestres, habitants de la nébuleuse du Triangle, se posent sur Terre momentanément, leur but étant de retrouver leurs ancêtres dans le nuage de Magellan. Leur allure d'hippocampes géants fascine les Terriens, et le contact entre les humains et les extraterrestres provoque deux réactions : les Terriens perdent le sens de la spatio-temporalité et les Hippos ne peuvent plus repartir. Une partie du groupe parvient néanmoins à reprendre la route de l'espace. Ceux qui restent s'intéressent aux hippocampes de la Terre, qui, au contact des Hippos, se mettent à évoluer et réclament de plus en plus de droits et d'espace.

« Un voyage de quelques milliers d'années »,
Imagine..., n° 16 (vol. IV, n° 3, printemps 1983), p. 57-58. (SF)

Un explorateur désire savoir ce qui se passe dans les bandes obscures qui descendent du soleil. Il s'attache à un câble indestructible, se pare d'une réserve d'oxygène et d'un magnétophone pour capter ses observations. Douze heures plus tard, il est disparu et, à l'examen du câble, on note une usure indiquant le fait qu'il s'est écoulé douze mille ans. L'enregistreur n'a capté qu'une portion de phrase.

« Tycho Brahé »,
Imagine..., n° 21 (vol. V, n° 4, avril 1984), p. 27-33. (SF)
Matti quitte Samos et émigre à Montréal, aux trois quarts détruite par un tremblement de terre. En tant que maçon, il travaille à sa reconstruction selon le plan utopique de Montréal-Harmonie, « comme l'Harmonie construite à la fin du siècle dernier au centre du cratère Tycho Brahé, sur la Lune ». À Montréal-Harmonie, Matti se rend à des « usines à phantasmes » des schizoramas qui permettent la matérialisation des désirs. À l'université, on lui enseigne que « chaque parole prononcée change [...] effectivement et concrètement les choses de [la] vie ». À cette époque, prolifère également le concept artistique de l'*artvif.* Matti le met en application et conçoit une matérialisation dynamique, les représentations imaginaires étant des machines à changer le monde. Elles offrent à l'homme la possibilité de maîtriser davantage l'univers dans lequel il vit.

« L'Arrache-corps. Un pastiche de Boris Vian »,
Imagine..., n° 27 (vol. VI, n° 4, avril 1985), p. 71-76. (Hy)

Dans un couvent, l'abbesse condamne Lydie, une sœur qui a fauté avec un garçon de douze ans, à subir un supplice. Le jour de l'accouchement, Lydia est crucifiée et une sage-femme lui extirpe du ventre trois enfants à l'aide d'un arrache-corps.

LEMOINE, Wilfrid
[Coaticook (Stanstead), 18 juillet 1927 –]

« Rencontre d'un autre type »,
Liberté, n° 123 (vol. XXI, n° 3, mai-juin 1979), p. 71-74. (F)

Au cours d'une promenade, un homme entend une voix qui semble venir de l'autre côté d'un haut massif de fleurs : « [J]e l'entendais distinctement, et je ne pus m'empêcher de sourire à l'évidence de ce phénomène pourtant impossible. Voltaire me parlait ! » La conversation s'engage, l'homme se retrouvant au milieu du massif de fleurs. Puis, un petit vieillard aux « beaux yeux tristes et moqueurs », venu d'on ne sait où, s'introduit dans la conversation : « Monsieur Einstein ! », dit l'homme qui a de plus en plus l'« impression de [s'] enliser dans un autre monde. Ou d'être transbahuté dans un ailleurs tout à fait inattendu ».

LE NAVEAUSSE, Marc. V. GOUANVIC, Jean-Marc.

LEPAGE, Denise
[

« La Chute de l'empire euphorique »,
le Bulletin des agriculteurs, 57e année, n° 2 (avril 1974), p. 66-67, 69-70, 72-74, 76-77. (SF)

Au XXIIe siècle, l'empire euphorique règne sur la Lune. Il est interdit de paraître en colère ou maussade et des euphorisants divers aident à conserver une humeur égale et joyeuse. Louki et Lou-Anna se rencontrent et font le projet de se marier. Ils vont chercher le « postulat » (permis) leur permettant de vivre ensemble avant de signer le contrat de mariage. Pendant leur vie commune, ils prennent l'habitude, interdite par la loi, de se quereller. Louki désire aller coloniser Mars, mais Lou-Anna refuse de le suivre. Louki la quitte. Lou-Anna sombre dans le désespoir et refuse de prendre la pilule-oubli, comme le lui conseille son robot domestique. Elle en vient à verser des larmes, ce qui ne s'était pas vu sur la Lune depuis cinquante ans. Puis, Louki revient mais pour faire ses adieux puisqu'il part pour Mars. Lou-Anna décide de le suivre par amour. Ils vont se marier et quittent la Lune. Dès lors, le robot marieur remarque que de plus en plus de couples avouent se disputer. La nature reconquiert ses droits et le progrès prend un nouvel essor.

LEPAGE, Jean
[

« Le Héros »,
Écrits du Canada français, Montréal, [s. é.], n° 21, 1966, p. 25-31. (F)

Proclamé héros, la veille, pour avoir fait avorter, par inadvertance, un cambriolage à main armée, Viateur Randort se met au lit en ayant eu soin de ranger méticuleusement toutes ses choses. Mais le sommeil ne vient pas, puis un bruit, une fine sonnerie, fait son apparition. Randort a peur, se met à courir dans son appartement. Tout se dérègle. Des objets de toutes sortes et une main blanche le poursuivent.

LÉVESQUE, Richard
[Saint-Hubert-de-Témiscouata, 30 mai 1944 –]

« Les Yeux d'orage »,
les Yeux d'orage, [Rivière-du-Loup], Castelriand, [1978], p. 9-15. (F)

Un incorrigible amoureux découvre qu'il tue toutes les femmes avec qui il fait l'amour. Le phénomène « s'explique » par le fait que, lors de l'orgasme, ses yeux lancent des éclairs meurtriers.

« De l'autre côté »,
les Yeux d'orage, [Rivière-du-Loup], Castelriand, [1978], p. 16-24. (F)

Un homme raconte de son seul point de vue comment et pourquoi il s'est suicidé. Il voulait voir comment c'était « de l'autre côté ». Il rencontre la Mort, personnifiée par une femme avec qui il fait l'amour, puis il revient dans le monde réel. À son retour, il constate le fait que la balle qu'il s'est tirée dans la tête n'est plus dans le fusil, mais qu'il ne l'a pas plus dans la tête. Il ne reste qu'un mal de tête.

« Godias et Adeline »,
les Yeux d'orage, [Rivière-du-Loup], Castelriand, [1978], p. 30-36. (F)

Deux vieillards, Godias et Adeline, pratiquent un cérémonial occulte autour d'un buste de Phidias (le sculpteur grec), représentant Godias (en fait Arès) en tant que dieu de la guerre depuis vingt-cinq siècles. Il prend dans ses bras Adeline (en fait Vénus) et ils rajeunissent comme par magie. Ainsi font-ils depuis des millénaires, « seuls survivants de l'Olympe parce qu'eux seuls n'ont cessé de vivre dans les actes des hommes ».

« Krocpot et Kracpot »,
les Yeux d'orage, [Rivière-du-Loup], Castelriand, [1978], p. 65-69. (SF)

Krocpot et Kracpot, deux extraterrestres, visitent la Terre à la recherche de quelqu'un de doux et de bon. Partout, ils ne voient que violence et méchanceté. Ils rencontrent enfin un jeune homme d'une extrême gentillesse qui attendait leur arrivée. Tout joyeux, Krocpot et Kracpot vont à leur vaisseau prendre leurs affaires mais, avant leur retour, le jeune homme est interné dans un asile psychiatrique.

LÉVY, Bernard
[17 juillet 1944 –]

« La Salle d'attente »,
Mœbius, nos 10-11 (4e trimestre 1980), p. 27-40. (Hy)

Dans une salle d'attente, un homme monologue intérieurement sur ce qui l'amène en ce lieu : il a oublié son nom et son adresse. Il a perdu son identité en égarant son porte-feuille. Son histoire semble être connue publiquement et son amnésie provoque une réaction collective où nombre de citoyens se déclarent également amnésiques. Cela crée une situation où tout le système social est déstabilisé.

L'HEUREUX, Christine
[Sorel, 9 septembre 1946 –]

Le Dernier Recours,
[Montréal], Libre Expression, [1984], 215 p. (SF/Roman)

Jacques, médecin et chercheur montréalais, cherche à mettre au point un remède contre le cancer du sein à partir du virus de la grippe. Son virus se répandant à travers le monde, il s'aperçoit que les femmes qui ont cette grippe meurent rapidement du cancer. Le virus s'attaque davantage aux femmes enceintes, produisant beaucoup de progestérone. L'épidémie fait des milliers de victimes. La population vit dans la crainte et les femmes s'isolent. Ne pouvant espérer la découverte rapide d'un vaccin et cherchant une voie nouvelle pour la reproduction humaine, Jacques, avec l'aide d'un collègue obstétricien, expérimente sur lui-même la gestation. Le porteur est isolé, et l'obstétricien lui injecte des hormones et lui implante un embryon dans la paroi abdominale. Tout au long de sa grossesse, Jacques subit des transformations psychologiques qui remettent en cause ses valeurs masculines. L'accouchement par césarienne se fait devant les médias. Mais de retour chez lui avec son fils Jonathan, Jacques est abattu au cours d'une manifestation. Une vieille femme profite de la confusion pour s'emparer de l'enfant, qui est élevé en secret sur une ferme en Mauricie. À trois ans, Jonathan montre une aisance étonnante à rester sous l'eau et il entraîne une petite fille, Issoudun, dans ses expériences aquatiques surveillées par la vieille femme. Lorsqu'elle devient pubère, Issoudun part avec Jonathan vivre dans la rivière. Ils sont devenus les premiers mutants d'une nouvelle race humaine amphibie.

L'ITALIEN-SAVARD, Isabelle
[Québec, 14 juillet 1967 –]

« Mes compagnons de tête »,
le Granule. Journal des étudiants(es) du Collège de Limoilou, vol. VII, n° 11 (14 mai 1985), p. 16-24. (F)

Pour combler son besoin de communication, une jeune fille converse avec des amis imaginaires : Borris, Marcus, Lolita et Daphné. Un jour, Borris lui apparaît réellement dans l'autobus. La jeune fille croit d'abord à une illusion mais, quelque temps plus tard, elle rencontre Lolita dans un bar et trouve Marcus dans sa voiture. Finalement, Daphné l'attend à sa chambre. Elle lui explique que tout le monde a un personnage imaginaire dans sa tête et que tout le monde est le personnage imaginaire de quelqu'un. Daphné se transforme ensuite en un œil gigantesque dans lequel la jeune fille pénètre. Elle se retrouve dans un autobus, près d'un garçon dont elle est le personnage imaginaire.

LIOR, Thérèse
[Anvers (Belgique), 18 avril 1940 –]

« Le Chien »,
Châtelaine, vol. XXV, n° 3 (mars 1984), p. 162-164. (F)

La narratrice rend visite à sa meilleure amie, Anna, dont l'amant vient de mourir en tombant au bas d'une falaise. Elle se demande comment le chien d'Anna a perçu l'arrivée de l'homme. Le chien, dans un bâillement, lui révèle que c'est lui qui a tué l'amant d'Anna.

LORD, René
[

« L'Astronaute anonyme »,
Nous, mars 1976, p. 53. (SF)

Les instigateurs d'une aventure spatiale envoient un astronaute dans l'espace. Dans sa capsule, ce dernier s'inquiète des motifs de sa mission, mais, l'ordinateur détectant ses craintes, il reçoit immédiatement une médication. Un jour, l'appareil se dérègle et se pose sur une autre planète. Là, il est pendu par les pieds par des géants vêtus de blanc qui le frappent et l'arrosent. Comme un nouveau-né, l'astronaute pousse un grand cri.

LORTIE, Alain. V. **SERNINE, Daniel.**

LT. KOWALSKY [pseudonyme]. V. **PICARD, Louis-C.**

M

MACDUFF, Claude
[Montréal, 22 juin 1946 –]

1986 : mission fantastique. Roman,
[Montréal], Éditions Québécor, [1980], 247 p. (SF/Roman)

En 1986, plusieurs scientifiques et journalistes sont convoqués à Météor Crater, en Arizona, pour assister à un événement incroyable : les Américains ont découvert qu'un météorite, qui a frappé la Terre il y a 30 000 ans, contenait un engin maléfique envoyé par des extraterrestres. Cette machine propage un champ d'ondes de violence à l'ensemble de la planète et est à l'origine de tous les conflits de l'Histoire. Les invités assistent à l'arrêt de l'émission des ondes et au retour d'une paix réelle et durable dans le monde.

La Mort... de toutes façons,
[Montréal], la Presse, [1979], 199 p. (SF/Roman)

En 1950, Charles Tyler, gérant de casino, parvient à éliminer un concurrent, le financier Albert Hanson, en provoquant l'explosion d'un avion. Par hasard, le professeur Henry Morris prend également place à bord de l'appareil et meurt dans l'explosion. Vingt-trois ans plus tard, le professeur Richard Morris – le fils de Henry Morris – capture Tyler dans son laboratoire et se venge de la mort de son père en obligeant l'assassin à s'incarner, grâce au « létho-détecteur », dans le corps d'hommes destinés à une mort violente et imminente ; il le force ainsi à vivre avec eux leur agonie. L'opération réussit mais, au cours de son incarnation dans le corps d'un pilote d'avion, Tyler réussit à faire tomber l'appareil qu'il pilote sur le laboratoire du professeur Richard Morris. Il tue ainsi son bourreau et détruit sa propre enveloppe charnelle – emprisonnée dans le laboratoire – sans réussir toutefois à se « tuer » ; il se condamne à s'incarner à l'infini dans le corps de morts en puissance et à souffrir de cruelles agonies.

MAHEUX, Guy
[Calcutta (Inde), 3 août 1927 –]

Une sorcière dans mon grain de sable. Roman,
Montréal, la Société de belles-lettres Guy Maheux inc., [1976], 236 p. (Hy/Roman)

Après une brève introduction proférée par une voix venue de l'au-delà, celle de Guillaume, le récit principal se concentre sur l'histoire de la prostituée Vison-Noir. Celle-ci recherche son ancien amant, Guillaume, dont elle se croit enceinte. À bout de ressources, elle se laisse initier par Salomon, une connaissance de Guillaume, à une secte satanique, lors d'une séance au cours de laquelle elle acquiert des pouvoirs. Elle croit que les sorts qu'elle jette à Guillaume ne donnent aucun résultat, mais celui-ci est mystérieusement attiré jusqu'à la demeure de Vison-Noir. Cependant, il se « réveille » avant d'y être entré, car Satan a puni Vison-Noir en lui retirant momentanément ses pouvoirs (elle a failli trahir le secret de la secte). Vison-Noir dit à Salomon qu'elle croit que la séance satanique n'était en fait qu'une mascarade. Les malheurs s'enchaînent alors : Falline, la mère de Vison-Noir, devient folle ; Manon, la fille de Vison-Noir, fait une fugue et devient prostituée ; Vison-Noir apprend la mort de Guillaume, touché par un malaise cardiaque. Elle-même mourra des suites de son accouchement.

MAILLET, Andrée
[Montréal, 7 juin 1921 –]

« L'Affaire du Plat du Chat »,
Écrits du Canada français, Montréal, [s. é.], n° 14, 1962, p. 309-343 (Hy) ;

le Lendemain n'est pas sans amour. Contes et récits, Montréal, Librairie Beauchemin limitée, 1963, p. 21-61.

Zénaïda, une femme qui semble posséder des pouvoirs maléfiques, selon le propriétaire du bar le Plat du Chat, disparaît mystérieusement le jour où elle aperçoit, dans ce bar, sa meilleure amie, Julie, avec son amant. Ces derniers partent en voiture, mais sont victimes d'un étrange accident. Karl, l'amant, meurt et Julie est hospitalisée. Zénaïde revient, tel un fantôme trop réel, accabler Julie de sa présence à l'hôpital.

« Les Doigts extravagants »,
le Lendemain n'est pas sans amour. Contes et récits, Montréal, Librairie Beauchemin limitée, 1963, p. 7-19 (F) ;

Anthologie de la nouvelle et du conte fantastiques québécois au XXe siècle. Introduction et choix de textes par Maurice Émond, [Montréal], Fides, [1987], p. 143-156. (Collection « Bibliothèque québécoise »).

La narratrice, déambulant dans les rues de New York, reçoit par hasard un manteau d'un quidam. Rentrée chez elle, elle découvre, dans une des poches du manteau, cinq doigts rattachés ensemble par une ficelle. Horrifiée, elle s'empresse de les jeter par la fenêtre, mais ceux-ci resurgissent aussitôt pour proposer un pacte à la narratrice. Si elle accepte de les garder, ils écriront pour elle des textes qui la rendront riche et célèbre. Dégoûtée, elle accepte quand même l'offre et devient effectivement riche et célèbre. Mais, lorsqu'elle songe à se débarrasser des doigts extravagants, ceux-ci lui serrent la gorge.

« Le Testament de Don Pedro »,
le Lendemain n'est pas sans amour. Contes et récits, Montréal, Librairie Beauchemin limitée, 1963, p. 67-82. (Hy)

Une femme accouche soudainement d'un enfant qu'elle n'attendait pas. Le même jour, un notaire vient annoncer qu'un parent du bébé lui lègue toute sa fortune. Le père de l'enfant, qui se croyait l'unique héritier (et l'était avant la naissance de son fils) se croit lésé. Or, en lisant une pièce du dossier, remis par le notaire, la mère découvre une troublante coïncidence entre la date de la mort du donateur et celle de la naissance de son fils, le légataire, exactement neuf mois plus tard. Le récit laisse croire que la mère a accouché d'un réincarné qui serait l'oncle lui-même. Il se serait légué sa propre fortune, par-delà la mort.

MAILLOUX, Serge
[Beauport, 9 septembre 1955 –]

« Tavuluan »,
Requiem, n° 13 (vol. III, n° 1, décembre 1976-janvier 1977), p. 8. (SF)

Ils sont mille gardiens à défendre la Tour Horloge dans l'île de Tavuluan contre les menaces de destruction de ceux qui viennent souvent « des continents sur les chauves-souris de fer survolant l'océan Othomas ».

« Enfants du miroir »,
Solaris, n° 41 (vol. VII, n° 5, octobre 1981), p. 6-11, 36-38 (SF) ;

Aurores boréales 1. 10 récits de science-fiction parus dans le revue *Solaris*, sous la direction de Norbert Spehner, [Longueuil], le Préambule, [1983], p. 109-146. (Collection « Chroniques du futur, n° 7 »).

Dans un vaisseau spatial nommé *la Forge*, accidenté dans l'hyperespace, Philippe, le seul survivant – un mutant corallien – tente désespérément de réparer un appareil qui permettra au navire de réintégrer l'espace normal et d'assurer son retour vers les planètes habitées. Le délai est très court et le survivant doit accepter l'aide d'une forme de vie immatérielle qui le poursuit depuis des années et dont il a peur. La forme lui offre la Raison, ce qui lui permettra de comprendre ses propres dons de mutants, de maîtriser sa peur et de sauver, *in extremis*, le vaisseau qui l'abrite.

MAJOR, André
[Montréal, 22 avril 1942 –]

« L'Aveugle aux yeux clairs »,
Nous, vol. IV, n° 7 (décembre 1976), p. 70, 90-91, 93-95. (Hy)

Un homme se rend dans un snack-bar de village rencontrer un ami afin de comprendre pourquoi sa femme est partie après l'avoir entraîné dans ce coin perdu. L'ami en question, aveugle depuis peu, mais ayant incroyablement développé son ouïe et son odorat, avait lui-même attiré le couple dans la région. L'homme finit par comprendre que sa femme l'a quitté pour rejoindre l'aveugle. Trois ans plus tard, il les revoit tous deux avec un enfant, mais l'ami n'est plus aveugle.

« C'est moi maintenant qui attends... »,
Dix contes et nouvelles fantastiques par dix auteurs québécois, [Montréal], Quinze, [1983], p. 153-164. (F)

Un homme se rend tous les soirs au même casse-croûte. La serveuse, Jeanine, le regarde toujours comme si elle attendait quelque chose de lui. Un soir, il la suit jusque chez elle, sans lui parler. Le lendemain, comme elle n'est pas au casse-croûte, il va la voir chez elle. Elle le reçoit comme s'ils se connaissaient depuis longtemps, alors que lui pense ne pas la connaître en dehors du casse-croûte. De plus, l'homme se rappelle avoir rêvé cette rencontre la nuit précédente. Dans la nuit, l'homme rêve que Jeanine s'éloigne de lui en hurlant. Le soir suivant, ils décident d'aller chez lui. Une amie de l'homme, Claudette, l'attend, nue sur le divan. Jeanine se sauve. Le lendemain, l'homme se présente au casse-croûte, mais Jeanine, en le voyant, est prise de panique et les autres clients le jettent dehors. Quelque temps plus tard, il la revoit, mais elle ne le reconnaît plus : c'est maintenant lui qui attend qu'elle le reconnaisse.

MAJOR, Claude
[23 juillet 1941 –]

« La Fin d'un monde »,
Écrits du Canada français, Montréal, [s. é.], n° 20, 1965, p. 131-142. (SF)

Jean Vary, sous-ministre au ministère de la Défense nationale du Canada, apprend avec excitation que les radars ont détecté l'approche d'un engin spatial présumément originaire d'un autre système solaire. Les États-Unis et l'URSS déclinent la paternité de cet OVNI. L'engin inconnu entre en contact avec la Terre, puis il s'écrase, à la suite d'ennuis mécaniques. Vary perd toute foi en l'origine extraterrestre de l'engin. Mais, « à des millions de milles de là, sur la douzième planète d'Alpha du Centaure exactement, le chef de l'Administration de l'Espace de la Planète Unifiée avait depuis longtemps perdu tout espoir de revoir ses trois cosmonautes ».

MARJOLAIS, Jacqueline. V. **FAVREAU, Marianne** [née **Jacqueline MARJOLAIS**].

MAROIS, Carmen
[Montréal, 29 novembre 1951 –]

« La Double Vie de Juan Abatiello »,
l'Amateur d'art, [Longueuil], le Préambule, [1985], p. 9-21. (Collection « Chroniques de l'au-delà », n° 2). (F)

Poursuivi par un groupe de jeunes délinquants, Juan, immigré guatémaltèque, dans un pays receveur non mentionné, découvre un monde grouillant de vie dans un endroit où il se réfugie, un wagon de train désaffecté dont le chef est Argentin, Fernando Alvarez. Juan est le seul personnage, campé comme réel, à percevoir une telle chose dans le train, ses poursuivants passant à travers le wagon sans voir autre chose que des banquettes abandonnées. Juan semble s'incorporer à l'univers « irréel » et participer à la fois au monde réel. Il y travaille pendant trente-cinq ans. Lorsque, pour des fins de rénovation urbaine, on détruit le wagon, Juan se retrouve sans emploi. Personne ne le croit! « Dans son pays d'origine, on aurait pris son histoire au sérieux. Mais ici... ».

« Nécrologie »,
l'Amateur d'art, [Longueuil], le Préambule, [1985], p. 23-38. (Collection « Chroniques de l'au-delà », n° 2). (F)

À Cornwall (Ontario, Angleterre ?), une vieille femme riche, Jessica Biehl, s'aperçoit qu'elle vit toujours le jour de ses funérailles. Elle apprend cela par les journaux et la chose lui est confirmée au téléphone par la secrétaire de son neveu, son héritier. Sur le chemin du cimetière, elle entend son neveu, un comptable, se réjouir de sa mort sous prétexte qu'il hérite d'une grande fortune. Après cette incursion dans le temps, Jessica refait son testament, déshérite son neveu ingrat et accorde tout à sa femme de chambre qu'elle avait vue pleurer pour elle.

« La Loterie »,
l'Amateur d'art, [Longueuil], le Préambule, [1985], p. 39-54. (Collection « Chroniques de l'au-delà », n° 2). (F)

Abattu par la mort de sa femme et de sa fille, un homme a vendu son commerce. Ayant démissionné de la vie, il vit comme un clochard. Un jour, il achète un billet de loterie d'une femme très étrange. Sans qu'il y ait aucun moyen de le retrouver, cette femme se rend chez lui pour lui annoncer que, en jouant, il a gagné la Mort. Elle le tue d'un coup de feu.

« Victoria Hôtel »,
l'Amateur d'art, [Longueuil], le Préambule, [1985], p. 55-58. (Collection « Chroniques de l'au-delà », n° 2). (F)

Un fantôme vivant depuis longtemps dans l'Hôtel Victoria apparaît à un homme pressé d'aller à un rendez-vous d'affaires. Le fantôme le prévient qu'il ne doit pas emprunter le même ascenseur que celui d'où il sort lui-même, mais l'homme n'y prend pas garde et met le pied dans le vide. Il meurt au bout de sa chute.

« Ragtime »,
l'Amateur d'art, [Longueuil], le Préambule, [1985], p. 59-69. (Collection « Chroniques de l'au-delà », n° 2). (F)

Un vieux marin désœuvré, John Kowalski, entre dans un bar bondé de monde, un soir d'été. Il boit et flirte avec la serveuse, avec qui il va faire l'amour. Revenu au bar, il a la surprise de s'apercevoir que le Noir qui jouait des ragtimes et la foule bigarrée disparaissent au douzième coup de minuit. Il reste seul, éberlué.

« La Vieille Horloge »,
l'Amateur d'art, [Longueuil], le Préambule, [1985], p. 101-108. (Collection « Chroniques de l'au-delà », n° 2). (F)

Une croyance familiale veut que, si la vieille horloge familiale s'arrête, un malheur est censé arriver à un membre de la famille. Or, Charlotte meurt au moment même où l'horloge s'arrête.

« L'Amateur d'art »,
l'Amateur d'art, [Longueuil], le Préambule, [1985], p. 109-134. (Collection « Chroniques de l'au-delà », n° 2). (F)

Un banquier, Léon Goud, adore la peinture. Il connaît toutes les galeries de sa ville. Or, un jour, il en découvre une qu'il n'avait jamais remarquée. Il la visite et tombe sous le charme d'une toile représentant une femme à la porte d'une maison en hiver. La porte est entrouverte. Il achète la toile. Alors s'établit un lien obsessionnel entre lui et la femme peinte. Un jour, il pénètre mystérieusement dans l'œuvre. Sa femme s'aperçoit, éberluée, que le motif de la toile a changé : la porte de la maison est fermée et son mari est avec la femme dans la maison. L'homme ferme les volets.

« Une vie de chien »,
l'Amateur d'art, [Longueuil], le Préambule, [1985], p. 135-142. (Collection « Chroniques de l'au-delà », n° 2). (Hy)

Un facteur, Georges, se transforme en l'animal qui le traumatise le plus : un chien. Sa femme l'adopte.

« La Peau »,
l'Amateur d'art, [Longueuil], le Préambule, [1985], p. 143-164. (Collection « Chroniques de l'au-delà », n° 2). (F)

Dans le village de Marblestadt, un tailleur juif, Abraham Apfelbaum, possède le pouvoir de confectionner des habits qui dévoilent le fond de l'âme du porteur. Un jour, un avocat, maître Jenkins, s'installe dans le village. Les gens l'incitent à aller se faire faire un costume sur mesure (ils veulent connaître le fond de l'âme du nouvel arrivant). Il prend du temps à accéder à leur demande, mais finit par commander un costume pour un bal masqué. À cette occasion, le tissu du costume se change en peau qui colle à la victime et l'étouffe. Les habitants découvrent que l'avocat avait été exterminateur nazi dans un camp où la famille du tailleur avait péri.

« Quatuor »,
l'Amateur d'art, [Longueuil], le Préambule, [1985], p. 165-170. (Collection « Chroniques de l'au-delà », n° 2). (F)

Une femme vit depuis cinq ans dans un immeuble en grande partie désaffecté. Elle entend à chaque soir, entre 21h et 23h, le concert d'un quatuor dans l'appartement du haut. Un jour, elle monte pour les inviter à jouer à son mariage prochain, mais elle découvre un appartement inhabité depuis des lustres. Elle décide alors de déménager. Etait-ce, pendant toutes ces années, une hallucination tenace et régulière ou ces musiciens hantaient-ils vraiment la maison ?

« Le Cerceau rouge »,
l'Amateur d'art, [Longueuil], le Préambule, [1985], p. 171-188. (Collection « Chroniques de l'au-delà », n° 2). (F)

Une vieille femme, Angélique Bonafous, se rencontre elle-même sous la forme de la fillette qu'elle a déjà été. Elle joue au cerceau dans le parc où elle se trouve/trouvait. Puis elle meurt, après avoir été à la foire où elle rêvait d'aller depuis toujours.

MARSOLAIS, Michel
[30 avril 1957 –]

« Quelle salade ! »,
la Puce à l'oreille, été 1985, p. 5 (numéro spécial « l'Avenir : cartes sur table »). (SF)

Pour son 65e anniversaire, le 18 juin 2015, toute la famille invite Grand-père à souper dans un restaurant rétro du type des années 1990. Grand-père ne veut rien prendre au menu sous prétexte que les aliments ne sont pas naturels. Ses enfants tentent de justifier les procédés de fabrication de la nourriture, mais rien n'y fait. Il opte finalement pour une salade. Son petit-fils est ennuyé de devoir venir dans ce restaurant, d'autant plus qu'il n'a pas faim : dans l'après-midi il a mangé chez McDonald, où il était le 100 000 000 000 000 000 000 000e client.

MARTEL, François
[17 mai 1944 –

« Si les patins avaient des ailes »,
Nous, vol. VII, n° 6 (novembre 1979), p. 68. (Hy)

Gilles, un expert du patin à roulettes, éprouve un tel orgueil à être le point de mire de tous les clients du Paladium, qu'il se couche un soir sans enlever ses patins. Le lendemain, il s'aperçoit, horrifié, qu'il ne peut plus les enlever, ses pieds se confondant avec les patins. Les années passent et la mode aussi. Les enfants le montrent du doigt dans la rue. Chaque samedi soir, Gilles se rend au Voltigium, l'ancien Paladium, voir les voltigeurs rouler grâce à un équipement motorisé, sur des rythmes électroniques.

MARTEL, Huguette
[

« Le Mauvais Sort »,
Progrès-Dimanche, vol. LXXX, n° 44 (22 décembre 1968), p. 52-53. (Hy)

Josué le quêteux jette un sort à une jeune femme, lui prédisant qu'elle perdra son fiancé. Ce dernier meurt effectivement, écrasé par un arbre.

MARTIN, Michel [pseudonyme de **Jean DION** et de **Guy SIROIS**]. V. **DION, Jean.**

MARTINEAU, Pierre
[Québec, 24 août 1960 –]

« La Planète Hopragd »,
Pour ta belle gueule d'ahuri, n°1 (vol. I, n° 1, 1979), p. 10-11. (SF)

Deux astronautes, Floyd et Flanders, explorent un astéroïde. Ils n'ont que le temps de faire quelques pas avant que le décor se modifie et qu'apparaisse un étrange manoir. Les deux hommes y pénètrent, mais Floyd disparaît bientôt, laissant seul son compagnon. Celui-ci continue son exploration, mais un plancher basculant s'ouvre et il tombe dans une cave à vin. À son réveil, un corbeau lui explique qu'il existe un équilibre précaire entre leur monde respectif, que les deux hommes viennent de briser. Pour le rétablir, Floyd a déjà été renvoyé à sa réalité ; quant à Flanders, il revient à lui dans l'infirmerie du vaisseau. Pourtant, quelque chose a changé : Floyd est maintenant gaucher.

MARTINEAU, Sylvain
[Québec, 21 mars 1962 –]

« Naissance dans la nouvelle ère post-atomique [*sic*] »,
Pour ta belle gueule d'ahuri, n° 2 (vol. I, n° 2, 1979), p. 15. (SF)

À l'ère postatomique, un enfant naît, supposément monstrueux, avec deux bras et deux jambes. Heureusement, c'est un mort-né.

MASSIÉRA, Léopold
[

« Prise de contact »,
le Bulletin des agriculteurs, 63e année (mars 1980), p. 46-47. (SF)

Un célèbre savant, Yvan Gornier, voit une soucoupe volante tomber dans une mare et exploser. Curieux, il se rend sur les lieux de la chute et découvre « quelque chose » qui remue dans la vase. Il réalise alors qu'il s'agit d'un poulpe, mais doué d'intelligence et provenant d'un autre monde. Il l'apporte chez lui, le dépose dans le vivier de son laboratoire puis va voir un ami qui a les mêmes préoccupations scientifiques que lui. De retour chez lui, Gornier apprend que sa femme a fait cuire le poulpe « à la niçoise ». Déçu, le savant espère que les « frères d'en haut » n'auront pas reçu quelque message télépathique de la victime.

MATHIEU, Claude
[Montréal, 9 avril 1930 – Montréal, août 1985]

« Le Pèlerin de Bithynie »,
Incidences, n° 5 (avril 1964), p. 26-37 (F) ;

la Mort exquise et Autres Nouvelles, [Montréal], le Cercle du livre de France, [1965], p. 35-69 ;

la Mort exquise. Nouvelles, [Québec], L'instant même, [1989], p. 31-53.

Mark Cecil Black, professeur érudit de religions orientales sous l'empire romain, poussé par un hasard mystérieux à prendre une autre route que celle qu'il prend d'habitude pour se rendre chez son libraire, découvre une librairie bizarre qu'il ne connaissait pas, lui qui les connaissait toutes dans sa ville. Il y rencontre un libraire, aussi mystérieux que sa librairie, qui semble parler latin et qui lui dit énigmatiquement qu'il l'attendait depuis fort longtemps. Au centre d'une étagère, Black découvre avec étonnement un livre, le *Rufus Itinerans*, écrit au IVe siècle, perdu depuis longtemps et qu'il cherchait sans espoir puisqu'on disait qu'il n'avait qu'une existence « mythique ». Black, de retour chez lui, fait des recherches comparatives afin de s'assurer de son authenticité. Or, le livre qu'il vient de trouver contient un ajout où l'on parle d'un certain Romain qui vouait un culte à la déesse Cybèle en Bithynie. Black décide de se rendre en Bithynie même, dans l'ancienne terre romaine, devenue territoire turc. Il y creuse la terre et découvre des morceaux de pierre gravée. Après les avoir assemblés, il lit avec stupeur, sur la pierre, son propre nom, mais en latin. Marcus Cécilius Niger avait jadis élevé, à l'époque romaine, un autel à Cybèle, la Grande Mère des dieux. Au moment où il découvre sa filiation avec un (son) passé lointain (Black serait la réincarnation de Niger), Cybèle, la sanguinaire, lui apparaît entourée de son cortège mythologique. Un sentiment à la fois d'horreur et de séduction conduit Black/Niger à la suite de Cybèle et de son cortège, dans les profondeurs de la mer. « La Grande Mère le reçut dans son sein. Même souillé, le visage du néophyte rayonna de lumière ».

« La Mort exquise »,
Écrits du Canada français, Montréal, [s. é.], n° 20, 1965, p. 195-201 (F) ;

la Mort exquise et Autres Nouvelles, [Montréal], le Cercle du livre de France, [1965], p. 7-19 ;

Anthologie de la nouvelle et du conte fantastiques québécois au XXe siècle. Introduction et choix de textes de Maurice Émond, [Montréal], Fides, [1988], p. 159-165]. (Collection « Bibliothèque québécoise ») ;

la Mort exquise. Nouvelles, [Québec], L'instant même, [1989], p. 11-17.

Le botaniste Hermann Klock recherche les traces de son maître, disparu dans des circonstances mystérieuses. Alors qu'il est en train d'observer une fleur avec sa lorgnette, il est avalé par cette plante. Mû par sa curiosité scientifique, Klock se fond ainsi dans l'objet étudié. Mais, au lieu d'être terrifié, il jouit d'un « présent sans cesse renouvelé d'indicible bonheur [...] La mort n'est plus qu'un instant éternel des plus ultimes délices ».

« Fidélité d'un visage »,
Écrits du Canada français, Montréal, [s. é.], n° 20, 1965, p. 202-209 (F) ;

la Mort exquise et Autres Nouvelles, [Montréal], le Cercle du livre de France, [1965], p. 129-143 ;

la Mort exquise. Nouvelles, [Québec], L'instant même, [1989], p. 95-103.

Une antiquaire, collectionneuse de tableaux, se découvre dans une toile. Munie d'une loupe, elle s'aperçoit encore en miniature dans un détail de la même toile. Elle prend alors conscience de ne former qu'un seul tout avec l'œuvre et en éprouve du soulagement et de la joie. Dans une statuette celtique et dans une cuiller égyptienne, elle retrouve « la même tête de femme ». Un jour, elle s'incorpore à une niche peinte sur un mur, alors qu'elle visite les ruines de Pompéi.

« L'Auteur du *Temps d'aimer* »,
la Mort exquise et Autres Nouvelles, [Montréal], le Cercle du livre de France, [1965], p. 93-107 (F) ;

Anthologie de la nouvelle et du conte fantastiques québécois au XXe siècle. Introduction et choix de textes par Maurice Émond, [Montréal], Fides, [1987], p. 167-177. (Collection « Bibliothèque québécoise ») ;

la Mort exquise. Nouvelles, [Québec], L'instant même, [1989], p. 71-80.

Le narrateur se porte à la défense de son ami, l'écrivain Jean Gautier. Ce dernier avait apparemment commis un plagiat que la presse avait violemment fustigé. Il s'était suicidé. Après enquête, le narrateur découvre que Jean Gautier avait réécrit mot pour mot les huit œuvres qu'un Marseillais avait publiées cent ans plus tôt, mais sans en connaître l'existence. « Le temps [se dit le narrateur] ne serait-il qu'une maladie de notre cerveau trop infirme et borné pour pouvoir saisir le monde sans découpage en tranches successives ? Ou la vie ne serait-elle qu'une anaphore sans fin ».

« Présentation de la bibliothèque »,
la Mort exquise et Autres Nouvelles, [Montréal], le Cercle du livre de France, [1965], p. 109-128 (SF) ;

la Mort exquise. Nouvelles, [Québec], L'instant même, [1989], p. 81-93.

Le conservateur de la « Bibliothèque » discourt sur l'état du pays qui peut s'enorgueillir d'avoir compilé toutes les archives du monde. Ce pays est le seul où il y a encore des gens qui savent écrire. Il n'est plus d'ailleurs qu'une vaste bibliothèque où Conservateurs et Scripteurs ne forment qu'« un seul organisme complexe où chacun des éléments se nourrit de l'autre et le nourrit ».

MATTEAU, Robert

[Bromptonville, 19 février 1925 –]

« La Marie Priprie »,
Passages, n° 5 (hiver 1984-1985), p. 35-40. (F)

Marie Priprie, qui doit son surnom à sa grande piété, est mariée à Albert à Édouard, le jaloux, qui la séquestre dans sa cabane et la bat à mort.

Elle en perd l'esprit, se marmonnant sans cesse des mots sans suite. Un jour que les trois frères de Marie menacent le mari, elle soulève le poêle brûlant et le jette sur eux. La cabane prend feu ; Marie, torche vivante, en sort et s'enfonce dans les marais. Ses trois frères la cherchent en vain. Pendant quarante ans, en novembre, « une drôle de petite lumière verte », accompagnée de petits cris vient rôder autour de l'îlot de la Marie Priprie.

MAY, Dan
[

« Le Collier »,
l'Écran, n° 1 (juin 1974), p. 15-17. (SF)

Dans une clinique médicale, Krab, un « anormal », sort du « grand sommeil », technologie qui a protégé son fils, Versam, de l'infanticide pratiqué par la « garde capita » qui désire épurer la race. Krab est capturé et est enchaîné par un collier à une autre « bête », Mars, chacun étant de son côté du mur, la chaîne passant par une fenêtre. Chaque repas est un combat, puisque Baxus dépose le sac le plus loin possible, obligeant l'un des deux à déplacer l'autre de force. Un jour, Krab comprend comment se délivrer. Une nuit que Mars dort près du mur, Krab monte sur le mur, retient la chaîne et se jette en bas. Le cou de Mars cède, et Krab tire jusqu'à ce que le collier de Mars traverse la fenêtre lui donnant la liberté.

MC KINNON, Réjean
[

« Filature »,
Urgences, n° 2 (3e trimestre 1981), p. 22. (Hy)

Un homme a la désagréable impression d'être suivi dans la rue. Pourtant, mis à part un promeneur tardif qui marche devant lui, la ville semble déserte. Il comprend soudain que cette agaçante impression est plutôt liée au fait que c'est lui qui suit le promeneur qui le devance depuis bientôt une heure. Amusé de cette légère confusion de ses sens, il bifurque à droite, dans une ruelle, mais il se rend compte qu'il suit toujours le même promeneur. Peu importe les changements de direction qu'il effectue, l'inconnu le devance toujours. Résigné, l'homme le suit jusqu'au fond d'une ruelle où l'autre se retourne, couteau à cran d'arrêt en main, rictus aux lèvres et disant : « Alors, comme ça, on s'amuse à suivre les gens ».

« Le Café de Monsieur Gaspard »,
Urgences, n° 2 (3e trimestre 1981), p. 23. (Hy)

Ce matin-là, monsieur Gaspard met deux sucres au lieu d'un dans son café. Au même moment, aux confins d'une galaxie éloignée, un monde est totalement détruit par l'éclatement d'une nova : « Hasard, coïncidence ou non... ? [...] Les lois de l'univers sont impénétrables ».

« À rebours »,
Urgences, n° 2 (3e trimestre 1981), p. 24. (F)

Un homme se lève avec un vague pressentiment. Alors qu'il téléphone au bureau, son associé l'informe que le dossier X sera prêt hier, qu'ils pourront le présenter à la réunion de la semaine passée et il lui demande ce qu'il a fait demain. Un peu perdu, il raccroche. Sa montre, qui indiquait 8h30 il y a quinze minutes, indique maintenant 8h15.

MCLEAN, Stéphane

[

« [Sans titre] »
l'Écrilu, vol. IV, n° 3 (avril 1985), p. 20. (Hy)

En 2582, l'équipage d'un satellite doit survivre avec, pour seuls vivres, une cargaison de tomates déshydratées. Cependant, un des membres de l'équipage trouve des contenants remplis de hambourgeois. Pendant la prière d'action de grâces pour ce cadeau miraculeux, le diable, qui voulait les tenter, fait disparaître les hambourgeois. Chacun s'accuse de vol et tous finissent par s'entretuer. Il ne reste qu'un seul survivant, couvert de sang indélébile, condamné à vivre dans un tomato-asile, un hôpital psychiatrique.

MELANÇON, Benoît

[Verdun, 20 août 1958 –]

« Bye bye »,
Requiem, n° 19 (vol. IV, n° 1, janvier 1978), p. 14. (SF)

Armstrong désire demeurer sur la Lune, où il a été envoyé en mission d'exploration.

MÉNARD, Lucie

[20 mai 1956 –]

« Ménard »,

la Nouvelle Barre du jour, n° 146 (1er trimestre 1985), p. 17-18. (Hy)

Une femme voulant punir son chat le prive de manger et de caresses. Elle est saoule mais le chat lui dit qu'il s'en fout. Étonnée de constater qu'il parle et de le voir simuler son départ, elle le rappelle et lui donne à manger. Elle l'aime trop.

« Les Courtepointes »,

la Nouvelle Barre du jour, n° 146 (1er trimestre 1985), p. 37-38. (Hy)

Une jeune fille, aidée de sa mère, fabrique une courtepointe. Toutes deux l'installent sur un grand lit. La jeune fille s'étend dessus et la mère plie l'ensemble, fille et courtepointe, les range dans un tiroir et déclare qu'elle les aimera jusqu'à la fin de ses jours.

MERCIER, Serge

[Sherbrooke, 5 octobre 1944 –]

« Le Beau Voyage »,

Écrits du Canada français, Montréal, [s. é.], n° 40, 1976, p. 123-126. (Hy)

Un homme rencontre son oncle assis dans son auto. Celui-ci l'invite à monter, lui tient des propos insensés et alarmants ; son crâne rougit. Le narrateur, épouvanté, saute de l'auto et attend l'autobus ; celle-ci arrive juste au moment où son oncle allait le rejoindre. Mais le chauffeur de l'autobus est aussi l'oncle. L'homme veut descendre, mais on lui signifie qu'il n'y a pas d'arrêt. Il saute, se retrouve dans la ville et se cherche un taxi. Mais tous les chauffeurs sont l'oncle. Il court à la gare et prend un train qui s'élève au-dessus de l'horizon, un train funéraire avec fleurs, cercueils noirs et tocsin.

MÉTAYER, Philippe
[1946 –]

L'Orpailleur de Blood Alley,
Montréal, le Cercle du livre de France, [1974], 159 p. (Hy/Roman)

Un homme, Mathieu, souffre d'un dédoublement de personnalité. Il est le premier enfant d'une femme dont les trois premières grossesses se sont terminées en fausse couche. Dans son délire, celle-ci attribue donc à Mathieu une identité quadruple qu'il intègre parfaitement. Après une existence trouble où ses multiples personnalités s'entrechoquent, sans toutefois le rendre asocial, Jérôme-Jean-Simon-Mathieu se retrouve à Vancouver d'où il écrit à la fois à son père et à sa mère en assumant ses identités distinctes. De même, sous un autre nom, il entreprend d'écrire un étrange roman où le romancier et le personnage sont confondus. Mathieu semble mourir, dans un immeuble désaffecté, sans que le récit précise s'il s'agit ou non d'un suicide, entretenant la confusion dans la narration de cette disparition. Il suggère à la fois l'apparition d'un double de Mathieu, qui se matérialise pour tenter de le sauver, et le fait que le personnage qui meurt n'est pas Mathieu, car celui-ci, en tant que schizophrène, s'imagine qu'il meurt et laisse alors une autre facette de sa personnalité prendre le dessus. Un ancien voisin de Mathieu retrouve la trace de cette histoire grâce à un article de journal.

MICHAUD, Nando
[Saint-Juste-du-lac (Témiscouata), 3 novembre 1943 –]

« Passé composé »,
la Gagazette, n° 3 (automne 1985), p. 11-16 (Hy) ;

l'Écrit primal, n° 2 (février 1987), p. 56-69 ;

les Montres sont molles mais les temps sont durs. Roman, Montréal, Pierre Tisseyre, [1987], p. 7-15, 29-38 et 51-57. [Version remaniée].

Au seizième siècle à Florence, le narrateur sert de modèle à Léonard de Vinci pour peindre la *Mona Lisa*. Pendant les séances, ils développent des théories sur la couleur du caméléon, inventent le hamburger et lancent un message pour le futur dans l'intention de connaître la machine à explorer le temps, la chrononef. Aussitôt, un restaurant McDonald se matérialise sur la place. Le narrateur et Léonard de Vinci hésitent avant d'y entrer.

MICHON, Louis
[

« Le Gagnant »,
Nous, vol. VI, n° 12 (mai 1979), p. 50-52. (Hy)

Gilbert Béliveau, professeur sans envergure, voit, du jour au lendemain, tous ses vœux comblés par une chance extraordinaire et persistante. Il met à l'épreuve son nouveau pouvoir, planifie son avenir et devient plus gai, plus ouvert envers les autres. Un jour, il reçoit une invitation à un déjeuner-causerie de la Confrérie des Quêteurs du Bonheur parfait. Dans une salle d'attente, il est fasciné par un encensoir de cristal et, en humant la fumée qui s'en dégage, il tombe dans un état de semi-conscience. On l'étend sur une table et on s'apprête à lui ouvrir la boîte crânienne. Il entend un homme âgé expliquer qu'il est le cobaye idéal puisqu'il a développé, grâce aux heureux et récents événements de sa vie, les acides spéciaux nécessaires à la fabrication du vaccin-élixir de bonheur.

MONARQUE, Christiane
[

« Laps »,
Imagine..., n° 12 (vol. III, n° 3, printemps 1982), p. 15-20. (SF)

Noschro (anagramme de son ancêtre Chronos) est amené par des gardiens dans une baignoire qui, à intervalles réguliers, se remplit de sang. Martyr universel, Noschro se remémore comment les luttes entre l'Homme et le Temps l'ont conduit jusque-là, prisonnier des armées de secondes qui le grugent. Il y a longtemps, le grand Einstein Berg avait découvert que l'Homme n'était esclave que du Temps, et qu'il lui fallait donc s'affranchir de ce dictateur pour enfin être libre. Mais le Temps, ainsi que tous ses représentants (secondes, jours, mois années...) décident de se rebeller et intiment à l'Homme de le libérer des calendriers, montres, calculs pour vivre sans contraintes et faire ce qui lui plaît. Depuis que le Temps a entrepris sa grande révolution, Noschro ne cesse d'être victime des attaques répétées des hordes de minutes et de jours qui le grignotent lentement, jusqu'à ce qu'il meure.

MONTPETIT, Charles
[Montréal, 3 janvier 1958 –]

« Par une fenêtre à l'eau d'érable »,
Solaris, n° 50 (vol. IX, n° 2, mars-avril 1983), p. 42-43. (Hy)

La vieille sorcière Grippemine, chassée de son village par les paysans peureux, se cherche un nouveau logis. Elle arrive dans un pays dévasté par le feu, se choisit un endroit et fait apparaître, grâce à la magie, une maison en confiserie. Deux inspecteurs de la construction viennent lui dire que ses matériaux ne sont pas réglementaires. On l'accuse aussi d'avoir tué trois paysans et on la confronte à un témoin, le jeune Éric. La sorcière tue les trois personnes et les momifie afin de s'en servir pour boucher un trou dans la maison. Désormais, les humains ne l'importunent plus.

« Feu Léo Morin, détective privé »,
la Puce à l'oreille, vol. I, n° 4 (mai 1984), p. 7. (Hy)

Un détective privé en décomposition, Léo Morin, est chargé par une femme de retrouver son fils disparu.

« Nature morte »,
Aurores boréales 2. 10 récits de science-fiction, sous la direction de Daniel Sernine, [Longueuil], le Préambule, [1985], p. 37-72. (Collection « Chroniques du futur », n° 9). (SF)

L'artiste Marthe Devaux a accepté de financer la fabrication du duplicateur Czernsky, sorte de photocopieur tridimensionnel qui peut créer des faux parfaits. Pour défier l'appareil, l'artiste crée une œuvre, *Nature morte,* non reproductible à cause du cancer dont elle est atteinte. L'œuvre est remise à la garde du sultan d'Oman. Cependant, *Nature morte* est volée et remplacée par un faux. Devaux accuse le sultan. Pendant le procès, l'avocate de Devaux, Gaétane Saint-Martin, découvre la vérité : Devaux a falsifié les circuits des ordinateurs qui évaluent la valeur des œuvres, faisant ainsi frauduleusement passer *Nature morte* pour une copie et créant du même coup grâce au procès un immense boum publicitaire.

MOREAU, Olivier
[

« Adrien ou la Première Victime des voyages temporels »,
Pour ta belle gueule d'ahuri, n° 2 (vol. I, n° 2, 1979), p. 15. (SF)

À l'aide du conditionnement psychologique, Adrien réussit à vieillir de vingt ans en une heure. À son réveil, il est si émerveillé qu'il décide de repartir immédiatement pour vingt ans de plus. Il retombe dans le coma juste en fermant les yeux. Lorsqu'après ces quarante années les spécialistes réussissent à réveiller Adrien, on lui offre une médaille et une pension de vieillesse.

MORIN, Jacqueline. V. **AUBRY MORIN, Jacqueline.**

MORIN, Jeanne
[

« La Tentation de Noël »,
la Ferme, vol. XXIX, n° 3 (novembre 1967), p. 24-25, 28. (Hy)

En pleine dépression, l'épouse de Luc s'ennuie. Étendue, elle pense à Noël, au seul cadeau qu'elle recevra de Luc, toujours quelque chose pour la maison. Puis, on sonne à la porte et des gens viennent déposer des sacs dans la cuisine ; elle leur dit qu'ils doivent se tromper d'adresse, mais ils continuent, apportant même un orgue, des robes de bal, de mariée... Finalement, ils entrent en tenue de soirée, accompagnés d'une dame qui lui offre tous ces cadeaux si elle consent à épouser un prince charmant. Elle accepte de revêtir la robe de mariée, mais affirme qu'elle ne veut pas faire de peine à son mari. Soudain, la dame se transforme en sorcière et crie vengeance. Le feu éclate alors et entoure l'épouse. Elle s'éveille à l'hôpital où Luc lui apprend que tout a brûlé, sauf elle. Elle comprend qu'elle a été la proie d'êtres maléfiques.

« La Couleuvre. Conte de l'au-delà »,
la Ferme, vol. XXIX, n° 9 (mai 1968), p. 38, 41. (F)

Un cultivateur, Joseph-Étienne Végiard, quitte en vitesse son tracteur en panne pour se rendre à la maison, car il se passe des choses extraordinaires. Il s'enlise dans la boue et sent une couleuvre s'enrouler à une de ses jambes. Puis, il découvre des dizaines de reptiles près de sa maison. Désespéré, il entre chez lui en appelant sa femme, Mariana. La couleuvre du champ entre dans la pièce où il se trouve et Joseph sent le froid s'introduire partout en lui ; en quelques secondes, il se transforme en couleuvre qui siffle sans pouvoir crier. Seule, à côté de lui, répond Mariana, l'autre couleuvre. « Il comprit enfin que tout ce mystère ahurissant n'avait d'autre explication que la deuxième victoire du serpent sur le monde ».

MORIN, Lise
[Québec, 5 mai 1964 –]

« Le Fil du temps »,
Solaris, n° 45 (vol. VIII, n° 3, juin-juillet 1982), p. 30-33. (SF)

Un savant, Louis Farèges, découvre le passage temporel qui conduit aux terres de l'immortalité, l'Intemporel, où trois femmes (les Parques), Eugénie, Constance et Dolorès, filent la vie humaine. Désireux de prolonger sa longévité, Farèges s'empare de fils déjà filés sur la table d'Eugénie. Mais les fils volés règlent l'existence de sa fille Carole, qui vieillit subitement. Farèges retourne alors dans l'Intemporel, remet en place les fils de Carole et prend en échange, ironie du sort, les siens propres. Il signe ainsi son arrêt de mort.

« Le Plagiat »,
Solaris, n° 63 (vol. XI, n° 3, septembre-octobre 1985), p. 24-30. (SF)

À Tourmaline, monde de télépathes, Anavrin découvre dans une galerie d'art un tableau signé Xaïre absolument identique à l'une de ses propres œuvres. Il intente un procès à Xaïre pour plagiat. Puis, il découvre une nouvelle œuvre signée Xaïre, semblable cette fois à l'œuvre qu'il est en train de créer. Il soupçonne alors que Xaïre et lui partagent le même subconscient. Afin de recouvrer son unicité, il décide de faire dévier leurs destins respectifs en rendant Xaïre fou. Constatant que les œuvres portent des titres différents, il regrette son geste. Rempli de remords, il devient fou à son tour. Peut-être Xaïre et lui partageaient-ils vraiment le même subconscient.

MOUSSETTE, Marcel
[La Prairie, 4 mai 1940 –]

Les Patenteux. Roman,
Montréal, Éditions du Jour, [1974], 91 p. (Hy/Roman)

Horace, maître mécanicien, dessine les plans d'une machine à mouvement perpétuel. Ces plans lui sont volés par un groupe à la solde du curé et du maire. Horace et ses fils attaquent le presbytère avec un « lance-marde automatique », reprennent les plans et se barricadent dans leur maison. Des calculs indiquant à Horace qu'un Déluge Universel détruira tout à la fin de l'hiver, il décide de construire un énorme bateau dans sa grange et échappe ainsi à la fin du monde. Ultimement, un extraterrestre emmène Horace et ses fils avec lui à bord de son vaisseau spatial.

N

NADEAU, Pierre
[

« Plan américain »,
l'Orée close, vol. II, n° 2 (1982), p. 58-60. (Hy)

Le narrateur suit un inconnu dans la foule. Ce dernier se retourne souvent pour regarder derrière lui, l'air inquiet. Le narrateur ne le lâche pas d'un pas : il voudrait l'aider. Petit à petit, il adopte ses idées, ses sentiments, son passé : il devient cet inconnu. En fait, le narrateur est au cinéma et s'intéresse au personnage principal. Le film terminé, il sort dans la rue. Tout en marchant, il sent un regard derrière lui.

NADEAU, Vincent
[Amos, 19 juillet 1944 –]

« Ordalie »,
Lettres et Écritures, vol. II, n° 3 (février 1965), p. 11-12. (F)

Après avoir été carbonisé dans un incendie qu'il a lui-même allumé dans l'espoir de chasser des mouches, un homme se met à dessiner. Il use ses mains et ses pieds à crayonner. Puis il taille des crayons dans sa chair si bien que, à la fin, il ne lui reste plus que « deux mains infirmes ».

NOËL, Bernard
[Sainte-Apolline (Montmagny), 26 septembre 1945 –]

« Julie »,
les Fleurs noires. Nouvelles, Montréal, Pierre Tisseyre, [1978], p. 26-64. (F)

Une femme, Julie, ne peut croire que sa seule amie soit morte. À l'annonce de cette nouvelle, elle se réfugie dans un profond mutisme. Elle avoue à son mari être certaine que la morte n'est pas morte. Un soir, son mari, Alban, la surprend, dans le vaste parc situé derrière leur maison, en train de faire l'amour avec cette amie, revenue sous forme d'une immense perdrix qui se métamorphose en la femme que Julie connaissait ; puis, elle redevient oiseau et disparaît.

« Les Fleurs noires »,
les Fleurs noires. Nouvelles, Montréal, Pierre Tisseyre, [1978], p. 7-27. (F)

Une femme, Lydia, est obsédée par le souvenir de son premier mari défunt, Édouard. Un soir, l'homme qu'elle a épousé en secondes noces, le vieillard Anthyme, voit, dans les yeux de Lydia, des fleurs noires qui lui sortent littéralement des yeux et « menacent de l'asphyxier ». Il égorge sa femme avec un couteau et constate que le lit est plein de fleurs noires encore palpitantes.

« Gali Matias »,
Contes pour un autre œil, [Longueuil], le Préambule, [1985], p. 15-25. (Collection « Murmures du temps »). (F)

Gali Matias, enfant, n'aime ni la lumière ni l'ordre. À vingt ans, il s'installe en ville et entretient chez lui un commerce mystérieux. Un jour qu'on ne peut entrer dans sa maison, ses clients demandent à la police d'enfoncer la porte. On y trouve de la paperasse partout. Aussitôt qu'on y touche, cette paperasse tombe en poussière. À la fin, il ne reste qu'un petit tas de toute la maison. De Gali Matias, aucune trace.

« Charlie et ses inquiétudes »,
Contes pour un autre œil, [Longueuil], le Préambule, [1985], p. 27-43. (Collection « Murmures du temps »). (Hy)

Un vieillard, Charlie, se promène à travers le Québec avec son sac d'inquiétudes sur le dos. Sa principale source d'inquiétudes provient de la mort de sa femme qui avait promis de se venger par-delà la mort. Elle lui avait reproché de l'avoir trop mal aimée. Lui, l'avait séquestrée, par jalousie, mais elle s'était suicidée en criant vengeance. Un jour, dans une taverne, un ami le convainc de jeter son sac : il passait pour fou avec un tel comportement. Charlie suit ce conseil, mais regrette son geste, rongé par son idée fixe, incapable de penser à autre chose que ce geste incompréhensible et insensé auquel il en était arrivé [...]. Comme si quelqu'un en lui l'avait brutalement coupé de l'une de ses sources de vie ». Il se jette à l'eau « pour retrouver son sac de toile » et se noie.

« La Main gauche »,
Contes pour un autre œil, [Longueuil], le Préambule, [1985], p. 45-51. (Collection « Murmures du temps »). (Hy)

Un vieillard, plusieurs fois millénaire, ouvre sa main, comme il le fait tous les deux siècles, pour y voir courir des enfants blonds sur des plages. Un jour, il broie des enfants en refermant sa main et pleure silencieusement.

« Une ville, une fleur, un jour »,
Contes pour un autre œil, [Longueuil], le Préambule, [1985], p. 53-75. (Collection « Murmures du temps »). (F)

Une fleur pousse un jour à travers le béton des rues de Norandamos. Elle devient tellement grosse qu'elle détruit tout. Même le curé ne peut empêcher cette monstruosité de proliférer. Les habitants se dispersent à travers le Québec et n'osent raconter leur histoire de peur que la fleur ne se réveille à nouveau et détruise encore tout.

« L'Acteur »,
Contes pour un autre œil, [Longueuil], le Préambule, [1985], p. 77-105. (Collection « Murmures du temps »). (F)

Roméo Pérusse, acteur célèbre, avait quitté son village natal de Senneterre après y avoir connu les affres de la misère morale (père alcoolique, frère criminel, sœur prostituée...) et le rejet encouru par la société locale. Un jour, on lui propose de donner une série de conférences à travers le Québec. Il connaît un triomphe partout, sauf dans sa ville natale. On est jaloux de sa réussite, on le croit snob, parvenu... Désespéré, il va se pendre dans une montagne avoisinante. Les gens qui le découvrent le détachent de l'arbre, mais le laissent tomber et le blessent à la tête. Ils s'aperçoivent que le cadavre saigne, que le sang ne s'arrête pas de couler et qu'il descend jusqu'à Senneterre. Les gens se rassemblent pour voir ce phénomène du sang du pendu qui a parcouru des milles dans la forêt pour se rendre jusque chez eux. Quelqu'un touche au liquide pour s'assurer que c'est bien du sang. Il reste les doigts marqués, car ce sang est indélébile. La ville est maudite par le sang de l'un des leurs.

« La Vie »,
Contes pour un autre œil, [Longueuil], le Préambule, [1985], p. 107-128. (Collection « Murmures du temps »). (Hy)

Un médecin revient à l'hôpital où il travaillait dix ans plus tôt. Il rencontre Sœur Martel, la directrice, qui lui apprend que bien des choses ont changé depuis son départ, depuis qu'« Elle » est entrée au service de l'hôpital. Elle, c'est la Vie, en chair et en os sous les traits d'une superbe femme de trente ans. Alors qu'il regarde le golfe bleu d'une fenêtre de l'hôpital, Elle va le trouver, l'invite à aller se promener dehors. Ils gagnent bientôt une forêt où ils vont s'aimer. Après, Elle lui dit qu'Elle est contente qu'il soit revenu, qu'Elle a besoin de lui à l'hôpital et que c'est à travers des hommes comme lui qu'Elle se prolonge.

« La Ville de la grosse Emma »,
Contes pour un autre œil, [Longueuil], le Préambule, [1985], p. 129-141. (Collection « Murmures du temps »). (F)

Le narrateur, engourdi par la chaleur, se promène dans les rues d'une ville. Il voit un homme sortir de l'ombre, entend un cri auquel l'homme répond en accourant vers l'endroit d'où provient le cri. Le narrateur le suit. Il voit alors l'homme près d'une femme en douleurs, sur le point d'accoucher, et se rappelle ce qu'on disait au sujet de ce couple et de cette femme surtout : elle devait un jour accoucher d'une ville nouvelle, tant elle était grosse, qui allait projeter l'ancienne au centre de la Terre. Entendant des bruits effrayants après que l'homme ait dit à la femme : « Emma, ta ville, la voilà », le narrateur s'enfuit vers le fleuve. Lorsqu'il se retourne, une ville nouvelle apparaît effectivement à la place de l'ancienne.

« Rosaire et Rosaline »,
Contes pour un autre œil, [Longueuil], le Préambule, [1985], p. 143-154. (Collection « Murmures du temps »). (Hy)

Un couple d'amoureux, Rosaire et Rosaline, sortent d'une salle de cinéma. Le film semble avoir éveillé en Rosaire des souvenirs lointains. Le temps autour d'eux n'est pas typique de la saison. Tout à coup, tout se passe comme si les consciences de deux protagonistes s'entremêlaient, comme si elles étaient l'une dans l'autre. Ils s'élèvent alors dans l'air, faisant l'amour au-dessus de la rue Sainte-Catherine. L'homme et la femme semblent alors revenir à « l'état de grâce originel dont ils reconnaissaient confusément le souvenir depuis longtemps oublié ».

NOWAK, Mercédes
[

« Trophées »,
Imagine..., n° 26 (vol. VI, n° 3, février 1985), p. 11-17. (SF)

Sam, un indigène, voit arriver un appareil volant qu'il associe à ceux des anthropologues qui viennent à l'occasion visiter son village. Le visiteur est, en fait, un zoologue extraterrestre cherchant des spécimens terriens pour sa planète. La famille de Sam ne le reverra jamais et les anthropologues terriens ne pourront pas expliquer cette disparition.

O

O'NEIL, Jean,
[Sherbrooke, 16 décembre 1936 –]

Giriki et le Prince de Quécan,
Montréal, Libre Expression, [1982], 261 p. (Hy/Roman)

Un jour, à Montréal, l'archange Raphaël aborde Jean, un homme ordinaire, alors que celui-ci passe sous un arbre magique. Raphaël lui confie une mission : Jean doit sauver le pays de Quécan en organisant un mariage entre le Prince, un vil politicailleur, et Giriki. Pour ce faire, il devient tributaire de certains pouvoirs et reçoit l'assistance constante de Raphaël et du Tout-Puissant. Jean tombe amoureux de Giriki ; il ne tient pas à la laisser entre les mains du Prince. Il arrange donc le mariage, mais profite de la confusion qui entoure la cérémonie, qui se déroule au Stade Olympique et à laquelle assistent des personnalités de toutes les époques, pour substituer un sosie à Giriki. Toutefois, Jean la laisse repartir et il décide d'aller dans le passé avec quelques invités.

OUVRARD, Hélène
[Montréal, 3 novembre 1938 –]

« Je fus telle »,
Situations, vol. III, n° 1 (janvier-février 1961), p. 53-55. (F)

Une femme dessine ses yeux et, par ceux-ci, se regarde agir. Un jour son amant vient la chercher, mais part avec son double puisqu'elle ne peut sortir du dessin.

« Car la terre était belle »,
Situations, vol. III, n° 1 (janvier-février 1961), p. 55-57. (Hy)

Une femme se penche sur l'eau d'un ruisseau et y voit la mort. Celle-ci s'empare de la femme, la possède. La femme se transforme en gaz éthéré, en « désincarnation de la mort ».

P

PACHECO DE CÉSPEDES, Daria-Luisa V. **DARIOS, Louise** [pseudonyme].

PAGÉ, Jocelyn
[Arvida, 13 août 1949 –]

« Le Jardin sous l'épaule »,
Traces. Nouvelles. Un recueil de treize auteur-es du Saguenay-Lac-Saint-Jean, [Jonquière], Sagamie/Québec, [1984], p. 121-139. (SF)

Lille vit avec Méma, dans une ville où il attend d'être « assaini ». Le jour même, il rencontre un ancien copain avec lequel il discute, de façon diffuse, des problèmes reliés au gouvernement. Il porte ensuite secours à un blessé avant de retrouver Méma dans leur petite chambre ; il se rend près du monument Wolfe pour se faire assainir. Alors que le processus semble être en marche, à Montréal et à Québec, un énorme champignon de fumée pâle monte dans l'air.

« Laissez déraper le vent »,
Solaris, n° 61 (vol. XI, n° 1, mai-juin 1985), p. 27-28. (SF)

Dans un monde où les humains ne travaillent plus, les androïdes remplissent diverses fonctions. Andro est écrivain et, comme tous ses « collègues », il est méticuleux dans la description et la présentation des émotions humaines. Programmé pour la science-fiction, il a des visions « réalistes ». Contamination de la mémoire idéationnelle par déplacement de micro-processeurs, disent ses créateurs. Andro doit être opéré, mais, auparavant, son vidéo éditeur lui suggère d'écrire une nouvelle réaliste. Andro s'y applique, mais l'écriture de cette nouvelle devient une épreuve qui le dépasse. C'est l'histoire d'un écologiste prêt à tout pour sauver les trois derniers lilas existant sur Terre. Andro ressent avec de plus en plus de malaise le désir d'achever ce récit. Il s'épuise à en tenir le fil réaliste. Il croit que sa tête est devenue une éponge qui aspire le réel. Il se rend au centre-ville, prées des dépôts de l'immense machine à recycler le métal. En voyant l'inscription gravée sur la plaque d'identification, il constate qu'il se trouve dans le quartier des trois lilas. Il n'a que le temps d'esquisser un sourire, alors que le bruit de la machine assourdit ses pensées...

PAILLÉ, Gilbert
[17 août 1939 –]

« Noël 3333 »,
le Nouvelliste, 43e année, n° 48 (24 décembre 1963), p. 22. (Hy)

En 3333, la Terre surpeuplée est devenue trop petite. Elle est explorée dans le but de trouver plus d'espace..

PARADIS, Claude
[

« Le Chat »,
Requiem, vol. I, n° 4 (avril-mai 1975), p. 9. (SF)

Un chat s'éveille dans les décombres d'une maison détruite partiellement par une catastrophe atomique. L'homme a déserté ce lieu lors du sinistre événement, mais son odeur persiste. Le chat ne voit qu'un rat qui grignote un morceau de pain dans un coin. Il prend l'intrus en chasse, le poursuit jusque dans la cave et entre à sa suite dans un réceptable de métal brillant. Un éclair bleuâtre en jaillit, ponctuant ainsi la fin du dernier félin que la Terre portait.

PARENT, Marie
[

« Albert et Moi »,
Liberté, n° 156 (vol. XXVI, n° 6, (décembre 1984), p. 67-76. (F)

À l'âge de huit ans, le narrateur est hospitalisé pour des problèmes cardiaques. Dans un accès de fièvre, il voit des rameaux et des troncs d'arbres naître des murs. À l'hôpital, il fait la connaissance d'Albert, né le même jour que lui, envers qui il ressent un sentiment d'attraction et de répulsion. Vingt ans plus tard, Albert et le narrateur fêtent leur anniversaire. Albert a invité une femme, qui trouble le narrateur : il a l'impression que son visage ressemble à quelque chose de connu. Un jour, Albert est à nouveau hospitalisé. Le narrateur va le visiter et il frissonne lui-même lorsque le médecin ausculte Albert. À la mort d'Albert, le narrateur a « le sentiment à la fois vague et précis d'avoir payé [sa propre] vie de [celle de son ami] ».

PARROT, Daniel. V. **PETTIGREW, Jean.**

PAVEL, Thomas
[Bucarest (Roumanie), 4 avril 1941 –]

« Le Miroir persan »,
le Miroir persan, [Montréal], Quinze, [1977], p. 121-145. (Collection « Prose entière »). (Hy) ;

Invisible Fictions. Contemporary Stories from Quebec. Edited by Geoff Hancock, Toronto, Anansi, [1987], p. 107-120. [Traduit par Michael Bullock sous le titre « The Persian Mirror »].

Un narrateur raconte comment Louis, inscrit à un cours d'écriture, en vient à écrire l'histoire qui suit. À Vancouver, Louis rencontre un Hollandais, Hermann, poursuivant des recherches entremêlées d'alchimie et de science moderne, qui raconte son histoire. Géologue, voyageant au Moyen-Orient, il a acheté un vieux miroir persan sur lequel on peut lire : « Mon nom est Naissance et Départ. Le jour du désir prononce les mots appropriés ». Amoureux d'une Irlandaise, qu'il a convenu d'épouser un an plus tard, il se rend compte qu'il la déteste. Un jour, il constate que son miroir lui renvoie une autre image de lui-même dans laquelle il se reconnaît à peine. Il décide de partir sans épouser l'Irlandaise. Un an plus tard, à Caracas, il tombe sur un magazine mondain où l'on publie la photo de mariage de Margaret avec un géologue. Hermann constate avec étonnement sa ressemblance avec l'homme de la photo. En outre, il est géologue et il a une tache de naissance que Hermann n'a plus sur son visage. Herman se rend compte qu'il est détenteur d'un pouvoir peu commun : celui de se séparer de ses désirs en se divisant en deux êtres distincts et très semblables. Revenant au récit premier, Louis, s'arrête momentanément d'écrire. Il propose plusieurs conclusions, mais renonce finalement à son histoire et abandonne son cours.

PÉAN, Stanley
[Port-au-Prince (Haïti), 31 mars 1966 –]

« Sombre Allée »,
Délirs (Québec), n° 1 (mars 1985), p. 53-64 (F) ;

Solaris, n° 66 (vol. XI, n° 6, mars-avril 1986), p. 7-10.

Un vendeur de drogue tente de chasser le remords qui le ronge en justifiant le bien-fondé de son occupation. En marchant sur la Main, il croise quelques personnes qui lui offrent leurs condoléances pour la mort d'une fille, Sandra, qu'il ne croit pas connaître. Rentré chez lui, il voit dans son miroir le reflet d'une jeune femme, Sandra, pendue devant sa fenêtre. La vision disparaît mais des policiers viennent l'arrêter.

PELCHAT, Jean

[

« Sacré printemps (en route pour M-33) »,
Imagine..., n° 5 (vol. II, n° 1, septembre 1980), p. 37-47. (SF)

Le narrateur indique qu'il écrit avec de l'acide. Sa plume brûle dans le papier, rend impossible toute correction et décrit un espace géométrique. Cet exercice de style est entrecoupé de citations fictives d'auteurs grecs et latins. Il sent ensuite que sa propre morphologie se modifie : sa peau se boursoufle comme celle d'une grenouille. Les mêmes éléments sont ensuite repris par une description de la superposition des idées dans son crâne. La conclusion se déroule dans l'hôpital judiciaire M-33. Le narrateur y est-il interné ?

« Paysages finals »,
Imagine..., n° 7 (vol. II, n° 3, mars 1981), p. 63-66. (SF)

Un homme sans bras court, poussant son organisme à un point tel que « son *cœur* ÉCLATE. ÉCARLATE ». Un chien, représentant le narrateur, court jusqu'à un homme immobile qu'il renverse et déchiquette à coups de dents. Les rats attaquent le chien qui attaque un homme tuant d'autres hommes. Les rats sont couverts d'araignées, elles-mêmes infestées de fourmis. Tout cela à l'intérieur d'une baleine.

« Plat de terre »,
Imagine..., n° 7 (vol. II, n° 3, mars 1981), p. 67-72. (SF)

Dans la première partie, intitulée « Exercice pour un drame : zone aride », le narrateur fuit d'invisibles poursuivants dans le désert. Il s'évanouit puis est réveillé par deux personnages masqués qui le forcent à les suivre à la pointe de leur baïonnette. Après un jour de marche, il s'affole à nouveau. À son réveil, il est seul. La pluie l'oblige à chercher un abri. Il glisse dans la vase, tombe dans un puits vaseux et délire en s'enfonçant dans des sables mouvants. Dans la seconde partie, « Fin de l'exercice : anti-drame », le narrateur, « [e]n région de métal désertique. Oxydé. Oxydée. (Mars) », est dans un chambre où, hallucinant, il voit « la planète jaune [qui] respecte le circuit orbital ».

« La Goutte glacée dans l'eau de Paule »,
Imagine..., n° 10 (vol. III, n° 1, automne 1981), p. 53-60. (SF)

Un couple évolue dans un monde hallucinatoire peuplé d'un géant rouge, d'un tigre des neiges et d'un homme vert. Après le passage du tigre, l'homme et la femme se retrouvent dans un motel. Ils font un étrange rêve où ils partent dans un vaisseau. Vision d'apocalypse ?

« Le Satellite ivre »,
Imagine..., n° 16 (vol. IV, n° 3, printemps 1983), p. 24. (SF)

En l'an A d'une ère du futur, deux satellites sont envoyés pour sonder deux cerveaux des XVIIIe et XIXe siècles. Un seul revient avec un poème comme unique information. Les sémanticiennes ainsi que les instigateurs du projet essaient toujours de comprendre.

« Duel sur la planète Mix »,
Imagine..., n° 16 (vol. IV, n° 3, printemps 1983), p. 23. (SF)

Deux hommes, Jack et Peter, se livrent un duel au fuseur. Ils semblent succomber tous deux. Un témoin retire le masque de Peter et révèle le visage « de Max (ou de Mix) », de petits mutants. Une princesse martienne, Suzie O., pleure au chevet de celui-ci. Pourtant, il semble qu'après les funérailles elle pourra épouser Jacques, aller sur Terre avec Peter et avoir des mutants avec Max.

« Deux pages trouvées derrière un miroir éclaté »,
Solaris, n° 60 (vol. X, n° 6, mars-avril 1985), p. 5-6. (F)

Un homme trouve deux pages manuscrites ; il y reconnaît son écriture, son style, mais non pas son inspiration. Le narrateur de la première page se lève le matin ; son miroir lui renvoie l'image d'un spectre. Dans la seconde, le narrateur se lève la nuit, se loge une balle entre les deux yeux, dans l'oreille, dans la bouche et dans la nuque. Il tue d'une balle son double – un spectre – dans le miroir. L'homme qui a trouvé les pages cesse d'être importuné par son double.

« La Fascinante Cafetière. Un pastiche d'Alain Robbe-Grillet »,
Imagine..., n° 27 (vol. VI, n° 4, avril 1985), p. 79-80. (SF)

Denys Lortie vient de finir de déjeuner et de laver la vaisselle quand il remarque la cafetière qu'il a oubliée sur la table. Dans une minute, il doit se présenter au sas d'entrée du personnel pour prendre son quart de travail comme copilote d'un transporteur de fret. Il ne prend que quelques instants pour observer l'objet.

PELCHAT, Jean. V. **APRIL, Jean-Pierre.**

PELLERIN, Gilles
[Shawinigan, 26 avril 1954 –]

« Filature »,
Nuit blanche, n° 7 (automne 1982), p. 30-31 (F) ;

Ni le lieu ni l'heure. Nouvelles, [Québec], L'instant même, [1987], p. 23-26.

Dans un bar, des amis discutent d'une récente épidémie d'appels et de visites anonymes. Le narrateur décide de rentrer chez lui, seul. Il craint d'être suivi, mais remarque plutôt un homme qui le précède. Ils marchent ainsi jusqu'à l'appartement du narrateur. Mais l'autre l'a précédé et s'enferme à double tour. Le narrateur frappe à la porte, mais se fait dire qu'on n'ouvre pas aux étrangers.

« Miroir, Miroir »,
les Sporadiques Aventures de Guillaume Untel, [Hull], Asticou, [1982], p. 9-11. (Collection « Nouvelles Nouvelles ») (F) ;

les Sporadiques Aventures de Guillaume Untel, [Hull], Éditions Asticou, [1989], p. 9-11. (Collection « Nouvelles Nouvelles »).

Arthur Imbault se lève et sursaute lorsqu'il constate que son miroir ne lui renvoie pas l'image qui est la sienne. Paul L. Huard fait de même, mais une femme entre dans la salle de bains où il se trouve et essuie la buée sur le miroir. Elle l'efface : il n'existe plus.

« Chronique martiale »,
les Sporadiques Aventures de Guillaume Untel, [Hull], Asticou, [1982], 19-20. (Collection « Nouvelles Nouvelles ») (Hy) ;

les Sporadiques Aventures de Guillaume Untel, [Hull], Éditions Asticou, [1989], p. 19-20. (Collection « Nouvelles Nouvelles »).

Un homme monte dans un autobus ; ses lunettes sont à peine désembuées qu'il voit un homme en vert se lever pour lui dire de s'engager dans l'armée. L'autobus était remplie de soldats. L'homme est enrôlé.

« Bleues »,
les Sporadiques Aventures de Guillaume Untel, [Hull], Asticou, [1982], p. 21-24. (Collection « Nouvelles Nouvelles ») (F) ;

les Sporadiques Aventures de Guillaume Untel, [Hull], Éditions Asticou, [1989], p. 21-24. (Collection « Nouvelles Nouvelles »).

Un homme monte dans un autobus et cherche un siège par-dessus ses lunettes « embuées ». Or, il y trouve des causeuses et tout un décor décadentiste, fin de siècle. Il revient à la réalité quand il descend de l'autobus.

« L'Embarquement pour Cythère »,
les Sporadiques Aventures de Guillaume Untel, [Hull], Asticou, [1982], p. 25-28. (Collection « Nouvelles Nouvelles ») (F) ;

les Sporadiques Aventures de Guillaume Untel, [Hull], Éditions Asticou, [1989], p. 25-28. (Collection « Nouvelles Nouvelles »).

Un homme, le narrateur, prend un autobus portant la mention « Cythère » plutôt que le « Beauport » qu'il devrait afficher. Il vient de voir des Watteau et de boire du cognac. Ses lunettes lui jouent aussi parfois des tours. Le chauffeur s'appelle Charon et prend un tunnel fermé depuis 1945. « Une longue descente [...] Mes yeux, ouverts ? fermés ? qu'importe ?... Charon, noir nautonier... la lente descente... l'Achéron... la nuit entre en moi... une autre nuit... infiniment plus longue... ».

« Pavane »,
les Sporadiques Aventures de Guillaume Untel, [Hull], Asticou, [1982], p. 33-34. (Collection « Nouvelles Nouvelles ») (F) ;

les Sporadiques Aventures de Guillaume Untel, [Hull], Éditions Asticou, [1989], p. 33-34. (Collection « Nouvelles Nouvelles »).

Un homme, le narrateur, monte dans un autobus, entend la *Pavane* de Gabriel Fauré venir du fond de l'autobus ou bien du fond de lui-même. Ses lunettes lui renvoient l'image du visage et des bras d'une femme, avant de s'embuer ; la femme descend.

« La Machination à explorer le temps »,
les Sporadiques Aventures de Guillaume Untel, [Hull], Asticou, [1982], p. 43-50. (Collection « Nouvelles Nouvelles ») (F) ;

les Sporadiques Aventures de Guillaume Untel, [Hull], Éditions Asticou, [1989], p. 43-50. (Collection « Nouvelles Nouvelles »).

Un homme, le narrateur, monte dans l'autobus qu'il prend habituellement pour se rendre à son travail (le Palais de Justice de Québec, hiver

1982), mais se fait demander non pas où, mais quand, à quelle époque, il veut descendre. Le chauffeur se nomme Henri-Georges Ouelle ! De plus, il se fait offrir par une demoiselle « un livre visiblement neuf *les Sporadiques Aventures de Guillaume Untel* [*SAGU*] ». Et il réplique : « Qu'est-ce que c'est que ça ? Je ne comprends pas... ». Le narrateur dit qu'il veut descendre en hiver 1982. Le chauffeur lui vend un journal du jour et le fait descendre en 1982 devant le Palais de Justice de Québec.

« Burlesque »,
les Sporadiques Aventures de Guillaume Untel, [Hull], Asticou, [1982], p. 67-68. (Collection « Nouvelles Nouvelles ») (F) ;

les Sporadiques Aventures de Guillaume Untel, [Hull], Éditions Asticou, [1989], p. 67-68. (Collection « Nouvelles Nouvelles »).

Un homme, le narrateur, va à la caisse où l'argent est conservé dans des chaussons. Puis, il sent une forte odeur de calmar : son voisin, un bas de nylon sur la tête, brandit un revolver. Un agent réussit à le stopper et à lui arracher le bas, mais découvre un être ayant un pied odoriférant à la place de la tête. Le voleur s'enfuit.

« Ce soir à l'opéra »,
les Sporadiques Aventures de Guillaume Untel, [Hull], Asticou, [1982], p. 125-135. (Collection « Nouvelles Nouvelles ») (F) ;

les Sporadiques Aventures de Guillaume Untel, [Hull], Éditions Asticou, [1989], p. 125-135. (Collection « Nouvelles Nouvelles »).

Jean Delamare, un fonctionnaire, se rend à une représentation de *Salomé* de Richard Strauss au Théâtre Municipal. Il s'étonne de ne voir presque personne à l'entrée peu de temps avant le début de la représentation. On le conduit tout près de la scène. Intrigué par le vide de la salle, il va s'informer à un technicien lorsqu'il se retrouve sous les projecteurs, comme s'il était celui qui donnait le spectacle. Dans la salle, il y a un trône, sur lequel est assis Hérode, le tétrarque de Judée, entouré de sa cour (Hérodias, Salomé, etc.). Le monde est ainsi inversé : c'est Jean Delamare qui se donne malgré lui, paniqué, en spectacle aux personnages bibliques du *Salomé* de Wilde/Strauss. Ces derniers sont devenus réels, à moins que ça ne soit les comédiens, mais ils sont nommés par leurs noms « historiques », tels qu'ils apparaissent dans l'opéra, et non autrement. Jean cherche évidemment à fuir, mais des coulisses surgit une voiture qui le happe et le tue. De la salle montent les cris de protestations et d'enthousiasme des personnages de *Salomé* : « Iokanaan rompit le silence, Iokanaan qui cria : "Honte ! Barbarie ! Décadence !" Et la foule des convives, unanimes, s'arracha à sa torpeur avinée :

Barbarie ! Décadence ! Bravo ! Géniale barbarie ! Sublime décadence ! ». L'orchestre salue.

« Le Couteau et l'Ordinateur »,
Imagine..., n° 16 (vol. IV, n° 3, printemps 1983), p. 13. (Hy)

L'informaticien Clever C. Cleveland est victime d'une attaque au couteau. À chaque coup qu'il reçoit, il décrit ses sensations physiques avec le langage informatique.

« Ray Bradbury »,
Imagine..., n° 16 (vol. IV, n° 3, printemps 1983), p. 14-15. (SF)

Un prisonnier se fait martyriser jour après jour. Ses geôliers veulent lui faire avouer le nom de l'auteur des passages d'un certain livre. Le matin du troisième jour, il capitule et avoue qu'il s'agit de Ray Bradbury. Son tortionnaire ordonne qu'on fasse tout brûler.

« Qu'est-ce qu'on mange pour souper ? »,
Imagine..., n° 16 (vol. IV, n° 3, printemps 1983), p. 16-17. (SF)

Un homme qui n'attend personne pour souper se voit « pris de court » par des visiteurs de la planète p-d-iAad qui frappent à sa porte. Il fait donc livrer du poulet barbecue à domicile. Mais ces êtres sympathiques, à plusieurs cous et qui tiennent leurs jambes, préfèrent les os à la chair. Cela finit par inquiéter leur hôte lorsque l'un(e) d'eux(elles) lui tâte la main avec insistance.

« L'Amour courtois »,
Imagine..., n° 16 (vol. IV, n° 3, printemps 1983), p. 39. (SF)

Un voyageur avoue à une jolie habitante de la planète Tagadasoinsoin qu'il lui ferait bien la cour. Celle-ci, après avoir cherché le mot dans son dictionnaire français-xim(zor), l'entraîne dans des travaux de terrassement.

« Galileo Galilei »,
Imagine..., n° 16 (vol. IV, n° 3, printemps 1983), p. 40-41 (SF) ;

Anthologie de la science-fiction québécoise contemporaine. Introduction et choix de textes par Michel Lord, [Montréal], BQ, [1988], p. 141-144. (« Bibliothèque québécoise, Littérature »).

À une certaine époque, les Terriens s'aperçoivent de la présence d'une multitude d'extraterrestres parmi eux ! Ces derniers viennent en fait de tous les coins de l'univers pour expier leurs fautes et ce, depuis la nuit des temps, la Terre ayant été choisie de toute éternité comme Géhenne universelle. C'est au contact des agissements et des inventions artistiques ou autres de ces « geôliers-malgré-eux », que les étrangers subissent leur plus grand châtiment.

« L'Homme invisible »,
Imagine..., n° 16 (vol. IV, n° 3, printemps 1983), p. 43 (Hy) ;

Ni le lieu ni l'heure. Nouvelles, [Québec], L'instant même, [1987], p. 93-94.

Un homme semble être à la fois présent et absent dans la société de ses amis, « être quelque part tout en n'y étant pas. Homme de marge. C'est très plausible puisque nous-mêmes nous commençons à y croire *a posteriori* ».

« Théophile Godin »,
Solaris, n° 52 (vol. IX, n° 4, août-septembre 1983), p. 7. (F)

Théophile Godin, chirurgien, en est venu avec le temps à trouver l'exercice de sa profession de plus en plus ennuyeux. Il a perdu l'ardeur du débutant et songe sérieusement à se recycler afin de trouver quelque chose qui lui permette de réaliser ses aspirations profondes. Ayant déjà un goût pour l'art, il choisit la chirurgie plastique : enfin un métier qui lui permettra de « concilier ablations et création ». Il parvient sans difficulté à se constituer une clientèle. En août 1970, c'est la mine d'or : tout le monde veut avoir le faciès d'Elvis Presley. Mais le docteur exagère et on lui reproche cette folle envie de surpasser la nature. Il faut trouver autre chose... quelque chose d'éternel ! « C'est ainsi que sous la plaque de la porte de la clinique, s'est ajouté : JE PEUX VOUS RENDRE SEMBLABLE À DIEU ». Au début personne ne remarque l'inscription. Puis tout le monde se précipite à la clinique du docteur Godin, y compris le narrateur, mais « la liste d'attente est longue... ».

« To Dale Carnegie, with Love »,
Mœbius, n° 19 (automne 1983), p. 65-66 (Hy) ;

Ni le lieu ni l'heure. Nouvelles, [Québec], L'instant même, [1987], p. 89-94.

Le narrateur se retrouve à un souper d'affaires sans trop savoir comment se comporter. À table, il attend que les autres entament leur plat avant de se compromettre. C'est alors qu'un homme laisse échapper un rot sonore. À la surprise du héros, cette éructation est imitée par de nombreuses autres venant de partout autour de la table. N'y tenant plus, et pour changer de sujet, l'homme décide de vanter la beauté du mobilier. Tous le regardent alors avec réprobation.

« Les Galeries K »,
Nuit blanche, n° 8 (hiver 1983), p. 34-35 (F) ;

Ni le lieu ni l'heure. Nouvelles, [Québec], L'instant même, [1987], p. 153-159.

Un ouvrier d'origine tchèque, Karel Löwy, attend le métro à Montréal et trouve un journal où il est question d'une Commission royale d'enquête pour statuer sur l'utilisation du mot kafkaïen ou kafkaesque. Il monte dans un wagon et se retrouve dans le métro de Boston, en pleine panne d'électricité. Un passager endormi sur son épaule se réveille en panique, craignant d'être en retard, sort en cassant la vitre et s'engage à pied dans les tunnels. Dans le métro de New York, des agents d'immigration accompagnent une recrue qui doit déchiffrer les graffiti sur les wagons. À l'atelier, l'ouvrier Löwy se sent étranger et épié : il vit une forme de paranoïa pour laquelle la Sûreté pouvait l'accuser et exiger des aveux signés. Finalement, le métro est tiré par une locomotive du début du siècle et Löwy descend à la station Franz-Kafka.

« Ukiyo-e »,
Mœbius, n° 21 (printemps 1984), p. 55-58. (Hy)

Un divorcé à la mode achète une estampe japonaise pour attirer les femmes à son appartement. Il en profite pour s'instruire un peu, dans le but évident d'impressionner. Lorsqu'il l'installe, il voit le samouraï sortir de la toile pour lui trancher la tête. Il ferme les yeux. Lorsqu'il regarde à nouveau, sa chambre a repris son aspect habituel ; la gravure est toujours sur le mur. Illusion ?

« Le Danger croît avec l'usage »,
Imagine..., n° 21 (vol. V, n° 4, avril 1984), p. 63-64. (SF)

A peine levé, Hyppolite-Démétrius Petit-Groulx se voit offrir par le « steward » une cigarette. Il ne fume plus mais l'autre insiste. La *traditionne*, dit-il dans un espagnol que Hyppolite n'a jamais pu comprendre. Il accepte donc et, une fois celle-ci terminée, l'employé l'entraîne vers la cour de l'hôtel. Curieusement, un curé s'est joint à eux et il murmure des bénédictions. Dans la cour, Hyppolite voit une foule qui hurle en le voyant. Apparaissent alors une potence et un militaire lisant une proclamation en espagnol.

« Les Gares de la nuit »,
Imagine..., n° 21 (vol. V, n° 4, avril 1984), p. 67-70 (F) ;

Ni le lieu ni l'heure. Nouvelles, [Québec], L'instant même, [1987], p. 63-70.

Un homme attend un train dans une gare. L'express de Montréal arrive et l'homme voit la moitié de la gare se vider d'un coup. L'attente monotone reprend. Plus le temps passe, plus le voyageur s'enlise dans la somnolence et la léthargie. Il perçoit tout de même le dépeuplement progressif de la salle bien qu'aucun autre train ne soit arrivé entre-temps. Il constate que, à chaque fois qu'un passager en attente s'endort, « comme pour ne jamais se réveiller », son voisin se lève et le fuit avec dédain et mépris. De plus en plus amorphe, l'homme est dans un état où il perçoit un temps et un espace déformés, imprécis. Les références habituelles disparaissent, mais il a tout de même conscience que bientôt, son voisin de banc se lèvera, versant pour lui « l'expression de sa répulsion ».

« Cauchemar en brun. Un pastiche de Fredric Brown »,
Imagine..., n° 27 (vol. VI, n° 4, avril 1985), p. 45-53. (SF)

Le jour de son quarantième anniversaire, Pierre Smisse rend visite à sa sœur Huguette. Gérard, son beau-frère, courtier immobilier, avait déjà invité pour une petite fête estivale les cadres de sa compagnie. Une fois tout ce beau monde parti se baigner dans un lac des environs, Pierre sombre dans une éclatante beuverie. Il s'éveille affalé sur une chaise longue, avec un formidable mal de tête et des visions science-fictionnesques. En effet, il remarque, pour la première fois, que sa sœur possède un piscine creusée. D'affreux êtres verdâtres surgissent de cette piscine. Pierre voit en eux une race d'extraterrestres, mais les créatures affirment venir de la Terre. Les verts en question se feront une piètre idée des Terriens à partir de ce soiffard et, décontenancés par sa bêtise, ils repartiront d'où ils sont venus.

« Perreault au lavoir »,
XYZ. La revue de la nouvelle, vol. I, n° 2 (été 1985), p. 47-50 (F) ;

Ni le lieu ni l'heure. Nouvelles, [Québec], L'instant même, [1987], p. 73-78.

Un homme sans emploi se voit offrir une occasion d'entrer au ministère. Pour l'entrevue, il décide de faire nettoyer sa plus belle chemise. Il doit aller au lavoir, un endroit qu'il n'a pas visité depuis la construction de l'autoroute tout à côté. Les environs ont été complètement transformés. Tout paraît pourtant normal jusqu'à ce qu'il se rende compte que la sécheuse dans laquelle il a mis sa chemise refuse de s'arrêter. Il a beau tout essayer, rien à faire, sa chemise tourne toujours. Il veut sortir, la porte refuse de s'ouvrir.

PELLETIER, Francine
[Montréal, 25 avril 1959 –]

« Le Retour des gueux »,
Pour ta belle gueule d'ahuri, n° 6 (vol. III, n° 2, 1983), p. 41-42. (SF)

Les conseillers de la Terre sont en émoi : des vaisseaux sont de retour ramenant ceux qu'on appelle les Gueux. Ce sont des rebelles qui ont voulu quitter la planète mère pour trouver une Terre Nouvelle et une vie meilleure. Tagar, l'aïeule, rappelle que ce projet a provoqué une guerre civile et que les voyageurs ont été bannis pour toujours. Coril, la jeune, déclare qu'on ne peut vivre de haine, qu'il faut pardonner aux Rebelles. La voix de la jeunesse l'emporte et tous vont voir le vaisseau. C'est pourtant un piège : les Rebelles croient que la Terre les empêche de réussir dans leur établissement sur une nouvelle planète. Les vaisseaux sont des bombes qui détruisent la Terre pour exorciser cette haine.

« La Traversée d'Algir »,
Imagine..., n° 20 (vol. V, n° 3, janvier 1984), p. 11-15. (SF)

Malgré son grand âge, Algir entreprend la traversée du désert pour porter au clan voisin du sien l'invitation officielle à la grande fête d'automne. En route, elle affronte la tempête. Mais « ni le vent, ni les tempêtes », ni même les chiens sauvages ne l'empêcheront d'atteindre Jahel, son vieil ami, qui peut-être l'attend encore, de l'autre côté du désert. Quand, enfin, Algir arrive au clan voisin, porteuse du message des réjouissances, Jahel est là, fidèle au rendez-vous. Alors que tout le clan part pour la traversée du désert, Algir et Jahel restent seuls pour enfin accomplir leur promesse secrète, celle d'avancer ensemble vers le Sud, pour leur dernier voyage.

« De silence et d'absence »,
Solaris, n° 56 (vol. X, n° 2, juillet-août 1984), p. 5-14. (SF)

Stéphanie, une psychologue préparant une thèse de doctorat sur le comportement humain en situation d'isolement, se porte volontaire pour une expérience de solitude dans le cosmos. Elle a toujours été hostile à ceux et celles qui essaient de la « comprendre » et voit dans cette aventure une occasion de s'isoler. Le premier mois se déroule sans problème. Stéphanie commence ensuite à avoir des comportements étranges. Elle devient irritable et ne peut plus supporter même le bruit de son ordinateur. C'est à ce moment que les gens de la NASA interviennent et décident de la ramener sur Terre.

« La Volière »,
Imagine..., n° 24 (vol. VI, n° 1, octobre 1984), p. 19-31. (SF)

Une jeune artiste, Iris, vivant dans la station orbitale Asterman, rêve d'aller sur Arkadie, la planète des oiseaux, pour y éprouver des sentiments intenses et créer une œuvre cinémotionnelle. Comme elle n'est pas scientifique, elle ne peut être acceptée à bord du vaisseau en mission d'exploration. Néanmoins, en s'introduisant dans le parc zoologique d'Asterman, elle crée *la Planète des oiseaux*, œuvre qui a un succès retentissant. Elle affirme qu'elle a produit son œuvre sur Arkadie et rêve de connaître vraiment ces oiseaux de rêve.

« La Voyageuse »,
Mœbius, n° 23 (1984), p. 39-40. (SF)

Une femme est injustement envoyée dans l'espace pour purger sa sentence. Elle se croit perdue pour toujours lorsqu'une Chose l'aborde. D'abord effrayée, elle comprend que cette substance lui veut du bien. Elle entreprend de lui conter ses malheurs. L'entité réussit à la libérer et ils retournent vers la planète de la femme pour rencontrer les Juges.

« La Volière (bis) »,
Pilône, hors série, n° 2 (mars 1985), p. 9-11. (SF)

Les Terriens, Linde et Gélin, reviennent d'une expédition sur Arkadie en projetant d'y installer des colons puisque, d'après leur observation, il n'existe aucune race intelligente sur la planète. Il n'y ont mis qu'oiseaux et insectes. Deux oiseaux discutent après le départ des hommes. Ceux-ci reviendront-ils ? L'un des deux semble convaincu.

«Le Seuil d'Ashoran. Un pastiche de Ursula K. Le Guin»,
Imagine..., n° 27 (vol. VI, n° 4, avril 1985), p. 95-103. (SF)

Kevin Harth, agent liénique au contrôle de l'O.e.i.l, se retrouve un jour sur la planète Arri, son appareil ayant explosé. En entrant en contact avec les habitants qu'il rencontre, il apprend que le pays se nomme le Shan et que deux grands Seigneurs s'en disputent le pouvoir. Un vieillard, Lugwaïn, explique à Kevin que la seule façon pour lui de quitter la planète est de traverser la Porte qui mène vers l'ailleurs. Située à la frontière du pays, cette Porte mystérieuse est empruntée par tous ceux qui veulent changer de monde. Après un long voyage à travers le pays, Kevin arrive enfin à l'Arche Unique. Tremblant, inquiet de ce qui l'attend de l'autre côté, il passe le seuil pour tenter sa chance dans un autre monde.

« La Migratrice »,
Solaris, n° 63 (vol. XI, n° 3, septembre-octobre 1985), p. 5-10 (SF) ;
le Temps des migrations, [Longueuil], le Préambule, [1987], p. 7-25. (Collection « Chroniques du futur », n° 11).

L'équipage du *Michigan*, vaisseau reliant les diverses stations du système solaire, recueille une minuscule capsule en détresse. À l'intérieur se trouve Béatrice Millaire, la migratrice, et son fœtus mutant, adapté à l'athmosphère de Ganymède. Défiant les règlements interdisant la migration, elle veut s'établir dans la colonie. Carlie, la commandante du vaisseau, ignore si elle doit laisser Béatrice affronter les travailleurs de Ganymède, hostiles aux étrangers, ou ramener la migratrice aux autorités. Elle choisit de lui laisser continuer son voyage.

« Interférences »,
Pandore, n° 2 (vol. I, n° 2, décembre 1985), p. 4-8. (SF)

Pendant ses exercices de phonétique au laboratoire, Michèle perçoit un cri. À cause de son don télépathique, elle se sent marginale. Laurent, lui-même télépathe, la repère et la présente au docteur Mercier, professeur de psychologie qui s'intéresse au paranormal. Tous deux essaient de la convaincre de se prêter à des expériences afin de trouver de nouvelles personnes douées des mêmes facultés. Dans le métro, Michèle fredonne un air dans sa tête. Dans le wagon voisin, une fille entend un bruit.

« Les Rebelles d'Al-Fao »,
Rose Nanane, n° 5 (1985), p. 15-17. [Sous le pseudonyme de Laure ALINE]. (SF)

Un vaisseau touristique doit se poser sur une planète peu connue pour y réparer une panne. Il est arraisonné rapidement par un homme armé, aussitôt capturé à son tour. Un officier d'Al-Fao vient le chercher et demande aux passagers et à l'équipage de le suivre jusqu'à la prison d'Al-Fao.

« Incident d'espace »,
Kramer, n° 6 (1985), p. 7-8. (SF)

Dans une capsule spatiale, la passagère dort. Soudain, le tableau de bord indique l'arrêt des fonctions vitales de la femme assoupie. Dans un contenant vitré, flotte le corps d'un fœtus. La machine complète sa croissance. Arrivé à terme, l'enfant parvient à s'échapper de sa prison et rampe vers le corps de la morte en quête de nourriture.

« Instant »,
Dix nouvelles de science-fiction. Avant-propos d'André Carpentier, [Montréal], Quinze, [1985], p. 109-123. (SF)

Pendant la première conférence interplanétaire pour la paix qui se déroule sur Asterman, une journaliste tire sur Victor Enden, directeur administratif d'Asterman. Elle réussit à prendre la fuite.

« La Rébellion de Toby Arden »,
Aurores boréales 2. 10 récits de science-fiction, sous la direction de Daniel Sernine, [Longueuil], le Préambule, [1985], p. 179-205. (Collection « Chroniques du futur », n° 9). (SF)

Sur Ganymède, les ouvriers de Madox Mines, qui se droguent au non-stop, travaillent comme des robots tout en suivant des feuilletons sur la télaz. Travailleur à Madox Mines, Tony Arden, qui confond réalité et fiction, pénètre dans la cabine d'Élodie Martine, – célèbre animatrice de la télaz, – dans le but de tirer Stuart Ross, héros des Gens de Copernic, de la situation pénible où il se trouve. Stanley Robin, acteur qui incarne Stuart Ross, se présente dans la cabine d'Élodie en qualité de négociateur. Toby, qui ne distingue pas le comédien du personnage de la série télévisée, se laisse duper par Robin.

« L'Enfant d'Asterman »,
Planéria. Anthologie de science-fiction, Montréal, Pierre Tisseyre, [1985], p. 111-152. (Collection « Conquêtes »). (SF)

Magdalena vit dans une station orbitale terrestre, *Asterman*, avec sa mère, Clémence, qui l'aime malgré sa rébellion. Pour ses seize ans, Clémence lui donne un *Leere*, appareil portant le nom de son inventeur, qui peut recréer trois scènes différentes dans des espaces restreints comme, par exemple, la série *Champ d'or*, chef-d'œuvre de Pier Barron. Pensant faire plaisir à sa fille, Clémence, responsable du Festival des arts oniro-technologiques, lui annonce la venue de Barron, disciple de Leere et célèbre environnementaliste. D'abord indifférente, Magdalena change avec l'arrivée de Barron. Il lui offre de l'accompagner sur Terre à cause de son talent créateur. Mais la jeune fille préfère aller dans une colonie lointaine, Malox Mines, là où aucune vedette ne pourra l'influencer.

PELLETIER, Yves
[Montréal, 16 septembre 1952 –]

« À table ! »,
Empire, n° 4 (1983), p. 23. (SF)

Stek Takab, pilote de vaisseau spatial, explore le système polk, nouvellement découvert. Comme il s'apprête à atterrir sur la planète Cablirrât, la première du système Polk, l'engin est attiré irrémédiablement vers le pôle sud. Le vaisseau et Stek sont absorbés et digérés par l'estomac de la planète.

« Le Pont de Monsieur Dupont »,
Crues du printemps, 1985, p. 17-27 (F) ;

Carfax, n°s 19-20 (septembre-octobre 1986), p. 56-58.

Au retour du travail, Monsieur Dupont découvre un pont dans son salon. Surpris, il fait venir la police puis une série de spécialistes afin de comprendre comment un tel objet, « fait d'une seule pièce [et] trop volumineux pour avoir pu passer par la porte d'entrée », a-t-il bien pu se trouver là. Le mystère demeure entier et, un jour, Monsieur Dupont aperçoit même un ruisseau coulant sous le pont de son salon : « Mon pont a enfin trouvé sa raison d'être », se dit-il.

PELLETIER-LAVIGNE, Nadia
[

« Un Noël célèbre sur la planète Lotalie »,
la Tribune, vol. LXXIII, n° 153 (18 décembre 1982), p. B-1. (Hy)

Une petite fille, Synalime, passe Noël sur Lotalie, une planète merveilleuse. Elle aide les Lotaliens à triompher de leurs ennemis, les Réglissiens, et revient sur Terre, réconciliée avec un mauvais garçon, Anthonime, qui l'avait suivie en cachette.

PERRON, Gilles
[Campbellton (Nouveau-Brunswick), 5 avril 1962 –]

« Le Dernier Cri »,
l'Orée close, vol. III, n° 1 (décembre 1983), p. 40-42. (Hy)

Prenant un verre pour oublier sa solitude, un homme est regardé par son verre qui voudrait bien le raisonner, mais s'en trouve incapable.

PERROT-BISHOP, Annick
[Hongay (Viêt-Nam), 7 juin 1945 –]

« Le Dieu Pin »,
Solaris, n° 51 (vol. IX, n° 3, juin-juillet 1983), p. 18-19. (F)

À Nice, une femme prend le train de 8h45 pour Toulouse. Une fois à sa place, elle se plonge dans *les Voyages de Gulliver* et s'endort peu de temps après. Lorsqu'elle se réveille, elle est seule dans le train qui s'arrête subitement. Dans des champs à perte de vue, se dresse un grand pin solitaire. Une dame en tailleur violet descend du train, se dirige vers le pin. La femme se met à courir pour rejoindre l'autre en violet. Celle-ci l'avertit qu'elle se trouve sur une propriété privée, mais qu'elle peut rester pour la nuit si ce n'est pas sous le pin. La nuit venue, une longue file d'êtres vêtus de haillons s'avance vers l'arbre, avec des chandeliers. Puis, à une femme aux cheveux roux, adossée contre le pin, une vieille prêtresse en violet fait boire une coupe avant de lui arracher sa tunique. Les autres commencent à tourner autour de l'arbre jusqu'à ce qu'ils atteignent une frénésie infernale. Les branches du pin se mettent en mouvement, se penchent vers le sol, enserrent avec douceur le corps de la femme, qui disparaît. La femme du train, qui assiste à la scène bondit sur l'arbre, le secoue désespérément mais, en se retournant elle voit des flammes qui l'entourent dangereusement. Elle se retrouve assise dans le compartiment du train, toutes les places étant occupées, dont celle d'en face, par la dame en violet.

« Thanatos »,
Mœbius, n° 19 (automne 1983), p. 23-25 (Hy) ;
Morgoth (France), n° 7 (septembre 1985), p. 32-35.

Une femme rencontre tour à tour sur la même plage un vieil homme qui ramasse des coquillages et un jeune homme qui lui offre des tulipes jaunes. Le jeune homme l'invite chez lui. De là, ils regardent le vieillard qui, au même moment, s'effondre. La femme regarde alors son compagnon ; le noir de ses yeux s'agrandit et occupe tout le visage. Effrayée, la femme s'enfuit.

« Venise passé composé »,
Solaris, n° 53 (vol. IX, n° 5, automne 1983), p. 6-7. (F)

Une jeune femme fait un voyage à Venise. Alors qu'elle vient de monter sur un vaporetto, un jeune homme lui demande du feu et disparaît. À son hôtel, elle aperçoit le même jeune homme dans une tenue d'une autre époque. Elle s'approche mais, plus elle avance, plus la silhouette s'efface jusqu'à disparaître complètement. Au musée de l'Accademia, dans une toile de Carpaccio, elle remarque un homme qui domine les autres personnages. À sa stupéfaction, il a ce visage allongé qui n'a cessé de l'obséder depuis la veille. Dans une salle, une femme invite la voyageuse à aller se coucher. À son réveil, après avoir fait un rêve magnifique, la touriste voit un miroir qui ne reflète pas sa silhouette, mais celle d'un homme qui ressemble à celui du tableau de Carpaccio. L'homme la regarde intensément ; elle reconnaît celui qu'elle a vu dans son rêve. Elle ressent alors une nostalgie intense, tend la main vers le miroir et, poussée par un désir d'appropriation qui vient du plus profond d'elle-même, elle s'avance vers l'homme, surprise de ne rencontrer aucune résistance.

« La Femme coquelicot »,
Atlantis (Halifax), vol. IX, n° 1 (automne 1983), p. 89-92. (F)

Après avoir partagé dans leur adolescence une expérience causée par l'inhalation d'une poudre noire prélevée sur un lieu de culte indien ou celte et qui les fait voyager vers leur enfance, un frère et une sœur devenus adultes se retrouvent et partent ensemble.

« Flux et Reflux »,
Women and Words : The Anthology. Les Femmes et les Mots : Une anthologie, edited by The West Coast Editorial Collective, [Madeira Park], Harbour Publishing Co. ltd, 1984, p. 111-114. (F)

Au bord de la mer, dans une ambiance psychique « océanique », la narratrice rencontre son double plus âgé avec qui elle sympathise.

« À l'aube de la mémoire »,
Imagine..., n° 23 (vol. V, n° 6, août 1984), p. 21-24. (SF)

Un corbeau parvient à ouvrir une huître dans laquelle il trouve une femme. Il la transporte jusqu'à son nid et apprend, peu à peu, son langage. La femme accouche de jumeaux, un garçon et une fille. Ils déménagent dans une grotte plus grande où la femme trace des signes sur les parois et les apprend à ses enfants. La mère et l'oiseau disparaissent, laissant les enfants perpétuer l'espèce menacée.

« L'Île aux masques »,
Solaris, n° 59 (vol. X, n° 5, janvier-février 1985), p. 20-22. (F)

Tobo, un Indien Comox, doit parcourir le chemin initiatique qui le mène à l'Île aux masques. Une vieille femme et son étrange animal l'aident tout au long de son périple. Lorsqu'il est lui-même masqué, il est reconnu comme faisant partie de la tribu masquée de l'île.

« La Main gantée. Un pastiche de Guy de Maupassant »,
Imagine..., n° 27 (vol. VI, n° 4, avril 1985), p. 21-28. (F)

Un homme raconte son histoire dans le cabinet d'un aliéniste : n'y pouvant résister, l'homme a acheté un tableau reproduisant une main de femme. Le peintre lui dit que le modèle, laid et plutôt viril, portait un gant à l'autre main. Un matin, l'homme remarque qu'à son cou il porte les marques de cinq doigts. Il est épouvanté à l'idée du pire. Un soir, il brûle la toile et entend un grand cri mi-humain, mi-animal. Le lendemain, le domestique trouve un gant dans une allée autour de la maison. L'homme cache le gant dans un tiroir, mais celui-ci disparaît. L'homme pense alors que la femme pirate cherche à lui nuire. Il va voir le docteur Delgrave, aliéniste, qui ne peut expliquer scientifiquement ces phénomènes.

PETTIGREW, Jean
[Saint-Pacôme de Kamouraska, 16 avril 1955 –]

« D'un procès considéré comme une bande de Mœbius », *Imagine...*, nos 8-9 (vol. II, n° 4, été 1981), p. 48-96. (SF)

Une sonde d'exploration temporelle subit des avaries à son arrivée dans un futur indéterminé et ne peut qu'envoyer un compte rendu écrit de la situation qui prévaut à cette époque. Il semble qu'un nœud temporel se soit créé dans la zone où se trouve la sonde et qu'il emprunte la forme d'une éternelle bande de Mœbius centrée sur un personnage dédoublé, Derdnik/Kid, alternativement Prisonnier et Juge. À chaque recommencement du cycle, cette poche de temps tordu sur lui-même projette une nouvelle sphère de discontinuité temporelle et spatiale, menaçant ainsi la Terre entière et tout l'univers. Le Président des États-Unis, à qui ce dossier ultra-secret vient d'être présenté, convoque une réunion extraordinaire au Pentagone.

« Fragments d'une interférence : la maison close sur le Nord »,
Imagine..., n° 10 (vol. III, n° 1, automne 1981), p. 61-82 (SF) ;

les Années-lumière. Dix nouvelles de science-fiction réunies et présentées par Jean-Marc Gouanvic, [Montréal], VLB éditeur, [1983], p. 183-206.

À la tour Blanche, dans l'Île Résolution, un phénomène étrange inquiète Léo P. Des amis de l'Île-aux-Basques ont trouvé un ancien manuscrit qui relate des faits étrangement semblables à ceux que les habitants de la tour observent depuis quelque temps. Cette nuit-là, alors qu'ils sont tous les quatre sur la terrasse de la tour Blanche, le phénomène se reproduit et des globes rosâtres apparaissent dans le ciel pour libérer, en explosant, des ondes de plaisir intense. Les observateurs, pris dans le cataclysme, ont l'impression de plonger dans le passé et ils se retrouvent dans la peau des personnages du manuscrit, revivant les quelques pages fragmentaires sauvées par les amis de l'Île-aux-Basques. Le lendemain, Louise P. a disparu et Léo, redevenu lui-même, tente en vain de comprendre ces mystères.

« Petit Précis de violence naturelle »,
Énergie pure, n° 1 (vol. I, n° 1, janvier 1983), p. 3-8. (Hy)

Une journée d'hiver, une panne d'électricité jette la ville dans le noir, ce qui a pour effet de surexciter les éléments primordiaux qui n'attendaient que cet instant pour passer à l'attaque, produire des catastrophes et, ainsi, jouer avec la peur qu'ils provoquent chez les humains.

« Humeurs »,
Pour ta belle gueule d'ahuri, n° 5 (vol. III, n° 1, 1983), p. 20-21. [Avec la collaboration de Daniel PARROT]. (SF)

Le narrateur s'adresse à une ancienne amante qui, selon lui, a causé leur perte à tous deux. Il relate les étapes de leur relation passionnée et ne peut s'empêcher de pleurer leur amour déchirant qui ne sera jamais connu de personne. Pourtant, beaucoup plus tard, cette planète de terre et d'eau devenue un gigantesque désert sera découverte par les Hommes qui la baptiseront Arrakis, mieux connue sous le nom de Dune.

« Nouvelle »,
Blanc Citron, n° 1 (mai 1983), [n. p.]. (SF)

Un cosmonaute avisé se prépare à partir vers de nouvelles aventures en s'assurant qu'il a tout son matériel, mais il oublie ses clés.

« Les Hommes-Snoopy meurent tous comme les chèvres du Bengale »,
Imagine..., n° 21 (vol. V, n° 4, avril 1984), p. 35-42 (SF) ;
Anthologie de la science-fiction québécoise contemporaine. Introduction et choix de textes par Michel Lord, [Montréal], BQ, [1988], p. 145-156. (« Bibliothèque québécoise, Littérature »).

Nowher, l'un des trois cents milliards de passagers de la *Nef*, s'est perdu dans une zone désertique du gigantesque vaisseau. Seul sur le toit de sa Niche, minuscule planétoïde qui lui sert de gîte et auquel il est raccordé par un cordon caudal, il navigue afin de retourner à ce Château, lui aussi perdu, où il avait rencontré une jeune fille aux yeux hagards. Entretemps, il croise une niche dont l'habitant a été à demi dévoré. Lorsque Nowher rejoint le Château, il découvre la jeune fille morte et, dans les chambres froides du Château, toutes les autres femmes empalées sur des crochets à viande. Depuis, il se terre dans sa Niche, en proie à la panique, tout comme cette chèvre du Bengale – qu'il a programmée sur une fenêtre de visionnement – qui attend le tigre, attachée à un poteau.

« Hors de la sphère noire, lignitude 237,44N. »,
Solaris, n° 59 (vol. X, n° 5, janvier-février 1985), p. 16-17. (SF)

Un Homme-Snoopy, l'un des trois cents milliards de passagers de la *Nef,* attiré par le mythique oiseau Dor, vogue vers cette non moins mythique région du gigantesque vaisseau où ne règne plus la nuit perpétuelle. Dans cette lumière changeante, l'oiseau l'entraîne vers une Ilforêt et ils s'enfoncent l'un à la suite de l'autre dans ses profondeurs. Dans la cavité centrale de l'Ilforêt, l'Homme-Snoopy s'élance vers l'oiseau Dor qui a entamé son chant, mais il est retenu à sa Niche par son cordon nourricier. Il tente de l'arracher, sans succès, quand l'oiseau Dor vient à sa rescousse et, d'un puissant coup de bec, arrache le cordon de son dos. D'habitude, cette blessure est mortelle, mais l'oiseau Dor enveloppe de ses ailes l'Homme-Snoopy agonisant et dépose, dans la plaie, sa semence colmatrice. Un Homme vient de naître...

« Dernier Baroud. Un pastiche de la production du Fleuve Noir »,
Imagine..., n° 27 (vol. VI, n° 4, avril 1985), p. 113-120. (SF)

De vieux généraux déchus de l'Empire du Fleuve Noir – Guieu, Limat et Rayjean – ont décryogénisé l'un des leurs, Peter Randa, disparu avant le putsch, afin qu'il les ramène au pouvoir, eux et l'empereur destitué, le bicéphale Richard-Bessière. Mais l'opération échoue lamentablement face à la nouvelle clique – comprenant, en plus du nouvel empereur Siry, de jeunes généraux inventifs comme Andrevon, Arnaud, Brussolo, Jeury... – qui a pris le pouvoir et qui possède des moyens de défense tout à fait inconnus des vieux baroudeurs.

« La Vallée des montgolfières »,
Dix nouvelles de science-fiction. Avant-propos d'André Carpentier, [Montréal], Quinze, [1985], p. 125-146. (SF)

Anciens amants, Esthal et Helmut se retrouvent en tant qu'antagonistes dans le dossier controversé des montgolfières. Helmut a convoqué sa rivale à sa résidence construite sur les flancs de la vallée où les mystérieuses créatures que sont les montgolfières poussent avant de flotter librement dans l'atmosphère de la planète Céruse. Il prétend qu'elles ne tuent personne lorsqu'elles décollent pour s'enfoncer dans l'espace profond, car les organismes en danger disparaissent avant le moment fatidique. Esthal, elle, a récemment perdu son père lors d'un départ de montgolfière et a elle-même été sérieusement blessée dans des circonstances similaires. Porte-parole de ceux qui craignent de nouvelles catastrophes, – les montgolfières entament leur vol spatial plus près de la surface, causant toujours plus de dégâts, – Esthal veut les détruire. Mais la discussion s'envenime, Esthal et Helmut en viennent aux coups et tous deux passent par-dessus une rambarde de protection, plongeant vers les montgolfières. Soudain, ils disparaissent, et seuls les deux bras bioniques d'Esthal touchent le sol de la vallée.

PHANEUF, Louise
[

« La Plume »,
le Canada français, vol. CX, n° 30 (17 décembre 1969), p. 3, 5-6. (Supplément). (SF)

En 8311, un robot humanoïde, D-1-66, rencontre une plume bleue dont il tombe amoureux et qui le fait rêver à tout ce que cette civilisation masculine a banni : femmes, enfants, poètes, fleurs, amour, sentiments... Distrait, il néglige son travail de contrôleur d'énergie solaire de la planète et met en panne plusieurs entreprises. Les « machines ordinatrices » perdent peu à peu le contrôle des robots (les hommes après évolution) qui se remettent à penser et à parler par eux-mêmes. Plume, fière de sa liberté, veut quitter D-1-66 qui explose après avoir versé une larme. Désintégré et libre, il épouse la plume. Les machines ordinatrices, devenues névrosées à cause de la tournure des événements, finissent par exploser aussi.

PHILIBERT, Jocelyn
[Montréal, 21 février 1950 –]

« Le Plat de résistance »,
Nous, vol. III, n° 9 (février 1976), p. 60-63. (Hy)

Malgré leur mésentente, monsieur et madame Laplante prennent leur repas au restaurant le Père Gaspésien. Pendant qu'ils mangent leurs truites farcies, ils s'aperçoivent que la température de la pièce s'élève anormalement. Certains clients s'évanouissent, d'autres tentent de fuir mais ni les fenêtres ni les portes ne cèdent. Tous tombent inconscients, sauf monsieur Laplante qui résiste à la chaleur intense. Soudain, il voit un œil immense le regarder, mais il perd connaissance avant d'avoir pu constater qu'il fait partie de la farce d'une grosse morue dorée à point que la cuisinière sort du four.

PICARD, Louis-C.
[

« La Dame aux clefs »,
Blanc Citron, hors série, n° 0 (printemps 1984), [n. p.]. [Sous le pseudonyme LT. KOWALSKY]. (SF)

Sir Crudaal, un clône, subit, malgré sa haine de la guerre, un entraînement d'un grand maître qui le prépare à attaquer la Terre.

« Nouvelle »,
Blanc Citron, n° 10 (février 1984), [n. p.]. [Sous le pseudonyme LT. KOWALSKY]. (SF)

Qwerty enfourche son spatio-scooter et fuit au plus vite les punks auxquels il a « fourgé » de la farine.

« P'tits Mondes, P'tits Morts »,
Blanc Citron, n° 21 (janvier 1985), [n. p.]. [Sous le pseudonyme LT. KOWALSKY]. (SF)

Dans les tranchées sablonneuses de Mars, le narrateur est touché, son scaphandre est fichu. Il se rappelle son enfance.

PIERRE, Luc

[

« Destin »,
le Canada français, vol. CXII, n° 50 (10 mai 1972), p. 62. (Hy)

Le narrateur raconte sa mort, sa mise en bière, son enterrement. Il est ensuite emporté par les vents et emmené au paradis.

PILOTE, Michèle

[

« Je suis en trop... pis »,
Kramer, n° 3, [s. d.], p. 13-14. (SF)

Le dernier représentant de la race humaine est prisonnier de son abri antiatomique. Cependant, son abri se fissure peu à peu sous l'assaut d'êtres mutants, mi-animaux, mi-algues. Comme il se demande quelle sera sa réaction devant la mort, l'abri s'écroule.

« [Sans titre] »,
Kramer, n° 4, [s. d.], p. 7. (SF)

Un voyageur spatiotemporel s'allume une cigarette et se voit aussitôt broyer par un robot-nettoyeur.

« Monsieur Martin »,
Rose Nanane, n° 8, [s. d.], p. 4-6. (Hy)

Monsieur Martin est un joueur compulsif de GAMOLION. Il a été l'un des premiers participants de sa classe (moyenne) à y performer. Cependant, malgré des études encyclopédiques, il obtient des rendements de plus en plus faibles. Frustré de voir qu'il y a de plus en plus de bons joueurs et qu'ils sont de plus en plus jeunes, monsieur Martin démolit sa machine.

PINEAULT, Louis-Jacques
[

« Panne de moteur »,
Requiem, n° 20 (vol. IV, n° 2, mars 1978), p. 14. (SF)

Une jeune fille pénètre dans un vaisseau en panne. L'extraterrestre s'informe si elle est une femme, la drogue et vérifie sa féminité avec son tentacule. Il la déshabille, l'installe dans le moteur, pour remplacer la partie femelle (brisée) de celui-ci, et abaisse une manette. Un homme-terrien, emprisonné dans un cadre, s'abaisse et un coït mécanique s'ensuit. Le moteur est ainsi réparé.

PLEAU, Michel
[Québec, 25 mai 1964 –]

« L'Escalier »,
le Granule, vol. VII, n° 11 (14 mai 1985), p. 25-28. (F)

Un jeune homme, Quenneville, qui s'amuse à descendre un escalier les yeux fermés, trébuche et se cogne la tête. Lorsqu'il se relève, l'espace autour de lui a changé. Il glisse constamment d'un lieu à un autre, sans réussir à se raccrocher à quoi que ce soit. À un moment, il chute vers une énorme bouche, parvient à s'accrocher aux dents, mais la bouche lui mord les mains et il retombe dans le vide. Il se retrouve alors dans le monde réel et aperçoit son ami Bruno à ses côtés. Celui-ci constate que Quenneville a une bosse sur la tête et que sa main gauche, en sang, porte des marques de morsures.

POIRIER, Jean
[Chicoutimi, 24 juin 1956 –]

« Aventures en fusée »,
Énergie pure, vol. I, n° 1 (janvier 1983), p. 27-29 ; n° 2 (1984), p. 4-7 ; n° 3, [s. d.], p. 11-15 ; n° 4, [s. d.], p. 8-11 (SF) ; [s. l.], Édition [*sic*] Énergie pure, [1987], 53 p.

John Stoptalking, apprenti-contrôleur sur le vaisseau spatial *Fuseau Ardent,* descend avec son ami Edmond sur la planète Poussette malgré l'interdiction du commandant Poularde. Celui-ci arrive à leur rescousse et les délivre de l'étreinte sensuelle mais fatale d'une Poussettienne. Le commandant Poularde envoie John sur Euclidin, dans la capitale Télanox, afin de rembourser une dette de jeu. Mais John s'enivre dans une auberge et perd tout l'argent dans un duel au jeu de boules. On le contraint à laver la vaisselle. De retour dans la fusée, John est puni. Cependant des pirates attaquent le vaisseau. La bravoure de Théodilène sème la panique chez les pirates, qui quittent le *Fuseau Ardent* sans butin. Pour fêter la victoire, Gludule propose un pique-nique où chacun débat sur l'origine de la poutine. Une tempête électromagnétique éclate et oblige John et Gludule à se dévêtir, leur costume les rivant au sol. John est saisi en voyant le corps nu de Glodule et lui demande de l'épouser. Le commandant célèbre le mariage. John songe à l'avenir et aux multiples comptoirs-lunch offrant la poutine qu'il implantera dans tout l'univers.

« Légende vernie. Ceux-là d'ailleurs »,
Blanc Citron, n° 4 (1983), [n. p.]. (SF)

Au cours d'un voyage interminable, des compagnons découvrent le but de leur pérégrination.

POIRIER, Richard
[

« Le Dernier Arbre »,
Requiem, vol. I, n° 2 (1974), p. 9. (F)

Jost, le bûcheron, est maître du destin des arbres de la forêt. Cependant, il meurt mystérieusement le jour où il s'attaque à un énorme chêne plus que centenaire.

POTVIN, Mario
[

« Le Diable du lac Quesnel »,
Libertinons, Lévis, Polyvalente de Lévis, mai 1980, [n. p.]. (Hy)

Un paysan, Wells Tremblay, frappe le diable qui venait enlever le contrebandier Gilland. Le diable jure de se venger. Tous les malheurs s'abattent alors sur Wells. Un jour qu'il réfléchit au bout du quai, le diable lui apparaît et lui propose un pacte, mais Wells le pousse à l'eau et l'y maintient jusqu'à ce que Satan lui rende justice.

PRÉMONT, Henri
[

« Le Cerveau végétal »,
Requiem, n° 3 (vol. I, n° 3, février-mars 1975), p. 5-6. (SF)
Un ami journaliste conseille au narrateur d'aller voir un savant interné qui a une histoire bizarre à raconter. Le narrateur rend visite au vieillard de 74 ans, qui le reçoit d'abord avec méfiance. Puis, apprivoisé, le savant lui raconte que sa passion de la botanique et de l'électronique lui a fait découvrir que les plantes étaient comme des cerveaux et pouvaient résoudre des problèmes mathématiques aussi bien qu'un ordinateur. Il profite de son système électro-végétal pour s'enrichir aux courses en compilant les statistiques. Il s'achète un château et branche un bouquet d'arbres. Au printemps, il constate que le végétal communique par télépathie avec lui. L'arbre se met alors au service du savant, lui faisant, entre autres, gagner le gros lot à la loterie. À partir du 17 août, l'arbre demande à agir pour son compte et met en faillite toutes les entreprises forestières. Il sacrifie des humains pour sauver des arbres. Par hasard, un avion détecte un fort champ magnétique au-dessus du château. Les experts découvrent l'installation et expédient le savant en institution psychiatrique.

PROULX, Monique
[Québec, 17 janvier 1952 –]

« Impressions de voyage I »,
Sans cœur et sans reproche. Nouvelles, Montréal, Québec/Amérique, [1983], p. 7-12. (Collection « Littérature d'Amérique »). (Hy)
Benoit traverse le Cosmos, se retrouve dans la chaleur d'un utérus et naît.

« Am stram gram »,
Sans cœur et sans reproche. Nouvelles, Montréal, Québec/Amérique, [1983], p. 13-23 (Collection « Littérature d'Amérique ») (Hy) ;

Celebrating Canadian Women. Prose and Poetry By and About Women, edited by Greta Hofmann Nemiroff, [s. l.], Fitzhenry & Whiteside, [1989], p. 205-211. [Traduit sous le même titre par Yvonne M. Klein].

Marie Bilodeau, une institutrice, remplace une collègue dans une « classe spéciale » d'enfants ayant des problèmes affectifs. Elle leur demande leur nom : on lui fait remarquer qu'ils sont écrits sur des cartons devant les bureaux. Pourtant Marie est certaine qu'ils n'y étaient pas à son arrivée. Elle reçoit quelque chose derrière la tête et ses lunettes sont brisées sans qu'il soit possible de connaître le responsable de ce méfait. Elle tente alors de sortir de la classe pour aller chercher la directrice, mais est incapable d'ouvrir la porte. Au tableau, elle peut lire : « À MORT, MARIE BILODEAU » ; elle demande qui est l'auteur de cette phrase mais se fait répondre : « C'est pas nous, on ne sait pas écrire ! ». Tous se lèvent, et Marie a « le temps de voir qu'ils portaient tous, à l'épaule, le brassard rouge de la révolution ».

« Partir partir »,
Sans cœur et sans reproche. Nouvelles, Montréal, Québec/Amérique, [1983], p. 43-62. (Collection « Littérature d'Amérique »). (F)

Max, Ti-Cass et Benoît font un « trip » de drogue dans la chambre de Luc, le frère de Benoît. Ils hallucinent : dans l'une des hallucinations, Benoît voit la mort de son copain Max, qui se produira effectivement plus tard, de façon tragique. Pendant la nuit, Benoît entend de la musique provenant de l'extérieur : un vieil homme, un voisin, vêtu d'une vieille camisole blanche, sans manche, se trémousse bizarrement, en jouant d'un instrument indéterminé sur le balcon. Le vieux regarde Benoît qui recule, effrayé par ce regard. Plus tard, Benoît regarde à nouveau dehors et voit le vieux qui joue d'une espèce de flûte silencieuse et qui lui montre son instrument avec un « regard d'intelligence ». Benoît s'empare d'une flûte appartenant à Luc et se met à jouer ; sans savoir comment, ni pourquoi, il joue longtemps, de façon magnifique. Plus tard, une fois l'effet de la drogue estompé, Benoît apprend de Luc que ce balcon n'existe pas, qu'il n'y a pas de voisin mais une voisine et qu'il a acheté cette flûte à Tijuana, d'un vieil homme, un vieil Indien excentrique, mi-guérisseur, mi-musicien qui s'habillait toujours d'une vieille camisole blanche, sans manche et qui se trémoussait sous la pleine lune pour appeler les esprits.

« Derrière le soupirail »,
Sans cœur et sans reproche. Nouvelles, Montréal, Québec/Amérique, [1983], p. 63-69. (Collection « Littérature d'Amérique »). (Hy)

Françoise fait sortir ses chats siamois par un soupirail. Elle se rappelle avoir vu son père jeter Minou, son chat, dans la toilette, lorsqu'elle était petite. Ses gestes, son attitude, son aspect physique se rapprochent de ceux d'un siamois au point qu'on ne sait pas différencier qui d'elle ou de son chat bleu ronronne.

« L'Huile de cœur »,
Sans cœur et sans reproche. Nouvelles, Montréal, Québec/Amérique, [1983], p. 149-158. (Collection « Littérature d'Amérique »). (Hy)

Un fonctionnaire, Benoît Chose, travaille avec « Elle », un ordinateur, depuis vingt ans. Un jour, il ne vient pas travailler et Elle s'emballe jusqu'à son retour. On lui ordonne donc de ne plus prendre de congé. Elle renforce peu à peu son emprise sur Benoît. Un jour, il se révolte et lui dit qu'il aime une femme. Elle se cabre, hoquette. Benoît lui dit qu'il est inutile de pleurer, que d'autres viendront qui l'aimeront plus que lui. On retrouve par terre une « bouillie d'homme et de machine, à ne pouvoir distinguer l'un de l'autre ».

« Impressions de voyage (II) »,
Sans cœur et sans reproche. Nouvelles, Montréal, Québec/Amérique, [1983], p. 243-247. (Collection « Littérature d'Amérique »). (Hy)

Une femme, Françoise, raconte son coma, son agonie, sa mort, sa vie après la mort.

PROVENCHER, Marc
[10 août 1963 –]

« Yarque »,
Solaris, n°45 (vol. VIII, n° 3, juin-juillet 1982), p. 6-10 (SF) ;
Aurores boréales 1. 10 récits de science-fiction parus dans la revue *Solaris*, sous la direction de Norbert Spehner, [Longueuil], le Préambule, [1983], 73-87. (Collection « Chroniques du futur », n° 7).

Yarque écrit sur ordinateur un texte expliquant la mort horrible et rapide de personnes dont le masque est défectueux. Il change de programme et regarde les informations. On dénombre un grand total de suicidés ou d'accidentés à cause de l'air extérieur. Yarque décide d'aller dépouiller quelques cadavres de leur bonbonne d'oxygène. Dehors c'est la tempête de poussière. Les immeubles et les trottoirs se dégradent sous l'effet des éléments corrosifs. Yarque rencontre trois « enfants de gouttière » qui détroussent des cadavres. Il leur achète une bonbonne. Réfractaire, il ne prend aucune drogue antidépressive et évite les images subliminales.

Ailleurs, on observe Yarque sur un écran : on le voit se rendre au Bureau Gouvernemental des Suicides. Là, il est réduit en poussière, après qu'on lui ait retiré son eau pour en faire de l'oxygène et de l'eau potable.

« Continuum »,
Solaris, n° 50 (vol. IX, n° 2, mars-avril 1983), p. 48. (SF)

Une foule d'enfants silencieux alignés en spirale et tenant un fil reçoivent leur premier électrochoc de la journée pendant que le maître, dont ils n'entendent que la voix synthétisée, tente de leur mettre « un peu de plomb dans la tête ».

« Le Tour du bloc »,
Mœbius, n° 23 (1984), p. 29-31. (Hy)

Deux groupes d'enfants jouent à la guerre. Le petit Patrice est tué. Sa mère jette son corps à la poubelle en déplorant que ce soit le troisième enfant mort qu'on lui rapporte en deux semaines.

« Aplatir le temps»,
Espaces imaginaires II. Anthologie de nouvelles de science-fiction réunies par Jean-Marc Gouanvic et Stéphane Nicot, Trois-Rivières, les Imaginoïdes, [1984], p. 185-211. (SF)

Un étudiant au doctorat, Francœur, invente une machine qui permet à la fois d'explorer le temps et de multiplier les personnes et les objets. Puis il met au point un transporteur temporel, à l'usage des humains et de leurs clones, pour pallier la surpopulation. Ses contemporains envahissent le passé et le modernisent. Ulcéré de trouver le passé identique au présent, Francœur se projette dans le futur, trois millénaires en avant : cette époque aussi est à l'image de son siècle d'origine. Sa machine a aplati le temps : le présent règne partout.

« L'Arrivée des camions »,
XYZ. La revue de la nouvelle, vol. I, n° 2 (été 1985), p. 61-63. (Hy)

Pendant que la famille Cirque déjeune, des camions arrivent, des hommes en descendent et commencent à rouler et à enlever le décor. Ils entassent le tout dans des camions blancs et, quand la famille a fini de prendre le café, ils sont embarqués dans les camions et déménagés. Il ne reste qu'une grande étendue blanche, la page.

PROVENCHER, Marc. V. BARBE, Jean.

PROVENCHER, Normand
[

« Folie »,
Actualité, vol. XIII, n° 7 (juillet 1973), p. 44-48. (Hy)

Monsieur Kapobobski est emmené par des extraterrestres qui lui confient la mission de prévenir les humains que, dans un an, l'argent disparaîtra de la Terre. Puis, tout s'évanouit et M. Kapobobski se réveille dans son lit. Il change tout dans sa vie. Il tente, à la risée de tous, de convaincre le monde du danger qui l'attend. Il dilapide son argent personnel, mais sa famille intervient et le fait interner dans un asile d'aliénés. Un an après son internement, une très grave crise économique provoque la chute quasi totale de la valeur de l'argent sur la Terre.

PYC. V. CLERSAN, Pierre-Yves.

R

RABY, Georges
[Montréal, 24 juin 1934 –]

« L'Amour infini »,
Mœbius, n° 8 (3e trimestre 1979), p. 19-26. (SF)

En 2199, un homme sent quelque chose grandir dans son ventre. Des spécialistes lui ont parlé de grossesse nerveuse ou d'insectes extraterrestres qui se changent en humains pour pondre leurs œufs dans le ventre d'êtres vivants. Le narrateur en fait des cauchemars. Le jour de l'an 2200, il rejoint son amante au Dôme de l'Amour. Pendant la relation sexuelle, Élyse se transforme en énorme abeille, l'enveloppe dans un cocon qui s'envole dans l'espace vers une planète creuse. Il est mis en couveuse, alors que des insectes le déchirent et sortent de son ventre. Il meurt, mais sa métamorphose le fait quitter son corps humain pour se transformer en guêpe. Il s'envole vers Élyse ; ils font l'amour en volant et ils se dirigent vers la Terre pour transformer les autres.

« Le Corps nuptial »,
Mœbius, nos 10-11 (4e trimestre 1980), p. 57-68. (F)

Un homme assiste à une procession de moines-spectres qui l'invitent à se joindre à eux. Il prend place dans le cortège funèbre et son voisin lui dit qu'ils vont enterrer quelqu'un que le narrateur connaît bien. Celui-ci ne peut plus partir. Loin, hors de la ville, ils arrivent à un cimetière. Ils ouvrent la tombe ; à l'intérieur gît un enfant androgyne dont l'âme est celle du narrateur. Les moines l'invitent à s'unir à lui-même dans le cercueil pour passer une autre étape, pour « traverser la mort circulaire ». Il tombe dans la terre et s'unit à l'autre lui-même.

RAJIC, Négovan
[Belgrade (Yougoslavie), 23 juin 1923 –]

« Terre d'aucun homme »,
le Bien public, vol. LXIX, nos 26, 27 et 28 (30 juin, 8 et 15 juillet 1977), p. 4-5 (F) ;

Propos d'un vieux radoteur. Nouvelles, Montréal, Pierre Tisseyre, [1982], p. 103-113 ;

The Master of Strappado. Translated by David Lobdell, [s. l.], Oberon Press, [1984], p. 79-86. [Sous le titre « No Man's Land »].

Un soldat, Pierre R., est convaincu de la réalité de ses visions imaginaires, même si les autorités l'internent parce qu'il affirme avoir vu un semeur dans le no man's land, un champ de bataille, qu'il surveillait. Après la guerre, alors qu'il est interné à l'asile, il tombe par hasard sur une photo d'un ancien champ de bataille transformé en champ de blé. La photo comporte cette légende : « Bientôt, première moisson sur un ancien champ de bataille ». Il y voit une « preuve irréfutable de la déraison des hommes de ce monde » et de sa juste vision (ou plutôt prévision) de la réalité, il garde le secret sur cette vieille photographie. Il meurt assuré que « la beauté du monde est en nous ». Le narrateur omniscient écrit cette dernière phrase : « Dehors les étoiles brillaient, les cigales chantaient, les lucioles jouaient dans les champs, comme si le monde entier voulait donner raison à Pierre R. ».

Les Hommes-taupes. Récit,
Montréal, Pierre Tisseyre, [1978], 154 p. (Hy/Roman)

Dans un journal intime trouvé dans un hôpital psychiatrique, le rédacteur-narrateur-protagoniste écrit à l'époque où l'homme a réussi à créer un système basé sur « la Grande Idée », un monde où la Justice Géométrique a banni toute forme d'imaginaire. Le « héros » est enfermé dans un asile parce qu'il a vu des hommes s'enfoncer comme des taupes dans le sol. Ce monde ressemble, pour le narrateur, à celui de Jérôme B[osch], que le narrateur du journal aime beaucoup. Les autorités médicales et politiques gardent le « malade » enfermé parce qu'il refuse d'admettre ce qu'on veut le forcer à dire : qu'il n'a pas vu les hommes-taupes alors que lui est convaincu de les avoir vus. Dans ce monde, ces hommes-taupes sont une réalité occultée.

« Propos d'un vieux radoteur »,
Propos d'un vieux radoteur. Nouvelles, Montréal, Pierre Tisseyre, [1982], p. 5-101 (Hy) ;

The Master of Strappado, [s. l.], Oberon Press, [1984], p. 5-78. [Traduit par David Lobdell sous le titre « The Master of Strappado »].

Le narrateur-protagoniste, ce « rat auteur » surnommé dérisoirement Bienfaiteur, règne depuis des « temps immémoriaux » sur des métayers et des rats dans un lieu sinistre et désolé, nommé l'Estrapade. « Ce morne paysage de nulle part » désespère le narrateur dont l'ancien désir de grandeur, unir les hommes et les bêtes, a fait place à la crainte des rongeurs, qu'il croit de connivence avec les métayers et la lune elle-même. Tout au long du récit, le Bienfaiteur se sent pourchassé par la lune. Il joue par ailleurs plus d'un rôle, dont celui de la victime de la lune et des rats, mais il est – peut-être ? – le jouet de ses sens et de sa paranoïa. Le Bienfaiteur est, en fait, hanté par les fantômes des rongeurs qu'il a massacrés et il craint tout ce qui l'entoure. Il est surtout campé dans le rôle du bourreau des rats qu'il croit responsables de ses malheurs. Pour lui, il s'agit d'une lutte pour sa survie et surtout pour la sauvegarde de ses biens, de son blé et de son château, rongés par les rats. Il s'ingénie, pour cela, à créer toutes sortes de moyens pour décimer l'adversaire, inventant d'abord des outils plutôt grossiers (le gourdin, le poison, le piège) puis la cage. Son délire très organisé le conduit à mettre en place des armes plus sophistiquées pour se débarrasser de ses envahisseurs. Il instaure son propre système judiciaire, se faisant tour à tour juge d'instruction, greffier, avocat de la défense, procureur de la couronne et président du tribunal en plus de continuer à jouer son rôle de Bienfaiteur du peuple. Lors du procès, le procureur prouve *ab absurdo* que la lune est le « véritable patron » des rats et des métayers. Mais, ne pouvant mettre la lune en prison, le Bienfaiteur se tourne vers la science, plus précisément vers l'optique, pour capturer le corps céleste qui l'épie. Il rêve alors de fabriquer une boîte à image, sorte de prototype de l'appareil photo, qui emprisonnera la lune qu'il fera finalement sauter « avec une machine infernale ».

« Une histoire de chiens »,

Propos d'un vieux radoteur. Nouvelles, Montréal, Pierre Tisseyre, [1982], p. 115-146 (F) ;

The Master of Strappado, [s. l.], Oberon Press, [1984], p. 87-111. [Traduit par David Lobdell sous le titre « A Dog Story »].

Un homme, le narrateur, chercheur en optique, regrette de ne pas être peintre. Il a des visions étranges dans la rue : la plus troublante lui fait voir un dresseur, nommé V. Réglet, avec ses chiens savants. Une vieille dame tente de le convaincre, mais sans succès, de l'aider à protéger ces pauvres animaux. La nuit suivante, il tombe malade et subit des meurtrissures, comme celles que l'on infligerait à des bêtes que l'on dresse. Tout se passe comme si le narrateur subissait, par un transfert étrange, le sort des chiens de Réglet. Il apprend que Réglet a fini par être dévoré par ses propres chiens. Le narrateur revoit souvent les yeux rouges de Picot, une de ces bêtes, dont il découvre qu'elle est morte peu après, sans doute martyrisée, et qui poursuit mystérieusement le narrateur. Il s'établit une sorte d'osmose entre « cette présence invisible » du chien mort et l'opticien qui sait que « Picot n'existe que pour [lui]. Néanmoins, il existe ».

« Trois rêves »,
Propos d'un vieux radoteur. Nouvelles, Montréal, Pierre Tisseyre, [1982], p. 147-207 (F) ;

The Master of Strappado, [s. l.], Oberon Press, [1984], p. 112-161. [Traduit par David Lobdell sous le titre « Three Dreams »].

Dans un monde totalitaire où toute fantaisie, toute lecture, tout plaisir sont bannis, un fonctionnaire du Bureau de la Comptabilité et de la Réception des Traverses de Chemins de Fer d'État cherche désespérément à fuir un monde trop bien ordonné. En rêve (endormi, mort ?), il tente de retrouver des images de son passé : d'abord dans un restaurant, il mange du poisson, mais mastique du vide. Dans un deuxième rêve, son esprit se détache de son corps, mais de façon apparemment matérielle : il se dédouble et déambule dans les rues de la ville et cherche un endroit où manger. Dans un restaurant, il lui est interdit de lire une lettre. Chaque fois qu'il commence à la lire, il est expulsé du restaurant. Cette lettre, envoyée de manière confidentielle à 800 personnes par un homme très haut placé, les gens peuvent la manger, mais non la lire, ce qui est très dangereux. Il se retrouve à l'hôpital, car sa concierge, l'entendant délirer, avait fait venir une ambulance. Dans le dernier rêve, il décide de jouer un tour à ceux qui imposent l'ordre. Mais, en fait, il semble vouloir remonter à l'origine de sa vie, au fil de ses souvenirs. La recherche du père, de l'Ordre, était esquissée dans le deuxième rêve, mais ici tout tourne autour du temps et de son symbole pour lui : un vieux platane sous lequel, jadis, il avait suivi un cours de dessin. Pendant qu'un homme ramasse des feuilles mortes, il prend son envol et devient, aux yeux d'un promeneur, un cerf-volant. Toute sa vie, il avait rêvé de voler.

« Une soirée commémorative »,
En vrac (Trois-Rivières), n° 19 (1984), p. 13-15 (Hy) ;

Service pénitentiaire national. Nouvelles, [Beauport], les Éditions du Beffroi, [1988], p. 27-31.

Quelqu'un assiste à une soirée commémorative en l'honneur de Joseph K. et se rend compte du fait que l'homme, dont on fête le 100e anniversaire de naissance, est assis à côté de lui et écoute, triste, les commentaires que l'on fait sur son œuvre. Le vieillard sait qu'il a été reconnu et finit par disparaître, comme un fantôme, dans la cohue de la sortie.

« Un cas d'ubiquité »,
le Sabord, n° 6 (mars 1985), p. 22-23 (Hy) ;

Service pénitentiaire national. Nouvelles, [Beauport], les Éditions du Beffroi, [1988], p. 83-96.

Deux hommes, Éphrem et Amédée, se rendent à la ville de S. où on leur recommande de s'arrêter dans une auberge appelée *Aux deux ours*. Toutefois, arrivés sur place, ils se rendent compte qu'il y a deux auberges, *À l'ours blanc* et *À l'ours noir*. Éphrem va voir dans l'une et y trouve Amédée. Troublé, il se rend dans l'autre et y trouve encore son ami Amédée. Il croit que tout est double, même si on lui dit que cette auberge a deux portes et que c'est là une particularité de la ville de S.

« Les Dessous d'un fait divers »,
Écrits du Canada français, Montréal, [s. é.], n° 54, 1985, p. 119-131 (F) ;

Service pénitentiaire national. Nouvelles, [Beauport], les Éditions du Beffroi, [1988], p. 33-55 ;

Rampike (Toronto), vol. IV, n°s 3-4 (1985), p. 41-44.

Un illusionniste *mort* raconte comment lui est venue l'idée d'une trappe ouvrant sur un bain d'acide pour faire disparaître les conférenciers ennuyeux pendant les congrès. Il sera lui-même la première victime de sa découverte.

« Une soirée d'hiver »,
Écrits du Canada français, Montréal, [s. é.], n° 56,1985, p. 59-65 (Hy) ;

Service pénitentiaire national. Nouvelles, [Beauport], les Éditions du Beffroi, [1988], p. 69-82.

Le narrateur tient compagnie à M., son ami, pendant que sa mère va chercher du charbon. Elle rentre tard et avoue avoir confié l'argent à un homme qu'elle juge fiable. M. et le narrateur éprouvent des doutes sur la probité de cet inconnu, mais, juste avant le couvre-feu, l'homme arrive avec le charbon. La mère de M. croit qu'il s'agit de Joseph, le père de Jésus. M. et le narrateur en doutent.

RANCOURT, Suzanne
[

« Lettre d'un fantôme à Dracula »,
Libertinons, Lévis, Polyvalente de Lévis, mai 1979, p. 93-94. (Hy)

Fantôme Leblanc écrit à Dracula Desbellesdents pour lui rappeler les peurs qu'ils ont provoquées. Il lui annonce qu'il songe à accrocher son drap blanc pour de bon et l'invite à sa maison hantée boire un verre de sang.

RENAUD, Alix
[Port-au-Prince (Haïti), 30 août 1945 –]

« Microcosme »,
Québec-science, vol. XIV, n° 4 (décembre 1975), p. 21-30 (SF) ;

le Mari. Nouvelles, Sherbrooke, Naaman, [1980], p. 75-86 ;

Dix secondes de sursis. (Nouvelles), Marseille, le Temps Parallèle-Éditions [et] Sainte-Foy, les Éditions Laliberté inc., [1983], p. 63-77.

Bertrand Lessard se suicide parce qu'il entend continuellement une voix qui dit : « Microcosme appelle Macrocosme. Répondez ! ». Dans un laboratoire, des scientifiques se rendent compte que Lessard porte en lui un univers en réduction qui tente d'établir une forme de communication. On réussit à entrer en contact avec ce Microcosme mais on apprend en même temps qu'il ne lui reste que quinze minutes (30 000 ans à son échelle chronométrique) avant de mourir. Après avoir posé quelques questions au Microcosme, les scientifiques le laissent mourir en paix et quittent le laboratoire alors qu'il ne lui reste que deux minutes à vivre.

« Obsession »,
Madame, vol. III, n° 3 (juillet 1976), p. 55 (F) ;

le Mari. Nouvelles, Sherbrooke, Naaman, [1980], p. 7-13 ;

Dix secondes de sursis. (Nouvelles), Marseille, le Temps Parallèle-Éditions [et] Sainte-Foy, les Éditions Laliberté inc., [1983], p. 119-133.

Un homme entretient avec sa main droite une étrange relation amoureuse. Après un certain temps, il constate qu'elle échappe à son contrôle et commence alors à la craindre pour ses réactions et sa jalousie. Par peur qu'elle ne le blesse, il décide un matin de ne pas se raser, ce qui insulte et rend furieuse la main. Celle-ci se prépare à réagir, la nuit venue. Le lendemain, on découvre un individu mort étranglé dans son sommeil, sa main droite autour du cou.

« Le Visiteur »,
le Mari. Nouvelles, Sherbrooke, Naaman, [1980], p. 29-30. (F)

Un homme réfléchit sur lui-même et sur un « étrange visiteur » qui n'est peut-être que son ombre (l'ombre de ce qu'il est ? aurait pu être ? de ce qu'il a été ? de ce qu'il deviendra ?).

« Jehan-427-XL-P2 (facétie) »,
le Mari. Nouvelles, Sherbrooke, Naaman, [1980], p. 38-52. (SF)

Raskuft, le dernier-né avant le décret de l'avortement obligatoire (on a découvert le secret de la vie éternelle), devient un Maître tout-puissant qui fusionne avec la Machine Jehan-427-XL-P2 et repousse tous les humains hors de la Ville (ils ne peuvent revenir, un champ hertzien en bloque l'accès). Jehan capture un humain, Jacques, pour le conditionner et en faire un esclave, mais la manœuvre échoue et Jacques provoque la destruction de la Machine et de la ville. C'est un nouveau commencement pour les hommes et Jacques devient rapidement le maître et le dictateur de ses semblables.

« L'Hérétique »,
le Mari. Nouvelles, Sherbrooke, Naaman, [1980], p. 53-59. (SF)

Serge Martin, journaliste, dans un futur lointain, est traduit en procès pour s'être opposé au Saint-Ordre-Établi. À la fin de son plaidoyer, dénonçant la Richeclique et le ministère de La Sainte-Chose (qui prétend que le mariage a été institué par Dieu), il est condamné et brûlé sur la place publique devant une foule en liesse qui mange des *chips* et du maïs soufflé.

« L'Indicible »,
le Mari. Nouvelles, Sherbrooke, Naaman, [1980], p. 60-63 (Hy) ;

Dix secondes de sursis. (Nouvelles), Marseille, le Temps Parallèle-Éditions [et] Sainte-Foy, les Éditions Laliberté inc., [1983], p. 43-46.

Une entité, désignée par le pronom « Il », prend des formes diverses (pierre, arbre, fleur, insecte, couronne, chat, homme et créature indéfinie vivant au fond de la mer).

« Rétrogénésie »,
le Mari. Nouvelles, Sherbrooke, Naaman, [1980], p. 87-91 (F) ;

Dix secondes de sursis. (Nouvelles), Marseille, le Temps Parallèle-Éditions [et] Sainte-Foy, les Éditions La Liberté inc., [1983], p. 79-84.

Un homme décide de retourner en Haïti, qu'il a quitté cinq ans auparavant. Il s'habille comme il était à son départ et prend l'avion. De retour chez lui, il se rend compte qu'il est revenu cinq ans en arrière, avant son départ, et que le temps va maintenant à reculons : hier c'était demain.

« Diable en tête »,
Dix secondes de sursis. (Nouvelles), Marseille, le Temps Parallèle-Éditions [et] Sainte-Foy, les Éditions Laliberté inc., [1983], p. 47-62. (F)

Benoît Merleau, guérisseur, raconte qu'il a accepté de « travailler » avec Monsieur D., qui n'est autre que le Diable. Merleau peut guérir ceux qu'il veut, sauf les gens chez qui Monsieur D. apparaît à la tête du lit. Un jour, Merleau désobéit et fait tourner le lit d'un « monsignore » pour le guérir, malgré la présence du Diable à la tête du lit. Le Diable, pour le punir, prend Merleau à la place du « monsignore ».

« Phobos »,
Dix secondes de sursis. (Nouvelles), Marseille, le Temps Parallèle-Éditions [et] Sainte-Foy, les Éditions Laliberté inc., [1983], p. 89-118. (SF)

Grâce à des instruments branchés sur une « médium », Sherley Hayle, qui peut projeter son esprit dans l'espace, des scientifiques d'une base de recherches, Era von Danikes et Lehmann, voient l'intérieur du satellite Phobos : artificiel, il contient nombre d'appareils inconnus. On tente de percer le mystère et, finalement, lorsque Lehmann croit avoir compris à quoi servent les appareils inconnus, on se décide de tenter une opération télékinésique, pour agir à distance sur ces instruments. Ce geste se révèle être une erreur : en agissant de la sorte, les scientifiques ont déclenché, 3 000 ans trop tôt, le processus de réanimation des êtres en hibernation dans le satellite Phobos. Les êtres à l'intérieur de Phobos vont se réveiller et débarquer sur Mars 3 000 ans trop tôt. Ils sont condamnés et personne ne peut aller à leur secours.

« Dix secondes de sursis »,
Dix secondes de sursis. (Nouvelles), Marseille, le Temps Parallèle-Éditions [et] Sainte-Foy, les Éditions Laliberté inc., [1983], p. 119-133. (SF)

Des satellites disparaissent dans l'espace. Dans un centre de recherche de l'armée, on découvre peu à peu que l'univers se défend en produisant des anticorps qui font disparaître ce qu'il y a d'artificiel dans l'espace ; on prévoit que tout ce qu'il y a à la surface de la planète disparaîtra dans quarante-deux minutes. Au bout du décompte, rien ne se produit. On croit que les ordinateurs se sont trompés mais, en fait, c'est l'horloge qui a pris un retard de dix secondes. Au bout de ce temps, tout disparaît sur la Terre.

Merdiland. Roman,
[Marseille], le Temps Parallèle-Éditions, [1983], 68 p. (SF/Roman)

En 1996, Louis Dumas, contraint de séjourner quelques jours à Chrisdecoin, capitale du Merdiland, en rapporte le récit, un an plus tard. Entraîné par un guide touristique à visiter la ville, il s'y égare en essayant de sauver un enfant que le guide voulait malmener après avoir failli l'écraser. Il se réfugie avec l'enfant dans un palais qui n'est autre que la résidence de George Despreux, poète officiel de l'État de Merdiland. À la fois courtois et hostile, le poète offre l'hospitalité à Dumas dans le but de l'informer adéquatement sur Merdiland et sur sa dictature. De visites officielles en banquets, le poète fait voir à Dumas les différentes facettes du contrôle exercé par l'État sur les individus (divisés en castes), notamment et surtout par le biais de la consommation, la devise de l'État étant justement : « Je dépense, donc je suis », selon les mots du poète. D'abord réfractaire et se promettant de dénoncer ce totalitarisme, Dumas s'en retourne, convaincu des bienfaits de cette société où rien n'est laissé au hasard et où règne l'ordre total.

RENAUD, Chantal

[

« Demain nous serons jeunes »,

Châtelaine, vol. VIII, n° 7 (juillet 1967), p. 26-27, 59-60, 62-64. (SF)

À la fin de 1967, on découvre la pilule de non-vieillissement. Bientôt, tous seront âgés de 17 à 25 ans. Frédéric Bérard épous Caroline, qui le quitte sans amour avec ses cinq enfants en 2000. Il déprime et va se faire remonter le moral en institution. En 2005, il rencontre Marie, 16 ans, chez des amis. Il l'épouse, un mois plus tard. Ils ont onze enfants que Marie adore, mais qui deviennent vite plus intelligents et plus sérieux qu'elle. Elle se suicide vers 2034, lasse de ses 16 ans inutiles. Celle qui raconte cette histoire aime Frédéric depuis sept ans mais il meurt le jour où elle lui parle mariage.

RENS, Jean-Guy

[16 octobre 1946 –]

« Contribution à l'étude sur l'usage de la guillotine. (Mémoire) »,

Liberté, n° 162 (vol. XXVII, n° 6, décembre 1985), p. 22-34. (SF)

Le narrateur est pris dans une rafle avec tous les habitants de son immeuble puisque celui-ci a été identifié comme foyer de tension sociale. À sa grande surprise, au lieu d'être tué collectivement par radiations et ensuite expédié à l'usine d'épuration avec les autres, il est choisi au sort pour subir la mort par décollation pour garder la guillotine (objet conservé au Musée de l'homme) en bon état. Le narrateur, peu rassuré sur l'efficacité d'un tel procédé, demande de s'informer. Le lendemain, on procède à l'opération, mais le narrateur se relève et va chez son père (bien qu'il n'ait pas de tête). Il rédige un rapport où il fait état de sa situation : la mort n'est pas instantanée. La vie s'est réfugiée dans son corps, mais il ne souffre pas, cependant il s'affaiblit de plus en plus. Un deuxième narrateur, dans une lettre, explique que ce cas isolé ne permet pas de motiver l'ouverture d'une enquête scientifique. Le cas est classé.

REVELIN, Pierre

[

« Isaanne »,
Pour ta belle gueule d'ahuri, n° 5 (vol. III, n° 1, 1983), p. 23-24. (Hy)

Arthur Miller consulte une psychiatre parce qu'il n'arrive plus à voler. Dans le village d'Isarbo, la faible gravité permet de voler. Isaanne l'a laissé tomber à douze mille pieds... Mais n'est-ce pas Isaanne, la psychiatre, qui lui fait de l'œil avec son troisième œil ? La psychiatre décide de l'hypnotiser, mais c'est elle qui est hypnotisée par Miller. Plus tard, elle tente de le convaincre qu'il est sur la Terre, à Washington, et, dans ce rêve, il revoit l'autre Isaanne.

« Pas de quartier pour la lune »,
Pour ta belle gueule d'ahuri, n° 5 (vol. III, n° 1, 1983), p. 25-26. (Hy)

Une écrivaine a du mal avec ses personnages : « Tous mes personnages m'habitent, mais je suis leur prisonnière ». Elle a écrit l'histoire d'Ixa TÊTE DE VEAU et de Mirna, la première maire du premier quartier de lune. La narratrice, qui suppose que le lecteur a lu son livre, dit comprendre l'horreur du lecteur lorsque, à la page 923, il apprend « que Mirna, après une grossesse difficile qui dura près de neuf ans, accoucha en fin de compte... d'une petite maison prénommée « HABITA ». L'écrivaine, outre ses réflexions sur cet ouvrage, livre son journal intime (le premier est daté de l'an de grâce 28642 après Jésus-Christ et le dernier, de l'an de grâce 53000 après Jésus-Christ), dans lequel il est également question d'écriture.

RICARD, François
[Shawinigan, 4 juin 1947 –]

« Noël fatidique »,
le Nouvelliste, 46e année, n° 42 (19 décembre 1966), p. 22. (Hy)

Un 24 décembre, à Saint-Anselme, le diable vole la cloche de l'église. Depuis ce temps, les habitants de Saint-Anselme ont le cœur dur.

« Mistagance »,
Écrits du Canada français, Montréal, [s. é.], n° 38, 1974, p. 223-253. (F)

Intrigué par la mort mystérieuse de son ami P., D. se fait prêter par le père de P. le chalet familial, lieu du drame, dans l'espoir d'élucider le décès. Il met la main sur une sorte de journal que son ami avait tenu depuis le 28 juin jusqu'au 20 juillet, date de son décès. Ces notes révèlent que P. avait une perception transformée des choses : il y affirme que l'herbe, les cailloux, le sable, les pieds des arbustes vibrent et grésillent tout en paraissant immobiles, que les arbres sont creux, que les sentiers dessinent « un énorme chandelier baroque dont chaque branche, entrecroisée aux autres, reposerait fermement sur le socle – ou un grand arbre couché, au branchage en ombrelle, dont le tronc serait le sentier principal qui descend là-bas vers le lac, entraînant avec lui la sève de toutes ses ramilles ». Cinq jours avant son décès, P. a provoqué le lac en se plaçant face à lui et en luttant contre son attraction. Il a épuisé ses forces en résistant.

RICE, Denis
[

« Histoire de chasse »,
Kramer. Le fanzine du futur antérieur, n° 1 (1983), p. 4. (SF)

Sur une planète étrangère, des chasseurs tentent de capturer une Chose, un Animal, qui peut lire dans les pensées.

RICHARD, Jean-Jules
[Saint-Raphaël-de-Bellechasse, 19 août 1911 – Montréal, 2 mai 1975]

« Amiantis et Asbesta. Légende »,
le Devoir, vol. LXIII, n° 249 (28 octobre 1972), p. XLVIII-XLIX. (SF)

Quatre villes rebelles, Ferrum, Aluminia, Magnésiome, Silicatt, bombardent le territoire de l'Amiantide de métaux en fusion. En l'absence des hommes et aidée par les mères et les enfants, Asbesta entreprend de fermer le dôme qui surplombe le pays. Puis, accompagnée de trois adolescents de retour des mines, Asbesta s'enfonce dans la forêt et retrouve sa traîne d'eau et ses loutres, Amiantis et ses castors, et les politiciens. Asbesta suggère alors de faire construire un barrage par les castors afin d'inonder le pays. Asbesta et Amiantis prennent place sur une traîne d'eau ; Amiantis repousse, à l'aide de perches, les naufragés originaires des autres villes. « Au jour de la migration, un millier de femmes et de très jeunes enfants sont du voyage ainsi que deux gamins aux yeux grands et dont la poitrine est souvent déchirée par une toux creuse [...]. Il y a aussi un homme, un seul homme : Amiantis ». Les deux gamins refusent de partir, alléguant qu'ils souffrent de l'amiantose. Amiantis pousse alors Asbesta à l'eau en formulant le souhait qu'elle transmette l'amiantose aux hommes de l'avenir, quand ils découvriront ses restes dans des milliers d'années.

RIMLINGER, Nathalie
[

« Une odeur »,
Mœbius, n° 26 (automne 1985), p. 81-83. (F)

Une odeur nauséabonde chatouille la narine d'une écrivaine. Elle s'aperçoit que la puanteur provient d'elle-même, qu'« un cimetière à mouches pourri[t] [s]es entrailles ». Elle s'affaisse, morte.

RIVARD, J.-F.
[

« La Fille et les Monstres »,
Empire, n° 4 (1983), p. 28. (Hy)

Le narrateur tue le poisson qu'il vient de pêcher, puis un homme qui l'invite à le suivre se transforme en monstre. Le narrateur le tue. Ensuite, une fille à la figure en constante métamorphose lui apparaît, disparaît, puis revient. Le narrateur est poursuivi par un monstre, mais il le tue en tuant le monstre en lui. La fille lui dit que les monstres n'existent pas vraiment parce qu'on peut les tuer. Le narrateur s'approche de la fille qu'il enlace : il se retrouve seul avec un poisson monstrueux au bout de sa canne à pêche et il va le tuer parce que les monstres n'existent pas.

RIVET, Vincent
[

« Icare »,
Requiem, n° 1 (vol. I, n° 1, septembre 1974), p. 7. (F)

Icare brûle ses ailes au soleil et tombe. Toutes ses plumes brûlées, « il ne lui rest[e] plus que les tiges centrales ». Après une période de repos, il s'aperçoit que des poils ont remplacé ses plumes. Après une seconde phase de sommeil, il trouve son corps sans poil. Ses bras ont raccourci. Il a à ses côtés une femelle à peau lisse et tous deux marchent côte à côte.

« Le Campeur »,
Requiem, n° 2 (vol. I, n° 2, 1974), p. 5. (F)

La nuit venue, un campeur dresse sa tente sur un terrain inconnu. Avant de s'endormir, il est victime d'une hallucination où il voit un pendu. Au matin, en démontant sa tente, il découvre une pierre marquée d'une inscription : « À la triste mémoire du suicidé de notre village, moi ».

« Pour une pinte de bon sang »,
Requiem, n° 4 (vol. I, n° 4, avril-mai 1975), p. 9. (Hy)

Les dirigeants d'un pays exportent « de grandes quantités de sang frais aux affamés des Carpathes et de Roumanie ».

ROBERGE, Marc
[2 septembre 1927 –]

Les Affres des ressuscités des Trois-Cimes. Roman,
Montréal, la Société de belles-lettres Guy Maheux inc., [1975], 179 p. (SF/Roman)

Antoine Clouthier, major-espion, raconte à un psychiatre une mission qu'il a effectuée. Chargé d'entrer secrètement dans le laboratoire ultra-secret du professeur Léo Levane, dans les Laurentides, avec un collègue, René Lefebvre, ils sont capturés et « meurent » en franchissant le champ de force qui les retenait dans leurs cellules. Sous la forme d'une petite flamme, Clouthier se « réincarne » durant le jour dans des corps décédés (clochard, femme...) et revient dans le laboratoire, la nuit. Levane entre en contact avec les deux « flammes » (Clouthier et Levane) poursuivies par des spectres translucides. Levane fait quelques expériences scientifiques et leur permet de réintégrer leur corps réparés et ressuscités, après avoir gagné, avec l'aide de ses robots, une bataille engagée contre les spectres translucides, Drago et ses semblables : des spectres-fantômes-pirates de l'espace qui veulent envahir le monde.

ROBERT, André-Guy
[

« La Gravité »,
Mœbius, n° 23 (1984), p. 3-10 (Hy) ;
Solaris, n° 61 (vol. XI, n° 1, mai-juin 1985), p. 34-36.

I. Un être volant se désole de la médiocrité de ses semblables. II. Un prédateur, doté d'un aiguillon et d'une queue, décrit les sentiments qu'il éprouve à l'égard de ses proies (des insectes). III. Un être du règne animal garde sa tête dans le sable pour se dérober à la vue de ses ennemis. IV. À la recherche de l'illumination, un homme rampe dans un tunnel.

ROBITAILLE, Claude
[Montréal, 18 juin 1946 –]

« Les Bruits »,
Écrits du Canada français, Montréal, [s. é.], n° 26, 1969, p. 157-162. (F)

Les bruits entendus par le narrateur dans son appartement le conduisent à soupçonner que les objets inanimés sont doués d'une existence propre.

« Les Chiffons »,
Écrits du Canada français, Montréal, [s. é.], n° 26, 1969, p. 163-168. (F)

La nuit, le narrateur s'absorbe dans la contemplation de Johanna, sa maîtresse, qui dort dans le lit. Au matin, il constate « [l]a liquéfaction, [l]a dissipation dans les draps froissés du lit » de Johanna : celle-ci se transforme en chiffons.

ROCHON, Esther [née **BLACKBURN**]
[Québec, 27 juin 1948 –]

« L'Initiateur et les Étrangers »,
Marie-Françoise. Journal des élèves du Collège Marie-France (Montréal), vol. V, n° 1, [décembre 1964], p. 4-6. [Sous le nom d'Esther BLACKBURN] (SF) ;

Imagine..., n° 38 (vol. VIII, n° 3, février 1987), p. 102-109. [Sous le nom d'Esther BLACKBURN, précédé d'une présentation d'Esther ROCHON, p. 100-102].

Des extraterrestres débarquent sur la Terre et détruisent tout, grâce à un gigantesque cercle de feu. Ludwig, habitant de Mexico, semble être l'unique survivant. Il rencontre les envahisseurs, qui ont pris forme humaine et qui lui proposent de voyager dans le temps terrestre et de lui donner une nouvelle identité et un nouveau corps. Ludwig refuse. Les conquérants apprennent toutefois, grâce à lui, quelques notes de la gamme des émotions humaines. Puis Ludwig se dirige vers le Pacifique. À cet endroit, il fait la rencontre d'autres survivants : un équipage de sous-marin atomique revenu d'expédition. Il se joint à eux.

En hommage aux araignées,
Montréal, l'Actuelle, [1974], 127 p. (SF/Roman) ;

[Montréal], Éditions Paulines, 1986, 123 p. (Collection « Jeunesse-Pop »). [Avec variantes. Sous le titre *l'Étranger sous la ville*] ;

Aartselaar (Belgique), Zuidnederlandse Uitgeverij N. V., 1987, 94 p. (Collection « Deltas »). [Traduit en néerlandais par Dirk Selleslagh sous le titre *De Vreemderling Onder de Stad*].

La narratrice, Anar Vranengal, raconte l'arrivée de Jouskilliant Green, originaire d'Irquiz, à Frulken, capitale de Vrénalik – île désolée où vit le peuple déchu des Asven. Après un séjour de quatre ans parmi les habitants de Frulken, Green, désenchanté de tout, se retire en solitaire dans les caves de la Citadelle. Dix-sept ans plus tard, Anar Vranengal, remplaçante du sorcier Ivendra Galana Galek, libère de sa cave le reclus, qui la fait accéder à une certaine maturité en la sensibilisant aux problèmes touchant l'avenir de Vrénalik et en lui octroyant les caves de la Citadelle.

« L'Étoile de mer »,
Fantasy Specialist (Montreal), n° 5 (Summer 1975), p. 2-7 [catalogue d'éditeur] (SF) ;

Solaris, n° 47 (vol. VIII, n° 5, septembre-octobre 1982), p. 20-21 ;

le Traversier, [Montréal], la Pleine Lune, [1987], p. 101-114 ;

Magic Realism. An Anthology edited and with an introduction by Geoff Hancock, Toronto, Aya Press, [1980], p. 149-154. [Traduit par Alexandre Amprimoz sous le titre « The Starfish »].

Lorsqu'Annie rêve, elle voit souvent l'océan et des étoiles de mer aussi grandes que des hommes. Lorsqu'elle s'éveille, elle se remémore un certain été à la mer avec des copains. Très tôt, Michel s'était mis à l'écart du groupe. La mer lui faisait « un drôle d'effet », confirme-t-il à Annie. Il en vint à ne plus sortir de sa chambre où les autres le trouvèrent, un soir, très changé. Il respirait, mais ne bougeait plus. Sa peau était flasque et grise. Avec horreur, ses amis constatèrent qu'il était un mutant, un de ces monstres infectés par une guerre nucléaire survenue dans les États du Nord du pays. Dans le Sud, on éliminait sans remords ces monstres par souci d'espace et de qualité de vie. Chargée de surveiller Michel alors que les autres étaient allés chercher les policiers, Annie assiste à la métamorphose de Michel. Il se déplace jusqu'à la plage et là, il se transforme en une gigantesque étoile de mer rouge qui s'enfonce dans la mer.

« L'Escalier »,
la Nouvelle Barre du jour, n° 89 (avril 1980), p. 13-21 (Hy) ;

le Traversier, [Montréal], la Pleine Lune, [1987], p. 91-100.

Une jeune femme, Vrilis, s'est engagée dans la montée d'un escalier qui semble sans fin. Les nuages et le brouillard qui l'entoure presque continuellement l'empêchent de voir ce qui l'attend là-haut. À ses pieds, la mer qui monte, parfois lentement, parfois avec rapidité, l'oblige à gravir sans cesse les marches à un rythme inégal. Nourriture et vêtements lui sont parfois fournis dans des sacs jaunes, déposés le long de l'escalier par une « main invisible », mais secourable. Lorsque la mer lui laisse un répit, Vrilis peut voir des moments de sa vie dans la ville qu'elle soupçonne être sous l'océan qui la poursuit. Plus elle avance, plus elle s'adapte à ce nouveau mode de vie et les visions de sa ville et de sa famille se font plus présentes. Elle se voit aller au marché, faire l'amour avec son mari, devenir veuve, sans cesser son jeu de vie et de mort avec l'océan, dans l'escalier. Un jour (après des semaines ? des mois ?), elle arrive au sommet : un palier qui ne débouche sur rien. Une vision d'elle-même, entourée de ses enfants à l'hôpital, la trouble sans l'inquiéter. Après tout, le monde de l'escalier, de l'eau, du vent semble tout aussi réel...

« Le Labyrinthe »,
Imagine..., n°s 8-9 (vol. II, n° 4, été 1981), p. 9-24 (SF) ;

les Années-lumière. Dix nouvelles de science-fiction réunies et présentées par Jean-Marc Gouanvic, [Montréal], VLB éditeur, [1983], p. 207-229 ;

le Traversier, [Montréal], la Pleine Lune, [1987], p. 7-32.

Trois femmes, désireuses d'accéder au centre du labyrinthe, empruntent des parcours différents et parviennent toutes trois au terme de leur voyage. Les deux premières revoient des hommes qu'elles ont aimés ; la dernière rencontre l'une des deux autres femmes, qu'elle ne connaît pas.

« Le Traversier »,
Espaces imaginaires I. Anthologie de nouvelles de science-fiction réunies par Jean-Marc Gouanvic et Stéphane Nicot, Montréal, les Imaginoïdes, [1983], p. 67-73 (SF) ;

le Traversier, [Montréal], la Pleine Lune, [1987], p. 33-46.

Tsenma, comptable à l'entrée H – Y de la ville de Sils dans le monde appelé Tracline, visite le labyrinthe à bord du traversier où travaille son amant. Tous deux réussissent à atteindre le centre du labyrinthe après avoir médité ces mots : « Si le centre existe, qu'il se manifeste ici ! ».

« Nourrir les fantômes affamés »,
Pour ta belle gueule d'ahuri, n° 6 (vol. III, n° 2, 1983), p. 31-33 (SF) ;

Aurores boréales 2. 10 récits de science-fiction, sous la direction de Daniel Sernine, [Longueuil], le Préambule, [1985], p. 75-80. (Collection « Chroniques du futur », n° 2). [Sous le titre « Xils »] ;

Tesseracts 2. Edited by Phyllis Gotlieb & Douglas Barbour, Victoria, Toronto, Porcépic Books, [1987], p. 113-117. (« Canadian Science Fiction »). [Traduit par Lucille Nelson sous le titre « Xils »].

Une jeune femme de vingt-cinq ans exerce le rôle de gardienne dans la ville de Montréal, envahie par les Xils, sorte d'êtres extraterrestres polymorphes. Elle empêche les contacts entre les humains et les Xils et voue aux deux races un égal mépris. Pourtant, un soir, elle décide d'aller fraterniser avec les Xils.

« La Double Jonction des ailes »,
Continuum (Université de Montréal), vol. VII, n° 11 (14 novembre 1983), p. 13 (SF) ;

Fiction spécial (France), n° 34 (1984), p. 159-170. [Une anthologie de Stéphane Nicot, intitulée Futurs intérieurs. Douze récits de science-fiction et de fantastique d'auteurs de langue française] ;

Imagine..., n° 29 (vol. VI, n° 6, août 1985), p. 37-47 ;

le Traversier, [Montréal], la Pleine Lune, [1987], p. 47-64.

Irix vit dans le labyrinthe depuis sa naissance. Par l'un des corridors, il a accès à Vuln, le monde « du dessus », territoire dévasté par les guerres. Irix fait partie des équipes de sauveteurs. La plupart de ceux qu'il rencontre acceptent l'aide du peuple du labyrinthe, certains la refusent. Irix, qui ne comprend pas la folie des Vulniens à s'entretuer, admire leur passion, leur goût de vivre. Lui, il cherche toujours un sens à son existence. Il est un « inclassable », comme sa mère. Très jeune, il a eu accès aux secrets les plus profonds du labyrinthe. Une nuit, dans un voyage imaginaire, où sa sœur, sa mère et lui parcourent le labyrinthe sous la forme d'une libellule, il leur est permis d'entrer dans un des centres. Ils y découvrent une gemme splendide, la pierre de la justice. Le matin, au réveil, seuls sa mère et lui se souviennent de cet endroit secret, ce centre qui s'appelle la double jonction des ailes. Dès lors, ils sont des inclassables. Depuis, Irix se sent à l'étroit dans son monde natal. Un jour qu'il écoute la musique plaintive d'un pianiste vulnien rescapé du désastre, il réfléchit à toutes les misères (cruautés, abandons, destructions) que le peuple de Vuln s'inflige à lui-même, parce que ses passions l'empêchent d'aplanir ses divisions internes. Il pleure sur eux et ses larmes produisent une gemme magnifique, en tout point semblable à la pierre de justice. Jamais il n'a pleuré une telle pierre depuis que sa mère leur a montré comment faire à sa sœur et à lui. Cela est un signe : Irix comprend qu'il doit, en fait, vouer son existence à aider les Vulniens à reconstruire leur monde dans l'harmonie.

« L'Enclave »,

Imagine..., n° 21 (vol. V, n° 4, avril 1984), p. 17-19 (SF) ;

le Traversier, [Montréal], la Pleine Lune, [1987], p. 83-90.

Une femme vit sur la planète Initz dans le confort et une certaine aisance financière. Son monde, dont les habitants font partie de classes privilégiées, fait la guerre à la planète Ourillia. Régulièrement, des fusées contenant bombes et militaires décollent d'Initz pour répandre la désolation sur Ourillia. Mal à l'aise devant ces gestes d'une violence qu'elle ne peut dénoncer tout haut dans un univers au conformisme étouffant, elle confie à son journal ses pensées critiques, « petite enclave de vérité dans l'enclave de nos habitudes plus ou moins meurtrières ».

« Petite Ballade orwélienne »,

le Devoir, vol. LXXV, n° 268 (17 novembre 1984), p. XV. (Cahier 5 « Avons-nous vécu *1984* »). (SF)

Tred et Ank, deux voyageurs temporels, provenant de l'an 2930, viennent étudier la ville de Montréal. Ils établissent des rapports entre l'état de la culture à Montréal, en 1984, et celle de Londres dans le roman de George Orwell, *1984*.

« Au fond des yeux »,

Espaces imaginaires III. Anthologie de nouvelles de science-fiction réunies par Jean-Marc Gouanvic et Stéphane Nicot, Trois-Rivières, les Imaginoïdes, [1985], p. 83-107 (SF) ;

le Traversier. Nouvelles, [Montréal], la Pleine Lune, [1987], p. 139-188.

Grâce à la complicité de Peter et de Martenaas, Corinne et Francis libèrent les Voulques, extraterrestres retenus captifs sur Terre (dans un futur non précisé) par un groupe d'extrême-droite baptisé « les Lumières de l'Éternité ». Les Voulques quittent la Terre en compagnie de Corinne et de Francis.

« Le Piège à souvenirs »,

Dix nouvelles de science-fiction. Avant-propos d'André Carpentier, [Montréal], Quinze, [1985], p. 147-164 (SF) ;

Anthologie de la science-fiction québécoise contemporaine. Introduction et choix de textes par Michel Lord, [Montréal], BQ, [1988], p. 157-174. (« Bibliothèque québécoise, Littérature »).

Guidé par Thomas, alias l'Homme-de-sable, un ancien émigré, Thyis et Manévrim quittent Vélissi pour échapper à une nouvelle glaciation et se rendent à Staritt, parmi les Alrimes, grâce à une permission de ces derniers. Ils nettoient la route qui sépare les deux villes avec l'aide du piège à souvenirs. Thomas, Thyis et Manévrim font l'objet d'une expérience de la part des Alrimes.

L'Épuisement du soleil. Roman,

[Longueuil], le Préambule, [1985], 270 p. (Collection « Chroniques du futur », n° 8) (SF/Roman) ;

Un extrait parut dans *Odyssée* (Bruxelles), n° 8 (1978), [n. p.] ;

[Des extraits parurent dans *Imagine...*, n° 1 (vol. I, n° 1, septembre-novembre 1979), p. 9-35 ; n° 2 (vol. I, n° 2, décembre 1979-janvier 1980), p. 18-45 ; n° 4 (vol. I, n° 4, juin 1980), p. 78-109 et n° 5 (vol. II, n° 1, septembre 1980), p. 63-90] ;

Munich, Heyne Bücher, 1977, 122[2] p. (Collection « Science Fiction. Fantasy », n° 3555). [Traduit en allemand par Otto Martin sous le titre *Der Traümer in der Zitadelle* et reproduit en français dans une autre version, dans *l'Épuisement du soleil,* p. 53-155, sous le titre « le Rêveur dans la citadelle »].

Dans un prologue, un ancien serviteur des prêtres du dieu Haztlén confie à une serveuse de bar qu'il a rendu inaccessibles le temple et la statue du Dieu. Puis Taïm Sutherland, un jeune homme d'Ister-Inga, une ville moderne et oppressante dans un pays du Sud, décide de partir vers le Nord. À Ougris, il rencontre une jeune femme, Chann Iskiad, qui le mène vers les îles de l'archipel de Vrénalik, à la culture archaïque. Dans un livre offert par Chann, *le Rêveur dans la citadelle*, véritable récit dans le récit, il en apprend davantage sur l'Archipel : aux temps anciens, le roi Skern Strénid, désireux de refaire l'économie de Vrénalik, fait venir le vieux Ftar pour ses connaissances sur la drogue farn. Prise par des Rêveurs entraînés correctement, cette drogue procure un pouvoir que le roi espère utiliser. Ftar choisit le paradrouïm (sorcier) Shaskath, qui, avec l'entraînement, devient capable de commander aux éléments ; il rencontre Inalga, l'épouse de Strénid, déçue par son mari et insatisfaite de sa vie à Vrénalik. Elle s'enfuit avec des dissidents politiques à bord d'un bateau que Strénid poursuit avec le Rêveur Shaskath à bord du sien. Ce dernier refusant d'arrêter le bateau des fugitifs en utilisant ses pouvoirs, le roi le fait tuer, mais, en mourant, il rend leur liberté aux éléments. Inalga prophétise alors les cataclysmes naturels qui vont s'abattre sur l'Archipel ; de surcroît, les habitants seront incapables de quitter les îles ; seule la statue perdue du dieu Haztlén, une fois retrouvée, les libérera. Toutes ces prophéties se sont réalisées au moment où Taïm lit le livre, sauf la dernière. Il se fait déposer sur une côte déserte et glacée de Vrénalik et s'installe à la Citadelle de Frulken, où il rencontre Anar Vranengal, dont il devient l'amant. Il rencontre aussi le sorcier Ivendra, le maître de celle-ci, qui reconnaît en lui l'homme de la prophétie annonçant la récupération de la statue d'Haztlén. Au milieu d'une tempête, Taïm retrouve enfin la statue. Il la porte jusqu'à Fulkren, où elle est réduite en poussière par les habitants et brûlée à minuit, heure de l'épuisement du soleil, annonçant ainsi des temps nouveaux pour Vrénalik.

Coquillage,

[Montréal], la Pleine Lune, [1985], 145 p. (SF/Roman) ;

[Un extrait, correspondant aux pages 16 à 25, parut dans *Imagine...*, n° 17 (vol. IV, n° 4, juin-juillet 1983), p. 51-54. Le texte du roman comporte des modifications].

Dans un pays imaginaire, un couple d'adultes, François Drexel et Xunmil, se retrouve au bord de la mer pour évoquer ses souvenirs des événements qu'ils ont vécus ensemble dans un coquillage, un énorme nautile installé là depuis très longtemps et dont la coquille elle-même a été habitée par Thrassl, le père naturel de François, Irène Drexel, sa mère et Vincent Pralitt, alors amant de celle-ci, engagé pour aménager la coquille, puis, un peu plus tard Xunmil, engagée comme femme à tout faire. Le coquillage est habité également par une énorme créature vivante, intelligente, venue de l'océan, et qui procure des plaisirs érotiques extraordinaires à ses « amants », dont Thrassl a été le dernier en date. Des relations érotico-amoureuses étranges, plaisir et déréliction mêlés, se sont nouées entre Thrassl et le nautile, relations dont Irène et Vincent sont les complices compréhensifs ; la jeune Xunmill devient la maîtresse de Thrassl, mais déteste le coquillage dont elle constate l'influence néfaste sur la santé de celui-ci. Lorsque les enfants du nautile naissent de Thrassl, à l'article de la mort, elle en tue un et essaie de s'enfuir ; le nautile l'en empêche d'abord, mais la laisse finalement aller en la mutilant seulement au pied droit. Après quoi, Irène et Vincent partent sur l'océan avec le nautile transformé en barque. Devenue plus tard la secrétaire de François Drexel qui l'a recueillie, Xunmil est tombée amoureuse de lui sans qu'il ne lui accorde en retour cette même affection : il est lui-même depuis son enfance très attiré par le nautile, ce qui a causé sa rupture avec Thrassl. Fatalement malade, il est donc retourné au coquillage, avec Xunmil. Mais une lumière apparaît dans la nuit : le nautile revient avec Irène pour les emporter avec lui vers le centre de la mer : François est sauvé et Xunmil, pardonnée.

ROCHON, Gaétan
[Saint-Ambroise de Kildare, 18 décembre 1939 –]

« La Saga de Prom, le mutant »,
Requiem, vol. I, n° 4 (avril-mai 1975), p. 10. (Hy)

Un mutant veut dérober le feu du ciel. Il y parvient, mais les dieux en meurent.

RODRIGUE, Gilbert
[

« Suite et Fin »,
Requiem, n° 1 (vol. I, n° 1, septembre 1974), p. 10. (F)

Dans un extrait de journal intime, publié dans le *Time Magazine* du 2 août 1984, sont retracés les événements qui ont coûté la vie à William Friedkin et à sa femme ainsi qu'à un ami du couple, William Peter Blatty. William Friedkin cherchait une jeune fille pour figurer dans un film qu'il allait bientôt produire, *The Exorcist*. Or, sa fille justement, Jane, « cadrait bien dans le rôle ». Étant donné le caractère tout à fait spécial de cette production, le père décide de ne pas présenter le produit fini à sa fille. Il le fait lorsqu'elle a dix-neuf ans ; trois semaines plus tard, Jane commence à se comporter de façon étrange. Un soir, réveillé par des bruits, Friedkin ouvre la porte de la chambre de sa fille et voit celle-ci « dormant dans une pièce en folie ». Après avoir été projeté hors de la chambre, Friedkin s'évanouit juste après s'être souvenu que « la première scène du film tourné huit ans plus tôt commençait ainsi ».

« Une vieille dame »,
Requiem, n° 2 (vol. I, n° 2, 1974), p. 6-7. (F)

Après quinze années de recherches, un homme réussit à rassembler les preuves irréfutables de l'existence d'une société démoniaque ayant des pouvoirs dangereux. Un soir d'orage, une vieille dame arrive à l'improviste pour soigner son doigt ensanglanté. Après son départ, d'étranges événements surviennent : les documents rassemblés s'effritent et des démons harcèlent le chercheur, qui se souvient subitement que la visiteuse, malgré la pluie, n'était pas mouillée. Ces phénomènes angoissants affectent l'homme d'une trentaine d'années au point de lui donner l'apparence d'un véritable vieillard. Un an jour pour jour après cette nuit mouvementée, l'homme prépare sa vengeance quand, au dehors, par un soir d'orage, les mêmes événements semblent très exactement se répéter.

ROHAN, Daniel

[

« Le Marais »,
Empire, vol. I, n° 1 (1982), p. 11-12. (F).

Owen navigue dans un marais maudit. Soudain, une jeune femme nue lui apparaît. Elle s'installe dans sa barque et lui dit avoir faim depuis longtemps. Comme Owen se dirige vers sa cabane, l'angoisse l'étreint de plus en plus. Soudain, il entend la voix du marais s'exprimant par la bouche de la femme qui lui dit combien elle le désire. Owen la pousse dans le marais ; il entend ses cris et regarde la femme retourner d'où elle venait. Ce n'était pas la première ruse du marais.

ROULEAU, Marc-François

[Montréal, 28 décembre 1961 –]

« Le Monstre de la craie »,
Carfax, n° 1 (mars-mai 1984), p. 26. (F)

Pendant un cours, un élève, le narrateur, regarde les traces de craie sur le tableau. Celles-ci prennent soudainement la forme d'un monstre à la gueule béante qui ingurgite l'enseignant. Le narrateur sort en courant. Les autres étudiants rient de lui, mais il remarque qu'ils sont bizarres et ont le teint blême, blanc de craie.

« Une crème de menthe religieusement apprêtée »,
Carfax, n° 2 (vol. I, n° 2, été 1984), p. 14-15. (F)

Le narrateur déplore qu'aucune fille de bureau ne s'intéresse à lui. Il marche dans la rue à la recherche d'une femme qui lui ferait signe. Derrière la fenêtre d'un troisième étage, une femme nue lui sourit. Intéressé, il se précipite dans l'escalier. La femme lui ouvre la porte, le reçoit en deshabillé noir. Elle lui offre à boire un liquide verdâtre. Il se sent engourdi, pendant qu'elle s'avance vers lui, découvrant « ses deux canines effilées » de vampire.

« Le Cœur de la belle »,
Carfax, n° 3 (automne 1984), p. 6-7. (F)

Un homme déterre la tombe de sa femme, morte seize mois plus tôt. Avant de mourir, elle lui avait dit que son cœur battrait toujours pour lui et c'est ce qu'il va vérifier. Il atteint le cercueil, défonce le couvercle et découvre le squelette sur lequel pendent des lambeaux de chair en putréfaction. Au fond, une masse rouge palpite de vie. L'homme hurle, le cœur éclate.

« Où êtes-vous donc ? »,
Carfax, n° 5 (2e année, mars 1985), p. 49-50. (SF)

Deux robots sont en mission sur la Terre, à New York, pour retrouver des explorateurs qui avaient été envoyés, dans le but de vérifier si la vie était disparue de la surface terrestre. L'un voit une bouche d'égout bouger mais l'autre ne le croit pas. Retournant à leur capsule, ils sont attaqués par un corps souterrain dont les tentacules sortent par des bouches d'égout.

ROULEAU, Marc-François. V. LACROIX, Pierre D.

ROUSSEAU, Normand
[Plessisville, 7 juillet 1939 –]

La Tourbière. Roman,
[Montréal], la Presse, [1975], 174 p. (Collection « Écrivains des deux mondes ») (Hy/Roman) ;

[Montréal], les Éditions la Presse, [1982], 191 p. (Collection « Québec 10/10 », n° 61).

Le narrateur raconte le mystère entourant l'existence d'un être monstrueux emprisonné dans la cave familiale. Il décrit la vie du village, de ses habitants frustres et de sa sorcière rousse, perçue comme une créature satanique, de laquelle il s'éprend et a un enfant. Il a l'impression de s'enliser dans une tourbière sanglante.

« L'Examen médical »,
Écrits du Canada français, Montréal, [s. é.], n° 40, 1976, p. 173-179 (Hy) ;

Dans la démesure du possible. Nouvelles, Montréal, Pierre Tisseyre, [1983], p. 163-171.

Hercule Virgule passe un examen général. Une machine lui retire sa peau, détache muscles, organes, viscères ; il est littéralement désossé et, bien que se sentant mal à l'aise, il reste parfaitement conscient. On lui demande de se rhabiller. Dans le bureau du médecin, Hercule se désintègre et se dilate en attendant le diagnostic. Puis, satisfait de la réponse, il s'en retourne.

« Le Miroir »,
« *Écrits du Canada français* », Montréal, [s. é.], n° 40, 1976, p. 192-204. (F)

Hercule Virgule observe sa propre image reflétée dans un miroir et la regarde avec stupeur devenir autonome, puis disparaître. Lorsqu'elle apparaît, elle lui présente une image de son adolescence qu'il revivra au fil de cette vision. Quand l'image disparaît, à la fin, il entre lui-même dans le miroir et y disparaît.

Le Déluge blanc,
[Montréal], Leméac, [1981], 219 p. (Collection « Roman québécois », n° 50). (F/Roman)

Orval Bélanger, homme, professeur de paléontologie à l'Université de Montréal, se retrouve seul dans sa maison de banlieue, un 29 avril, alors qu'il neige depuis trois jours. Il ne se rappelle pas exactement pour quel motif sa femme l'a quitté, ce matin-là, mais il se met à entendre de drôles de bruits dans la maison. Il s'imagine qu'il s'agit d'un rat et décide de lui livrer une lutte de tous les instants. Il perd alors le sens du temps et, peu à peu, semble-t-il, la raison. Pendant qu'il tente de colmater les trous faits par la bête dans les murs de la maison, il repense à certains événements qui l'obsèdent : un sentiment de honte d'avoir aimé la sœur de sa femme (inceste et pédophilie) et un sentiment d'échec quant à son mariage (il a épousé une mégère). Orval finit par avoir le sentiment qu'il est le dernier homme sur Terre, le Noé chargé de mener la dernière attaque contre le Déluge blanc, sorte d'hiver interminable et aussi contre l'invasion animale. Il semble aussi que le rat ne soit que le fruit des hallucinations de Orval, mais étrangement, ce rat laisse des traces palpables de son passage : trous, murs rongés… Orval n'est jamais certain de ses perceptions, fruit de l'observation d'un scientifique, d'un paléontologue. En revanche, il a conscience que la folie l'envahit lentement, que le rat n'est peut-être que dans sa tête, qu'il n'est peut-être qu'une image de sa femme, de ses fantasmes morbides : le rat serait peut-être la métaphore du subconscient dérangé d'Orval : il aurait tué sa femme le 29 avril et, pris de remords, il serait envahi par des images qui le submergent, se matérialisent et finissent par le dévorer : « Le rat n'existait peut-être que dans sa tête mais il en mourait ».

« Une île à la mer »,
Dans la démesure du possible. Nouvelles, Montréal, Pierre Tisseyre, [1983], p. 49-58. (Hy)

Un couple qui, « en l'espace d'une minute [...], avait tout balancé : maison, voitures, amis, parents, [...] bureau [...], obligations sociales », pense retrouver une parcelle du paradis dans une île déserte, mais l'île s'enfonce dans la mer.

« Conversation entre squelettes civilisés »,
Dans la démesure du possible. Nouvelles, Montréal, Pierre Tisseyre, [1983], p. 117-128. (F)

Un juge de paix attend sa maîtresse chez lui. Or, il voit apparaître, sous forme de squelettes, un couple d'anciens felquistes qu'il avait condamnés vingt-cinq ans plus tôt. Le juge leur offre un verre. Les squelettes acceptent. Ils ne veulent toutefois pas se venger, mais lui révèlent qu'il fait lui-même déjà partie du monde des squelettes. Sa maîtresse le trouve mort près de trois verres qui viennent de servir.

« La Danseuse du ventre »,
Dans la démesure du possible. Nouvelles, Montréal, Pierre Tisseyre, [1983], p. 137-141. (F)

Une danseuse du ventre décide de redevenir une femme à part entière, mais son miroir ne lui renvoie plus que l'image de son ventre.

« Chers Disparus »,
Dans la démesure du possible. Nouvelles, Montréal, Pierre Tisseyre, [1983], p. 143-148. (F)

Des vieillards, un vieux couple marié depuis soixante ans, vivant dans un foyer, disparaissent en devenant diaphanes après avoir vu apparaître puis disparaître quelque chose nommé « Elle ».

« La Révolte des mots »,
Dans la démesure du possible. Nouvelles, Montréal, Pierre Tisseyre, [1983], p. 157-162. (F)

Voulant écrire une œuvre magistrale, un écrivain perd le contrôle de sa plume et de ses mots. Le mot « revolver » se retourne littéralement et matériellement contre lui et le tue. Il est possible qu'il soit mort d'avoir imaginé que le revolver le tuait.

« La Veuve infidèle »,
Dans la démesure du possible. Nouvelles, Montréal, Pierre Tisseyre, [1983], p. 173-180. (F)

Une veuve se remarie, mais garde le sentiment d'avoir trahi son premier époux. Un soir, elle retrouve la photo de ce premier mari ; or, la photo s'anime. Et les deux font l'amour. Le second époux les surprend sur le fait et, le lendemain, il quitte sa femme.

« Se faire passer un lapin ! »,
Dans la démesure du possible. Nouvelles, Montréal, Pierre Tisseyre, [1983], p. 181-185. (F)

Gilles Lelièvre, éditeur de publications scientifiques, et ses collaborateurs cherchent en vain deux photos destinées à illustrer la publication *les Maladies de la carotte* et représentant des carottes saines. Lelièvre retrouve les carottes dans le ventre du lapin photographié sur la page de couverture.

« Un corbeau »,
Dans la démesure du possible. Nouvelles, Montréal, Pierre Tisseyre, [1983], p. 187-194. (F)

Un immigrant juif, Simon, rêve qu'il est attaqué par un corbeau. Le lendemain, un corbeau le tue dans la rue.

« La Ville est une jungle »,
Dans la démesure du possible. Nouvelles, Montréal, Pierre Tisseyre, [1983], p. 197-203. (SF)

Après la mort du dernier arbre de la ville, les bourgeons se mettent à pousser sur les poteaux, qui deviennent des branches. La nature regagne ainsi le terrain perdu. Bientôt, toute la ville est transformée en une jungle inextricable, le béton est réduit en miettes, les ponts, arrachés, les gratte-ciel, anéantis, le métro, les gares, le stade Olympique, tout est détruit. Il y a des morts partout, emportés, écrasés sous les lianes d'un immense jardin sauvage.

« Les Livres mal aimés »,
Dans la démesure du possible. Nouvelles, Montréal, Pierre Tisseyre, [1983], p. 205-211. (F)

Des livres, enragés de ne plus être lus, de ne pas être dévorés par les yeux, se mettent à dévorer les gens, à commencer par des bibliothécaires et un lecteur, « le seul et dernier abonné de cette bibliothèque municipale ».

« L'Autoroute en cavale »,
Dans la démesure du possible. Nouvelles, Montréal, Pierre Tisseyre, [1983], p. 219-223. (F)

Une autoroute s'est laissée construire, docile, puis, par la suite, elle s'est lassée de ne jamais broncher d'un centimètre. Un matin, elle décide de changer de chemin et donne libre cours à sa nouvelle liberté d'action. Elle pousse jusqu'à Montréal, démolit le centre-ville, en grimpant sur les gratte-ciel, puis la moitié du stade olympique. Elle n'entend pas les cris des milliers de personnes qu'elle écrase dans leurs autos sous les tonnes de béton qui tombent. En voulant éviter une petite fille à bicyclette, elle fait un faux mouvement, heurte la Bourse de Montréal qui lui tombe sur le dos et lui brise l'épine dorsale : elle allonge le cou et plonge la tête dans le fleuve pour s'y noyer.

« Le Dernier Mâle »,
Dans la démesure du possible. Nouvelles, Montréal, Pierre Tisseyre, [1983], p. 225-234. (SF)

Le 7 juillet 2139, le dernier mâle meurt sur la station orbitale *Fémina Super I*. La présidente apprend la mauvaise nouvelle et est obligée de révéler la menace gardée secrète : une maladie mystérieuse a fait périr tous les mâles, le dernier homme vient de mourir et les banques de sperme s'épuisent. Pendant les quarante années suivantes, les femmes attendent en vain la naissance d'un garçon. Certaines femmes frustrées s'accouplent avec des chimpanzés et accouchent de monstres nommés humanoïdes. Ceux-ci prolifèrent. Une Quatrième Guerre mondiale éclate entre les femmes et les humanoïdes. Au milieu du carnage, le 7 juillet 2179, naît le premier mâle sain, résultat d'expériences génétiques. On cherche un nom à l'enfant. Un vieux robot démodé le nomme « Messie ».

« Les Nouveaux Maîtres »,
Dans la démesure du possible. Nouvelles, Montréal, Pierre Tisseyre, [1983], p. 235-240. (SF)

En 2136, un enfant à la tête énorme vient au monde mort-né. Des tests sont effectués sur les parents, puis on classe le cas comme exceptionnel et on oublie tout. En 2139, deux jumeaux mort-nés ont des têtes encore plus grosses. Des dizaines de naissances semblables sont signalées aux quatre coins du globe. Puis les bébés à grosse tête viennent au monde vivants. Les années passent et ils naissent de plus en plus nombreux, les corps étant presque disparus sauf les parties sexuelles énormes et les têtes dotées de cerveaux plus puissants que des dizaines d'ordinateurs. Grâce à leur sexe, ils se reproduisent à une vitesse phénoménale. Le reste de l'humanité attend maintenant les ordres de ces nouveaux maîtres aux yeux verts.

« Le Monstre normal »,
Dans la démesure du possible. Nouvelles, Montréal, Pierre Tisseyre, [1983], p. 241-246. (SF)

Ormac est le seul être normal du monde mais il est triste car il déclenche la jalousie et l'hostilité des autres : il est perçu comme un monstre. Les infirmités générales sont dues aux radiations atomiques. L'anormalité est devenue la norme. Ormac gagne sa vie dans un cirque en s'exhibant comme une curiosité. Il rencontre finalement une jeune fille qui ne le repousse pas. Il prend rendez-vous avec un chirurgien et se fait enlever un bras pour être « normal ».

« L'Ordinateur schizophrène »,
Dans la démesure du possible. Nouvelles, Montréal, Pierre Tisseyre, [1983], p. 247-256. (SF)

A.M.D.H.A.L., un ordinateur, a un comportement irrationnel : il produit des fiches grotesques, il délire. On le débranche pour le vérifier, mais on ne trouve rien. Quand on le rebranche, il poursuit de plus belle, écrivant des insanités sur des ministres et des juges. On le débranche, mais il refuse de s'arrêter et fonctionne seul. Il prend le contrôle des émissions de radio et fait imprimer des articles dans les journaux, déclenchant une avalanche de scandales. Il s'empare de la télévision, dévoile tout sur des personnalités de tous les milieux. Une équipe de démolition le fait sauter.

ROY, Christian
[3 novembre 1964 –]

« L'Étoile de Bethléem »,
Recueil collectif de science-fiction, par 6 élèves de l'ESSH, Saint-Hyacinthe, l'École du Séminaire de Saint-Hyacinthe, avril 1980, p. 28-38. (SF)

Emmanuel Arsan, colonel de l'armée canadienne, est désigné pour entreprendre un vol spatial canado-américain dans la navette *Enterprise.* Une fois en vol, la navette quitte son orbite et survole Israël. Le traceur spatio-temporel s'affole et la navette s'écrase. Près de là, Joseph et Marie se reposent. Joseph voit une étoile tomber, il accourt et trouve deux corps près des débris : un vieillard mort et un enfant vivant vêtu d'un vêtement aux reflets d'argent. Joyeux, il ramène l'enfant à Marie, croyant que Dieu lui envoie le fils désiré. Trois hommes, Gaspard, Melchior et Balthazar, se rendent sur les lieux.

ROY, Marcelle
[Nicolet, 7 avril 1935 –]

« No man's land »,
Arcade, n° 9 (février 1985), p. 53-55. (Hy)

Une femme hésite devant la feuille blanche. Comme elle se met à écrire, un corbeau s'échappe de la feuille, traverse la cloison et s'envole dans le ciel. Sa conscience poursuit l'oiseau et s'élève jusqu'à ce que la feuille blanche ne soit plus qu'un point.

ROY, Pierrette
[

« Une journée dans la vie de Manuel »,
Châtelaine, vol. XV, n° 12 (décembre 1974), p. 40-41, 62-65. (SF)

Dans une société matriarcale, un homme raconte sa journée à s'occuper de la maison, des repas, du marché, de ses enfants et de sa femme.

Celle-ci travaille et se repose en arrivant le soir. Manuel écoute l'émission *Hommes d'aujourd'hui* et croit que le masculinisme va leur aliéner les femmes. Il est obsédé par la beauté virile qu'il veut atteindre et se croit peu apprécié et peu talentueux.

RUL-ANGENOT, Angèle
[

« La Rupture »,
Actualité, vol. XII, n° 11 (novembre 1972), p. 62-67. (F)

Françoise Lavigne, épouse satisfaite de sa médiocrité routinière, subit une inexplicable et incontrôlable métamorphose comportementale. Sa vie s'illumine tout à coup. Elle laisse libre cours à ses folies, s'amuse. Son mari lui apparaît, vieilli et terne, et elle fait la rencontre de sa propre image déambulant dans la rue. Elle va chez elle, trouve la maison laide et moisie. Elle s'enfuit et prend le premier train pour n'importe où.

S

SAINT-GERMAIN, Claude

[Sorel, 9 janvier 1945 –]

« Les Monstres »,
Mille plumes, n° 1 (printemps 1978), p. 22-23. (Hy)

Le narrateur et sa compagne, Belle, désirent la mort. Ils se mutilent (leurs organes repoussent ailleurs), se bagarrent, se détruisent sans parvenir à mourir. Ils s'adonnent à tous les excès : sexe, nourriture, violence (meurtre), langage... Ils organisent un *party*, invitent d'« autres monstres » et continuent leurs libations sadomasochistes en une orgie démoniaque.

« Légende québécoise du bateau fantôme »,
Mille plumes, n° 2 (hiver 1978), p. 18-19. (Hy)

Au temps de la découverte du Nouveau Monde, toute la marine craint de rencontrer le bateau fantôme, bateau fantastique chargé d'êtres étranges et surnaturels et gouvernés par un être immonde nommé Pêtôfret le Tohu-Bohu Rampant. Un jour qu'il passe près des côtes de l'Inde, il entend vanter la beauté resplendissante de la Princesse. Il l'enlève afin de la vendre comme esclave et, pendant le trajet, s'étonne de la bonne humeur de sa victime. La Princesse, fille d'une Déesse mythique de la beauté, se sait protégée. Lorsque le bateau fantôme entre dans le Golfe du Saint-Laurent, la Princesse appelle les Esprits à son secours. La mer se déchaîne et la Princese est délivrée. Le bateau se fige pour l'éternité, devenant le Rocher Percé.

« La Céleste Montée »,
Mille plumes, n° 2 (hiver 1978), p. 19-20. (Hy)

Lumifeu termine sa dernière vie et quitte la dimension terrestre dans son vaisseau. Il arrive dans le Vestibule de la Lumière, puis, entre dans la Cité Radieuse où il se métamorphose maintes fois en diverses formes. Il rencontre un poêle à bois, le Grand Patapouf Infinicolore, qui l'invite à un festin en compagnie des êtres de l'Histoire de l'Univers. Lumifeu s'assied à une table en compagnie de six déesses, Liberté, Immortalité, Perfection, Connaissance, Conscience et Amour suprême, qui l'abreuvent et en font un dieu.

SANDSTROM, Olav [pseudonyme de Charles CHEVROTIÈRE]. V. LACROIX, Pierre D.

SARRAZIN, Claude-Gérard
[Alger (Algérie), 21 mars 1936 –]

Phosphoros,
Montréal, Guérin éditeur, [1978], 191 p. (Collection « les Romans de l'ère incertaine »). (Hy/Roman)

Après avoir reçu l'offre d'un producteur de cinéma, Léo et Lucie vont à la campagne et rencontrent le frère jumeau du producteur. Or, malgré le fait que tous ces personnages soient déjà morts, Léo se retrouve dans un passé lointain, doté de mystérieux pouvoirs, et guidé par une apparition qu'il nomme la déesse blanche. Léo visite deux peuples différents accomplissant des cultes étranges. Leurs légendes avaient prévu la venue de Léo. Ce dernier participe aux cultes et accomplit divers prodiges avant de se retrouver dans un autre corps chez un peuple « cosmique » puis de revenir chez les deux peuples des temps anciens (à un autre moment de leur histoire) et dans une autre époque de type féodal (les légendes là aussi avaient prévu sa venue) où il bouleverse l'ordre établi, un ordre despotique, à l'aide de ses pouvoirs, toujours sous la tutelle de la déesse blanche. Il se retrouve enfin à l'époque des pharaons dans la peau d'un prince. La reine le fait venir à sa cour et, à la fin, il découvre que cette reine n'est autre que Lucie, qui était aussi la déesse blanche.

« Nouvelle ésotérique »,
la Porte des dieux. (Karma), [Montréal], Presses Sélect ltée, [1980], p. 9-55. (SF)

Trompée par une grande ressemblance physique, la caste des Élus, qui règne sur un univers lointain, reconnaît dans la personne d'un Terrien, Jacques Dufrêne, l'un des leurs. Les extraterrestres amènent Dufrêne dans leur monde, où ils essaient en vain de faire renaître ses souvenirs. Le sosie de Dufrêne, Okand, – Élu véritable, – fait soudain son apparition. Le Suprême annonce aux Élus qu'ils se réincarneront dans le monde de Dufrêne. Ce dernier revient sur Terre et la vie reprend son cours habituel.

Le Retour des Atlantes,
Montréal, Louise Courteau éditrice, [1984], 155 p. (SF/Roman)

Après une séparation de 10 000 ans ponctuée d'incarnations multiples, douze anciens Atlantes se retrouvent et réintègrent le monastère qu'ils occupaient avant l'effondrement de l'Atlantide. Petit à petit, les souvenirs de l'ancienne existence resurgissent dans la mémoire des initiés, qui recouvrent tous leurs pouvoirs. Les Atlantes rencontrent une déesse, qui leur confie la mission de servir l'humanité et qui les assure de la protection du Divin.

SAUVÉ, Clodomir

[

« On n'a jamais su pourquoi... »,
Requiem, n° 6 (vol. I, n° 6, septembre 1975), p. 6-7. (SF)

Un soir, M. Clovis veut rentrer chez lui. À sa grande surprise, rien à faire : qu'il traverse portes ou fenêtres dans n'importe quel sens, il se trouve toujours à l'extérieur. Les autorités n'y peuvent rien et, bientôt, un vent de panique souffle sur ce Montréal du futur. Le narrateur est le premier voyageur spatio-temporel. Parti en 1972, il se retrouve prisonnier, derrière le miroir, condamné à vieillir de dix ans chaque jour.

« L'Autre Matin »,
Requiem, n° 7 (vol. II, n° 1, novembre-décembre 1975), p. 10-11. (SF)

Un homme se terre depuis près d'un an. Il cherche à échapper à des êtres qui arrachent les cerveaux humains pour les greffer à des automates.

« Le Procès ultime »,
Requiem, n° 10 (vol. II, n° 4, mai-juin 1976), p. 10-12. (SF)

Un « mutant » se présente devant un tribunal d'inquisition du futur. On le place sous le lecteur de pensée, mais rien ne se produit. L'accusé communique alors par télépathie avec les membres du tribunal. Il leur révèle qu'il est la cause de tous les maux de l'Histoire. (Il donne deux exemples : la peste et le nazisme). Il se transforme ensuite et prend sa véritable apparence : il est Jésus-Christ venant détruire les derniers survivants de cette race qui ne sait pas aimer. Toutefois, avant qu'il ait pu faire quoi que ce soit, le juge le fait disparaître grâce à un laser au CO^2. Le juge se retrouve, à son tour, sous le lecteur, il est accusé de déicide. Pour sa défense, il invoque son origine extraterrestre et son ignorance de l'histoire de Jésus.

« Le Simulateur transchronique »,
Imagine..., n°1 (vol. I, n° 1, septembre-novembre 1979), p. 36-50. (SF)

Erik Thyrner est désigné pour être le premier homme à participer à une expérience transchronique. Il croit se retrouver cinquante ans plus tard, mais il s'agit en fait d'une simulation.

« Phàhopfs pfühs »,
Imagine..., n° 4 (vol. I, n° 4, juin 1980), p. 27-38. (SF)

Un arbre décrit ses origines dans un langage syncopé. Il constate que ceux de son espèce seront bientôt exterminés par les phàhopfs (les hommes) s'ils ne s'unissent pas. Par télépathie, il réussit à obtenir assez d'énergie pour sortir de terre. Il attrape un homme, l'étrangle, mais il n'ira pas plus loin. Il tombe, déraciné : il ne peut vivre sans sève. Au Carré Saint-Louis, les passants s'arrêtent, ébahis devant le spectacle.

« Blitz de blizzards »,
Imagine..., n° 10 (vol. III, n° 1, automne 1981), p. 91-110. (SF)

Clovis Frec vit à Zeulr. Lors d'une journée de travail, les employés du bureau où Frec travaille reçoivent un message urgent : un immense trou noir vient de gober le soleil. Aussitôt, une série de cataclysmes s'abat sur Zeulr. Clovis fuit tant bien que mal et se réfugie dans un café. Ce désastre a été mis sur pied par des terroristes pour renverser le pouvoir.

SÉGUIN, Marc

[

« Vecon II »,
Requiem, n° 2 (vol. I, n° 2, 1974), 7-8, 17. (SF)

Un comité essaie de trancher la question de la ville-hôte pour la prochaine convention mondiale de SF. Soudain, un être étrange propose Lafka sur Vénus. Tous se rallient rapidement à l'idée et, l'année suivante, ils se retrouvent à Vecon II (Venusian Convention II).

SÉGUIN, Pierre

[

Les Métamorphoses du choupardier. Roman,
[Montréal], HMH, [1976], 217 p. (Collection « l'Arbre »). (Hy/Roman)

Joseph, directeur de zoo sans scrupule et arriviste, est chargé par le ministre des Affaires zoologiques de détourner momentanément l'attention du peuple en créant un engouement pour une créature de légende : le choupardier, une créature sans forme précise qui a une apparence différente selon chaque observateur. Joseph capture le choupardier et l'expose dans son zoo. Sigismond, le guide de Joseph sur le mont Whatwhat où se cachait le choupardier, et son neveu Léon viennent en ville pour ramener le choupardier. Joseph le retrouve et le ramène au zoo. Le peuple suit ces diverses aventures de près et fait de Joseph le héros du jour. Au moment où le ministre ordonne à Joseph d'éliminer le choupardier pour que le peuple se préoccupe de la question politique, des jeunes libèrent le choupardier et Joseph se lance à nouveau à sa poursuite. Ce dernier tombe en disgrâce après avoir exposé dans son zoo ce qu'il croyait être le choupardier (lui, il le voit comme un mouton à cinq pattes, mais il s'agit d'un stratagème de Sigismond car l'une des pattes du mouton est fausse). Le ministre ordonne à Joseph d'éliminer le choupardier s'il veut sauver son poste. Après diverses mésaventures, Joseph réussit à tuer le choupardier.

SERDAN, Gilles [pseudonyme de **Bernard J. ANDRÈS**]. V. **ANDRÈS, Bernard J.**

SERNINE, Daniel [pseudonyme d'**Alain LORTIE**]
[Montréal, 7 novembre 1955 –]

« Jalbert »,

Requiem, n° 5 (vol. I, n° 5, juin-juillet 1975), p. 5-6 (F) ;

les Contes de l'ombre, Montréal, Presses Sélect ltée, [1979], p. 53-57 ;

les Enfants d'Énéïdes, Bruxelles, Phénix, 1989, p. 59-63. (Collection « Chimère »).

Jalbert est un simple d'esprit, muet, vivant à l'asile. Il est inoffensif, il peut donc sortir. Pendant ses promenades, il imagine, avec précision, la maison de ses rêves. Par hasard, il la trouve, exactement semblable à sa description. Il y entre, mais ne peut en sortir. Une seule solution : le suicide. Il s'ouvre les poignets. On retrouve son corps dans un terrain vague sans aucune trace du rasoir qu'il a employé.

« La Bouteille »,
Requiem, n° 5 (vol. I, n° 5, juin-juillet 1975), p. 6-8 (F) ;

Légendes du vieux manoir, Montréal, Presses Sélect ltée, [1979], p. 94-99 ;

A-Z. Bulletin d'information et de critique de l'imaginaire (France), n°s 20-21 (septembre 1987), p. 30-32 ;

Stop, n° 5 (automne 1987), p. 42-48.

Simon, petit neveu de feu Gustave Philanselme, s'est vu léguer un coffret de bois, écrin d'une étrange bouteille de cristal pleine d'un liquide violet où apparaissent des visions. Il voit d'abord son chien Mozart, mort depuis longtemps et qui réapparaît le lendemain, puis un ami perdu de vue depuis longtemps, et, enfin, Caroline, la femme de ses rêves. Les visions deviennent une habitude coupable, une sorte de drogue pour Simon, qui en ressent le contrecoup physique, devenant pâle, nerveux et amaigri, d'autant que les visions sont aussi terribles qu'énigmatiques : des combats d'êtres fabuleux (aigle et dragon, lézard et cygne, êtres « noirs et lents »...). Ces visions se réalisent aussi, et, même si les habitants de la ville ne les voient pas, Simon les voit, lui, dans le ciel. Il voit aussi les autres tragédies qui affligent la ville (incendie, meurtres du Faubourg Saint-Imnestre...). Il décide de briser la bouteille, qui résiste ; après une dernière vision horrible, il la casse, et ne se rappelle la vision en question que lorsque la police vient l'arrêter : le meurtre sauvage de Caroline, dont il a encore les mains tachées de sang.

« La Tour du silence »,
Requiem, n° 7 (vol. II, n° 1, novembre-décembre 1975), p. 6-9 (F) ;

les Contes de l'ombre, Montréal, Presses Sélect ltée, [1979], p. 9-20 ;

A-Z. Bulletin d'information et de critique de l'imaginaire (France), (avril 1988), p. 32-36.

Frédéric Caraghiaur, en se promenant dans la campagne désolée, rencontre une tour de pierre noire ; il y pénètre. Dans ses souterrains, il assiste à un énigmatique rituel où des créatures entièrement dissimulées par d'amples vêtements blancs se lardent de coups de poignards, mais sans saigner. Elles se dématérialisent lorsqu'elles sont frappées et deviennent des ombres transparentes. Après sa fuite de la tour, Caraghiaur, revenu chez lui, est hanté par ces présences invisibles et hostiles ; il les fuit, mais ne peut leur échapper. Elles l'empêchent de se suicider et en font l'un des leurs : il fait désormais partie des êtres désincarnés et ennemis de la vie qui habitent la tour.

« Le Coffret »,

Requiem, n° 10 (vol. II, n° 4, mai-juin 1976), p. 5-8 (F) ;

les Contes de l'ombre, Montréal, Presses Sélect ltée, [1979], p. 82-97.

Deux gamins de Neubourg en escapade pénètrent sans effraction dans une maison déserte du Faubourg Saint-Imnestre. Après avoir subi des hallucinations diverses (distorsions de l'espace, bruits décuplés, passage d'une énorme araignée, tourbillonnements du décor, brumes...), ils découvrent un petit coffret en bois à la serrure surmontée d'un rubis étrangement vivant. Ils ouvrent la boîte et subissent une série d'autres visions, d'abord féeriques (la mer, l'espace cosmique) puis cauchemardesques (catastrophes et cataclysmes divers, procession de damnés...) C'est une cousine de la boîte de Pandore. Pendant ce temps, l'illusionniste-magicien Siméon Lescar demande l'aide du brocanteur Gustave Philanselme pour retrouver le coffret dans lequel réside son véritable pouvoir de magicien. Repéré à distance grâce à une vision fournie par la magique Bouteille d'Arthanc, le coffret est maîtrisé à nouveau par Siméon, non sans mal, dans la maison où il est allé le chercher avec Gustave et où les deux hommes ont subi les mêmes hallucinations que les deux garçonnets. Ceux-ci font désormais partie des âmes damnées emprisonnées à jamais dans le coffret.

« Agonie en trois exemplaires »,

Requiem, n° 11 (vol. II, n° 5, été 1976), p. 10-11. (SF)

Major souffre d'une maladie atroce qui le détruit en le laissant lucide. Il voit le monde se décomposer, la planète sombre dans la pollution. Le malade voudrait mourir. Il doit remplir un formulaire pour que l'État autorise l'euthanasie. Malheureusement, il a mal répondu au questionnaire et doit attendre un an avant d'avoir une nouvelle chance.

« Brève Histoire de Gonzague Préjudice »,

Requiem, n° 14 (vol. III, n° 2, février-mars 1977), p. 5-6 (F) ;

les Contes de l'ombre, Montréal, Presses Sélect ltée, [1978], p. 98-107.

Gonzague Préjudice, brocanteur, a épousé pour sa fortune Tendresse Robinet, veuve de son associé occasionnel Sylvestre Robinet. Enfin veuf à son tour, après onze ans de quasi-martyre aux mains de Tendresse, il constate que la fortune espérée a été presque toute dilapidée : ne resteraient que les nombreux bijoux de la défunte, qui ont disparu puisqu'elle s'est fait enterrer avec eux. Gonzague va violer la sépulture. Mais la lourde pierre tombale, minée par la pluie sans doute, l'écrase contre le cadavre de sa défunte. On les retrouve enlacés, la défunte affichant un sourire narquois.

« Exode 5 »,
Requiem, n° 18 (vol. III, n° 6, décembre 1977), p. 15-26 (SF) ;

le Vieil Homme et l'Espace, [Longueuil], le Préambule, [1981], p. 55-102. (Collection « Chroniques du futur », n° 4).

Fuyant une Terre polluée et catastrophée, les six vaisseaux des Exodéens cryogénisés ont quitté le système solaire à la recherche de planètes habitables. Ils en trouvent une qui a été habitée par une race apparemment très évoluée. Des membres de cette race reviennent visiter la colonie : ce sont les Knassiens, de grandes créatures aux sciences biologique et métapsychique très développées. Ils proposent aux Humains une hybridation qui permettrait à ceux-ci de s'adapter plus vite à leur nouvel environnement. Les Kablayes voient ainsi le jour. Mais, la colonie subit plusieurs catastrophes naturelles : des radiations produisent une maladie fatale parmi les Kablayes. Pour sauver les hybrides survivants, on décide de les cryogéniser et de les enfermer sous une montagne jusqu'à épuisement des radiations, soit mille ans. Les Humains quant à eux régressent. Entretemps, les Knassiens, transformés en de purs esprits, reviennent sur la planète. Attristés par ce qu'ils voient, ils arrangent un peu les choses, de façon que les Humains puissent, un jour, récupérer les Kablayes. La finale représente la sortie du premier Kablaye, sous les yeux respectueusement effrayés d'une tribu de primitifs, qui a depuis longtemps transformé l'Histoire en mythe.

« La Fresque aux trois démons »,
Requiem, n° 23 (vol. IV, n° 5, octobre 1978), p. 10-15 (F) ;

les Contes de l'ombre, Montréal, Presses Sélect ltée, [1979], p. 172-190.

Monseigneur Alfiori, prélat un peu hérétique, a commandé au peintre Frégeau une fresque où se trouvent trois démons terrassés par le Christ. Le libraire Jussiave soupçonne le peintre d'avoir fait des visites illégales à sa librairie occultiste, en particulier pour y étudier un livre rare, précieux et maudit qui est en sa possession, *les Phrases de l'Oracle.* On y trouve en effet les noms de trois démons puissants, Belphéron, Sourador et Abaldurth. Jussiave les invoque en tremblant lors d'une cérémonie de sa confrérie secrète. Il essaie de parler à Frégeau des dangers inhérents à tout commerce avec les démons et, en particulier, avec un nommé Mysariel, mais Frégeau l'ignore. Après complétion de la fresque, le peintre tombe de son échaufaudage et meurt, disloqué, aux pieds de

Jussiave. Un accident ? Une vieille dévote voit un petit démon ricanant dans l'église, mais personne ne la croit.

« La Maison de l'éternelle vieillesse »,

les Contes de l'ombre, Montréal, Presses Sélect ltée, [1978], p. 21-38 (F) ;

Magie rouge (Bruxelles, Belgique), n°s 17-18 (hiver 1987-1988), p. 48-52.

Thomas Beaumarchais, artiste-peintre, découvre dans Neubourg une maison bicentenaire extraordinairement bien conservée. Curieux de ce qui s'y passe, il questionne le gardien-concierge, mais n'apprend pas grand-chose et le notaire consulté peut seulement lui dire que, depuis vingt et un ans, personne n'en est sorti et qu'aucune nourriture n'y est entrée non plus. De plus en plus curieux, Thomas entre une première fois par effraction dans la maison pour en espionner les habitants. À sa stupeur, il constate que ceux-ci ne semblent pas le voir. Il s'installe dans la maison, toujours sans être vu, pour continuer ses observations, et note, dans son journal, que les vieillards et l'unique jeune homme (rouquin au comportement étrange d'ailleurs) qui occupent la maison semblent faire constamment la même chose, et que lui-même inscrit toujours dans son journal les mêmes remarques jour après jour – comme le jeune homme épié. Il est désormais prisonnier de la maison où le temps s'est arrêté en se répétant, d'une façon identique.

« Le Bourreau de Granverger »,

les Contes de l'ombre, Montréal, Presses Sélect ltée, [1978], p. 39-46. (F)

Benjamin Vignal, chef de police que sa carrure et sa face bestiale font appeler « le Bourreau », est un homme au passé mystérieux, mais il est apprécié de tous à Granverger pour ses largesses à l'Auberge de la Chandeleur. Un soir, il semble préoccupé et boit plus que d'habitude. Il retourne chez lui et les occupants de l'auberge voient, dans le crépuscule et une atmosphère d'épouvante générale, une troupe de vingt-cinq hommes noirs traverser le village. Ceux-ci repassent bientôt dans l'autre sens en portant une sorte de cercueil, après s'être arrêtés à la maison de Vignal. On ne revoit plus celui-ci. Des années plus tard, l'explication du phénomène est donnée, grâce à un client ivre de l'auberge : Vignal a bel et bien été bourreau, à Neubourg, où il s'est fait remarquer par son zèle sadique. Il a ainsi exécuté vingt-cinq marins jugés collectivement coupables de mutinerie, alors que le sursis de leur exécution avait été obtenu. C'était vingt-cinq ans avant le passage du mystérieux cortège funèbre à Granverger...

« La Charogne »,
les Contes de l'ombre, Montréal, Presses Sélect ltée, [1978], p. 47-52 (F) ;

Runes (Lyon, France), n° 5 (avril 1988), p. 19-22.

Le jeune Gabriel se promène dans la forêt, loin des « maisons des Hommes ». Tout est calme et beauté, et il se sent une partie de ce « grand tout vivant ». Poursuivant sa promenade, il découvre un petit chalet de bois blanc. Il y pénètre et n'y trouve que quelques meubles et un foyer de pierre noirci. Sa curiosité l'entraîne malheureusement à soulever la trappe menant à la cave. Il y voit avec horreur un hideux cadavre de femme, qui se décompose à vue d'œil. Ne reste plus qu'un squelette blanchi. Gabriel s'enfuit mais, persuadé que c'était une hallucination, il retourne dans la maison et à la cave ; il ne reste plus qu'un « objet anodin » à la place même du cadavre : un os de cage thoracique, qu'il prend dans sa main. Retourné dans la forêt, Gabriel voit soudain avec horreur sa main ayant été en contact avec l'os, puis son bras, se mettre à pourrir, suivis bientôt par tout son corps. On le retrouve quelques jours plus tard à l'état de squelette, sans comprendre pourquoi il lui manque une côte.

« Ceux qui peuplent le ciel »,
les Contes de l'ombre, Montréal, Presses Sélect ltée, [1978], p. 58-61 (F) ;

Soleil des loups (France), n° 8 (décembre 1987), p. 17-20 ;

XYZ. La revue de la nouvelle, n° 16 (novembre 1988), p. 80-82.

Le narrateur, bien tranquille dans sa chambre close, voit derrière la cheminée s'ouvrir une petite porte ; il la pousse et s'enfonce dans un tunnel, d'abord descendant puis montant. Il se retrouve, terrifié, dans une immense plaine, en proie à la lumière d'un soleil de plomb ; il veut fuir et se mettre à l'abri, mais les présences maléfiques et invisibles qui occupent le ciel lui envoient une main gigantesque, intangible mais réelle, qui va le broyer.

« Le Canal »,
les Contes de l'ombre, Montréal, Presses Sélect ltée, [1978], p. 76-81 (F) ;

Espace-Temps (France), n° 9 (hiver 1979), p. 63-66 ;

Temps tôt, vol. I, n° 3, [n. d.], p. 7-11.

Enquêtant sur une mystérieuse vague de suicides par noyade dans le canal du sinistre Faubourg Saint-Imnestre, l'inspecteur Grimal, en proie à des visions féeriques lui promettant la mer, la liberté et la beauté, finit par se jeter lui-même dans le canal où il a vu le visage d'un vieil homme qui semble son double plus âgé. Ce vieillard, sorte de sirène mâle, vit bel et bien dans le phare sur la falaise qui faisait partie de la vision de Grimal, précise le narrateur en finale, et il attirera encore des désenchantés, « tant que la mer sera...».

« Le Signe rouge du destin »,
les Contes de l'ombre, Montréal, Presses Sélect ltée, [1978], p. 108-114 (F) ;

Courrier SF (Brigham, Québec), n° 1 (juin-juillet 1988), p. 20-25.

Maurice Arguin va consulter la vieille cartomancienne indienne Agathe pour avoir l'explication de la vision qui le tourmente tous les mois : une ligne brisée rouge sur le trottoir. C'est une constellation du Zodiaque conclut l'Indienne. Des années plus tard, Arguin se fait assassiner par le mystérieux tueur en série, le Scorpion rouge. La constellation que lui montrait sa vision était évidemment celle du Scorpion.

« La Porte mystérieuse »,
les Contes de l'ombre, Montréal, Presses Sélect ltée, [1978], p. 115-140 (F) ;

Temps tôt, vol. I, n° 2, [1989], p. 13-35.

Nicolas Comartin, pianiste, emménage dans une maison pourvue d'un jardin, dans le quartier du Faubourg Saint-Imnestre. Il y trouve une porte murée qui s'ouvre pourtant de façon inattendue et capricieuse sur d'autres lieux du Faubourg. Il ne peut y aller, retenu par une force invisible, mais il a des visions horribles : le meurtre de quatre femmes et d'un policier. Une empathie inexplicable le relie au meurtrier. Après la deuxième vision, il envoie à la police une lettre anonyme qui mène à l'arrestation du meurtrier. Les meurtres reprennent, cependant, sur des hommes et avec sévices sexuels, et la porte les montre aussi à Nicolas, qui envoie une deuxième lettre anonyme à la police. On arrête le meurtrier. Un nouveau meurtrier se manifeste et la porte le montre encore à Nicolas : il hypnotise ses victimes, des hommes, à l'aide d'un mystérieux joyau lumineux qui vampirise les âmes. Le contact mental est à double sens cette fois, et le meurtrier, « le Mal incarné », sait que Nicolas l'a vu. Une dernière fois, la porte appelle le pianiste et s'ouvre, lui montrant l'espace entourant sa propre maison et l'inconnu, qui la franchit pour hypnotiser et vampiriser Nicolas, impuissant.

« La Couleur nouvelle »,
les Contes de l'ombre, Montréal, Presses Sélect ltée, [1978], p. 141-145. (F)

Hervé Thénard se rend assez régulièrement par train à Neubourg, la nuit, ce qu'il trouve soudain très déprimant. Une vieille femme à voilette vient partager son compartiment. Thénard a la désagréable impression d'être observé par elle. Elle s'en va, mais se retourne en soulevant sa voilette sur un vide : un visage sans expression, figé, mais avec des yeux clairs et fixes, terrifiants. Retourné dans son compartiment, Thénard trouve une petite sphère d'une « couleur nouvelle » sur le banc occupé par la femme. Absolument terrifié par ce phénomène hors de toute expérience humaine, Thénard s'enfuit, poursuivi par la lueur de la même couleur qui monte de son compartiment. Il saute du train et agonise pendant des heures, le corps disloqué. En appendice, le narrateur dénie vigoureusement savoir quoi que ce soit de l'histoire.

« Derrière le miroir »,
les Contes de l'ombre, Montréal, Presses Sélect ltée, [1978], p. 146-165. (F)

Un jeune couple vit dans une maison à appartements. Ils font tous les deux des cauchemars atroces. Pour Patricia, un mort sort de sa tombe, un squelette animé épie une prisonnière dans un cul de basse-fosse, une femme est torturée aux tenailles rougies à blanc et a la langue arrachée, une prisonnière est en fuite dans des souterrains et est dévorée par les rats. Pour Claude, un condamné est brûlé vif pour ne pas avoir dénoncé un compagnon, un prisonnier est empalé et écrasé sous la herse de la prison, un autre prisonnier est hanté par une épouvantable vision de femme, peut-être déesse archaïque et meurtrière, un autre voit revenir de la torture son compagnon sanglant et déchiqueté, mort/vivant. Claude et Patricia décident de quitter la maison, qu'ils estiment hantée. Voisin de leur appartement, se trouve l'atelier d'un jeune et beau peintre qui a conclu un pacte avec les puissances obscures, en particulier avec le démon Mysariel, pour obtenir le succès dans son art : il possède un miroir qui devient fenêtre fixant « photographiquement » les images des cauchemars suscités par Mysariel pour ses voisins, images qu'il transpose sur ses toiles.

« Une petite limace »,
les Contes de l'ombre, Montréal, Presses Sélect ltée, [1978], p. 166-171 (F) ;

Contes et Récits d'aujourd'hui. Collectif, [Montréal], XYZ éditeur, [et Québec], Musée de la civilisation, [1987], p. 59-62.

L'immeuble commercial Falardeau est affligé d'une multitude de catastrophes de tous genres : cambriolages, bagarres, meurtres, morts accidentelles, suicides et, enfin, incendie. Sur les lieux se trouve toujours une petite limace. Lors de la démolition de l'immeuble, après l'incendie, on trouve dans un mur le cadavre d'un des ouvriers qui avait travaillé à une réfection de l'immeuble, emmuré vivant sans doute par une secte sataniste à laquelle il appartenait. Réincarné dans la limace, c'est lui qui hantait l'immeuble maudit.

« La Voix de l'ombre »,
les Contes de l'ombre, Montréal, Presses Sélect ltée, [1979], p. 7-8. (F)

Le narrateur vit dans une maison ancienne isolée en pleine campagne. Le soir, il entend une Voix qui lui raconte des histoires « fantastiques », « horribles », « inquiétantes » ou « insolites », mais dont il n'est pas sûr qu'elles ne soient pas toutes authentiques. Il s'y est habitué et l'appelle la Voix de l'Ombre : ce sont les histoires qu'il raconte à son tour dans *les Contes de l'ombre.*

« Fin de règne »,
Pour ta belle gueule d'ahuri, n° 3 (vol. I, n° 3, 1979), p. 5-13 (SF) ;
le Vieil Homme et l'Espace, [Longueuil], le Préambule, [1981], p. 205-233. (Collection « Chroniques du futur », n° 4).

Au début de l'an 3000, l'humanité est réduite à quelques dizaines de milliers de représentants éparpillés sur les continents : les « Restants », qui ne vivent pas très longtemps, choisissant la mort volontaire avant leur temps, et les « Longèves », qui ont une espérance de vie d'environ deux siècles. Ils sont tous cependant des « Non-Mutants » : 500 ans plus tôt, une mutation technologiquement assistée a libéré de leurs corps les « Mutants », qui vivent désormais dans une autre dimension non charnelle. Restants et Longèves étaient réfractaires au procédé. Ni les uns ni les autres ne se reproduisant guère, la race humaine est condamnée à disparaître, à assez brève échéance. Lucas Dosquet est un Longève, ainsi que sa compagne Roxane, avec qui il vit dans un beau manoir quelque part sur le continent américain (au nord-est, vraisemblablement) ; il s'occupe en jardinant, Roxane, en élevant et en créant des poissons. Arrive alors un adolescent, Xavier, venu d'Europe après la mort volontaire de sa mère. Dans ce jeune garçon, Lucas trouve le fils que Roxane n'a pas voulu lui donner. Roxane, voyant qu'il ne restera pas seul, se décide enfin à « partir ». Il se console avec Xavier, à qui il se confie : il y a près de 1 000 ans, des humains ont quitté la Terre, devenue presque inhabitable, dans un Exode dont il espère que certains reviendront. Xavier fait sien cet espoir.

« Nocturne »,
Solaris, n° 28 (vol. V, n° 4, août-septembre 1979), p. 6-9 (F) ;

Légendes du vieux manoir, Montréal, Presses Sélect ltée, [1979], p. 56-66.

Le narrateur, Nicolas Comartin, maître de piano, fait des cauchemars depuis sa dernière visite à la famille de son ancien élève-prodige Stéphane de Villeversins, mort d'une pneumonie à dix-sept ans : il rêve qu'il assiste à un concert dont l'assistance est invisible, qu'à l'entracte il déambule dans le théâtre devenu labyrinthe, sans en trouver la sortie, qu'à la reprise du concert il voit un jeune pianiste blond, qui est sanglant et mort lorsqu'il s'en approche. C'est que le jeune frère de Stéphane, Daniel, excellent pianiste lui aussi, semble être non seulement son double physique, mais est possédé par l'esprit de son frère mort : lors de sa dernière visite, assistant à une séance de spiritisme, le narrateur a entendu la voix de Stéphane et un *Nocturne* que celui-ci a composé pour son jeune frère – et que le piano a joué tout seul tandis que Daniel en transe pianotait sur la table. Le narrateur s'est enfui, épouvanté.

« Prologue : le Vieux Manoir »,
Légendes du vieux manoir, Montréal, Presses Sélect ltée, [1979], p. 7. (F)

Le narrateur, écrivain misanthrope, vit dans un manoir situé dans la forêt de Chandeleur. Déjà auteur (ou plutôt transcripteur) des *Contes de l'ombre,* comme il le rappelle au lecteur, il tient ses récits d'une Voix de l'Au-delà qui les lui raconte tard dans la nuit.

« Le Sorcier d'Aïtétivché »,
Légendes du vieux manoir, Montréal, Presses Sélect ltée, [1979], p. 9-36 (F) ;

Carfax, n°s 24-25 (décembre 1986), p. 12-37. [Version remaniée].

À l'époque de la colonisation, le métis Jean-Lou Carignan, armé de l'épée magique Arhapal par son grand-père français et également secondé par son grand-père, Indien Montagnais, aide lui-même les villageois de Granverger à combattre victorieusement le baron-sorcier Davard allié aux Abénaquis. Celui-ci a enlevé à plusieurs reprises des adolescents du village pour s'en servir lors de ses rituels sanglants par lesquels il se concilie le démon Manitaba, qui est, en fait, Abaldurth. Davard est décapité par Arhapal, mais le démon n'est pas définitivement vaincu cependant.

« Les Ruines de Tirnewidd »,
Légendes du vieux manoir, Montréal, Presses Sélect ltée, [1979], p. 37-55. (F)

Le narrateur, Ludovic Bertin, raconte comment son père, historien, a appris d'un chercheur irlandais le rôle joué par les Celtes dans la colonisation de l'Amérique du Nord, et a découvert sur les pas d'un vieil ermite, dernier survivant de sa race gaélique, les ruines d'une ancienne cité celte, Tirnewidd. Monsieur Bertin entreprend de les exhumer, malgré les réserves (non formulées) de son fils et le désaccord (également muet) du vieil ermite. Il est grièvement blessé par la chute d'une pierre tombale dans une crypte et meurt trois ans plus tard des suites de sa blessure, exigeant qu'une croix de pierre venant de la cité soit plantée sur sa tombe. Une nuit, avec son ami Gilles, le narrateur assiste à des manifestations étranges (bruits d'êtres invisibles) dans le cimetière où il est enterré. Persuadé que c'est à cause du viol des ruines et du vol de la croix, – et encouragé tacitement par le vieil ermite, – il va replacer la croix dans la vieille cité. Les manifestations cessent à partir de ce moment.

« L'Exhumation »,

Légendes du vieux manoir, Montréal, Presses Sélect ltée, [1979], p. 67-77 (F) ;

Carfax, n° 3 (automne 1984), p. 12-15. [Version abrégée sous le titre « Dans la nuit »].

Trois hommes louches exhument le cadavre d'un homme qu'ils ont empoisonné et dont l'un d'eux est l'héritier : on s'apprête en effet à en faire l'autopsie. De fausses alertes effraient les profanateurs pendant qu'ils s'affairent à leur besogne dans le cimetière : un rôdeur mystérieux, des lumières mouvantes (lampions, lucioles, bougies), des bêtes qui se poursuivent... Finalement, alors que la lune est occultée par un nuage, les lumières disparaissent et la lanterne des trois hommes s'éteint. On retrouve l'héritier assassin mort d'un infarctus dans la tombe profanée, un autre se fait écraser par une voiture à chevaux sur la route où sa terreur l'a mené, et le dernier, devenu complètement fou, erre dans la ville. On ne comprendra jamais vraiment ce qui s'est passé au cimetière, cette nuit-là.

« Belphéron »,

Légendes du vieux manoir, Montréal, Presses Sélect ltée, [1979], p. 78-93 (F) ;

Anthologie de la nouvelle et du conte fantastiques québécois au XXe siècle. Introduction et choix de textes par Maurice Émond, [Montréal], Fides, [1987], p. 179-203. (« Bibliothèque québécoise »).

Dans la taverne du Corsaire, le narrateur écrivain écoute les histoires que lui raconte l'ancien marin Valdec. L'une d'elles surtout, celle du naufrage de *l'Atlante* qui a été précédé d'événements étranges, qui attire son attention : Valdec a surpris un homme en noir, Davard, avec une jeune femme endormie, bâillonnée et ligotée dans son carrosse. Il apprend qu'elle est la petite-fille de Gustave Philanselme, antiquaire et horloger brocanteur du Faubourg Saint-Imnestre. Se rendant par là, Valdec trouve le magasin en feu, l'antiquaire mort et sa petite-fille asphyxiée. Le lendemain, il s'embarque sur *l'Atlante* avec Davard. Celui-ci se livre à des rituels mystérieux et inquiétants à l'aide d'une Abyssale, pierre magique d'une bague qui lui donne le pouvoir d'invoquer des démons. Valdec reconnaît le nom qu'implore Davard : Belphéron, démon de la Mer. Il pousse l'équipage à quitter le navire, mais trop tard, car une main invisible surgie du fond de l'eau tire *l'Atlante* vers le fond. Il n'y a qu'un seul survivant : Valdec.

« Le Réveil d'Abaldurth »,
Légendes du vieux manoir, Montréal, Presses Sélect ltée, [1979], p. 100-127 (F) ;

Carfax, n°s 24-25 (décembre 1986), p. 39-63. [Version remaniée].

Deux organisations secrètes s'affrontent, le Cercle Violet (les mauvais) et les Sentinelles (les bons) ; les premiers comptent parmi eux un membre de la funeste famille Davard ; les seconds, Guillaume Jussiave. Le Cercle Violet veut incarner Abaldurth dans un enfant porté par la sorcière Atropa Mélusine, mais n'a réussi à y incarner qu'un démon serviteur de celui-ci. C'est déjà trop. Les Sentinelles leur font échec en utilisant le maillon faible de leur organisation, l'alchimiste Sevestre Félix. Après force espionnage, chantage, menaces et déambulations dans des souterrains de Maledome, le manoir des Davard, et une première tentative se soldant par un demi-échec, le grand face-à-face a lieu : Jussiave éventre Atropa avec l'épée Arhapal, le manoir prend feu, le servant d'Abaldurth doit retourner dans l'autre monde. Abaldurth a été vaincu, temporairement.

« Tu seras le septième »,
Légendes du vieux manoir, Montréal, Presses Sélect ltée, [1979], p. 128-149 (F) ;

Carfax, n°s 24-25 (décembre1986), p. 65-84. [Version remaniée].

De nouveaux meurtres mystérieux ont lieu à Neubourg : les victimes sont hypnotisées par un étrange joyau et retrouvées gelées quelques instants après leur mort. L'auteur de ces meurtres, qui a jadis volé le joyau à sa propriétaire en forçant son coffre, essaie en vain de se débarrasser de l'objet maudit puis se jette dans le vide après un dernier meurtre, abandonnant le joyau dans la cathédrale de Neubourg, où le Père Wenceslas le trouve. Selon des renseignements pris auprès de l'érudit Jussiave, il s'agit d'un objet magique et maléfique, le médaillon d'Idralfas, lieu de contact entre l'univers normal et celui des démons, qui doit périodiquement boire les âmes de sept victimes. Sans rien en dire à Jussiave, Wenceslas garde pour lui le médaillon et, ensorcelé par sa puissance, commet deux meurtres. Épouvanté, il décide de se débarrasser de l'objet en l'écrasant grâce à la sainte et lourde croix de Saint-Sébaste. Obligé de se réfugier au sommet du clocher de la cathédrale, il ne peut écraser le médaillon qu'en se faisant écraser lui-même : il sera la septième victime d'Idralfas, qui le lui dit en ricanant juste avant de s'emparer de lui.

« La Pierre d'Érèbe »,
la Nouvelle Barre du jour, n° 89 (avril 1980), p. 51-64 (F) ;

Quand vient la nuit. Contes fantastiques, [Longueuil], le Préambule, [1983], p. 151-160. (Collection « Chroniques de l'au-delà », n° 1).

Simon est conduit par le borgne et presque « gnome » Lepérou auprès de sa vieille grand-mère amérindienne, Agathe, qu'il connaît à peine. Celle-ci lui fait part des agissements maléfiques de la société secrète des Adorateurs de Sourador, démon de l'air à forme d'aigle. Elle le charge de donner à Monseigneur Alfiori la pierre d'Érèbe, joyau magique susceptible d'attirer celui-ci et dont elle craint le vol. Là-dessus, elle se fait tuer par une flèche noire, tout comme Lepérou. Simon échappe de justesse au même sort, se fait assommer dans la rue et voler le joyau. Il retourne chez lui. Un ouragan étrange frappe Neubourg, cette nuit-là, détruisant la demeure désignée à Simon comme celle des Adorateurs de Sourador. Un cocher qui passait par là dit avoir vu un aigle féroce et gigantesque se dissiper dans le ciel au-dessus de la maison après son explosion, mais on ne le croit évidemment pas.

« Exode 4 »,
Solaris, n° 35 (vol. VI, n° 5, octobre-novembre 1980), p. 6-10 ; n° 36 (vol. VI, n° 6, décembre 1980), p. 8-14. [Sous le titre « Exode 4. (Première partie [et] Deuxième partie) »] (SF) ;

le Vieil Homme et l'Espace, [Longueuil], le Préambule, [1981], p. 147-184. (Collection « Chroniques du futur », n° 4).

Maude Ewers, qui possède des traces de pouvoirs métapsychiques, a des visions : les paysages d'une planète édénique. C'est une Exodéenne qui fait partie de l'équipage d'une hivernef, *le Taurus*, explorant l'espace lointain pour y trouver des planètes habitables par les humains. Elle a été réveillée par l'ordinateur de bord en même temps que son compagnon compatible, Phil Sazek : une étoile susceptible d'avoir des planètes a été décelée. Maude connaît, par ses visions, l'existence d'une planète habitable, mais elle répugne à l'apprendre à Phil : elle voudrait épargner à la beauté fragile de la planète la transgression humaine. Elle est persuadée que l'homme est profondément destructeur et que, malgré toute la civilisation, les préoccupations et les techniques écologiques des Exodéens, la planète Lacaille 8760 ne leur survivra pas. Elle décide finalement d'endormir Sazek, de ne pas réveiller les autres et de trafiquer les mémoires de l'ordinateur pour cacher l'existence même de la planète. Ce faisant, elle découvre que Phil et elle n'auraient pas dû être le couple de surveillants réveillés. À travers l'amnésie induite par l'hibernation, elle constate qu'elle a elle-même déjà trafiqué l'ordinateur dans ce but, à cause de la très brève vision qu'elle a eue d'une petite planète, avant de partir avec *le Taurus* : elle s'est instituée gardienne des planètes vivantes contre « le virus de l'humanité ».

« Hécate à la gueule sanglante »,
Antarès (France), vol. I (1er trimestre 1981), p. 85-129 (F) ;

Quand vient la nuit. Contes fantastiques, [Longueuil], le Préambule, [1983], p. 193-246. (Collection « Chroniques de l'au-delà », n° 1).

La mère de Louis Leroux a fauté avec un bossu qu'elle considère comme le diable et qui semblait prendre l'aspect d'un chien ou d'un loup pendant le coït-viol. Leroux ne s'en remet pas. Par ailleurs, d'origine modeste, il ne peut conquérir la femme qu'il désire, Marthe de Villeversins. Un jour qu'elle lui signifie sans ambages son refus, Hécate, la chienne de Leroux, à moitié louve, tue Marthe. Leroux s'enfuit après avoir noyé sa chienne. Pourtant, un énorme loup ou un chien fait des ravages dans les troupeaux de la région, et il y reconnaît Hécate. Lorsque celle-ci revient chez lui comme pour quémander son pardon, il la poignarde. Juste après, il apprend la mort de sa mère éventrée par un meurtrier sadique à Neubourg. Puis on constate une série de méfaits. Leroux finit par admettre, pour lui-même, qu'il est ce loup-garou qui se promène la nuit en proie à des fantasmes meurtriers. Au cours d'une chasse nocturne, un loup est abattu à la fois d'une balle bénie par le curé, et meurt. Les chasseurs constatent qu'il s'agit de Louis Leroux, sous forme humaine, mais sur le dos duquel il y a « quelques longs poils, raides et sombres ».

« Le Masque »,
Solaris, n° 40 (vol. VII, n° 4, septembre 1981), p. 22-26 (F) ;

Quand vient la nuit, [Longueuil], le Préambule, [1983], p. 11-28. (Collection « Chroniques de l'au-delà », n° 1).

La narratrice Agathe, envahie par la voix de ses ancêtres tout au long du récit, est une Indienne servante chez les Beaumarchais, un couple bourgeois de Neubourg, au XVIIe siècle. Sa grand-mère Abigué, sorcière indienne, vient de mourir. Malgré Monsieur, et avec l'aide de Charles son futur époux, un Blanc accepté par la grand-mère, Agathe enterre en secret celle-ci sous le vieux chêne, arbre tutélaire et magique dont le gland a été donné par les Gaëls, premiers (et bons) Blancs rencontrés par sa tribu jadis. Mais Monsieur veut vendre la terre ancestrale et faire abattre le vieux chêne. Malgré ses sentiments ambivalents, Agathe, suivant en cela les appels de la voix, déterre le masque magique qui a longtemps protégé sa tribu et le cache sous le traversin de Monsieur, qui, hanté, devient subitement malade. Avant de mourir, de soudaine vieillesse et surtout d'une inexplicable angoisse, il décide de ne plus vendre les terres et de faire protéger le vieil arbre.

« Le Vieil Homme et l'Espace »,
le Vieil Homme et l'Espace, [Longueuil], le Préambule, [1981], p. 13-53. (Collection « Chroniques du futur », n° 4). (SF)

Le vieil astronaute Uriel Riff croit en l'hostilité active d'une entité de l'espace, nommée parfois Sourador, jalouse de voir les humains envahir son domaine, le vide. Il est par ailleurs pourvu de facultés métapsychiques : il a des pressentiments sur la mort de ses fils. Un accident arrive bel et bien, et son fils aîné, Stein, s'écrase sur une lune de Neptune en essayant de sauver son demi-frère adoptif, Claude, seul survivant de l'accident. Avant de mourir, Claude a perçu une présence maléfique, tandis que de son côté Uriel Riff a vu se multiplier les pressentiments funestes, sous la forme d'un globe mauve veiné de rouge, puis d'un navire fantôme. Il vole finalement une navette et la conduit vers le Soleil pour s'y volatiliser.

« La Planète malade d'humanité »,
le Vieil Homme et l'Espace, [Longueuil], le Préambule, [1981], p. 103-145. (Collection « Chroniques du futur », n° 4). (SF)

Gil Behrer est commissaire principal de la Régie démographique dans un futur proche où l'ensemble des problèmes terrestres se sont exacerbés : surpopulation, pollution, famines, maladies incurables dues à la pollution... Le tissu de la société se défait : les Suicidaires, les Nihilistes, les Déments et les simples gangs urbains sèment partout la violence. On a passé des lois eugéniques et des lois d'euthanasie, on va bientôt légaliser les Maisons de Paix, où l'on se suicide à l'Élixir. Behrer rencontre deux compagnons et leur démontre que la situation est sans issue : la planète est malade de l'humanité, et elle souffre d'une sorte de cancer. La seule solution serait d'éliminer celle-ci. Il parle d'une organisation secrète ayant échafaudé un tel projet, qu'il nomme opération

« Atropos ». Une grande usine de produits chimiques est attaquée, un peu plus tard, par les Nihilistes. Parti regarder l'incendie, Behrer trouve son fils adoptif Thomas sur les lieux. Ce dernier se serait suicidé si les policiers ne l'avaient empêché. L'adolescent a recommencé à se prostituer pour se procurer sa cinquième dose d'Élixir, qui lui sera fatale. Behrer le ramène chez eux, mais se rend ensuite dans une Maison de la Paix dont la tenancière lui fournit une dose d'Élixir. Il euthanasie Thomas, qui le remercie dans son dernier souffle. Il a décidé d'éliminer l'humanité de la Terre.

« Boulevard des Étoiles »,
le Vieil Homme et l'Espace, [Longueuil], le Préambule, [1981], p. 185-204 (Collection « Chroniques du futur », n° 4) (SF) ;

Anthologie de la science-fiction québécoise contemporaine. Introduction et choix de textes par Michel Lord, [Montréal], BQ, [1988], p. 175-197. (« Bibliothèque québécoise, Littérature ») ;

Tesseracts, Judith Merril [editor], Victoria, Toronto, Press Porcépic, [1985], p. 84-100. [Traduit par Jane Brierley sous le titre « Stardust Boulevard »].

Un narrateur anonyme, un des jeunes survivants du « Grand Ménage », raconte une de ses journées. À cette époque, la majorité de l'humanité a été exterminée, et ceux qui restent n'ont plus qu'à se divertir désespérément, au cours d'activités artistiques dérisoires, de suicides spectaculaires, d'orgies de drogue et de sexe tous azimuts. Lors de brèves rencontres furtives, le narrateur cherche, sans conviction, il ne sait trop quoi, à travers le Carnaval incessant qui bat son plein sur le Boulevard des Étoiles. Il rencontre sans résultat un Éryméen, plus exactement un Psychéen, et assiste à un spectacle aérien volontairement mortel. La nuit se termine comme celle de la veille, et la journée suivante sera semblable à la précédente, jusqu'à ce que la toux qui le secoue vienne à bout de lui.

« Loin des vertes prairies »,
Solaris, n° 48 (vol. VIII, n° 6, novembre-décembre 1982), p. 21-30 (SF) ;

Aurores boréales 2. 10 récits de science-fiction, sous la direction de Daniel Sernine, [Longueuil], le Préambule, [1985], p. 215-249. (Collection « Chroniques du futur », n° 9).

Garfield Francke, alias Gar, pilote de vaisseau spatial, rêve constamment à sa planète d'origine, Terra, qu'il a quittée pour l'entraînement militaire quelques années auparavant. Sur Terra, sa mère et sa sœur s'ennuient de lui. Gar a été traumatisé par une attaque lors de son premier jour de stage sur le vaisseau *Ross-Véga*. Un an plus tard, il panique lors d'une bataille et fait désertion. Il se dirige vers Terra, même si la théorie dit qu'il n'y arrivera pas vivant, et parvient à s'y poser.

« Les Amis de monsieur Soon »,
Solaris, n° 50 (vol. IX, n° 2, mars-avril 1983), p. 33-37 (SF) ;

Aurores boréales 1. 10 récits de science-fiction parus dans la revue *Solaris*, sous la direction de Norbert Spehner, [Longueuil], le Préambule, [1983], p. 159-180. (Collection « Chroniques du futur », n° 7).

Un homme, le narrateur, vient sur la Terre et participe à un scénario de Carvanal avec deux amis, Marèse et Chris. Tous trois se rendent chez monsieur Soon qui leur présente le Docteur Zô et son laboratoire peuplé de « monstricules », produits de manipulations génétiques. Soon révèle ses ambitions de devenir le maître du monde et envoie les trois visiteurs en mission auprès d'une organisation ennemie. Mais aussitôt dans la rue, ils sont attaqués par un gang. Une deuxième secte intervient et mitraille tout le monde. Blessé, le narrateur constate que le Docteur Zô a lancé ses petits monstres voraces contre les meurtriers. La foule applaudit, croyant à une fabulation, mais perçoit la réelle menace quand la horde des monstricules se tourne vers elle.

« Isangma »,
Antarès (France), vol. 8 (1983), p. 48-68 (F) ;

Quand vient la nuit. Contes fantastiques, [Longueuil], le Préambule, [1983], p. 33-53. (Collection « Chroniques de l'au-delà », n° 1).

Le jeune narrateur rencontre à une soirée de masques une femme plus âgée que lui qui l'invite chez elle. Il la suit malgré la réputation douteuse dont lui fait part l'ami qui l'a amené. Dans la riche et exotique demeure de la femme, située dans un quartier pourtant mal famé, le narrateur, en proie à l'alcool et à des vapeurs peut-être aphrodisiaques, connaît une nuit d'érotisme torride et anxiogène, quasi vampirique, pendant laquelle il lui semble voir en action d'autres amants de la femme. Il croit aussi la voir se transformer en démon femelle, genre chauve-souris, au moment de l'orgasme. Revenu à des idées plus sobres au petit matin, il la quitte pendant son sommeil, et se fait récupérer par son ami en calèche. Mais il croit voir, dans un dernier regard jeté sur la maison, son hôtesse-partenaire furieuse de sa fuite et transformée de nouveau en un être qui « n'a plus rien d'humain ».

« Prologue. Récits intercalaires. Épilogue. Un revenant »,
Quand vient la nuit. Contes fantastiques, [Longueuil], le Préambule, [1983], p. 9-10, 29-31, 35-37, 147-149, 161-163, 189-191, 247-250, 263-265. (Collection « Chroniques de l'au-delà », n° 1). (F)

Le narrateur, écrivain misanthrope, vit dans un petit manoir ancien au milieu de la forêt de Chandeleur avec sa chatte blanche Isis qui semble voir l'invisible. La maison, comme la forêt, est en effet vivante : habitée par une présence amicale, celle de la Voix de l'ombre qui raconte des histoires au narrateur, et surtout pleine des souvenirs-fantômes du narrateur : ouvenir de sa femme Pascale, morte de tuberculose, souvenir de son propriétaire originel disparu depuis au moins un siècle, et que Catherine, jeune folle rencontrée dans la forêt, affirme avoir cependant vu avec une belle jeune femme tout récemment. Le souvenir le plus tenace est celui de Nicolas, le fils adolescent du narrateur, noyé dans la rivière qui jouxte la propriété, qu'il connaît bien et dont il a trop parlé à l'enfant. Ces souvenirs le hantent même lorsqu'il va visiter sa maison d'enfance à Québec, la chambre où sa mère est morte étant celle qu'il a partagée avec Pascale après leur mariage. Ils ont tout fait pour que le manoir soit différent de cette maison sombre et froide pour leur fils. Le narrateur affirme ne croire ni aux revenants ni aux fantômes. Et pourtant, par une nuit pluvieuse, on sonne à sa porte : c'est un adolescent, trempé comme s'il sortait de la rivière... Est-ce Nicolas ?

« Petit Démon »,
Quand vient la nuit. Contes fantastiques, [Longueuil], le Préambule, [1983], p. 59-145. (Collection « Chroniques de l'au-delà », n° 1). (F)

Moine plutôt malgré lui, Wenceslas nourrit des désirs pédérastiques et homosexuels à l'égard des adolescents du petit Séminaire. Il est témoin des curieux événements qui ont lieu au couvent voisin : le Père d'Accoust, apparemment saisi de démence, clame avoir « baisé » toutes les religieuses, avant de disparaître mystérieusement. Pendant que l'enquête se poursuit (menée de front et séparément par l'inspecteur Grimal et Guillaume Jussiave) pour le retrouver (on retrouve son cadavre disloqué), Wenceslas est hanté par un petit démon assez aimable qui lui promet de réaliser tous ses vœux secrets et de lui donner la jeunesse en plus. Pourvu de pouvoirs particuliers, Wenceslas peut assouvir ses désirs avec les adolescents choisis, saisis d'une torpeur qui les rend manipulables. Au bout d'un moment, cependant, Wenceslas se rend compte que ces adolescents dépérissent alors que lui-même rajeunit. Comme il les aime autant et plus qu'il ne les désire, il renonce à son pacte avec le démon, qui, d'abord furieux, accepte finalement de le laisser tranquille. Une nouvelle série de meurtres sadiques (de femmes) afflige de nouveau Neubourg. On en trouve le coupable, le Docteur Scully, qu'un psychiatre décrit comme psychotique dans les termes de la psychanalyse alors naissante. Mais Jussiave, qui a deviné ce qui est arrivé à Wenceslas, estime, quant à lui, que Scully s'est trouvé l'hôte du démon lorsque celui-ci a quitté le moine. Le démon en trouvera d'autres quand Scully sera arrêté.

« Ses dents »,

Quand vient la nuit. Contes fantastiques, [Longueuil], le Préambule, [1983], p. 165-187. (Collection « Chroniques de l'au-delà », n° 1). (F)

Au cours de promenades nocturnes avec son ami Jussiave, le narrateur rencontre un étrange personnage qui semble feindre d'être un vampire. Il le retrouve chez lui, mais n'arrive pas à décider si l'homme est un excentrique, un fou ou, vraiment, un vampire. Obsédé par cette question et aiguillonné par son ami tentateur qui lui fait visiter clandestinement la maison de l'homme, il l'espionne et finit par imiter son comportement. L'autre le voit et une complicité s'établit entre eux. Finalement, le narrateur va de lui-même rendre visite seul au prétendu vampire, pour voir et savoir enfin.

« L'Icône de Kiev »,

Quand vient la nuit. Contes fantastiques, [Longueuil], le Préambule, [1983], p. 251-261. (Collection « Chroniques de l'au-delà », n° 1). (F)

La famille du narrateur, les Tchernine, se compose d'aristocrates russes, à l'authenticité douteuse et déchus qui ont quitté la Russie en 1917 pour se retrouver à Québec. Ils possèdent, de façon sans doute illégitime, une icône de saint Jean-Baptiste, objet peut-être magique, à la fois protecteur et source de mauvais sort. Le grand-père est mort d'une crise cardiaque alors qu'il était en prière devant l'icône. Une fois à Québec, la tante Féodora décide de se débarrasser de l'icône en la vendant à un antiquaire, mais ne peut le faire, échappant de justesse à un accident mortel. Elle est ramenée chez elle, où le sac contenant l'icône cause la mort de son frère qui n'avait pas remarqué que le sac traînait dans l'escalier. Il fait, en s'y prenant les pieds, une chute mortelle.

Ludovic. Roman,

Montréal, Pierre Tisseyre, [1983], 274 p. (Collection « Conquêtes »). (*Fantasy*/Roman)

Ludovic Bertin, jeune poète orphelin un peu ermite, est transporté dans un autre monde, où un nain-bouffon-magicien, Thoriyn, le charge de sauver la belle Ligélia victime du nécromant Drogomir. Ayant reçu des objets magiques, Ludovic rencontre dans la forêt le peuple immortel des sylvains et surtout leur reine, la belle dryade Lauriane. Après divers combats et poursuites, et ayant rencontré le prestidigitateur-magicien Méricius, il arrive au château de Drogomir où il affronte les gardiens. Laissant Drogomir et Méricius faire assaut de sorcellerie, il s'enfuit avec Ligélia pendant que le château s'effondre. Retourné dans son monde, il croit avoir rêvé mais, victime d'un sort de Drogomir et aidé d'un contre sort de Méricius, il se retrouve dans l'autre monde où il est richement récompensé de ses hauts-faits. Il souffre cependant d'un étrange malaise, conséquence des sorcelleries subies. Pour en guérir, il va chercher le livre magique de Drogomir, accompagné de Thoriyn et du prince royal Fabrice qui veut récupérer l'épée magique perdue par Ludovic lors du précédent affrontement avec le nécromant. En chemin, Ludovic est sauvé d'une crise aiguë de son mal par la reine Lauriane. Après maintes chevauchées et poursuites, et divers combats, le petit groupe trouve dans les ruines du château le livre et l'épée magique, mais n'arrive pas à désensorceler Ludovic. Drogomir les rejoint sur ces entrefaites et se fait décapiter par Fabrice. À l'arrivée de Méricius, il est révélé que tout ceci est une histoire de famille, Drogomir et Méricius entre autres étant princes et frères. Méricius désenchante Ludovic, en le coupant définitivement de son monde d'origine. Au milieu des réjouissances et des récompenses de la victoire, en particulier son mariage avec Lauriane, Ludovic regrette pourtant son monde originel. Un cadeau magique de Fabrice vient à point lui donner le pouvoir d'y retourner à sa guise avec Lauriane.

Les Méandres du temps. Roman,
[Longueuil], le Préambule, [1983], 356 p. (Collection « Chroniques du futur », n° 6). (SF/Roman)

Nicolas Dérec, un adolescent solitaire et surdoué, traumatisé par l'accident de voiture qui a coûté la vie à sa mère Agnès, entretient de tendres relations avec une petite sœur imaginaire. En tant que télépathe, il participe à des expériences sur la parapsychologie à la Fondation Peers, près du lac Clifton. Son père adoptif avec qui il s'entend mal, Charles Dérec, en est le directeur scientifique (Corinne Gravel, sœur d'Agnès, était la vraie mère de Nicolas, qui l'ignore). Parmi les autres sujets de la Fondation se trouve une jeune fille, Diane, qui devient son amie puis sa maîtresse. Il se livre avec elle à des expériences secrètes grâce à l'invention de son père : il a des visions d'un lieu situé dans l'espace et habité par des humains mais ces visions correspondent à la réalité. C'est que, depuis le XVIIe siècle, la société secrète des Éryméens (du nom de l'astéroïde où ils se sont installés) surveille l'évolution humaine, mission qui leur a été confiée par de mystérieux extraterrestres, les Mentors. Érymède est une quasi-utopie sociale et scientifique d'une grande tolérance sexuelle. On y fait aussi des recherches sur les pouvoirs mentaux. Karilian, adulte vieillissant et bisexuel, est le directeur de l'Institut éryméen. Au début des années 1980, les Éryméens sont en danger d'être repérés par les services secrets terriens dont les responsables doivent se rencontrer au lac Clifton. Karilian a des visions prémonitoires qui lui laissent croire qu'il doit assassiner au lac une personne au sexe indéfini dont l'existence menace l'avenir du monde. Il s'y rend et rencontre Nicolas, en qui il reconnaît un enfant, Nicolas, avec qui il a partagé télépathiquement une scène de terreur sept ans plus tôt. Une affection mutuelle s'établit entre eux puis Karilian découvre que Nicolas est son fils. Entretemps, Nicolas découvre que les recherches de la Fondation sont destinées à des buts de répression, ce qui lui répugne. Il se sent menacé. C'est alors que les Éryméens se révèlent à lui et lui proposent de l'aider à s'enfuir vers Érymède. Il accepte, Diane refuse. Karilian voit se préciser sa prémonition : il devrait tuer Nicolas et Diane. À la place, il se suicide. La vraie raison de cette mort est dissimulée à Nicolas, qui se console un peu de la mort de son ami en explorant les merveilles d'Érymède.

« La Tête de Walt Umfrey »,
Espaces imaginaires II. Anthologie de nouvelles de science-fiction réunies par Jean-Marc Gouanvic et Stéphane Nicot, Trois-Rivières, les Imaginoïdes, [1984], p. 19-51. (SF)

Walt Umfrey, astrophysicien, et son assistante, Necca, arrivent sur la Terre pendant le Carnaval, où chacun change de fonction et joue un rôle, réalisant ainsi ses fantasmes. Des automates parfont l'illusion sur le thème des *Mille et une nuits*. Pendant qu'Umfrey vit son fantasme sexuel avec trois adolescentes, Necca survient, droguée, vêtue en chef des truands qui exige une rançon. Se croyant pris dans un scénario du Carnaval, Umfrey suit les kidnappeurs, qui l'emmènent au maître, un fanatique qui veut punir les vicieux. Lorsque l'un des otages, compagnon d'Umfrey, est décapité, celui-ci doute que ce soit un automate à cause du sang. Il a peur que le scénario n'échappe à tout contrôle, tente de s'enfuir, mais son guide est tué et, lui-même, fait prisonnier. On lui apprend sa condamnation à mort. Il se défend en démontrant qu'il est indispensable à l'humanité parce qu'il est en train de développer une théorie permettant de voyager rapidement entre les planètes. Cela ne convainc pas le patron. Des coups de feu éclatent et ne laissent que deux survivants, Umfrey et Necca. Le frère de Necca apparaît alors comme le véritable maître du jeu (l'autre n'étant qu'un automate) et explique que les jeux ont cessé d'être des simulations et que son fantasme à lui, c'est le meurtre. Umfrey continue à défendre sa vie en affirmant que l'avenir réside dans ses théories. Convaincu, le frère Necca le relâche.

Le Cercle violet,
Montréal, Pierre Tisseyre, 1984, 231 p. (Collection « Conquêtes »). (F/Roman)

Pierre Michay et sa famille sont victimes d'une malédiction qui leur a été infligée par la famille Davard, deux cents ans auparavant. Pierre souhaite se réconcilier avec Claude-Alexandre, dernier descendant en ligne droite du capitaine Davard, pour trouver un trésor caché autrefois par le capitaine. Après cette réussite, Pierre affronte de nouveau les forces du mal et empêche l'incarnation d'Abaldurth, le mal, en la personne d'Alexis Davard.

« Aux étoiles un message »,
Pilône, [n° 15] (janvier 1985), p. 8-9 (SF) ;

JEM (École secondaire Marcellin-Champagnat, Iberville), vol. II, n° 2 (hiver 1986), p. 11.

Un message de l'Homme est envoyé vers d'autres systèmes stellaires. Si un jour il y a une réponse au message, l'Homme sera-t-il encore là pour le reconnaître, s'interroge la machine qui envoie le message ?

« Une journée dans la vie de Clara Niowiecki »,
Pandore, n° 1 (1985), p. 15-19. (SF)

Clara Niowiecki participe au symposium annuel de l'Institut de Métapsychique et de Bionique où sa communication est accueillie avec une certaine indifférence. Bien qu'elle l'ait prévu, elle est déçue de ne pas recevoir d'hommage lors de la remise des prix. Cependant, ses rencontres avec un étudiant plutôt grave et un homme un peu mystérieux lui font oublier ses soucis et lui permettent de retrouver une vision positive de sa vie.

« Yadjine et la Mort »,
Dix nouvelles de science-fiction, Avant-propos d'André Carpentier, [Montréal], Quinze, [1985], p. 165-196. (SF)

Yadjine Asary s'intéresse au pilote de topocourse Marg Folder : elle veut savoir ce qui le pousse à risquer sa vie, mais celui-ci demeure distant. Lors d'une course sur la planète Mars, elle réussit pour la première fois à réserver un « sensircuit » branché sur Folder, appareil grâce auquel elle ressentira la même chose que le pilote, peut-être même jusqu'à la mort. Deux jours avant la course, elle l'aperçoit, immobile, près de sa machine, et comprend enfin qu'elle est exclue du dialogue de Folder avec la mort. Le lendemain, Folder meurt pendant les dernières qualifications. Yadjine s'embarque une deuxième fois pour une expédition sur Cerbère, un des satellites de Pluton. Elle aussi aura son dialogue avec la mort.

« Les Voyages imaginaires »,
Planéria. Anthologie de science-fiction, Montréal, Pierre Tisseyre, [1985], p. 52-109. (Collection « Conquêtes »). (SF)

Comme tous les jeune de son âge, un adolescent, Claudien Devost, doit porter une ceinture-signal par mesure de sécurité. Espiègle, il s'amuse toutefois à dérouter ses parents. Parfois, il donne libre cours à son imagination en effectuant des voyages imaginaires dans lesquels il vit sur la planète Lumière, où il peut voler comme un oiseau. Tyto, le Liseur, très lié à cet univers imaginaire, devient pour lui un guide. Les parents de Claudien, afin de réduire leurs inquiétudes, décident de faire greffer sous la peau un implant-signal à leur fils. Ennuyé, Claudien espère un jour être débarrassé de cette technologie de contrôle.

SÉVIGNY, Marc
[Sherbrooke, 2 août 1953 –]

« Le Train »,
Solaris, n° 47 (vol. VIII, n° 5, septembre 1982), p. 9-13 (SF) ;

Clair d'ozone (France), n° 4 (février 1983), p. 34-43 ;

Aurores boréales 1. 10 récits de science-fiction parus dans la revue *Solaris*, sous la direction de Norbert Spehner, [Longueuil], le Préambule, [1983], p. 89-107. (Collection « Chroniques du futur », n° 7) ;

Tesseracts. Edited by Judith Merril, Victoria, Toronto, Press Porcépic, [1985], p. 157-171. [Traduit par Frances Morgan sous le titre « The Train »].

Un bleu, Loïc, un garçon de vingt ans qui est né dans le train, pose des questions aux anciens, qui ont connu le monde extérieur, et aux mitoyens, mais ceux-ci ne répondent guère. Le train est surpeuplé et la vie se partage entre les jeux, les repas au wagon-restaurant et les banquettes où dorment les bleus. Les wagons-lits sont réservés aux anciens et interdits aux bleus. Un jour, une fille de seize ans, Noémie, lui fixe un rendez-vous à la grande réprobation des autres puisque les rapports sont interdits entre les deux sexes. Elle l'amène dans la section des wagons-lits où il voit à la une d'un journal que l'on parle de guerre nucléaire, mais il n'y comprend rien. Noémie s'évade. Loïc rêve de sortir. Il s'empare d'une hache, menace les autres et sort du train à une escale. Des hommes en combinaison l'accueillent, tiennent des propos qu'il ne comprend pas. Le soir, assis dans le sable, des humains maigres et affamés, aux visages ravagés, se rapprochent de lui. Il tente en vain de communiquer avec eux. En pleurant, il se promet bien de rappeler aux passagers du train qu'ils n'ont pas le droit de vivre en privilégiés et de s'emmurer loin de la misère de ceux qu'ils appellent les fourmis.

« Coup de dé »,
Solaris, n° 55 (vol. X, n° 1, printemps 1984), p. 10-11 (F) ;

Vertige chez les anges. Nouvelles, [Montréal], VLB éditeur, [1988], p. 105-108.

Un homme se réveille, va à la salle de bains et se retrouve devant un miroir qui ne réfléchit pas son image. Inquiet, il se rassure en se disant que ce n'est qu'un rêve. Mais le rêve ne se termine pas. Tout se dérègle. Son logement est tout à fait vide et Marie-Ginette ne dort plus à ses côtés. Les fenêtres sont embuées et givrées, le téléphone ne fonctionne plus, les amis ne peuvent être rejoints. Affolé, il finit par tout défoncer autour de lui. Il pense alors à la cave. Mais rien ne s'arrange. Seul, il se met à creuser la terre où il trouve un objet petit et dur, un dé à jouer. Mais il est bientôt enseveli sous la terre qui tombe sur lui par mottes. Lors de l'enterrement, Marie-Ginette revoit l'homme mort dans ses bras. Au dernier moment elle n'avait pu s'empêcher de lui demander ce qu'il voyait, et l'homme n'avait « pu dire ce qu'il avait vu : un miroir sans reflet et [lui], le dé à jouer ». On comprend, à la fin, que le dé est le narrateur.

« Vue partielle de l'enfer »,
Imagine..., n° 23 (vol. V, n° 6, août 1984), p. 33-42 (SF) ;

Vertige chez les anges. Nouvelles, [Montréal], VLB éditeur, [1988], p. 57-75.

Après une grande catastrophe (boue qui jaillit du centre de la Terre), un groupe de personnes se retrouvent dans une île. Les insectes les assaillent et plusieurs meurent de leurs blessures et de faim. Arrive Abel-le-mangeur-d'insectes qui, plus débrouillard, leur indique les sources d'eau douce et la façon de survivre en mangeant des insectes. Un jour, ne pouvant résister davantage, ils font cuire une femme morte et la mangent, mais Abel désapprouve ce comportement. La tribu le chasse. Abel va vivre près d'un volcan. Il y surprend une femme, Marie, qu'il viole et emprisonne. Il essaie de l'apprivoiser, mais elle demeure rebelle. Il constate, après un certain temps que, malgré son désir, la femme n'est pas enceinte et, de dépit, il la pousse au bas de la crête. Le lendemain, il la cherche en vain, mais Lou le trouve et veut le tuer.

« L'Aneth. Un pastiche de J. L. Borges »,
Imagine..., n° 27 (vol. VI, n° 4, avril 1985), p. 41-43. (F)

Pedro Olivero Valdès hérite du pouvoir de son père au cours d'un rituel, après lequel son père meurt, puis se retire dans une montagne où il vit en ermite. Un jour, un lointain filleul, professeur, vient le voir pour lui demander le secret de son pouvoir. Il s'agit d'une recette d'aneth séché puis fumé provenant d'un aïeul sorcier. Le professeur fume de l'aneth et découvre qu'il est devenu l'ermite et vice versa. Pedro s'en va, après cette substitution, et laisse mourir l'autre.

« Avis de décès »,
Solaris, n° 62 (vol. XI, n° 2, juillet-août 1985), p. 9-10 (Hy) ;

Vertige chez les anges. Nouvelles, [Montréal], VLB éditeur, [1988], p. 99-104.

Une vieille femme, Thomassin Melon, reçoit, le jour de son soixante-quatrième anniversaire, un avis du bureau de la sécurité sociale lui disant qu'on vient d'apprendre qu'elle était décédée et qu'elle doit présenter ses papiers d'identité. Croyant qu'il s'agit d'une blague, elle se présente sur les lieux, où on lui demande d'avouer qu'elle a usurpé l'identité de la morte. Elle refuse, on la jette en prison. Elle se demande si le monde ne serait pas transformé à son insu pendant qu'elle travaillait comme archiviste à classer des milliers de fiches.

« La Zone »,
Imagine..., n° 29 (vol. VI, n° 6, août 1985), p. 29-35 (SF) ;

Vertige chez les anges. Nouvelles, [Montréal], VLB éditeur, [1988], p. 25-31 ;

Anthologie de la science-fiction québécoise contemporaine. Introduction et choix de textes par Michel Lord, [Montréal], BQ, [1988], p. 201-208. (« Bibliothèque québécoise, Littérature »).

Un journaliste, Jan, survole en aéronef une zone interdite. Il s'écrase et s'en sort apparemment indemne. Le paysage change continuellement. Cependant, il arrive près d'une centrale nucléaire supposément détruite qui fonctionne même si elle est déserte. De là, il atteint péniblement un phare qui illumine fortement l'arrivant. À l'intérieur, il voit un homme chauve qui lui souhaite la bienvenue. Le moment d'après, il devient cet homme chauve qui s'étonne de parler tout seul. Il fait un jeu de patience. Le cinq de cœur lui rappelle les codes de communication de son aéronef. Il s'y retrouve et revit son histoire continuellement, rejouant toujours la même partie de solitaire.

« Retraite anticipée »,
XYZ. La revue de la nouvelle, n° 3 (vol. I, n° 3, automne 1985), p. 42-50 (Hy) ;

Vertige chez les anges. Nouvelles, [Montréal], VLB éditeur, [1988], p. 137-148.

L'inspecteur-greffier Jérémie Burns écrit un rapport à madame Laramée, superviseur-chef de la main-d'œuvre, sur la demande de retraite anticipée d'Alex Filteau. Celui-ci ne s'est pas présenté au travail qui lui a été assigné à la suite de la conscription au travail pour une durée de vingt ans. Ses arguments sont le droit à la liberté et la santé mentale. Sa cause a été rejetée devant le tribunal. Il a tenté de se suicider. On lui a accordé sa retraite en raison de troubles psychologiques. Mais celui-ci s'en vante et pousse les travailleurs à la révolte. L'inspecteur fait des recommandations pour faire cesser cette menace.

« Gardien de phare »,
Dix nouvelles de science-fiction québécoise. Avant-propos d'André Carpentier, [Montréal], Quinze, [1985], p. 197-211. (SF)

Damien B-812, détenu affecté à la garde d'un phare dans une sorte de satellite spatial, raconte sa vie de solitaire et d'anticonformiste. Il reçoit la visite d'une madame Ressources Humaines venue inspecter sa conduite. Après son départ, il ressent toujours une envie pressante d'avoir une femme et de s'évader avec elle. Alors, il s'imagine secouru par une belle dame, Ella, dont il s'éprend.

SIMARD, Benoît

[

« Le Souffle du rêveur »,
Pour ta belle gueule d'ahuri, n° 1 (vol. I, n° 1, 1979), p. 14-15. (SF)

Omon Orgha, richissime propriétaire de la Terre, fait le rêve d'un univers vert, fleuri, joyeux et paisible. Il se rend au Commerce des Rêves Enchantés et des Vies Ensommeillées (le C.R.E.V.E.) pour réaliser son rêve. Mais la compagnie ne lui offre pas le bon rêve et, ne pouvant malheureusement plus revenir, il doit, pour s'en sortir, avaler une pilule, celle de la mort.

« Les Irréductibles Réducteurs de têtes »,
Pour ta belle gueule d'ahuri, n° 1 (vol. I, n° 1, 1979), p. 15-16. (SF)

Un grand athlète se réveille dans une salle d'opération et s'aperçoit que sa tête a diminué de volume. Il cherche la réponse à cette transformation et trouve deux hommes qui ne comprennent pas son désarroi. L'un d'eux n'a plus de tête du tout.

« La Mystérieuse mais Véridique Aventure d'Anatole Persepied, chasseur de métier »,
Pour ta belle gueule d'ahuri, n° 2 (vol. I, n° 2, 1979), p. 6-9. (SF)

Anatole Persepied, chasseur de métier, est envoyé par son président à la chasse au *sulfurus anarchis*, papillon gigantesque et anthropophage, sur la planète Eliès III. C'est son Dror de Fada (secrétaire), Albérius, qui narre cette histoire d'où Anatole ne revient jamais, malgré l'aide qui lui est apportée.

« Une autre »,
Pour ta belle gueule d'ahuri, n° 4 (vol. II, n° 1, 1980), p. 9. (SF)

Bil, un nécrophile, se choisit une cinquante-troisième victime sur « cette Terre misérable qui meurt ». Il la tue puis commet l'acte sexuel avec elle.

« Crevez ! sales mecs ! »,
Pour ta belle gueule d'ahuri, n° 4 (vol. II, n° 1, 1980), p. 11. (SF)

Un écrivain d'expérience et son élève rédigent une histoire où deux écrivains sont poursuivis par des assaillants. Le jeune perd le contrôle de ses personnages qui finissent par sortir du récit et s'emparer du débutant et de son professeur.

« Nouvelle »,
Blanc Citron, n° 2 (juin 1983), [n. p.]. [Sous le pseudonyme LE BARON FOU]. (SF)

Pour son anniversaire, Georges reçoit de Jules un parapluie temporel lui permettant de voyager dans le passé. Il décide de faire un bref voyage dans le but de rencontrer un ami, puis revient tout trempé de son expédition. À Jules qui s'informe de son état, Georges révèle que, pour trouver le temps exact, il a ralenti et qu'il s'est alors mis à pleuvoir, mais que la pluie montait au lieu de tomber.

SIMARD, Jean
[Québec, 17 août 1916 –]

« Un abri »,
le Magazine Maclean, vol. II, n° 5 (mai 1962), p. 21, 36, 38, 40, 42 (Hy) ;

13 récits, Montréal, Éditions HMH, 1964, p. 33-55. (Collection « l'Arbre », n° 3) ;

Treize récits. Nouvelle édition, Montréal, Éditions HMH, 1969, p. 33-55. (Collection « l'Arbre », n° 3).

À cause des tensions internationales, un homme prévoyant, monsieur Harris, fait construire un abri antinucléaire. Pour plus d'efficacité, il s'entraîne avec sa famille à vivre enfermé dans l'abri. La nuit de l'explosion, monsieur Harris et sa famille ne se rendent compte de rien puisqu'ils dorment dans l'abri. Monsieur Harris sort de l'inconscience plusieurs jours après. Il constate que sa femme et ses enfants demeurent inconscients et que l'abri est dans un grand désordre. Oppressé, il décide d'ouvrir la porte malgré les risques d'irradiation. Il doit se creuser un passage parmi les cendres pour finalement découvrir un paysage totalement désolé, là où il y avait une ville. Découragé, il redescend, prend sa mitraillette, tue sa famille et se suicide.

« Un âge d'or »,
13 récits, Montréal, Éditions HMH, 1964, p. 99-108. (Collection « l'Arbre », n° 3) (Hy) ;

Treize récits. Nouvelle édition, Montréal, Hurtubise HMH, 1969, p. 99-108. (Collection « l'Arbre », n° 3).

Le peuple québécois, déçu de ses partis politiques, se dote d'un gouvernement d'extrême-droite dirigé par trois hommes irréprochables qui mettent l'ordre et la discipline dans l'État aux dépens des libertés individuelles.

SIMPSON, Denis
[

« La Dernière Folie »,
l'Orée close, vol. III, n° 2 (mars 1983), p. 55-68. (SF)

Le lendemain d'une fête, des amis se remettent difficilement de leurs abus. Leur état est aggravé par l'angoisse qui a suivi l'annonce de la déclaration de la guerre nucléaire, une vingtaine d'heures plus tôt.

SINCENNES, Paul
[

« Belz »,
Requiem, n° 4 (vol. I, n° 4, avril-mai 1975), p. 8. (SF)

Belz, un être extraterrestre, se nourrit du désespoir et de la haine qu'il provoque chez les êtres vivants. Venant de quitter un monde qui s'est autodétruit, il arrive sur une planète, choisit un homme, se glisse à l'intérieur de lui et le fait injurier l'ami avec lequel il se promène. Rendu à la maison, l'homme injurie sa femme, celle-ci se fâche. Belz se glisse en elle. La femme saute à la gorge de son mari, qui se laisse faire. Le sentiment d'amour qu'il éprouve pour sa femme fait fuir Belz, ainsi que la croix qui est tombée de la poche de l'agressé.

SIROIS, Guy
[Québec, 1947 –]

« Je me souviendrai de toi... »,
Requiem, n° 26 (vol. V, n° 2, avril 1979), p. 6-8. (SF)

Un homme et une femme, sur la planète Salimène, s'aiment et cherchent des fantômes dont la seule propriété connue est de faire l'amour avec les humains. Les deux amants se séparent. L'homme apprend plus tard que la femme est partie dans un centre de rêves pour un rêve perpétuel. Il part la rejoindre et fait son rêve de son côté. Elle aime le souvenir qu'elle a de lui et lui d'elle. Ils font l'amour par fantôme interposé.

SIROIS, Guy. V. **DION, Jean.**

SOMCYNSKY, Jean François
[Paris, 20 avril 1943 –]

« "F" comme dans Féneau »,
les Grimaces, Montréal, Pierre Tisseyre, [1975], p. 7-69. (SF)

Serge Féneau doit fuir parce que le gouvernement a décrété que tous ceux dont le nom commence par un « F » doivent mourir. Il change d'identité, passant de Péneau à Réneau et, finalement, à Béneau, vivant traqué dans de petits hôtels, avec la peur d'être tué par n'importe qui puisque c'est un devoir civique des citoyens d'éliminer les « F », en les massacrant systématiquement. Féneau a peur d'être reconnu par quelqu'un qui connaît son véritable nom. Un jour, il entend un message à la radio précisant que le gouvernement interdit désormais l'assassinat des « F ». Avant de rentrer chez lui, Féneau arrête dans un petit hôtel pour se nettoyer et se changer et est tué par un jeune homme après avoir présenté sa carte d'identité : le gouvernement venait de décréter l'élimination des « B ».

« Le Voyage du petit homme »,
les Grimaces, Montréal, Pierre Tisseyre, [1975], p. 171-244. (SF)

Un ex-prisonnier, inadapté recherchant la liberté, fait visiter à un extraterrestre, Galuron, sa ville, Solériville, où il n'y a pas de liberté individuelle, où tous les besoins sont comblés par l'État, mais où les gens sont comme des zombies apathiques. Ils apprennent que, dans une autre ville, Soliégrad, règnent la loi du plus fort, l'injustice sociale et la terreur. Par méprise, l'ex-prisonnier est assassiné par des citoyens de Solériville, juste avant d'entrer à Soliégrad. On tue ainsi le dernier homme sain de Solériville.

Le Diable du Mahani,
Montréal, Pierre Tisseyre, [1978], 174 p. (SF/Roman)

Un arpenteur forestier, Jean Pabst, plein de désillusions en l'humanité, est intrigué par divers incidents qui lui font comprendre que le diable du lac Mahani des légendes locales est un homme. Un jour qu'il se perd en forêt, Pabst est amené par ascenseur-écluse dans un palais bâti sous le lac Mahani par un Japonais, Yujiro Okada. Celui-ci vit complètement retiré du monde, maître de son destin qu'il voue au perfectionnement culturel et érotique. Après un court séjour, Pabst retourne au travail, mais désire ardemment revenir chez Okada. Un Indien, employé d'Okada, devient jaloux de Pabst et trahit son maître. Okada le tue et se fait hara-kiri. Pabst prend la relève au palais souterrain.

« Le Cœur du monde bat encore »,
Solaris, n° 37 (vol. VII, n° 1, février 1981), p. 6-12 (SF) ;

Aurores boréales 1. 10 récits de science-fiction parus dans la revue *Solaris*, sous la direction de Norbert Spehner, [Longueuil], le Préambule, [1983], p. 45-71. (Collection « Chroniques du futur », n° 7).

Dans une ville-vaisseau-monde, le narrateur et son amante Véra tentent sans succès d'obtenir la preuve de l'existence du monde extérieur, de la réalité des planètes et des galaxies. Au moment où se produisent des déformations temporelles et où le vaisseau menace de se faire happer par un trou noir, les deux amoureux se réfugient à bord d'une nacelle – cœur du vaisseau spatial – et échappent ainsi à la désintégration du monde.

« Un départ difficile »,
Solaris, n° 40 (vol. VII, n° 4, septembre 1981), p. 17-21 (F) ;

J'ai entendu parler d'amour. Nouvelles, [Hull], Éditions Asticou, [1983], p. 153-175. (Collection « Nouvelles Nouvelles »). [Avec variantes].

Un ambassadeur canadien en mission en Afrique rentre à Montréal après être passé par Paris, mais sa perception de l'espace-temps s'altère progressivement. Dans cet état, il se remémore ses multiples aventures sexuelles et amoureuses : « Le temps se prolongeait de plus en plus entre deux souvenirs [...] le monde apparaissait, disparaissait, reparaissait, de moins en moins précis ». Il se retrouve finalement dans une « orgie extraordinaire » et finit par se dire que, ayant suffisamment vécu, il ne s'accrochera plus à l'existence.

« Histoire d'un voyage inutile »,
Imagine..., n° 10 (vol. III, n° 1 automne 1981), p. 117-126. (SF)

Un prêtre maya découvre un très ancien manuscrit dans un coffre de pierre trouvé dans un vieux temple. Lorsqu'il le parcourt, il apprend qu'une autre civilisation, ayant existé bien avant la sienne, avait envoyé trente hommes en expédition vers le Nord. À l'aide d'une simple boussole et de la bonne volonté des peuplades qu'ils rencontrent au cours de leur périple, quelques-uns parviennent au pôle Nord. Là, ils font une « rencontre du troisième type » : des êtres, de formes humaines, verts et velus, descendent d'une énorme « boule de feu ». Effrayé, un des hommes lance une flèche sur un de ces êtres que tous prennent pour des dieux. Mais l'être s'écroule ; il n'est pas immortel. Une courte bataille s'ensuit et les humains sont tous tués ou blessés. Lorsqu'ils reprennent conscience, les survivants constatent que la boule de métal a disparu. Les quatre rescapés, grâce à la boussole, rebroussent chemin et réussissent à entrer dans leur pays, où ils écrivent leur récit. Impressionné, le prêtre maya constate tout de même l'inutilité de ce voyage. À leur tour, eux aussi doivent faire face à des dieux cruels. Les Espagnols sont là, et ils avancent, pillent, tuent. Ils pourraient pourtant leur apporter beaucoup. Alors que le prêtre s'abandonne à ces pensées, un messager lui apprend que de « nouveaux dieux au visage blanc approch[ent] ».

« 2500 »,
Solaris, n° 42 (vol. VII, n° 6, décembre 1981), p. 19-25 (SF) ;

SF. Dix années de science-fiction québécoise, sous la direction de Jean-Marc Gouanvic, [Montréal], Éditions Logiques, [1988], p. 269-300. (Collection « Autres Mers, Autres Mondes », n° 3).

Membre d'un des comités de coordination qui dirigent la Terre, Janic fait partie de l'élite qui contribue à la destinée de l'univers. En ce début de 2500, il doit prendre une grave décision en ce qui touche la guerre civile qui sévit au Magéria. On s'apprête à y déposer un astéroïde de minerai de fer, ce qui risque d'aggraver le conflit. Préoccupé par la question du destin et par celle de l'amour, Janic ressent un vide sentimental dans sa vie, malgré son bien-être physique et matériel. En 2500, l'amour et sa magie, tout comme la création individuelle et l'art, ont disparu. Les relations sexuelles sont privilégiées, satisfaisantes, mais pas entièrement pour des êtres comme Janic. C'est d'ailleurs pourquoi il s'invente l'histoire de Galoun, cet humanoïde d'un autre univers, Gora : après la destruction de son palais et la mort de sa compagne, Galoun déclare la guerre au Destin. Janic croit que Galoun doit livrer bataille au destin, seule cette lutte éternelle pouvant protéger l'Amour. Mais il n'écrit pas cette histoire qui le hante. On n'invente plus aujourd'hui. On recopie la réalité. Après son repas, Janic fait l'amour avec une étudiante, puis il invite une autre fille à un centre de rencontre, où les gens peuvent exprimer leurs désirs profonds, en parler, puis faire l'amour. Mais ce soir-là, Janic ne persévère pas. Il croit qu'il va, après tout, imposer la paix au Magéria en mettant le pays sous la tutelle de la Commission. C'est la solution la moins « dramatique », selon lui. Il s'installe alors avec un stylo et un calepin, comme dans l'ancien temps. Après trois siècles de silence, il décide de créer, envers et contre toute idéologie, bravant le destin et la réalité.

« La Sécheresse »,
Peut-être à Tokyo. Nouvelles, Sherbrooke, Éditions Naaman, [1981], p. 12-15. (Collection « Création », n° 86). (F)

Un homme qui travaille avec des camarades dans le Sahel, pendant une sécheresse, imagine qu'il fait un rêve où ses compagnons, Geneviève et André, sont sacrifiés au cours d'une cérémonie rituelle devant amener la pluie. Il se rend compte que ce n'est pas un rêve quand lui-même est amené au sacrifice.

« La Vie derrière soi »,
Peut-être à Tokyo. Nouvelles, Sherbrooke, Éditions Naaman, [1981], p. 55-64. (Collection « Création », n° 86). (F)

Rentré à son hôtel, à Paris, le Montréalais Antoine Langevin s'aperçoit qu'il est devenu Français et qu'il s'appelle Georges Denain. La note de l'hôtel est faite à ce nom et, dans la rue, on l'interpelle en disant : « Tiens, mais c'est monsieur Denain ! ». Pourtant, il a toujours vécu à Montréal. Mais Langevin s'habitue vite à sa nouvelle vie. Il va occuper un nouveau poste à Marseille en compagnie d'une femme dont il est follement amoureux. Il se dit qu'« il se peut bien que ce train pour Marseille [le] reconduise à Montréal et qu'un visage familier [l]'interpelle sous le nom d'Antoine. Mais [... il] ne veut plus [se] réveiller dans le passé ».

« L'Éternelle Victime »,
Peut-être à Tokyo. Nouvelles, Sherbrooke, Éditions Naaman, [1981], p. 82-84. (Collection « Création », n° 86). (Hy)

Un homme, sentant qu'il a vieilli sans connaître le bonheur, se rend sur une montagne éloignée pour rencontrer le démon et lui demander de permettre qu'il soit heureux, une journée, une heure. Le démon accède à sa demande et l'oriente vers un monde de rêve avec des femmes de rêve mais, après quelques moments de bonheur et de volupté, l'homme se réveille dans son lit, seul. Le démon lui dit : « Tu l'as rêvé. C'est suffisant. C'est la même chose ».

« Oméga 8 est amoureux »,
Peut-être à Tokyo. Nouvelles, Sherbrooke, Éditions Naaman, [1981], p. 90-103. (Collection « Création », n° 86) (SF) ;

Imagine..., n° 32 (vol. VII, n° 3, février 1986), p. 83-95. [Sous forme de dramatique radiophonique] ;

Anthologie de la science-fiction québécoise contemporaine. Introduction et choix de textes par Michel Lord, [Montréal], BQ, [1988], p. 209-224. (« Bibliothèque québécoise, Littérature »).

Oméga 8, un superordinateur, a un drôle de « comportement », fonctionnant de façon étrange depuis quelque temps. Le narrateur, un cybernéticien, fait venir un pédiatre puis un psychologue, lequel diagnostique une crise d'adolescence : Oméga 8 semble être amoureux. Finalement, un psychiatre va plus loin dans son diagnostic : Oméga 8 vit plus qu'une crise d'adolescence, il découvre qu'Oméga 8 envoie même des messages pornographiques. Le superordinateur est tombé amoureux d'un autre ordinateur, Delta 350. Les deux machines fonctionnent en symbiose et ont les mêmes problèmes relationnels qu'un couple humain, jusqu'au jour où Delta 350 accouche d'une petite machine ressemblant à Oméga 8 et Delta 350.

« La Mort de Dieu »,
Peut-être à Tokyo. Nouvelles, Sherbrooke, Éditions Naaman, [1981], p. 108-112. (Collection « Création », n° 86). (Hy)

Marie a conclu un pacte avec le diable et vit dans la luxure. Un jour, elle décide de devenir une sainte. Le diable doit l'aider à respecter son contrat. Elle devient donc une sainte et, un jour, elle meurt des suites d'une pneumonie contractée en sauvant une orpheline de la noyade. Au ciel, on se demande si une sainte peut aller en enfer. Lucifer la réclame puisqu'il y a eu contrat et Dieu se doit de respecter un contrat tout en étant embarrassé d'envoyer une sainte en enfer. Il y a discussion entre saint pierre, Dieu et Lucifer. Finalement, reconnaissant qu'ils ne savent plus très bien où est le bien et le mal, et jugeant qu'ils sont devenus inutiles, Dieu et le Diable décident de disparaître et de laisser les hommes se débrouiller seuls.

« L'Île »,
Peut-être à Tokyo. Nouvelles, Sherbrooke, Éditions Naaman, [1981], p. 113-115. (Collection « Création », n° 86). (F)

Dans une île, on constate la disparition d'une magnifique jeune fille qui a été aperçue la dernière fois alors qu'elle faisait l'amour avec un homme sur une plage. On tue finalement cet homme. Les insulaires doivent fuir l'île, car ils sont poursuivis par la malédiction de la « magicienne blessée ». L'« âme » de l'île s'est matérialisée sous la forme d'une jeune fille pour faire l'amour avec un homme et c'est elle, semble-t-il, qui s'attaque à ceux qui ont tué son amour.

« Métamorphose »,
Peut-être à Tokyo. Nouvelles, Sherbrooke, Éditions Naaman, [1981], p. 134-137. (Collection « Création », n° 86). (F)

L'écrivain Robert Javier s'arrête dans un bar d'Accra, lors d'une escale imprévue et attend l'appel d'une femme. Il s'imagine qu'il est lui-même devenu le personnage d'un de ses romans et que ce personnage est en train de vivre ce qu'il vient de vivre. Soudain, il aperçoit son personnage près de lui. Puis, le téléphone sonne dans ce bar ; le personnage se lève et va répondre. Javier comprend alors qu'un jour ce sera peut-être ce personnage qui écrira des romans et que lui, Javier, répondra à un appel téléphonique quelque part dans une ville d'Afrique ou d'ailleurs, lors d'une escale imprévue.

« La Desconocida »,
Imagine..., n° 14 (vol. IV, n° 1, automne 1982), p. 77-81. (SF)

Le capitaine Najac est un passionné d'histoire. Santiago de Bernalieros et son histoire d'amour avec Isabel de Montilla l'intéressent en particulier. À partir des chroniques de l'époque (XVIIe siècle), il publie un ouvrage relatant leurs aventures. Curieusement, Najac revit la même histoire. Alors qu'il transporte une cargaison de métaux vers Saturne, il décide de livrer bataille à Golif, le pirate le plus célèbre de l'époque, en souvenir de Santiago, croit-on. Fait prisonnier, Najac est sommé de surveiller Iava, une belle terrienne, prisonnière de Golif. Le même scénario se répète. Golif part dans le but d'attaquer un vaisseau martien. À son retour, il doit faire face à la rébellion de ses propres hommes, montés contre lui par Najac. Lorsqu'il réussit à écraser la résistance, il ne reste rien de sa base. Certains prétendent qu'une capsule spatiale aurait réussi à quitter l'astéroïde, avant la destruction.

« Chair et Pierre »,
Solaris, n° 50 (vol. IX, n° 2, mars-avril 1983), p. 18-19. (F)

Joël connaît toutes les légendes bretonnes. « Avec le temps, il [a] acquis la conviction de les avoir vécues lui-même », d'en être le dépositaire et le prolongement. Il sent que quelque chose d'unique va lui arriver. Dans la forêt où il se promène souvent, il a un jour trouvé un dolmen sur lequel on avait taillé un corps de femme, gisante. Plus il avance dans la forêt, plus il sent qu'il entre dans un monde magique. « [L]e corps l'attendait comme s'il s'agissait de mettre un point final à une très vieille histoire. Un point final ou le début d'une nouvelle légende » Parmi les dolmens, Joël se sent chez lui. Arrivé près du plus mystérieux d'entre eux, alors qu'une clarté fantastique les entoure, le corps de la femme de pierre se met à bouger, invitant Joël. Dans le cercle magique, Joël et la gisante « furent ravis d'amour. On vit longtemps sur ce dolmen la forme de plus en plus confuse de deux corps enlacés ».

« Un détour dans la nuit »,
Imagine..., n° 18 (vol. V, n° 1, août-septembre 1983), p. 25-40. (SF)

Tulka appartient à une civilisation ayant atteint un haut degré d'amélioration de l'espèce ; des tests génétiques poussés décident ainsi du sort des nouveau-nés : seuls les êtres possédant des capacités supérieures de logique et d'abstraction peuvent vivre dans ce monde, les autres sont éliminés. Tulka est envoyé en mission « d'extermination » dans une zone non civilisée, le territoire des Voldos, qu'il connaît bien. Les Voldos, par leur volonté de communication avec la nature, sont impossibles à assimiler à la civilisation de Tulka. Primitifs, simples mais heureux, ils s'épanouissent dans un monde où la bataille, la maladie et les dieux règnent encore. La ville de Mayala, d'où est originaire Tulka, a besoin du territoire des Voldos pour exploiter les richesses naturelles qui s'y trouvent et implanter de nouvelles villes. Les Voldos, incompatibles, doivent être tous tués. Tulka est rompu à ce genre de mission mais, au cours de celle-ci, il a une réaction étrange : il a de plus en plus froid, mais faire l'amour ou faire la fête lui permet de se réchauffer temporairement. Ordinateurs et spécialistes tentent de cerner ce phénomène nouveau. De plus, à mesure que son groupe s'avance en territoire voldos, Tulka hésite puis renonce à éliminer les villageois demeurant en bordure de la rivière. Le froid augmente et Tulka comprend qu'il émane de l'intérieur de lui-même. Les spécialistes de la base sont étonnés du fait que Tulka soit encore vivant. Finalement, ce dernier termine sa mission avec succès. Laissant de côté ses émotions fugaces et nouvelles pour les Voldos, il les élimine tous. En revenant à la base, il se sent terriblement froid. Une femme près de lui, une chaleur nouvelle circule en lui.

« Le Baron »,
Solaris, n° 53 (vol. IX, n° 5, automne 1983), p. 8-9. (SF)

Depuis douze ans, le baron de Baarelfuss se terre dans son immense château. Pourtant, en sa jeunesse, il donnait des bals superbes et participait aux activités les plus à la mode. Vers l'âge de trente ans, le baron avait été frappé d'une maladie étrange : affaiblissement des fonctions vitales, sans signe extérieur, dirent les médecins. Depuis, le baron porte des gants, un masque et des lunettes noires, et il ne sort plus de son château. C'est donc avec une grande surprise que les gens apprennent que le baron accepte l'invitation du marquis Frestlitz. À cette soirée, la célèbre ballerine Gabrielle Esvinan danse de manière divine. Elle fascine le baron Baarelfuss, qui l'entraîne chez lui. Gabrielle Esvinan comprend que c'est la beauté qui nourrit cet être détruit, aux yeux vides, à la figure et au corps invisibles, une fois lunettes, masque et gants enlevés.

« Orbitamour »,
Antarès (France), vol. 9 (1983), p. 37-55. (SF)

Lors de son voyage expérimental annuel sur Orbita, le technicien spatial Hugo s'aperçoit que la planète est vivante, qu'elle est capable de se transformer et qu'elle le désire. Il s'accouple avec elle et quitte Orbita en lui promettant de revenir.

« La Triple Flamme »,
Espaces imaginaires I. Anthologie de nouvelles de science-fiction réunies par Jean-Marc Gouanvic et Stéphane Nicot, Montréal, les Imaginoïdes, [1983], p. 137-158. (SF)

Valtier, le consul de la Terre en mission sur la planète Doril, est lié par le pacte de la triple flamme et par l'amitié à Anja et Roshka, les derniers Draches, des héritiers impériaux. Il réussit à faire passer ses amis, de la cabine où ils devaient être exécutés par les forces révolutionnaires doriliennes, à un ancien vaisseau spatial terrien. Le trio s'enfuit vers Socla, une planète voisine de Doril.

« Un compagnon de jeu »,
Imagine..., n° 21 (vol. V, n° 4, avril 1984), p. 89-94. (SF)

Sur une planète survivent quelques membres d'une race de dragons décimée par l'hostilité de visiteurs venus d'autres mondes dans des « aérolithes ». Repliés dans les montagnes, les dragons survivent tant bien que mal. Une jolie femelle, aux ailes abîmées par les envahisseurs, se laisse un jour surprendre par le bruit d'une de ces machines volantes qu'elle craint par-dessus tout. Mais l'être qui en sort est minuscule et semble inoffensif. Excitée par ce divertissement inattendu, la femelle s'approche et tente d'en faire son compagnon de jeu. Mais ce qui semble être un homme n'est pas du tout intéressé. Il essaie d'échapper à sa nouvelle « amie », sans succès. Après quelque temps, lassée de sa non-coopération, la sympathique femelle dragon dévore le petit être.

« Le Jour de la lune »,
Fiction spécial (France), n° 34 (1984), p. 172-187. [Une anthologie de Stéphane Nicot, intitulée *Futurs intérieurs. Douze récits de science-fiction et de fantastique d'auteurs de langue française*]. (SF)

Le roi Palmor, ayant pris le pouvoir dix ans auparavant, se voit confronté à Sélénia, l'héritière du royaume dont elle fut jadis dépossédée. Palmor et Sélénia veulent le bonheur du peuple, mais leurs compétences diffèrent. Usant tous deux de magie, ils s'affrontent dans l'arène, le jour de la lune, et déchaînent l'un contre l'autre les quatre éléments. Épuisé, Palmor reconnaît la suprématie de Sélénia et lui rend le pouvoir qu'elle n'était pas venue reprendre, mais lui donner.

« L'Atelier des rêves »,
J'ai entendu parler d'amour, [Hull], Éditions Asticou, [1984], p. 7-14. (Collection « Nouvelles Nouvelles »). (F)

José Garno est obsédé depuis l'âge de dix ans par une photo représentant *la Vénus* de Milo vivante, à la fois femme et statue. Vers l'âge de trente ans, il rencontre une danseuse de cabaret nommée Norma et entreprend de la sculpter dans le marbre. Il meurt, écrasé par la femme-statue qu'il a créée.

« Les Cloisons mobiles »,
J'ai entendu parler d'amour, [Hull], Éditions Asticou, [1984], p. 97-106. (Collection « Nouvelles Nouvelles »). (F)

Son ministère venant de déménager, le narrateur, directeur de la planification, reçoit les confidences de son adjoint, Gilles, à propos d'événements étranges survenus à l'étage où il travaille. Les bureaux y sont séparés par des cloisons mobiles qui ne favorisent pas la communication entre les gens. Toutefois, Gilles fantasme beaucoup sur Clara, une jolie et mystérieuse collègue qui fait de la moto. Chaque fois qu'il pense à elle, il se sent écrasé de chaleur et, chaque fois, il croit percevoir un rapprochement des cloisons mobiles. Pourtant, après vérification, rien ne semble avoir bougé. À la suite d'une promotion, Clara change d'étage et, le soir même de cette mutation, Gilles reste à son bureau jusqu'à minuit : là, de manière soudaine, l'image de Clara lui apparaît sur des milliers de cloisons portant son image et se resserrant sur lui jusqu'à le broyer presque. Il s'enfuit et se rend compte une fois de plus que toute trace de cette expérience troublante a disparu. Terrifié, il quitte son emploi. De son côté, le narrateur repense à Gilles lorsque, devenu secrètement amoureux d'une nouvelle collègue amateure de moto, Claire, il croit percevoir un resserrement des cloisons fixes de son bureau.

« Le Cristal universel »,
Antarès (France), vol. 15 (1985), p. 51-62. (SF)

Le narrateur rencontre Gilbert Denis, un génie de l'informatique, qui a perfectionné un ordinateur et inventé un capteur mnémonique permettant de transférer la mémoire du narrateur dans l'ordinateur. Pas encore satisfait, Denis fabrique un petit cristal possédant une mémoire gigantesque. Il y inscrit la totalité des informations de l'*Encyclopædia Britannica.* Attiré par la connaissance universelle, le narrateur introduit son esprit dans le cristal et laisse mourir son corps. L'esprit du narrateur dans le cristal perçoit tous les mouvements de l'univers et, après quelques tentatives de suicide, il se résigne à une horrible immortalité.

« La Mort du soleil »,
Antarès (France), vol. 17 (1985), p. 4-32. (SF)

Boris découvre que le soleil se meurt. Mais tout n'est que supercherie orchestrée par Mikaéta qui n'a qu'un seul désir : quitter le système solaire. Elle réussit à convaincre tout l'équipage de la suivre.

« Manipulation »,
Aurores boréales 2. 10 récits de science-fiction, sous la direction de Daniel Sernine, [Longueuil], le Préambule, [1985], p. 83-118. (Collection « Chroniques du futur », n° 9). (SF)

Waltor, un éminent généticien, se rend à un congrès où il rencontre une ancienne élève et maintenant collègue, Ani, qui s'est « transsexuée » en homme. Ani, autrefois sa maîtresse, modifie, par manipulation génétique, le système de désir sexuel de Waltor afin qu'il réponde à un nouvel instinct homosexuel.

La Planète amoureuse,
[Longueuil], le Préambule, [1982], 172 p. (Collection « Chroniques du futur », n° 5). (SF/Roman)

Alba, pilote expérimentée de la société Astronautica, prend deux mois de vacances et décide d'explorer Ménitar, l'une des lunes inhabitées et encore peu explorées de Zébur, sa planète natale. Aussitôt posée, elle se sent bien sur cette planète avec laquelle elle éprouve de la complicité. Alba constate que la matière de Ménitar se cicatrise et change de consistance. Elle trouve une plage et un lac qui lui donnent des sensations extraordinaires lorsqu'elle s'y baigne. Un jour, Alba s'enfonce dans le sable et comprend que Ménitar cherche à lui faire l'amour, que la planète est vivante et amoureuse. À Rocla, capitale de Zébur, les responsables d'Astronautica essaient de communiquer avec Alba mais les messages sont coupés et effacés sans raison mécanique. Tibor, ingénieur chargé des pilotes, décide de partir pour Ménitar, accompagné de Jacqueline, afin de confier à Alba une mission urgente. Les voyages d'Alba et de Tibor pour Ménitar provoquent l'intérêt des dirigeants de la compagnie concurrente, Rama, qui envoient une équipe les espionner. Malgré une étrange énergie répulsive, Tibor parvient à poser sa navette sur Ménitar. L'équipe de Rama, dirigée par Herco, s'installe secrètement et épie ses concurrents. Deux employés de Rama enlèvent Alba et l'interrogent sur sa présence sur Ménitar. Avec l'aide de la planète, Alba arrive à leur échapper. Elle rejoint Tibor, qui semble atteint d'une forte fièvre, car la planète le possède, ne faisant plus qu'un avec lui. Ménitar-Tibor et Alba se débarrassent des agresseurs de Rama, puis Ménitar-Tibor s'unit à Alba et à Jacqueline. Finalement, Tibor redevient lui-même et Alba part en mission, en promettant à la planète Ménitar de revenir.

SORMANY, Pierre
[Sillery, 2 octobre 1951 –]

« Le Frigidaire à remonter le temps »,
Requiem, n° 15 (vol. III, n° 3, avril-mai 1977), p. 7. (SF)

Cinquante ans après l'invention d'un régénérateur, son inventeur refuse de l'utiliser dans l'espoir de trouver une solution à la disparition de plusieurs utilisateurs, qui ont été rajeunis jusqu'à devenir des fœtus impuissants. Il n'y parvient pas et meurt, convaincu d'être le dernier être à mourir normalement.

« L'Homme est un robot pensant »,
Requiem, n° 19 (vol. IV, n° 1, janvier 1978), p. 24. (SF)

Après plusieurs années de recherche, le docteur Wilson T. Bait émet l'hypothèse selon laquelle l'homme n'est en fait que le robot « biotechnique » d'êtres supérieurs échappant « volontairement aux appareils perceptifs » de leurs créatures. Personne ne croit Bait ni ne veut l'écouter, et il meurt prématurément. Son testament ne contenant que le fruit de ses recherches, le notaire le parcourt rapidement et le range pour de bon « dans un cartable noir » devenu introuvable à la grande satisfaction des Zognuts qui ne pouvaient comprendre « comment un des relais biotechniques s'était ainsi libéré ».

« Le "Tyran" »,
Espaces imaginaires II. Anthologie de nouvelles de science-fiction réunies par Jean-Marc Gouanvic et Stéphane Nicot, Trois-Rivières, les Imaginoïdes, [1984], p. 107-116. (SF)

Dans un futur relativement rapproché, une légende circule à propos d'un certain Jean-Baptiste, petit technocrate gouvernemental qui, au cours du siècle précédent, aurait perturbé l'entrée des données informatiques dans l'ordinateur central régissant toute l'Administration publique, pendant une période de vingt ans au bout de laquelle, subitement, il aurait disparu mystérieusement. On le surnomme le « Tyran ».

SOUBLIÈRE, Roger
[Montréal, 1942 –]

« En guise de Requiem »,
la Barre du jour, n° 33 (printemps 1972), p. 80. (F)

Après avoir avalé un « sombre cachet », un homme se contorsionne de douleur, et sa bouche émet des sons violents, sans parole. Il se souvient avoir ressenti une grande faim plus tôt. Sa femme le faisant patienter, il cueille une pomme et mange le fruit défendu. À partir de ce moment, ses yeux voient, comme des microscopes, l'air, les atomes et les molécules de manière si énormes qu'ils s'infiltrent à grand-peine en lui, au point de l'étouffer et de le faire mourir probablement par asphyxie. Mais l'autopsie démontre qu'il lui manquait une côte.

SOUCY, Jean-Yves

[Causapscal, 2 mars 1945 –]

« M. Thouin »,
la Nouvelle Barre du jour, n° 89 (avril 1980), p. 71-84 (F) ;

l'Étranger au ballon rouge. Contes, [Montréal], la Presse, [1981], p. 87-101 ;

Intimate Strangers. New Stories from Quebec. Edited by Matt Cohen and Wayne Grady, [Toronto], Penguin Books, [1986], p. 173-187. [Traduit par Matt Cohen sous le titre « The Red Boots »].

Employé d'un ministère, Monsieur Thouin s'adonne au fétichisme : les chaussures lui procurent la plus grande des jouissances. Un jour, il voit dans une vitrine une superbe paire de bottes rouges. Comme il ne peut les oublier, il les achète. Mais une fois en sa possession, les bottes l'intimident. Malgré cela, il les possède une nuit entière et les jette au fond du placard. Au matin, à sa grande stupéfaction, les bottes sont dans le lit, avec lui. Croyant d'abord qu'il est somnambule ou fou, il doit se rendre bientôt à l'évidence : les bottes sont vivantes, amoureuses de lui et rancunières. Elles se promènent, lui téléphonent, vont même frapper à sa porte de chambre d'hôtel où il va, une nuit, se réfugier. Monsieur Thouin décide alors d'affronter le problème. Il entre chez lui, amadoue les bottes réticentes et les emprisonne vivement dans leur boîte. Il les jette au fleuve, soulagé. Mais, immédiatement, il entend des pas qui le suivent. Il s'enfuit, mais il les voit partout. Un matin, monsieur Thouin est trouvé affreusement mutilé, écrasé à mort. On se demande quelles sont ces empreintes, relevées dans la cour sous la fenêtre de la chambre de monsieur Thouin.

« L'Étranger au ballon rouge »,
l'Étranger au ballon rouge. Contes, [Montréal], la Presse, [1981], p. 7-9. (Hy)

Un être étrange arrive sur Terre. Une foule s'assemble et attend qu'il réalise des miracles. À la déception générale, l'Étranger ne fait que des choses très prosaïques. Un camion l'écrase alors qu'il traverse une rue ; il venait de s'acheter un billet de loterie.

« Terrain de jeux »,
l'Étranger au ballon rouge. Contes, [Montréal], la Presse, [1981], p. 10-18 (SF) ;

Anthologie de la science-fiction québécoise contemporaine. Introduction et choix de textes par Michel Lord, [Montréal], BQ, [1988], p. 225-233 (« Bibliothèque québécoise, Littérature »).

Dans une Europe du futur, une guerre presque entièrement automatisée fait rage depuis longtemps et n'est plus qu'une routine. Un général américain assiste à la mort absurde d'un de ses hommes. Celui-ci constituait le dixième des effectifs du général : il ne reste presque plus d'hommes sur la planète.

« Ni dieu ni maître »,
l'Étranger au ballon rouge. Contes, [Montréal], la Presse, [1981], p. 59-63. (SF)

Un homme raconte, de sa prison, la révolution sociale qui a permis à la Terre de vivre pendant neuf ans sans gouvernement ni autorité. Malheureusement, des gens cupides ont rapidement repris le contrôle et isolé les récalcitrants.

« Une vie »,
l'Étranger au ballon rouge. Contes, [Montréal], la Presse, [1981], p. 79. (Hy)

Un obscur fonctionnaire céleste fait mourir un homme par erreur. Les responsables ne savent pas quoi faire. Finalement, on retourne l'homme sur Terre.

« Gaspillage »,
l'Étranger au ballon rouge. Contes, [Montréal], la Presse, [1981], p. 116-123. (SF)

Dans une société restrictive, un père de famille est envoyé en prison parce que sa femme a utilisé un lave-vaisselle. Les membres de la famille doivent dorénavant porter un brassard les identifiant comme des gaspilleurs. Ils sont ainsi victimes d'une campagne de diffamation orchestrée par le gouvernement. La foule se venge donc sur ces pauvres gens des nombreuses contraintes qu'ils subissent eux-mêmes jusqu'au moment où l'aîné des enfants se révolte. C'est tout ce qu'attendaient les autorités pour l'amener au camp de rééducation.

« Trois minutes en métro »,
l'Étranger au ballon rouge. Contes, [Montréal], la Presse, [1981], p. 124-129. (F)

Entre deux stations de métro, un homme peut lire dans les pensées des autres voyageurs. Ce pouvoir disparaît lorsque le wagon s'arrête.

« Écrire en 2001 »,
l'Étranger au ballon rouge. Contes, [Montréal], la Presse, [1981], p. 130-132. (SF)

En 2001, un écrivain vient de terminer un livre. Il peut réaliser toutes les étapes de sa production et de sa diffusion grâce à son ordinateur, sans intermédiaire. Il a une brève pensée pour les pauvres anciens éditeurs.

« Le Merle d'Amérique »,
l'Étranger au ballon rouge. Contes, [Montréal], la Presse, [1981], p. 139-145. (SF)

En 2061, un homme est accusé du vol d'un merle d'Amérique. À cette époque, il n'existe plus de véritables oiseaux. Seuls les gens très bien nantis peuvent se procurer des copies artificielles.

Érica. Roman,
[Montréal] Libre Expression, [1984], 139 p. (Hy/Roman)

Érica – de son vrai nom Eulalie – est une taupe claustrophobe qui élit domicile chez le narrateur Thomas, alias Louis, un célibataire endurci à qui elle finit par rendre la vie insupportable. Mais Thomas, l'image du parfait célibataire, a un cœur d'or et est prêt à tout pour gagner l'estime de la bête, qui est pour le moins accaparante. Il n'hésite pas à la transporter à la ville, à la nourrir de caviar et de vers congelés pendant la saison froide, voire à renoncer à tous ses amis et amies surtout pour satisfaire aux exigences de la bête jalouse qui prend toute la place et qui, à la fin, au grand soulagement de Thomas, se déniche un mâle de sa race pour le dominer à son tour.

« L'Histoire naturelle des Oves »,
Mouvements (Sainte-Foy), été 1985, p. 16-20. (SF)

Soixante-cinq millions d'années avant notre ère, une race de reptiles intelligents fonde une civilisation ressemblant étrangement à la nôtre. Des étudiants, se rendant compte du chaos qui se prépare, partent en mission afin de changer les mentalités. Cependant, rien n'arrête les guerres, et des bombes bactériologiques détruisent toute vie sur la planète, sauf quelques reptiles, mammifères et oiseaux. Soixante-quatre millions d'années plus tard, naît l'homme. L'histoire se répétera-t-elle ?

SOUCY, Patrice
[

« Régner sur une abstraction »,
Pour ta belle gueule d'ahuri, n° 1 (vol. I, n° 1, 1979), p. 8-9. (Hy)

Deux siècles auparavant, un sombre magicien a donné la moitié du monde à Thalestra, déesse toute-puissante du blanc Principe. Il a gardé le Mal et lui a donné le Bien. Depuis deux cents ans, l'un et l'autre règnent sur l'ignorance des hommes dégénérés par une guerre atomique. Lors d'une discussion orageuse, où les deux comparses s'affrontent, le magicien accuse Thalestra de ne plus « jouer le jeu ». Cette dernière dit être fatiguée de se faire passer pour une déesse et ses propos laissent deviner que le magicien ne conserve ce « titre » qu'à l'aide d'une technologie avancée. Ce dernier, voyant la résistance de la « Déesse », la tue de son doigt pointé vers elle. Thalestra s'effrondre.

SOUDEYNS, Maurice
[Montréal, 1944 –]

« Pirouette vers la gauche »,
Mille plumes, n° 1 (printemps 1978), p. 6-7. (SF)

Un mutant, le narrateur, dégénéré par la pollution, s'aperçoit de ses difformités et désire se suicider pendant que les savants s'extasient sur le fait qu'il soit vivant.

SPEHNER, Norbert
[Sarreguemines (Moselle, France), 21 octobre 1943 –]

« Le Fantôme »,
Requiem, n° 2 (vol. I, n° 2, 1974), p. 17. (Hy)

Un fantôme, Gaspard, se rend au cirque et ressuscite après être mort de rire.

STRARAM, Patrick
[Paris, 12 janvier 1934 – Montréal, 6 mars 1988]

La Faim de l'énigme,
[Montréal], l'Aurore, [1975], 170 p. (Hy/Roman)

Un couple, messager du gouvernement, arrive dans une ville et pose une énigme. Les citoyens ont vingt-deux mois et vingt-deux jours pour y répondre, faute de quoi la ville et tous ses habitants seront détruits. De plus, tous ceux qui tentent de résoudre le problème mais échouent, ou encore ceux qui tentent de fuir, sont passés à la scie. L'angoisse monte et, à la veille de la destruction, le personnage principal, Leiris, un vagabond que tous méprisent, accepte de répondre si les gens laissent tomber leur vie matérialiste et futile pour adopter un modèle socialiste, juste pour tous. Leiris trouve la solution et éloigne à tout jamais le sort qui pesait sur la ville.

SZUCSANY, Désirée
[Montréal, 14 février 1955 –]

« La Feuille »,
les Filets, [Montréal], les Éditions de la Pleine Lune, [1984], p. 157-170. (F)

Un homme veut écrire une lettre, mais sa feuille se défile à chaque fois qu'il y pose son crayon. D'abord surpris, il comprend que la feuille est dotée de vie. Il la plie en forme d'avion et l'envoie dehors, au grand plaisir de la feuille. Alors, toutes les autres feuilles du paquet s'envolent dans l'appartement.

T

TÉTREAU, Jean
[Montréal, 26 octobre 1923 –]

« Le Rendez-vous dans l'espace »,
l'Action nationale, vol. LV, n° 4 (décembre 1966), p. 380-383. [Série de récits réunis sous le titre « Contes en forme de médaillons », p. 376-385] (SF) ;

Volupté de l'amour et de la mort. Histoires fantastiques, Montréal, Éditions du Jour, [1968], p. 242-245. (Collection « les Romanciers du Jour », n° R-30). [Série de courts récits réunis sous le titre « Histoires en cotillon », p. 225-245].

Un homme et une femme sont envoyés dans l'espace pour explorer les astéroïdes entre Mars et Jupiter. Ils tombent amoureux l'un de l'autre, s'installent sur une petite planète similaire à la Terre et coupent tout contact avec la base.

Les Nomades. Roman,
Montréal, Éditions du Jour, [1967], 260 p. (Collection « les Romanciers du Jour », n° R-21). (SF/Roman)

À la suite d'une catastrophe nucléaire, en 1993, la vie est complètement métamorphosée. Sur Terre, Silvana, une des rares survivantes, s'entête à retrouver les siens. Dans l'espace, l'équipage du vaisseau *Achille* tente d'effectuer un retour sur Terre, bien qu'il soit sans nouvelle de celle-ci. D'abord seule, puis en compagnie de Niels, Silvana entreprend un long périple dont le but est Canezei, où elle souhaite revoir sa mère et une amie, Monica. Les multiples bouleversements que subit la nature, les rencontres insolites parfois périlleuses, le froid et la géographie sont autant d'obstacles auxquels ils doivent faire face. On leur raconte un jour qu'un capitaine de vaisseau a réussi à revenir sur Terre, et on les informe de l'existence probable d'une société en reconstruction autour de la ville d'Aoste. Mais le dernier parcours les séparant de leur but cache un obstacle qui provoque la mort de Niels. Même seule, Silvana réussit à retrouver Canezei, où une cinquantaine de survivants forment une nouvelle société. Sept mois après son arrivée, elle met au monde un garçon qu'elle nomme Ranuce et trouve enfin le bonheur.

« Volupté de l'amour et de la mort »,
Volupté de l'amour et de la mort. Histoires fantastiques, Montréal, Éditions du Jour, [1968], p. 9-41. (Collection « les Romanciers du Jour », n° R-30). (F)

Filippo et Margherita s'aiment, mais les études de séminariste de l'un et la rigueur de la mère de l'autre forment des obstacles à leur amour. Ils croisent à trois reprises une vieille sorcière Bohémienne qui enjoint Margherita de se méfier des hommes et qui lui prédit une chute prochaine. La dernière rencontre de Margherita avec la Bohémienne précède de peu le suicide de Margherita qui se jette dans le vide, suivie aussitôt de Filippo.

« Le Décret impérial »,
Volupté de l'amour et de la mort. Histoires fantastiques, Montréal, Éditions du Jour, [1968], p. 43-89. (Collection « les Romanciers du Jour », n° R-30). (F)

Edmond Janottin est propriétaire d'un tableau représentant six personnages penchés au-dessus d'un puits. Il croit être victime d'une hallucination le jour où il aperçoit une femme qui ressemble étrangement à un des personnages, alors qu'elle est beaucoup trop jeune pour avoir servi de modèle. Après avoir croisé deux autres personnages, il décide de se débarrasser du tableau, craignant pour sa santé mentale. Le nouveau propriétaire, Frédéric Gombard, constate à quelques reprises que des personnages d'autres tableaux se sont substitués aux personnages de son propre tableau. À son tour, il revend le tableau à un collectionneur écossais, James Macpherson, qui, dans un accès de folie, tue sa femme et blesse ses deux enfants. À la fin, une explication étrange du mystère est proposée dans le quotidien *France-soir* à la suite d'une dépêche de Londres, faisant état d'informations de source nippone : le tableau aurait été peint selon une ancienne technique japonaise, la technique de la métamorphose.

« Ni vu ni connu »,
Volupté de l'amour et de la mort. Histoires fantastiques, Montréal, Éditions du Jour, [1968], p. 203-223. (Collection « les Romanciers du Jour », n° R-30). (F)

Le magicien prestidigitateur Boudini présente un spectacle au cours duquel il porte « sa tête entre ses mains » et fait parler divers animaux. Il hypnotise aussi des femmes qui vont en enfer et en reviennent après avoir vaincu le serpent.

Prémonitions. Roman,
Montréal, Pierre Tisseyre, [1978], 132 p. (F/Roman)

À la fin des années 1920, Bernard Lesur se met à faire d'étranges rêves qui lui semblent prémonitoires. Dans ces rêves, il voit mourir affreusement des individus qu'il connaît et dont il apprend la mort quelque temps après. Il confie ses angoisses à son grand ami Henri Mirondet, qui lui conseille de voir un médecin. Temporairement apaisé, Lesur rêve, une nuit, à sa propre mort et se suicide ; sa mort coïncide avec d'autres suicides, qu'on associe au crash économique. Quelques années plus tard, c'est son bon ami Mirondet, en prison pour escroquerie, qui, un peu avant de mourir, transmet les papiers de Lesur afin que le mystère entourant ses rêves prémonitoires soit dévoilé.

THÉBERGE, Gleason
[Saint-Mathieu de Rioux, 24 octobre 1947 –]

« Où il est aussi question de conte »,
la Barre du jour, n° 33 (printemps 1972), p. 49-64. (Hy)

Un narrateur raconte et discute un conte où il est question d'une reine égyptienne qui attend pour l'épouser son frère, disparu depuis de nombreuses années. Cependant, plusieurs prétendants aspirent au trône. Elle promet d'épouser celui qui lui amènera de la neige. Lors d'une grande cérémonie, un alchimiste lui apporte, dans un coffret, ce qui semble être de la neige. En fait, c'est un miroir avec un signe secret connu seulement de la reine et de son frère. L'alchimiste se métamorphose : il est bel et bien le frère de la reine.

THÉRIAULT, Adrien V. THÉRIO, Adrien [pseudonyme d'**Adrien THÉRIAULT**].

THÉRIAULT, Marie José
[Montréal, 21 mars 1945 –]

« La Cérémonie »,
la Cérémonie. Contes, [Montréal], la Presse, [1978], p. 11-13 (F) ;

The Ceremony, translated by David Lobdell, [s. l.], Oberon Press, [1980], p. 7-8. [Sous le titre « The Ceremony »].

Une femme s'adonne à une cérémonie dont l'objectif est d'entendre les oraisons secrètes de la Mère-aux-Multiples-Noms et de trancher la tête d'un animal non identifié. Mais chaque fois qu'elle tranche la tête de la bête, il en repousse une nouvelle, jusqu'à ce que la femme, épuisée, soit devenue folle, ayant déclenché, par sa témérité, la colère du prince Belzébuth.

« Inès de Tharsis »,
la Cérémonie. Contes, [Montréal], la Presse, [1978], p. 14-16 (F) ;

The Ceremony, translated by David Lobdell, [s. l.], Oberon Press, [1980], p. 9-10. [Sous le titre « Inez of Tharsis »].

La belle Inès est mariée au boucher de Tharsis. La nuit venue, lorsque son mari dort, elle sort rejoindre ses enfants et se métamorphose en louve, sa forme originelle. Elle sait qu'un jour elle ne pourra se retenir de tuer son époux, comme elle a tué les précédents. Elle deviendra alors Martha, femme du boucher d'Avilès.

« La Dernière Nuit d'Éléonora Tobbs »,
la Cérémonie. Contes, [Montréal], la Presse, [1978], p. 17-23 (F) ;

The Ceremony, translated by David Lobdell, [s. l.], Oberon Press, [1980], p. 11-16. [Sous le titre « The Last Night of Eleonora Tobbs »].

Éléonora Tobbs, endormie dans son fauteuil, est éveillée par un bruit singulier qui se répète. Il s'agit d'une voix qui l'appelle. Elle prend dans ses mains une photographie d'homme et suit la voix à l'extérieur de la maison jusqu'au puits d'où on l'appelle et y saute. Elle tient toujours sur elle la photographie de l'homme dont le rire se fait entendre.

« Sirix »,
la Cérémonie. Contes, [Montréal], la Presse, [1978], p. 24-25 (F) ;

The Ceremony, translated by David Lobdell, [s. l.], Oberon Press, [1980], p. 17-18. [Sous le même titre].

Une femme regarde un homme qu'elle trouve beau. Elle ne veut pas qu'il sache qu'elle a envie de lui, car elle craint de lui faire du mal. Cependant il la suit et, lorsqu'il la rejoint, ils se couchent tous les deux dans la ciguë. Alors elle le mord dans le cou et boit son sang.

« Les Cyclopes du jardin public »,
la Cérémonie. Contes, [Montréal], la Presse, [1978], p. 30-39 (F) ;

Anthologie de la nouvelle et du conte fantastiques québécois au XXe siècle. Introduction et choix de textes par Maurice Émond, [Montréal], Fides, [1987], p. 205-217. (« Bibliothèque québécoise ») ;

Nouvelles nouvelles. Fictions du Québec contemporain, [anthologie de] Michel A. Parmentier et Jacqueline R. d'Amboise, Toronto, Orlando, San Diego, London, Sydney, Harcourt Brace Jovanovich, [1987],

p. 180-185. [Précédé d'une biographie, p. 179, et suivi d'exercices, p. 185-188] ;

The Ceremony, translated by David Lobdell, [s. l.], Oberon Press, [1980], p. 21-29. [Sous le titre « The Cyclops of the Public Garden »] ;

Storïau Québec. Golygydd Paul W. Birt, Golygydd Cyffredinol John Rowlands, Llandysul (Pays de Galles), Gwasg Gomer, 1982, p. 180-186 [Sous le titre « Siclopsiaid y gerddi cyhoeddus »].

Un homme regarde au loin une ville qu'il veut rejoindre, mais qui s'éloigne à mesure qu'elle s'en approche. Le ciel s'obscurcit et l'homme, forcé de marcher à tâtons, se retrouve tout à coup dans une rue d'un quartier chinois. Une belle Eurasienne apparaît et lui fait signe de le suivre jusqu'à un jardin anglais. Passant près d'une table, l'homme aperçoit des canapés appétissants. L'Eurasienne l'entraîne plus loin et l'attache à un poteau où deux oiseaux échassiers à œil de cyclope viennent lui percer les carotides. L'Eurasienne détache son cadavre et le dépèce en cubes qui servent à faire des canapés. D'autres Eurasiennes arrivent et commencent à manger goulûment.

« La Baronne Érika von Klauss »,
la Cérémonie. Contes, [Montréal], la Presse, [1978], p. 40-41 (F) ;

The Ceremony, translated by David Lobdell, [s. l.], Oberon Press, [1980], p. 30-31. [Sous le titre « Baroness Erika von Klauss »].

Le soir, la baronne Érika von Klauss marche sur les boulevards de Paris avant d'entrer chez Maxim's. Tous les hommes l'invitent à danser. Les femmes sont jalouses. Cependant, jamais elle ne couche avec ses cavaliers. Rentrée chez elle, elle se déshabille et retourne au néant.

« Tara »,
la Cérémonie. Contes, [Montréal], la Presse, [1978], p. 58-59 (F) ;

The Ceremony, translated by David Lobdell, [s. l.], Oberon Press, [1980], p. 41-42. [Sous le titre « Tara »].

Une araignée admire l'homme étendu près d'elle. Celui-ci se retourne pour l'embrasser et, découvrant l'apparence réelle de sa compagne, il s'éloigne en criant. L'araignée se rappelle combien il était beau lorsqu'ils faisaient l'amour. Elle était femme alors, mais l'homme ne l'aimait pas assez pour qu'elle le demeure. Elle commence donc à tisser une autre toile en espérant que celui qui s'y prendra l'aimera assez pour la rendre femme éternellement.

« La Visiteuse »,
la Cérémonie. Contes, [Montréal], la Presse, [1978], p. 60-65 (F) ;

The Ceremony, translated by David Lobdell, [s. l.], Oberon Press, [1980], p. 42-46. [Sous le titre « The Visitor »].

Un homme assiste à une réception mondaine et est attiré par le regard d'une femme qui se dirige lentement vers un pavillon situé au centre d'un lac artificiel. L'homme monte sur une terrasse pour la regarder aller et décide de la rejoindre. Arrivé près d'elle, il s'assoit sur un banc. La femme tressaille, se retourne : elle est nue sous sa robe. L'homme s'approche, la robe se dilue et il pose ses mains sur les seins de la femme. Il ressent une faiblesse étrange et glisse le long de la femme. Celle-ci prononce le nom de l'homme et frôle sa tempe. Le rituel de cette rencontre recommence indéfiniment.

« "Elle passait sur le pont de Tolède, en corset noir" (Victor Hugo) »,
la Cérémonie. Contes, [Montréal], la Presse, [1978], p. 66-69 (F) ;

Contes d'amour & d'enchantement du Québec. Présentation, choix des contes et textes de liaison d'André Vanasse, [Montréal], Mondia, [1989], p. 29-32. (« À l'écoute de la littérature ») ;

The Ceremony, translated by David Lobdell, [s. l.], Oberon Press, [1980], p. 47-49. [Sous le titre « "She Crossed Over Toledo Bridge in a Black Corset" »].

Une femme longue et mince vêtue d'une robe noire avec un corset très ajusté traverse le pont de Tolède. Un homme étendu sur la rive du Tage se redresse et marche vers elle. La femme s'arrête et attend, toute tendue. L'homme la rejoint, s'agenouille devant elle et lui crie son amour. La femme enserre l'homme de ses deux bras graciles et poilus. Puis son corset se déchire et apparaissent deux ailes diaphanes. Elle s'envole tenant l'homme dans ses bras.

« Bethsabée »,
la Cérémonie. Contes, [Montréal], la Presse, [1978], p. 70-71 (F) ;

The Ceremony, translated by David Lobdell, [s. l.], Oberon Press, [1980], p. 49-51. [Sous le titre « Bathsheba »].

Par la pratique d'un rituel de magie incantatoire, Bethsabée parvient à ravoir l'homme qu'elle aimait. Elle raconte cela « pour rétablir les faits et corriger l'erreur qui se perpétue depuis des siècles ».

« L'Alcyon de Carnac »,
Châtelaine, vol. XX, n° 12 (décembre 1979), p. 12-13 (F) ;

l'Envoleur de chevaux et Autres Contes, [Montréal], Boréal, [1986], p. 129-134.

Il y a des siècles, les menhirs de Carnac attendaient la venue d'un messie qui leur permettrait de se métamorphoser en hommes. Sentant sa venue proche, ils font nettoyer leur aire par des clans de lutins. Effectivement, une étoile vient se poser devant les menhirs. Dans un éclair, un œuf apparaît d'où naît l'oiseau-messie. Pourtant, au lieu de sauver les menhirs, il vole leur lumière et va faire son nid en haute mer. Ce faux dieu ne leur permet qu'une chose : tous les 24 décembre, à minuit, les menhirs de Carnac, désormais muets, se réveillent et vont boire à la mer pour commémorer la venue de leur dieu.

« Lucrèce »,

la Nouvelle Barre du jour, n° 89 (avril 1980), p. 36-43 (F) ;

l'Envoleur de chevaux et Autres Contes, [Montréal], Boréal, [1986], p. 61-68.

Lucrèce rêve de vivre dans une rigueur semblable à la mort. Elle s'entraîne à l'immobilité et à la froideur. Pourtant, elle comprend qu'elle n'atteindra l'état de *rigor mortis* qu'à la condition que tout son entourage soit gelé sur place. Elle concentre donc ses énergies et un froid intolérable envahit son château. Ses serviteurs sont littéralement figés, à l'exception de Joseph, un bel homme que le scepticisme semble protéger. Folle de rage, Lucrèce redouble d'ardeur jusqu'à ce que la glace attaque Joseph de l'intérieur. Seule et triomphante, Lucrèce peut aller à sa chambre et se laisser envahir par le froid.

« Elvire »,

Liberté, n° 137 (vol. XXIII, n° 5, septembre-octobre 1981), p. 25-26 (F) ;

l'Envoleur de chevaux et Autres Contes, [Montréal], Boréal, [1986], p. 54-55.

Après l'amour, Elvire a souvent des prémonitions qui se réalisent tôt ou tard. Un soir, elle annonce à son mari que tout sera terminé. Pris de panique, il tombe inconscient, presque mort, et Elvire le fait dévorer par les rats de la cave.

« Santiago »,

Imagine..., n° 18 (vol. V, n° 1, août-septembre 1983), p. 43-45 (F) ;

l'Envoleur de chevaux et Autres Contes, [Montréal], Boréal, [1986], p. 15-19.

Une femme voit un œil dans son café. Choisissant l'indifférence, elle décide de sortir de chez elle, mais découvre une demeure immense qui englobe la sienne. Elle parcourt de grandes pièces nues et arrive enfin dans une salle où des objets sont placés dans des positions défiant la logique et la raison. Une ouverture mène à l'extérieur où s'étalent les pentes d'une colline dorée. La femme se rend à la cime, portée par la « matière » qui la fait avancer sans aucun effort. Au sommet, elle découvre une cloche de verre et un homme, Santiago, qui tente de la renverser. La femme l'avertit du danger d'aller contre l'ordre des choses ; déjà la cloche commence à se briser. Elle en profite pour se glisser à l'intérieur afin de la réparer. Elle revoit alors les objets de l'immense demeure, ayant retrouvé leur stabilité. Malgré tout, Santiago réussit à faire basculer la cloche. Une musique harmonieuse surgit d'abord et laisse place à une pluie de cendres qui ensevelit Santiago. La femme, seule, se demande qui a eu raison.

« Le Trente et unième oiseau »,

Dix contes et nouvelles fantastiques par dix auteurs québécois, [Montréal], Quinze, [1983], p. 183-204 (Hy) ;

l'Envoleur de chevaux et Autres Contes, [Montréal], Boréal, [1986], p. 148-173 ;

Invisible Fictions. Contemporary Stories from Quebec. Edited by Geoff Hancock, Toronto, Anansi, [1987], p. 45-62. [Traduit par Luise Von Flotow Evans sous le titre « The Thirty-First Bird »].

Scharazade raconte au roi Schariar le triste destin d'un oiseau immortel. Ziba est amoureuse du prince Djalal qu'un mauvais sort a transformé en oiseau. Elle enjoint son amant d'aller trouver l'oiseau de Simorg qui seul pourrait lui rendre sa forme humaine. Après hésitation, Djalal accepte. Son périple le force à traverser sept vallées où il affronte plusieurs dangers. Arrivé enfin au palais de Simorg, Djolal lui dit qu'il est venu chercher asile contre le mal. Ces propos déchaînent la colère de Simorg qui sait que Djolal est venu par amour pour Ziba. Djalal est forcé de se prosterner devant Eblis, le diable. Il devient alors Eblisi Djolal, partie intégrante de Eblis.

Les Demoiselles de Numidie,

[Montréal], Boréal Express, [1984], p. 244 p. (F/Roman) ;

[Un extrait, correspondant aux pages 28-30, parut dans *Québec français,* n° 37 (mars 1980), p. 61].

Le cargo *Maria Teresa G.* a entrepris une traversée de l'Atlantique avec à son bord, outre le commandant Filippo Giusti, le lieutenant Fabiani et de nombreux membres d'équipage, trois passagers : Stjepan Culic, Yougoslave crasseux en mal de sensations sexuelles, Serena Klein Todd, femme d'une beauté mystérieuse, et sa fille Eva. Culic a entrepris ce voyage dans l'espoir de rencontrer un bordel flottant dont il a entendu vanter les mérites. Le lieutenant Fabiani a aussi entendu parler de ce navire, mais il s'agirait plutôt d'un bateau fantôme, le *Demoiselles de Numidie* dont l'apparition serait un mauvais présage. La route du *Maria Teresa G.* croisera à trois reprises celle du *Demoiselles de Numidie* qui se révèle être effectivement un navire fantôme dirigé par nulle autre que Serana Klein Todd. Finalement, l'équipage, subjugué par ces femmes, ne résistera pas à leur appel et désertera le *Maria Teresa G.* pour s'enfoncer dans les mers sur le *Demoiselles de Numidie.*

« Le Rameau d'or »,
Vice versa, vol. II, n° 2 (janvier-février 1985), p. 10-11 (Hy) ;

l'Envoleur de chevaux et Autres Contes, [Montréal], Boréal, [1986], p. 144-147.

Sur les conseils de Marcellin-le-Fou, un vieux couple, Horace et Nora, va cueillir « à la minuit de Noël », un rameau d'or censé procurer richesse et abondance. Mais, au moment de la cueillette, Marcellin leur dit qu'il y a une condition à remplir, enterrer le rameau d'or soi-même, « sans quoi on disparaît dans le néant ». Or, comme Horace et Nora ne remplissent pas cette dernière condition, Marcellin ayant malicieusement enterré lui-même le rameau, ils sont condamnés à errer toutes les nuits sans repos.

THÉRIAULT, Yves

[Québec, 27 novembre 1915 – Joliette, 20 octobre 1983]

« Kehstets. Récit policier »,
la Patrie du dimanche, n° 13 (27 mars 1960), p. 56. (Section Magazine). (Hy)

Dussault, un trappeur, tue un prospecteur, Lebris, afin de s'emparer d'un sac de columbium, un minerai utile à l'exploration de l'espace.

« Le Fondeur de cloches »,
le Vendeur d'étoiles et Autres Contes, Montréal et Paris, Fides, [1961], p. 35-44. (Hy)

Le narrateur part à la recherche de Maître Jérôme, fondeur de cloches, mais il découvre que l'homme est un suppôt de satan, car c'est le Démon qui paye les cloches. Le fantôme d'un prêtre, frère du fondeur, explique la décadence du Maestro Geronimo.

« Le Vendeur d'étoiles »,
le Vendeur d'étoiles et Autres Contes, Montréal et Paris, Fides, [1961], p. 87-93. (Hy)

Patrice prétend connaître un chemin qui mène au paradis. Mis au défi par ses amis, il parvient à monter dans les airs jusqu'à une étoile lointaine, sous les yeux ébahis de ses copains. Il revient le lendemain, sans dire quoi que ce soit à ses amis, et y remonte, quelques jours plus tard.

« Norbert qui bouge les montagnes »,
le Vendeur d'étoiles et Autres Contes, Montréal et Paris, Fides, [1961], p. 115-124. (F)

Un soir de noces et de beuverie, Norbert se vante de pouvoir déplacer la montagne avec seulement la foi. Le lendemain, devant une foule de curieux, il tente de réussir le coup. Bien qu'il n'ait pas ce pouvoir, il se concentre tant et si bien que celle-ci se déplace, ensevelissant trois villages et tuant des centaines de gens.

« Akua Nuten. (Le Vent du sud) »,
Si la bombe m'était contée, Montréal, les Éditions du Jour, [1962], p. 9-25. (« Petite Collection », n° 18) (SF) ;

Si la bombe m'était contée, Montréal, les Éditions du Jour, [1969], p. 9-25. (Collection « les Romanciers du Jour », n° R-50) ;

Anthologie de la science-fiction québécoise contemporaine. Introduction et choix de textes par Michel Lord, [Montréal], BQ, [1988], p. 235-248. (« Bibliothèque québécoise, Littérature ») ;

Stories from Québec. Selected & Introduced by Philip Stratford, Toronto/New York Cincinnati/London/Melbourne, Van Nostrand Reinhold Ltd, [1974], p. 29-38. [Traduit en anglais sous le même titre par Howard Roiter] ;

Other Canadas. An Anthology of Science Fiction and Fantasy, edited by John Robert Colombo, Toronto, Halifax, Montreal, Vancouver, McGraw-Hill Ryerson Limited, [1979], p. 171-179. [Traduit en anglais sous le même titre par Howard Roiter] ;

Countdown to Midnight. Twelve Great Stories About Nuclear War. Edited, with an Historical Introduction by H. Bruce Franklin, New York, Daw Books Inc., Donald A. Woolheim Publisher, [1984], p. 134-145. (« Science Fiction »). [Traduit en anglais sous le même titre par Howard Roiter].

Kabatso, Montagnais de la Côte Nord, fait un pèlerinage dans les montagnes de la Réserve. Le soir, il aperçoit d'étranges lueurs bleues à l'horizon. Le lendemain, des rescapés descendent d'un hydravion, lui annoncent la destruction de tout le Sud par une bombe atomique, et lui demandent de l'aide. Vengeant les Amérindiens bafoués dans leurs droits par les Blancs, Kabatso refuse. L'avion des rescapés s'écrase en tentant de redécoller. Deux jours plus tard, Kapatso meurt à la suite d'hémorragies causées par les radiations qu'apporte le vent du sud.

« La Continuation »,

Si la bombe m'était contée, Montréal, les Éditions du Jour, [1962], p. 35-49. (« Petite Collection », n° 18) (SF) ;

Si la bombe m'était contée, Montréal, les Éditions du Jour, [1969], p. 35-49. (Collection « les Romanciers du Jour », n° R-50).

La guerre atomique a détruit toutes les villes importantes de l'Europe. Flavie et Jean font un pèlerinage à Paris pour voir les décombres. Ils y arrivent après trois semaines de marche. Ils couchent dans un sous-sol épargné. Jean, ignorant le danger, tue les rats qui s'approchent, avec une barre de radium. Lors du retour à la ferme, Jean, trop fortement irradié, meurt. Flavie vit son deuil jusqu'à ce qu'elle se rende compte de sa grossesse qui l'emplit d'espoir. Mais elle met au monde un monstre.

« Le Monde meilleur »,

Si la bombe m'était contée, Montréal, les Éditions du Jour, [1962], p. 55-68. (« Petite Collection », n° 18) (SF) ;

Si la bombe m'était contée, Montréal, les Éditions du Jour, [1969], p. 55-68. (Collection « les Romanciers du Jour », n° R-50).

Une bombe éclate au centre-ville de New York. Seuls les abris des zones périphériques résistent. Dans un abri du Bronx, se trouvent des immigrés de diverses cultures. Le curé du quartier les interpelle et les invite à la solidarité et à la prière afin de rebâtir un monde meilleur. Soudain, survient un jeune Antillais que l'hécatombe a épargné. Tous veulent le jeter dehors parce qu'ils craignent la contamination même si l'Antillais leur jure avoir la preuve de sa bonne santé. La foule le pousse sur les rails du métro au moment où l'électricité revient. Sur le corps électrocuté, le compteur Geiger reste au neutre.

« Yuri »,

Si la bombe m'était contée, Montréal, les Éditions du Jour, [1962], p. 73-88. (« Petite Collection », n° 18) (SF) ;

Si la bombe m'était contée, Montréal, les Éditions du Jour, [1969], p. 73-88. (Collection « les Romanciers du Jour », n° R-50).

Trois années auparavant, le voisin de lit de Yuri à l'hôpital, Vassily Mazov, lui a raconté comment améliorer son sort en ayant de l'audace pour déjouer le système russe basé sur la peur. Yuri n'ose pas passer aux actes. Puis, un soir de juin, il s'arme de courage et apostrophe son patron, mais, au même moment, une bombe américaine tombe sur Moscou faisant sept millions de victimes.

« Rocco »,
Si la bombe m'était contée, Montréal, les Éditions du Jour, [1962], p. 93-105. (« Petite Collection », n° 18) (SF) ;

Si la bombe m'était contée, Montréal, les Éditions du Jour, [1969], p. 93-105. (Collection « les Romanciers du Jour », n° R-50).

Rocco, gardien de nuit dans un musée de Florence, nourrit une grande admiration pour deux tableaux, dont *la Vénus au repos* de Titien. Un jour, la guerre éclate et une bombe désintègre Florence. Cependant, Rocco en réchappe. Malgré de terribles malaises, il s'empresse de repeindre *la Vénus...* avant de mourir afin de la léguer aux survivants.

« Le Monde éclate »,
Si la bombe m'était contée, Montréal, les Éditions du Jour, [1962], p. 111-122. (« Petite Collection », n° 18) (SF) ;

Si la bombe m'était contée, Montréal, les Éditions du Jour, [1969], p. 111-122. (Collection « les Romanciers du Jour », n° R-50).

Dans la salle de rédaction du journal *la Phalange*, l'équipe de nuit reçoit de partout dans le monde des nouvelles inquiétantes. Au matin, lorsque arrive Francis Julien, chef des nouvelles du jour, Drolet lui suggère d'intituler son article « le Monde éclate ». Mais Julien se moque de lui et, en bon militant séparatiste, donne la manchette à la réunion politique de la veille. Cependant, à midi, une bombe est lâchée sur le Mont-Royal.

« L'Homme de lumière »,
Châtelaine, vol. V, n° 1 (janvier 1964), p. 20-21, 36-38 (Hy) ;

l'Île introuvable. Nouvelles, Montréal, Éditions du Jour, [1968], p. 21-31. (Collection « les Romanciers du Jour », n° R-31) ;

l'Île introuvable, [Montréal], Libre Expression, [1980], p. 21-31.

Célie Babin, fille sauvage, rêve fréquemment à un homme entouré de lumière qui lui apporte l'amour. Un jour, un bateau aborde le quai familial et le capitaine, Réjean Bégin, demande la permission d'y rester quelques jours. Le jeune capitaine vient souper chez les Babin, mais Célie est absente. À minuit, il retourne au bateau et, soudain, un projecteur l'éclaire. Célie, qui observe la scène, lui raconte son rêve. Ils décident de se marier.

« L'Île introuvable »,
Châtelaine, vol. VI, n° 2 (février 1965), p. 20-21, 50, 52-53, 55 (Hy) ;

l'Île introuvable. Nouvelles, Montréal, Éditions du Jour, [1968], p. 7-20. (Collection « les Romanciers du Jour », n° R-31) ;

l'Île introuvable, [Montréal], Libre Expression, [1980], p. 7-20.

Joël et sa femme, Félicité, vivent dans une indifférence croissante : il est rêveur, elle est pratique. Joël cherche, en dépit de sa femme, une île introuvable, une sorte de paradis. Un jour, Félicité lit un poème qui lui fait comprendre la grandeur de cette quête. Ils se réconcilient et partent ensemble. Le couple disparaît dans une tempête. Plusieurs croient qu'ils ont trouvé l'île.

« Ambroise, la Baleine et Gabrielle »,
le Bulletin des agriculteurs, 49e année, n° 9 (novembre 1966), p. 26, 56-59, 61, 65. (Hy)

Ambroise, pêcheur gaspésien, raconte toujours des aventures invraisemblables ; il prétend qu'elles lui sont vraiment arrivées, mais personne ne le croit. Gabrielle, sa bien-aimée, le traite de menteur. En colère, Ambroise doit lui apporter une preuve de l'une de ses histoires s'il veut l'épouser : il rapporte un jour de sa pêche une baleine qui s'est laissée prendre sans se débattre. Gabrielle décide alors de l'épouser.

« Le Portrait »,
l'Île introuvable. Nouvelles, Montréal, Éditions du Jour, [1968], p. 114-118. (Collection « les Romanciers du Jour », n° R-31) (F) ;

Fleur de lis. Anthologie d'écrits du Canada français. Édité par Anthony Mollica, Donna Stetoff et Elizabeth Mollica, Toronto, Copp Clarck Pitman, [1973], p. 117-123. [Avec une biographie, p. 115-116 et des exercices, p. 121-123] ;

l'Île introuvable, [Montréal], Libre Expression, [1980], p. 114-118.

Une jeune fille, la narratrice, trouve au grenier le portrait d'un beau jeune homme, son oncle défunt. Elle le suspend au mur de sa chambre. Chaque nuit, la jeune fille se sent toucher à l'épaule et remarque que les yeux de l'oncle sont pointés vers la fenêtre, alors que le jour ils regardent droit devant. Elle apprend de sa mère que cet oncle aventurier avait demandé de ne pas être enterré dans le caveau familial ; mais on n'a pas respecté sa volonté. La jeune fille décroche le portrait qu'elle dépose dehors contre un mur de la remise. Cette nuit-là, un baiser lui effleure la joue. Au matin, le portrait a disparu.

« Valère et le Grand Canot »,
Châtelaine, vol. XIV, n° 10 (octobre 1973), p. 48-49, 59, 66 (F) ;

Valère et le Grand Canot. Récits, [Montréal], VLB éditeur, [1981], p. 29-42.

La nuit, Valère Côté rêve souvent à celui qu'il dit être son arrière-arrière-grand-père, Viateur Lebœuf. Il le voit dans un grand canot, accompagné d'une belle Indienne, Kalena. Le lendemain matin, il se rend au large où il rejoint son ancêtre, qui lui raconte ses souvenirs de coureur de bois. Les connaissances que Valère démontre à propos du passé font dire à la plupart de ses concitoyens qu'il est fou, mais certains commencent à parler de réincarnation. Un jour, Lebœuf propose à Valère, veuf depuis peu, de se remarier avec l'Indienne. De retour chez lui, il apprend de Kalena, elle-même éternelle, qu'il est véritablement la réincarnation de Lebœuf. Elle conclut en riant, car il a rendu la généalogie très compliquée.

Le Haut-pays. Roman,
[Montréal], René Ferron éditeur, [1973], 111 p. (Hy/Roman)

Cosimo, marin Sicilien, est mis en contact avec un monde parallèle lorsqu'il découvre une pierre couverte d'inscriptions mystérieuses qui lui donne des visions. Jurav, Yougoslave doté de pouvoirs télépathiques, apprend l'existence de ce monde par un soldat allemand blessé pendant la guerre. Vurain, Indien métis, est initié dès l'enfance. Tous trois peuvent voir et lire les signes qui apparaissent dans le ciel et ils font, pendant cinq ans, l'apprentissage des prémisses de la connaissance dans ce monde parallèle. Afin d'y accéder définitivement, ils escaladent une montagne. L'épreuve est difficile. Au sommet, ils atteignent un pays merveilleux où « Elles », trois chèvres blondes, les accueillent.

« Le Merdier de Vérin »,
la Nouvelle Barre du jour, n° 89 (avril 1980), p. 7-12 (F) ;

la Femme Anna et Autres Contes, [Montréal], VLB éditeur, [1981], p. 203-208 ;

le Choix de Marie José Thériault dans l'œuvre d'Yves Thériault, Charlebourg, les Presses Laurentiennes, 1986, p. 45-50. (Collection « le Choix de... », série B).

Vérin, homme physiquement puissant, mais bossu, victime depuis l'enfance des railleries des gens du hameau, entend un jour un chant monter de la terre. Comme il est seul à l'entendre, tous se moquent de lui. Dès lors, il se met en tête de trouver l'endroit d'où provient le chant et, l'ayant trouvé, s'endort. Le lendemain, le chant a disparu, mais, pour le quérir à nouveau, Vérin décide de creuser la terre. Très vite, un immense trou se forme attirant tous les gens du hameau qui se moquent encore de lui. Blessé par les railleries, il creuse puissamment, tant et tant qu'une faille s'ouvre faisant trembler la terre. Il se précipite hors du trou où tous les gens s'engouffrent et meurent, à l'exception de deux bergers. Vérin savoure sereinement ce qu'il comprend comme étant une vengeance de la Terre d'où monte un chant triomphant.

« L'Objet »,
la Femme Anna et Autres Contes, [Montréal], VLB éditeur, [1981], p. 133-137. (Hy)

Lors d'une nuit sans lune, un homme, Bruand, trouve, dans un sentier de montagne, un mystérieux objet métallique, léger pour sa taille. Il emporte cet objet qui semble produire un chant envoûtant et apaisant. Il le cache sans en parler à sa femme. Le lendemain, l'objet a disparu. Bernard se rend alors au bureau où il parle de sa découverte. Chaque nuit, pendant deux mois, il retourne au sentier de sa découverte dans l'espoir de retrouver l'objet. Une nuit, il l'aperçoit dans le sentier, le prend et entend aussitôt une voix invitante. Tout près, dans un « vaisseau merveilleux », des amis l'attendent. Les gens du hameau n'ont jamais revu Bruand, mais pensent reconnaître sa voix, « par les nuits sans lune », dans la musique d'un « vent nouveau ».

« La Fleur qui disait amour »,
la Femme Anna et Autres Contes, [Montréal], VLB éditeur, [1981], p. 175-182. (Hy)

Céline se sent terriblement seule depuis que Jean-Marcel, dont les lettres annoncent graduellement leur rupture, voyage en Europe. Elle s'ennuie profondément, d'autant plus que Pierre, un ami de bureau, astrologue à ses heures, lui a prédit un mois de septembre amoureux qu'elle passe en imaginant le retour de l'autre. Octobre venu, elle marche, par dépit, dans un parc où elle entend une fleur, à vingt reprises, lui dire « Amour ». Bouleversée, elle quitte le parc et croise Pierre, qui avoue l'avoir épiée et lui explique que la fleur dit « Amour » pour eux.

« La Forge »,
Valère et le Grand Canot. Récits, [Montréal], VLB éditeur, [1981], p. 67-76. (F)

David Coudois, le forgeron, est un homme bon et fier, mais qui ne respecte ni l'Église ni Dieu. Il a cependant accepté, par orgueil, de faire de nouveaux gonds pour les portes de l'église. Au moment de battre le premier fer, celui-ci lui échappe et tombe, brûlant, sur son pied. Coudois jure à plusieurs reprises et, au même moment, un étranger vêtu de noir apparaît dans la porte de la forge. Il prend les pinces des mains de forgeron et façonne quatre gonds magnifiques. Cependant, une fois ceux-ci posés, il est impossible d'ouvrir les portes de l'église. On décide finalement de les défoncer et d'en construire de nouvelles. Puis, l'église brûle. Celui qui découvre l'incendie remarque en même temps que les gonds de Coudois sont réapparus et qu'ils dégagent de la fumée. Coudois comprend que l'étranger était en fait le diable et devient alors un modèle de piété.

THÉRIO, Adrien [pseudonyme d'**Adrien THÉRIAULT**]
[Saint-Modeste (Rivière-du-Loup), 15 août 1925 –]

« La Mort du rire »,
Co-Incidences, vol. I, n° 1 (mars 1971), p. 52-56 (Hy) ;

la Tête en fête (et Autres Histoires étranges), Montréal, Éditions Jumonville, [1975], p. 61-69.

Un homme arrive dans un restaurant qu'il connaît depuis longtemps. Un groupe de clients éclate soudain de rire. Ce rire s'étend à toute la salle. Seul le narrateur semble épargné ; il se sent bientôt défaillir et, lorsqu'il commence à rire, tous s'arrêtent pour l'écouter. Il se tait donc à son tour. Pourtant, son rire s'éteint sur une terrible fausse note qui relance les autres rieurs. Ceux-ci meurent finalement de rire. Le narrateur se lève et entonne pour eux un chant funèbre, qui le fait rire par son côté comique. Il se sent mourir lui aussi.

« Les Deux amateurs de trous. Conte »,
Co-Incidences, vol. II, n° 2 (avril 1972), p. 55-58 (Hy) ;

la Tête en fête (et Autres Histoires étranges), Montréal, Éditions Jumonville, [1975], p. 83-90.

Le père Létourneau creuse un trou dans son jardin. Il déclare à tous les passants qu'il est amateur de trous. Un jour, un étranger vient à passer. Il est lui aussi amateurs de trous. Pour 1 500 $, il se procure le trou du père Létourneau et le fait transporter chez lui.

« La Route qui va à Éden »,
la Tête en fête (et Autres Histoires étranges), Montréal, Éditions Jumonville, [1975], p. 101-112. (Hy)

Après avoir subi une pluie de suie bleue en plein cœur de Manhattan, où les gens sont pris de panique, un homme raconte comment il est arrivé à prendre le métro et l'autobus jusqu'à ce qu'il rencontre trois jeunes gens qui l'emmènent à Éden, véritable paradis terrestre où tout le monde est heureux et nu.

« Les Russes nous aiment »,
la Tête en fête (et Autres Histoires étranges), Montréal, Éditions Jumonville, [1975], p. 123-142. (SF)

Un homme raconte qu'un beau matin les Russes sont venus avec un engin mystérieux pour emporter quelques buildings de Montréal, ainsi que leurs habitants, en Russie. Son ami Julien y perd sa fiancée.

C'est ici que le monde a commencé. (Récit-reportage),
Montréal, Éditions Jumonville, [1978], 324 p. (Hy/Roman)

Claude se voit forcé par ses parents d'aller travailler tout l'été comme commis dans un magasin de Saint-Amable. Pendant une de ses escapades, il voit trois oiseaux blancs, à l'allure exotique. Son ami Alec lui explique que ces oiseaux sont aperçus de temps en temps par certains villageois, qu'ils sont toujours trois et que, selon les gens du village, leur disparition serait un mauvais présage. Les rencontres de Claude avec les gens du village provoquent chez lui des visions dont il se demande parfois si elles sont réelles ou inventées. Claude se lie aussi d'amitié avec un vieil homme qui passe pour être un peu fou, monsieur Origène Lebel, qu'on appelle le père Ori. Celui-ci prend plaisir à raconter sa vie à Claude. Un jour, il lui parle de la vallée de Jonathan, qui se trouve au bout du Chemin Taché et qu'il dit être le lieu du commencement du monde. Il promet à Claude de l'y emmener un jour. Lorsque le père Ori tombe malade, Claude décide d'aller voir seul la vallée de Jonathan qui ressemble d'après lui à un immense amphithéâtre naturel. Le père Ori meurt et Claude, recueilli sur sa tombe, a la surprise de le voir se lever et de l'entendre lui parler. Il lui dit qu'il fait semblant d'être mort et qu'il ira jusqu'à se laisser enterrer, car il n'a plus rien à espérer de cette vie. Il promet cependant à Claude d'aller le rejoindre bientôt dans la vallée de Jonathan. Au sortir des obsèques, Claude aperçoit de nouveau les oiseaux blancs dans le ciel, mais cette fois ils sont quatre.

THIFFAULT, Pierre
[

« Ami de l'esprit »,
le Canada français, vol. CXXIV, n° 38 (15 février 1984), p. A-56 ; n° 39 (22 février 1984), p. A-58 ; n° 40 (29 février 1984), p. A-52 ;

n° 41 (7 mars 1984), p. A-50 ; n° 42 (14 mars 1984), p. A-61. (« Les Écritures du Haut-Richelieu »). (SF)

Kay, pilote d'aéroglisseur, ravitaille l'île d'Immerk dans l'Arctique, où vit le peuple moog. Ceux-ci ont été exilés dans cette île, car ils ont atteint un degré de sagesse tel que leurs pensées acquièrent une présence physique qui détruit les cellules du cerveau des gens normaux. Malgré les désavantages de cet emploi, Kay poursuit ses voyages depuis quatorze ans en souvenir de Soli, une jeune Moog qu'il a connue lors de son premier voyage et qui est morte gelée lors du quatrième voyage pour avoir attendu Kay trop longtemps sur une banquise. Avant de mourir, Soli a réussi à communiquer par télépathie avec Kay.

TOUCHETTE, Jean-François
[

« Un mélange dangereux »,
Requiem, n° 13 (vol. III, n° 1, décembre 1976-janvier 1977), p. 9. (F)

Au cours d'un « trip d'acide », un homme semble passer dans une autre dimension et voir un monstre de Lovecraft. Il se demande « qui a osé mettre du Lovercraft dans [s]on acide ».

« On réussira bien, un jour, à tuer « on »... »,
Requiem, n° 16 (vol. III, n° 4, juin 1977), p. 6. (SF)

Un homme doit rédiger un rapport sur l'étrange disparition de quatre des sept navires d'une expédition entre les constellations de la Grande Ourse et de la Petite Ourse. Il apprend, dans un bar, que l'événement s'est produit en même temps que la disparition des ours sur Terre.

« Triste Mégarde »,
Infos bulletin (Hull), n° 3 (avril 1981), p. 33. (SF)

Dans l'astronef *Palthazare*, un homme pleure la disparition d'une femme. Il peut lire sur son écran multiscopique que « le Département du Transport galactique recommande d'attacher les courroies de chasteté [des] fauteuils avant d'enclencher les procédures de saut hors E/T ».

TOUFIK, El Hadj-Moussa
[Constantine (Algérie), 18 mars 1948 –]

« Le Passage. Conte »,
le Passage. Conte suivi de *Errances. Nouvelles*, Sherbrooke, Éditions Naaman, [1980], p. 7-53. (Collection « Création », n° 84). (F)

Max Barney, clochard et écrivain, se fait assommer pendant qu'il écrit. Une fillette le réveille et l'entraîne dans un conduit qui débouche sur un autre monde. Barney veut connaître la vérité et va au monastère. Il emprunte un corridor qui le ramène d'où il était parti, mais il s'aperçoit qu'il s'est écoulé trois ans pendant son absence qu'il croyait être de quelques heures. De plus, il découvre que son livre est paru sous un nom inconnu. Fâché, il va en demander raison à l'éditeur qui le fait tuer. Barney se réveille près de la fillette dans l'autre monde.

« L'Asile de nuit »,
l'An 2000. Le premier magazine interplanétaire, n° 1 (1980), p. 29-30. (Hy)

Un homme se réfugie dans un asile de nuit. Après le repas, une sirène retentit. Sept hommes en blouse blanche entrent et choisissent des cobayes. L'homme est soulagé de ne pas être désigné et d'avoir ainsi échappé à la dissection que toute personne risque lorsqu'elle s'adresse aux asiles de nuit gérés par les hôpitaux spécialisés dans les greffes d'organes.

« Les Collines de l'épouvante »,
les Collines de l'épouvante. Nouvelles, Westmount, Desclez, [1981], p. 9-39. (Collection « Nuit d'encre », n° 2). (F)

L'instituteur René Barde arrive dans un village ceint par des collines, où il va enseigner aux enfants. Ses rapports avec les villageois sont tantôt cordiaux, tantôt inamicaux. Il est tôt mis au fait de la terreur qui accable ce village, une terreur qui semble venir des collines environnantes, où on a retrouvé une femme, couverte de pustules et devenue folle. Un meurtre est commis et, un soir, Barde a le sentiment d'être suivi, puis poursuivi jusque chez lui. Assommé, Barde est enfermé dans une geôle, affligé de pustules, jusqu'à ce qu'une nuit, il se joigne aux êtres mystérieux dans leurs razzias nocturnes au village de « ceux qui ne craign[ent] pas la lumière du jour ».

« Le Grand Écrivain »,
les Collines de l'épouvante. Nouvelles, Westmount, Desclez, [1981], p. 41-47. (Collection « Nuit d'encre », n° 2). (F)

Un écrivain prolifique accorde une entrevue dans laquelle il révèle le secret de sa longévité extraordinaire – il est en effet âgé de 148 ans : depuis qu'on a diagnostiqué un cancer généralisé, alors qu'il avait 62 ans, il s'employe à écrire tout ce qui dans sa carrière semble lui avoir fait défaut. Au moment d'achever ce manuscrit, une femme lui apparaît, qui lui accorde un sursis pour qu'il achève le travail entrepris. Comme l'écrivain se lance dans les aventures d'Hohmi Dak et ne les achève jamais, de tome en tome, son sursis est sans cesse reporté jusqu'à ce que l'intervieweur lui dérobe le manuscrit en cours.

« Rancune tenace »,
les Collines de l'épouvante. Nouvelles, Westmount, Desclez, [1981], p. 49-54. (Collection « Nuit d'encre », n° 2). (F)

Ayant assisté, impuissant, à la mort par noyade de sa jumelle Annie, sept ans plus tôt, le narrateur se convainc que Béatrice, la nouvelle petite sœur née après le drame, est une réincarnation d'Annie. Aussi la noie-t-il dans le même bassin, sûr désormais de ne plus être harcelé par la morte puisque sa mère ne veut plus d'enfants.

« Le Visiteur »,
les Collines de l'épouvante. Nouvelles, Westmount, Desclez, [1981], p. 61-70. (Collection « Nuit d'encre », n° 2). (F)

La nuit de Noël, par une violente tempête, au lieu des amis annoncés, surgit chez Sylvie et Guy un étranger dont les manières agacent rapidement ses hôtes, à cause de ses allusions à la laideur des êtres humains et à la beauté des statues (nourries de vent plutôt que d'aliments) notamment. Guy jette l'étranger dehors quand il prétend que Sylvie est déjà morte et qu'« elle n'est qu'une réincarnation ». Sylvie pleure en entendant ces mots. Sitôt mis à la porte, l'étranger n'est plus visible.

« Amour de mer »,
les Collines de l'épouvante. Nouvelles, Westmount, Desclez, [1981], p. 71-76. (Collection « Nuit d'encre », n° 2). (F)

Un garçon de taverne, surprenant une conversation de marins, décide de se rendre à la dérobée sur une plage où, bientôt, il voit surgir les marins armés d'un harpon et d'un filet. Plus tard, le vieux Marquet arrive à son tour sur la plage pour y attendre une sirène, son amoureuse. Les marins assomment le vieux et capturent la sirène avant que le garçon intervienne, Depuis lors, la sirène ne reparaît plus, Marquet meurt de chagrin et les marins sont bannis de la région.

« Justice »,
les Collines de l'épouvante. Nouvelles, Westmount, Desclez, [1981], p. 77-80. (Collection « Nuit d'encre », n° 2). (F)

Un soir, le narrateur, sorti de sa tombe, suit son ex-femme, Jeanette, et leur ami commun avec qui elle est maintenant en ménage. Chez eux, il verse du poison dans le champagne qu'ils boivent et retourne au cimetière. Il est vengé, car périssent par le poison ceux qui l'avaient fait périr par le poison.

« L'Autre Rive »,
les Collines de l'épouvante. Nouvelles, Westmount, Desclez, [1981], p. 81-87. (Collection « Nuit d'encre », n° 2). (F)

Après avoir perdu son poste à l'usine, un homme se soûle et aboutit, en rêve, à l '« Autre rive », un endroit paradisiaque. Quand il se réveille, il est revenu à sa triste condition. Ayant absorbé des somnifères, il parvient de nouveau à « l'Autre rive » où il devient amoureux d'une jeune fille, Emma. Celle-ci se désespère peu à peu de le voir repartir et craint qu'il ne puisse revenir.

« Le Meilleur Ami de l'homme »,
les Collines de l'épouvante. Nouvelles, Westmount, Desclez, [1981], p. 89-94. (Collection « Nuit d'encre », n° 2). (F)

Le narrateur achète un chien, Pietro, à qui il permet de manger à table, de dormir dans son lit et de l'accompagner au bureau, où il se montre d'une étonnante compétence dans le classement des dossiers. Martine, une collègue qui l'avait jusque-là ignoré, s'intéresse dès lors à lui, au point de venir habiter chez lui. En homme galant, il cède le lit à Martine et à Pietro et couche sur le plancher. Ayant pris froid, il doit garder la maison, laissant à Martine et à Pietro le soin d'aller au bureau. Il apprend avec bonheur que Martine, enceinte, et Pietro se marieront.

« Le Voisin »,
les Collines de l'épouvante. Nouvelles, Westmount, Desclez, [1981], p. 95-99. (Collection « Nuit d'encre », n° 2). (F)

Alarmé par des bruits nocturnes dans l'appartement voisin, que le concierge lui affirme pourtant être vide, le narrateur découvre, une nuit, que l'endroit est habité par un vampire.

« L'Accident »,
les Collines de l'épouvante. Nouvelles, Westmount, Desclez, [1981], p. 101-105. (Collection « Nuit d'encre », n° 2). (F)

Renversé par un camion le jour de son anniversaire, un homme se relève et veut continuer son travail comme si de rien n'était. Personne ne remarque sa présence, il en prend ombrage, entre à la maison, découvre une note qui lui annonce que les siens sont à l'hôpital. Il s'y précipite et les trouve veillant un mort, lui-même.

« L'Au-delà »,
les Collines de l'épouvante. Nouvelles, Westmount, Desclez, [1981], p. 113-117. (Collection « Nuit d'encre », n° 2). (F)

Sur son lit de mort, un homme, inattentif aux paroles du prêtre, se dit qu'il conçoit la mort comme « un envers de l'existence sur terre ».

Après avoir perdu le souffle et éprouvé des sensations étranges, il sent « sa tête prise dans un étau et tirée vers le haut ». Retourné les pieds en l'air, il reçoit des coups dans le dos jusqu'à la dilatation douloureuse de sa poitrine. « C'est alors qu'il per[d] toute mémoire de sa vie passée ».

TOULOUSE, Michel

[

« Énigme »,
Imagine..., n° 16 (vol. IV, n° 3, printemps 1983), p. 52-53. (SF)

Des savants venus d'un autre monde découvrent des traces de vie intelligente dans un système solaire. Pourtant, ces signaux proviennent de satellites gravitant autour de la Terre, planète aride, stérile et inhabitable à cause des radiations.

TREMBLAY, Alain

[

« Les Bourreaux d'Orion »,
Requiem, n° 4 (vol. I, n° 4, avril-mai 1975), p. 9. (SF)

Gilles est engagé comme bourreau sur la planète Orion Les habitants, presque immortels, ont perdu contact avec la mort. Il faut donc un personnage pour actionner la machine. Tous les autres avant lui ont disparu sans laisser de trace, probablement trop perturbés par le spectacle. Pourtant, Gilles se croit fort. Après l'exécution, il attend dans la cabine de contrôle qu'on vienne le délivrer. Une trappe s'ouvre sous lui et le précipite dans un broyeur : personne ne doit connaître le visage de la mort sur Orion.

« Escale sur Orion »,
Requiem, n° 7 (vol. II, n° 1, novembre-décembre 1975), p. 16. (SF)

Un extraterrestre décrit les charmes d'une serveuse de bar sur Orion : c'est une femme couverte d'écailles bleues.

« La Belle à l'astéroïde charmant »,
Requiem, vol. I, n° 4 (avril-mai 1975), p. 6. [Avec la collaboration de Richard TREMBLAY]. (Hy)

Dans une civilisation posthumaine, un Prince charmant, venu du « siècle Luminique, celui des véhicules supra-luminiques », vient réveiller une princesse, mais, de ses yeux perçants, cette dernière lui sectionne l'aorte et le dévore. Repue, elle s'endort pour cent siècles, dans l'attente de sa prochaine victime.

TREMBLAY, Gilles
[Montmorency, 15 décembre 1947 –]

Les Nordiques sont disparus. Roman. Science-fiction,
[Boucherville, Éditions Proteau inc., 1983], 219 p. (Collection « Première Chance »). (SF/Roman)

Après leur exposition à un rayon lumineux venu de l'espace, des enfants se voient dotés de pouvoirs capables de détruire ou de reconstruire une autre réalité. C'est ce qui les entraîne, une fois adultes, à provoquer la disparition de quinze mille personnes venues assister à un match de hockey entre les Canadiens et les Nordiques. Six cents ans plus tard, la race des Solitoniens (humains dotés des mêmes pouvoirs), forte et répandue, tente de recréer le monde à sa façon. Le gouvernement, décidé à les arrêter, envoie quatre mercenaires dans le passé afin de changer le cours de l'Histoire et d'enrayer à son origine la prolifération de cette race. Après maints périls et quelques échecs, le quatrième réussit à faire tuer les auteurs de la célèbre disparition. Victimes d'un rejet du temps, les mercenaires périssent presque au même moment, laissant un document télévisuel que les gens du futur ne comprendront jamais.

TREMBLAY, Michel
[Montréal, 25 juin 1942 –]

« Maouna »,
la Barre du jour, vol. 1, n° 6 (janvier-février 1966), p. 29-30. [Sous le titre « Manoua »] (F) ;

Contes pour buveurs attardés, Montréal, Éditions du Jour, [1966], p. 69-71 (Collection « les Romanciers du Jour », n° R-18) ;

Contes pour buveurs attardés, Montréal, les Éditions du Jour inc., [1979], p. 69-71. (Collection « le Petit Jour », n° 84) ;

Contes pour buveurs attardés, [Montréal], Stanké, [1985], p. 69-71. (Collection « Québec 10/10 », n° 75) ;

Stories for Late Drinkers. Translated by Michael Bullock, Vancouver, Intermedia, [1977], p. 53-55.

La sorcière Maouna vient d'être brûlée au bûcher. Cependant, son âme demeure vivante et elle promet bien des malheurs à ceux qui l'ont brûlée.

« Le Pendu »,

Contes pour buveurs attardés, Montréal, Éditions du Jour, [1966], p. 9-12. (Collection « les Romanciers du Jour », n° R-18) (F) ;

Contes pour buveurs attardés, Montréal, les Éditions du Jour inc., [1979], p. 9-12. (Collection « le Petit Jour », n° 84) ;

Contes pour buveurs attardés, [Montréal], Stanké, [1985], p. 9-12. (Collection « Québec 10/10 », n° 75) ;

Contes pour buveurs attardés, [Montréal], La littérature de l'oreille, [1987], p. 5-7. [Une cassette, 60 minutes et texte intégral ; conte lu par Vincent Davy] ;

Anthologie de la nouvelle et du conte fantastiques québécois au XXe siècle. Introduction et choix de textes par Maurice Émond, [Montréal], Fides, [1987], p. 259-263. (« Bibliothèque québécoise ») ;

Stories from Québec. Selected & Introduces by Philip Stratford, Toronto/New York Cincinnati/London/Melbourne, Van Nostrand Reinhold Ltd, [1974], 86-88. [Traduit sous le titre « The Hanged Man » par Jay Bochner] ;

The Canadian Fiction Magazine, n°s 24-25 (Spring-Summer 1977), p. 63-65. [Traduit par Michael Bullock sous le titre « The Hanged Man »] ;

Stories for Late Drinkers. Translated by Michael Bullock, Vancouver, Intermedia, [1977], p. 3-6. [Sous le titre « The Hanged Man »] ;

Invisible Fictions. Contemporary Stories from Quebec. Edited by Geoff Hancock, Toronto, Anansi, [1987], p. 173-176. [Traduit par Michael Bullock sous le titre « The Hanged Man »].

Un veilleur de pendus chargé de surveiller le corps d'un homme dans la nuit qui suit son exécution, entend le mort soupirer. Le soupir devient respiration puis rire très joyeux. Le corps du pendu oscille de plus en plus fort au bout de sa corde. Tout à coup, la tête se détache et tombe sur le plancher. On ne la retrouvera jamais.

« Circé »,

Contes pour buveurs attardés, Montréal, Éditions du Jour, [1966], p. 13-15. (Collection « les Romanciers du Jour », n° R-18) (F) ;

Contes pour buveurs attardés, Montréal, les Éditions du Jour inc., [1979], p. 13-15. (Collection « le Petit Jour, n° 84 ») ;

Contes pour buveurs attardés, [Montréal], Stanké, [1985], p. 13-15. (Collection « Québec 10/10 », n° 75) ;

Contes pour buveurs attardés, [Montréal], La littérature de l'oreille, [1987], p. 8-9. [Une cassette, 60 minutes et texte intégral ; conte lu par Vincent Davy] ;

Stories for Late Drinkers. Translated by Michael Bullock, Vancouver, Intermedia, [1977], p. 7-9. [Sous le titre « Circe »].

Un marin chargé de la veille du soir sur un navire entend une voix de femme qui chante. Avec ses lunettes d'approche, il voit au loin une île qui se rapproche à grande vitesse. La voix devient de plus en plus forte. Lorsque l'île frôle le bateau, l'homme aperçoit, dans une anse, une sirène qui lui tend les bras et qui est la figure ornant la proue de son navire.

« L'Œil de l'idole »,

Contes pour buveurs attardés, Montréal, Éditions du Jour, [1966], p. 19-25. (Collection « les Romanciers du Jour », n° R-18) (F) ;

Contes pour buveurs attardés, Montréal, les Éditions du Jour inc., [1979], p. 19-25. (Collection « le Petit Jour, n° 84 ») ;

Contes pour buveurs attardés, [Montréal], Stanké, [1985], p. 19-25. (Collection « Québec 10/10 », n° 75) ;

Anthologie de la nouvelle et du conte fantastiques québécois au XXe siècle. Introduction et choix de textes par Maurice Émond, [Montréal], Fides, [1987], p. 263-270. (« Bibliothèque québécoise ») ;

Stories for Late Drinkers. Translated by Michael Bullock, Vancouver, Intermedia, [1977], p. 11-16. [Sous le titre « The Eye of the Idol »] ;

Invisible Fictions. Contemporary Stories from Quebec. Edited by Geoff Hancock, Toronto, Anansi, [1987], p. 177-182. [Traduit par Michael Bullock sous le titre « The Eye of the Idol »].

Un homme se rend dans le pays de Paganka dans l'espoir de ramener l'idole du temple de M'ghara. Arrivé au lieu dit, l'homme est déçu par la piteuse apparence de l'idole. Il décide cependant de gratter le matériau qui recouvre l'unique œil de celle-ci et découvre qu'il s'agit d'un diamant. L'idole commence tout à coup à respirer et à bouger. L'homme se sauve avec l'œil-diamant et, plus loin, voulant le regarder à nouveau, trouve dans sa poche un œil véritable, énorme et ensanglanté, qui le regarde.

« Le Fantôme de Don Carlos »,
Contes pour buveurs attardés, Montréal, Éditions du Jour, [1966], p. 35-46. (Collection « les Romanciers du Jour », n° R-18) (F) ;

Contes pour buveurs attardés, Montréal, les Éditions du Jour inc., [1979], p. 35-46. (Collection « le Petit Jour, n° 84 ») ;

Contes pour buveurs attardés, [Montréal], Stanké, [1985], p. 35-46. (Collection « Québec 10/10 », n° 75) ;

Stories for Late Drinkers. Translated by Michael Bullock, Vancouver, Intermedia, [1977], p. 24-33. [Sous le titre « The Ghost of Don Carlos »] ;

Invisible Fictions. Contemporary Stories from Quebec. Edited by Geoff Hancock, Toronto, Anansi, [1987], p. 183-192. [Traduit par Michael Bullock sous le titre « The Ghost of Don Carlos »].

Un médecin et son neveu, le narrateur, sont sollicités par une riche Espagnole, Isabelle del Mancio, qui désire ardemment voir le célèbre fantôme de Don Carlos. Le médium accepte après hésitation. Le fantôme apparaît alors sur un cheval blanc, en passant à travers un miroir qui se brise aussitôt. Impressionnée par la laideur et par la taille du fantôme, la visiteuse s'en approche trop et est, au même moment, défigurée par le fantôme et piétinée par le cheval. Don Carlos s'échappe par la fenêtre en emportant le corps du médium avec lui.

« Le Soûlard »,
Contes pour buveurs attardés, Montréal, Éditions du Jour, [1966], p. 47-49. (Collection « les Romanciers du Jour », n° R-18) (F) ;

Contes pour buveurs attardés, Montréal, les Éditions du Jour inc., [1979], p. 47-49. (Collection « le Petit Jour, n° 84 ») ;

Contes pour buveurs attardés, [Montréal], Stanké, [1985], p. 47-49. (Collection « Québec 10/10 », n° 75) ;

Stories for Late Drinkers. Translated by Michael Bullock, Vancouver, Intermedia, [1977], p. 34-36. [Sous le titre « The Drunkard »].

Un soûlard entre dans une taverne et commande bière sur bière. Les autres clients se taisent et attendent qu'il s'en aille pour reprendre les conversations. Le soûlard ne s'en va pas, la poussière et la moisissure s'installent alors que les clients se regardent vieillir.

« La Dernière Sortie de Lady Barbara »,
Contes pour buveurs attardés, Montréal, Éditions du Jour, [1966], p. 53-62. (Collection « les Romanciers du Jour », n° R-18) (F) ;

Contes pour buveurws attardés, Montréal, les Éditions du Jour inc., [1979], p. 53-62. (Collection « le Petit Jour, n° 84 ») ;

Contes pour buveurs attardés, [Montréal], Stanké, [1985], p. 53-62. (Collection « Québec 10/10 », n° 75) ;

Stories for Late Drinkers. Translated by Michael Bullock, Vancouver, Intermedia, [1977], p. 39-47. [Sous le titre « Lady Barbara's Last Outing »].

Un homme est chargé par le Grand-Prêtre, Chef Suprême de toutes les Confréries, de tuer Lady Barbara, une des Chefs Suprêmes de toutes les Confréries du Cosmos. Il doit d'abord lui trancher la tête pour tuer son corps et ensuite réciter des formules qui anéantiront son âme. Mais Lady Barbara déjoue le complot et déclare la guerre à l'Univers. L'homme est arrêté pour être interrogé.

« Angus ou la Lune vampire »,

Contes pour buveurs attardés, Montréal, Éditions du Jour, [1966], p. 63-67. (Collection « les Romanciers du Jour », n° R-18) (F) ;

Contes pour buveurs attardés, Montréal, les Éditions du Jour inc., [1979], p. 63-67. (Collection « le Petit Jour, n° 84 ») ;

Contes pour buveurs attardés, [Montréal], Stanké, [1985], p. 63-67. (Collection « Québec 10/10 », n° 75) ;

Anthologie de la nouvelle et du conte fantastiques québécois au XXe siècle. Introduction et choix de textes par Maurice Émond, [Montréal], Fides, [1987], p. 271-276. (« Bibliothèque québécoise») ;

Stories for Late Drinkers. Translated by Michael Bullock, Vancouver, Intermedia, [1977], p. 48-52. [Sous le titre « Angus or The Vampire Moon »].

Angus se réfugie chez un ami pour échapper à l'irrésistible attrait de la pleine lune. Malheureusement, l'ami desserre son étreinte trop tôt alors que la lune n'est pas complètement couchée. Une énorme araignée entre alors dans la maison et, malgré les efforts de l'ami pour la tuer, elle réussit à se rendre jusqu'à Angus, sous la forme d'« un paquet d'une matière visqueuse et puante ».

« Monsieur Blink »,

Contes pour buveurs attardés, Montréal, Éditions du Jour, [1966], p. 81-84. (Collection « les Romanciers du Jour », n° R-18) (F) ;

Contes pour buveurs attardés, Montréal, les Éditions du Jour inc., [1979], p. 81-84. (Collection « le Petit Jour, n° 84 ») ;

Contes pour buveurs attardés, [Montréal], Stanké, [1985], p. 81-84. (Collection « Québec 10/10 », n° 75) ;

Stories from Québec. Selected & Introduces by Philip Stratford, Toronto/New York Cincinnati/London/Melbourne, Van Nostrand Reinhold Ltd, [1974], 89-91. [Traduit par Jay Bochner sous le titre « Mister Blank »] ;

Stories for Late Drinkers. Translated by Michael Bullock, Vancouver, Intermedia, [1977], p. 63-66. [Sous le titre « Mr. Blink »] ;

Other Canadas. An Anthology of Science Fiction and Fantasy. Edited by John Robert Colombo, Toronto, Halifax, Montreal, Vancouver, McGraw-Hill Ryerson Limited, [1979], p. 179-182. [Traduit par Michael Bullock sous le titre « Mr. Blink »].

Passant devant une affiche, monsieur Blink constate avec stupéfaction qu'il est candidat au poste de premier ministre. En rentrant chez lui, il reçoit des marques d'appui contre lesquelles il ne peut rien. Le soir, il est porté en triomphe lors d'un grand rassemblement et ne peut encore protester. Le lendemain, il est élu premier ministre.

« La Danseuse espagnole »,
Contes pour buveurs attardés, Montréal, Éditions du Jour, [1966], p. 85-87. (Collection « les Romanciers du Jour », n° R-18) (F) ;

Contes pour buveurs attardés, Montréal, les Éditions du Jour inc., [1979], p. 85-87. (Collection « le Petit Jour, n° 84 ») ;

Contes pour buveurs attardés, [Montréal], Stanké, [1985], p. 85-87. (Collection « Québec 10/10 », n° 75) ;

Stories for Late Drinkers. Translated by Michael Bullock, Vancouver, Intermedia, [1977], p. 67-68. [Sous le titre « The Spanish Dancer »].

Un homme est amoureux d'une danseuse espagnole gitane, mais le père et les frères de celle-ci n'approuvent pas. La danseuse amène l'homme dans la maison et le poignarde. Au moment où il meurt, l'homme voit que les dents de la danseuse sont rouges et sa bouche, pleine de sang.

« Amenachem »,
Contes pour buveurs attardés, Montréal, Éditions du Jour, [1966], p. 89-99. (Collection « les Romanciers du Jour », n° R-18) (F) ;

Contes pour buveurs attardés, Montréal, les Éditions du Jour inc., [1979], p. 89-99. (Collection « le Petit Jour, n° 84 ») ;

Contes pour buveurs attardés, [Montréal], Stanké, [1985], p. 89-99. (Collection « Québec 10/10 », n° 75) ;

Contes pour buveurs attardés, [Montréal], La littérature de l'oreille, [1987], p. 10-17. [Une cassette, 60 minutes et texte intégral ; conte lu par Vincent Davy] ;

Stories for Late Drinkers. Translated by Michael Bullock, Vancouver, Intermedia, [1977], p. 69-77. [Sous le même titre].

Un homme très riche se rend dans l'île aux oiseaux demander à la sorcière Amenachem de transformer sa fille pour qu'elle accepte de coucher avec lui, en échange de quoi il lui offre son âme et une grande part de sa fortune. Amenachem accepte, mais le prix à payer est finalement plus élevé : revenu sur le continent, il constate que plus personne ne le salue, que sa fortune a disparu et que sa fille a été transformée en un monstre hideux qui le poursuit de ses avances.

« Les Escaliers d'Érika »,

Contes pour buveurs attardés, Montréal, Éditions du Jour, [1966], p. 101-107. (Collection « les Romanciers du Jour », n° R-18) (F) ;

Contes pour buveurs attardés, Montréal, les Éditions du Jour inc., [1979], p. 101-107. (Collection « le Petit Jour », n° 84) ;

Contes pour buveurs attardés, [Montréal], Stanké, [1985], p. 101-107. (Collection « Québec 10/10 », n° 75) ;

Stories for Late Drinkers. Translated by Michael Bullock, Vancouver, Intermedia, [1977], p. 78-83. [Sous le titre « Erika's Steps »].

Hans revient au château de son ami Érik à la demande de celui-ci. Érika, la jumelle d'Érik, est morte, huit ans auparavant, après une chute du haut de l'escalier à roulettes de la bibliothèque, poussée par Érik. Elle-même avait déjà poussé Hans du haut de cet escalier et Érik voulait la punir. Avant de mourir, Érika avait promis de revenir se venger. Pendant la nuit, Hans entend des bruits dans la bibliothèque. Au moment où il y entre, Érika pousse l'échelle et Érik meurt en tombant. Érika promet à Hans de revenir.

« Le Warugoth-Shala »,

Contes pour buveurs attardés, Montréal, Éditions du Jour, [1966], p. 109-113. (Collection « les Romanciers du Jour », n° R-18) (F) ;

Contes pour buveurs attardés, Montréal, les Éditions du Jour inc., [1979], p. 109-113. (Collection « le Petit Jour », n° 84) ;

Contes pour buveurs attardés, [Montréal], Stanké, [1985], p. 109-113. (Collection « Québec 10/10 », n° 75) ;

Stories for Late Drinkers. Translated by Michael Bullock, Vancouver, Intermedia, [1977], p. 84-87. [Sous le titre « The Warugoth-Shala »].

Un homme qui visite une maison supposément hantée entend des chuchotements étrangers du premier étage. Il voit un autre homme, James Blackmoor, l'air effrayé, descendre l'escalier, tenant dans ses bras une petite fille mutilée qu'il dit être maudite. L'homme monte à son tour à l'étage et y découvre un monstre, le Warugoth-Shala, qui se nourrit de sang humain. L'homme doit maintenant tuer un enfant, comme Blackmoor, pour nourrir le monstre.

« Wolfgang, à son retour »,
Contes pour buveurs attardés, Montréal, Éditions du Jour, [1966], p. 115-120. (Collection « les Romanciers du Jour », n° R-18). (F) ;

Contes pour buveurs attardés, Montréal, les Éditions du Jour inc., [1979], p. 115-120. (Collection « le Petit Jour », n° 84) ;

Contes pour buveurs attardés, [Montréal], Stanké, [1985], p. 115-120. (Collection « Québec 10/10 », n° 75) ;

Stories for Late Drinkers. Translated by Michael Bullock, Vancouver, Intermedia, [1977], p. 88-92. [Sous le titre « Wolfgang on His Return »].

Un homme découvre que son fils Wolfgang est un vampire. Il décide de le tuer.

« Les Mouches bleues »,
Contes pour buveurs attardés, Mwontréal, Éditions du Jour, [1966], p. 127-128. (Collection « les Romanciers du Jour », n° R-18) (F) ;

Contes pour buveurs attardés, Montréal, les Éditions du Jour inc., [1979], p. 127-128. (Collection « le Petit Jour », n° 84) ;

Contes pour buveurs attardés, [Montréal], Stanké, [1985], p. 127-128. (Collection « Québec 10/10 », n° 75) ;

Stories for Late Drinkers. Translated by Michael Bullock, Vancouver, Intermedia, [1977], p. 97-98. [Sous le titre « The Bluebottles »].

Une princesse transforme tous ses amants en mouche bleue, après une nuit passée avec eux. Ismonde, sa servante-sorcière, s'oppose à ce traitement ; alors elle transforme la dernière mouche en papillon noir, qui tue la princesse.

« Jocelyn, mon fils »,
Contes pour buveurs attardés, Montréal, Éditions du Jour, [1966], p. 129-132. (Collection « les Romanciers du Jour », n° R-18) (F) ;

Contes pour buveurs attardés, Montréal, les Éditions du Jour inc., [1979], p. 129-132. (Collection « le Petit Jour », n° 84) ;

Contes pour buveurs attardés, [Montréal], Stanké, [1985], p. 129-132. (Collection « Québec 10/10 », n° 75) ;

Stories for Late Drinkers. Translated by Michael Bullock, Vancouver, Intermedia, [1977], p. 99-101. [Sous le titre « Jocelyn, my Son »].

Depuis des années, la baronne Kranftung parle de son fils Jocelyn qui, pourtant, n'existe pas. Lors d'une fête chez la princesse Winderclung, elle en parle plus qu'à l'habitude, laissant même entendre qu'il viendra la chercher à la fin de la soirée. Mais, plus tard, elle avoue pour la première fois qu'il n'existe pas. Pourtant, le bal terminé, Jocelyn apparaît dans le cadre de la porte, tout souriant.

« Le Dé »,

Contes pour buveurs attardés, Montréal, Éditions du Jour, [1966], p. 133-135. (Collection « les Romanciers du Jour », n° R-18) (F) ;

Contes pour buveurs attardés, Montréal, les Éditions du Jour inc., [1979], p. 133-135. (Collection « le Petit Jour », n° 84) ;

Contes pour buveurs attardés, [Montréal], Stanké, [1985], p. 133-135. (Collection « Québec 10/10 », n° 75) ;

Stories from Québec. Selected & Introduces by Philip Stratford, Toronto/New York Cincinnati/London/Melbourne, Van Nostrand Reinhold Ltd, [1974], 92-93. [Traduit par Jay Bochner sous le titre « The Thimble »] ;

The Canadian Fiction Magazine, n° 18 (Summer 1975), p. 8-10. [Traduit en anglais sous le titre « The Thimble » par Michael Bullock] ;

Stories for Late Drinkers. Translated by Michael Bullock, Vancouver, Intermedia, [1977], p. 102-104. [Sous le titre « The Thimble »].

Bobby Stone est accosté par une femme qui tient absolument à lui remettre un dé à coudre, que Stone refuse. Au moment où elle lui avoue qu'elle refusera de le lui donner s'il ne le prend pas de bon gré, il laisse entendre qu'il le désire plus que tout au monde. Le lendemain, il utilise le dé pour coudre un bouton. Mais la femme y avait mis l'univers entier et Stone l'écrase en insérant son doigt dans le dé.

« La Femme au parapluie »,

Contes pour buveurs attardés, Montréal, Éditions du Jour, [1966], p. 137-138. (Collection « les Romanciers du Jour », n° R-18) (F) ;

Contes pour buveurs attardés, Montréal, les Éditions du Jour inc., [1979], p. 137-138. (Collection « le Petit Jour », n° 84) ;

Contes pour buveurs attardés, [Montréal], Stanké, [1985], p. 137-138. (Collection « Québec 10/10 », n° 75) ;

James ROUSSELLE, Michèle BOURDEAU et Michel MONETTE, *Repères 4e. 22 nouvelles, 22 univers. Deuxième dossier*, Montréal, Centre éducatif et culturel, [1986], p. 82 ;

Stories for Late Drinkers. Translated by Michael Bullock, Vancouver, Intermedia, [1977], p. 105-106. [Sous le titre « The Woman with an Umbrella »].

Un homme trouve un parapluie. Rentré chez lui, il reçoit un appel de la propriétaire de l'objet qui lui donne rendez-vous sur le pont de bois, à l'est de la ville. L'homme s'y rend, remet son parapluie à la dame, qui l'enjoint alors de sauter en bas du pont. L'homme obéit et la femme repart en laissant son parapluie au milieu du pont.

« La Dent d'Irgak »,

Contes pour buveurs attardés, Montréal, Éditions du Jour, [1966], p. 139-142. (Collection « les Romanciers du Jour », n° R-18) (F) ;

Contes pour buveurs attardés, Montréal, les Éditions du Jour inc., [1979], p. 139-142. (Collection « le Petit Jour », n° 84) ;

Contes pour buveurs attardés, [Montréal], Stanké, [1985], p. 139-142. (Collection « Québec 10/10 », n° 75) ;

Contes pour buveurs attardés, [Montréal], La littérature de l'oreille, [1987], p. 18-20. [Une cassette, 60 minutes et texte intégral ; conte lu par Vincent Davy] ;

The Canadian Fiction Magazine, nos 24-25 (Spring-Summer 1977), p. 69-71. [Traduit par Michael Bullock sous le titre « Irgak's Tooth »] ;

Stories for Late Drinkers. Translated by Michael Bullock, Vancouver, Intermedia, [1977], p. 107-110. [Sous le titre « Irgak's Tooth »].

Depuis qu'une nouvelle étoile presque aussi grosse que la lune est apparue dans le ciel, Irgak a très mal à une dent. Les membres de la tribu décident que si, dans cinq jours, l'étoile et les souffrances d'Irgak n'ont pas disparu, il faudra le tuer puisqu'il doit être maudit. Vers la fin de la cinquième nuit, un Inuk géant apparaît. Il arrache la dent d'Irgak et l'étoile disparaît.

« La Chambre octogonale »,

Contes pour buveurs attardés, Montréal, Éditions du Jour, [1966], p. 143-149. (Collection « les Romanciers du Jour », n° R-18) (F) ;

Contes pour buveurs attardés, Montréal, les Éditions du Jour inc., [1979], p. 143-149. (Collection « le Petit Jour », n° 84);

Contes pour buveurs attardés, [Montréal], Stanké, [1985], p. 143-149. (Collection « Québec 10/10 », n° 75) ;

The Canadian Fiction Magazine, n°s 24-25 (Spring-Summer 1977), p. 65-69. [Traduit par Michael Bullock sous le titre « The Octogonal Room »] ;

Stories for Late Drinkers. Translated by Michael Bullock, Vancouver, Intermedia, [1977], p. 111-116. [Sous le titre « The Octogonal Room »] ;

Invisible Fictions. Contemporary Stories from Quebec. Edited by Geoff Hancock, Toronto, Anansi, [1987], p. 193-198. [Traduit par Michael Bullock sous le titre « The Octogonal Room »].

Revenu d'un long voyage autour du monde, Frédéric invite un ami chez lui. Au cours du repas, il lui confie que des choses le suivent depuis son passage en Afrique et se sont enfermées dans une pièce de sa maison en attendant de le tuer. Malgré les protestations de Frédéric, l'ami va examiner la chambre octogonale, où se trouvent présumément les choses. Frédéric est alors assailli par des millions de bêtes que son ami ne peut voir et est dévoré par elles.

La Cité dans l'œuf. Roman,
Montréal, Éditions du Jour, [1969], 181[2] p. (Collection « les Romanciers du Jour », n° R-38). (F/Roman) ;

[Montréal-Paris], Stanké, [1985], 191[1] p. (Collection « Québec 10/10 », n° 74).

En cadeau de son père, François Laplante fils a reçu un œuf de verre empli de brouillard vert. Un soir, en le plaçant devant la pleine lune, il voit apparaître dans le brouillard une cité merveilleuse et scintillante. Brusquement, il se retrouve aux portes de cette cité. Il y rencontre d'abord le nain Ghô qui veut détruire la cité en exterminant les Khjoens, déesses qui crient le Temps. Ghô prévoit gagner la terre grâce à François, avant la destruction complète de la cité. Celui-ci lui refuse son aide et se voit forcé de faire le tour des quatre autres quartiers de la cité, dont chacun des dirigeants exige de lui qu'il aille tuer Ghô pour sauver la cité et qu'il ramène les Khjoens dans le quartier où il se trouve pour ranimer celui-ci. Arrivé dans le cinquième quartier, au moment où il entend les cris de mort des deux dernières Khjoens, il se réveille chez lui, à l'endroit même où il se trouvait avant son départ. Il sait que les membres de la cité veulent sa peau et, lui, souhaite par-dessus tout devenir un Grand Initié pour sauver la cité et la Terre.

TREMBLAY, Richard
[Montréal, 20 mars 1955 –]

« L'Accident »,
Requiem, n° 25 (vol. V, n° 1, février 1979), p. 10-13. (SF)

Un extraterrestre en mission commerciale sur Terre est victime d'un accident de la route. Faute de soins adéquats, il meurt lentement à l'hôpital, en songeant à la vie qu'il quitte.

« The Lark Ascending »,
Solaris, n° 31 (vol. VI, n° 1, février 1980), p. 6-11. (SF)

Denis Faucher est installé pour un long voyage vers Mars. Ses moindres pensées sont analysées par des implants cervicaux alors que des techniciens règlent ses stimuli à distance. Pourtant, les implants viennent à se détraquer. Faucher est libre de penser. Il devient lentement fou et, au moment d'atterrir sur Mars, il croit être un artiste jouant sur les touches d'un clavier. Simultanément, il revit une scène où, semble-t-il, il va tuer son amie. Finalement, le vaisseau s'écrase.

« Le Jardin de roses »,
Solaris, n° 40 (vol. VII, n° 4, septembre 1981), p. 10-14. (F)

Un samedi, le vieil homme Antoine Brandeau s'occupe de ses rosiers, cherchant des signes de dégénérescence. À la vue d'une rose morte, il pense à sa femme Thérèse, décédée. Une nuit, il se couche sur la terre chaude et grasse. Peu à peu un mouvement se dessine sous lui. Il regarde et se voit dans son corps de jeunesse. Puis, la terre dessine le corps du vieil homme et « commence à le recouvrir avec une délicatesse inouïe ».

TREMBLAY, Richard. V. **TREMBLAY, Alain.**

TROTTIER, Charles-Alexis
[

« Sens unique »,
l'Orée close, vol. III, n° 1 (décembre 1983), p. 21-23. (Hy)

Un homme, muni d'une pelle, se blesse à la tête en se rendant dans un cimetière. Il croise un mort en vacances suivi d'un orchestre jouant « une symphonie inachevée ». À la vue de tant de pierres tombales, l'homme à la pelle choisit de rire, mais rit tellement que tout le cimetière éclate de rire. L'homme commence à creuser son trou pour s'enterrer debout mais le mort en vacances repasse à nouveau suivi de l'orchestre qui rate cette fois l'exécution de la symphonie, ce qui dégoûte l'homme à la pelle et le met dans un triste état.

TRUDEL, Jean-Louis
[Toronto, 10 juillet 1967 –]

« Œuvre de paix »,
Imagine..., n° 24 (vol. VI, n° 1, octobre 1984), p. 11-17. (SF)

Après la Troisième Guerre mondiale, des survivants sur le continent américain pratiquent un rituel à Pâques. Une Fédération mondiale, vouée à l'établissement d'une seule loi sur la Terre, réprime ces manifestations au caractère nettement primitif.

« Le Maire. Un pastiche de Isaac Asimov »,
Imagine..., n° 27 (vol. VI, n° 4, avril 1985), p. 63-68. (SF)

Maire de l'unique ville de la planète Ultimos, Redemptor Duros arrive à Anactorion pour une cérémonie officielle. Le régent et Technarque, Vienato, l'entraîne dans son cabinet, le menace et lui avoue qu'une flotte conquerra Ultimos dans treize heures. Mais quelques minutes plus tard, la population anactorienne se révolte contre le jeune roi et son gouvernement. Duros révèle qu'en faisant profiter les Anactoriens de leur supériorité technique, les Ultimiens ont répandu une propagande égalitaire et pacifiste. Il prend son assurance dans la prédiction d'un « intellistorien » qui a annoncé l'infaillibilité des Ultimiens. Vienato parvient à retourner la situation à son profit en prétendant qu'il est en faveur de la révolution. Finalement, il est nommé chef des révolutionnaires. Vienato ironise alors et parle de la faillibilité de l'homme, en particulier de celle de ce fameux intellistorien.

« Le Ressuscité de l'Atlantide »,
Imagine..., n° 29 (vol. VI, n° 6, août 1985), p. 49-59 ; n° 30 (vol. VII, n° 1, octobre 1985), p. 77-101 ; n° 32 (vol. VII, n° 3, février 1986), p. 171-189 ; n° 35 (vol. VII, n° 6, août 1986), p. 89-101 ; n° 36 (vol. VIII, n° 1, octobre 1986), p. 91-101 ; n° 37 (vol. VIII, n° 2, décembre 1986), p. 107-122, et n° 41 (vol VIII, n° 6, août 1987), p. 87-93. (SF)

Dans une crypte de Congelés, Matos Por Lingtor est ressucité après deux cents ans de Congélation. Le Dr Vogler lui a implanté un cerveau régénéré contenant les souvenirs d'un Atlante, Juan Aztlan. Doté de deux identités, et se prenant pour le Prométhée moderne, il se débarrasse de son « créateur » et part à la recherche de son identité dans la mégalopole de Chicago. Des aventures multiples surviennent et le conduisent sur la planète Mars, où il finit par occuper un poste de gardien de nuit.

TURGEON, Pierre

[Québec, 9 octobre 1947 –]

« Le Pétard d'ord'ord'ord'ord'or »,

Dimensions/Digeste éclair, vol. VI, n° 3 (mars 1969), p. 66-67. (F)

Un couple, amateur de farces et d'attrapes, se rend au Club international des farceurs, où « le pharamineux docteur Zacharie époustoufle [...] les plus crédules avec ses passes magiques et orientales ». Lorsque ce dernier demande des volontaires, le couple, qui a pris soin de se travestir, bondit sur la scène. L'homme réussit à lancer une banane sous les talons du docteur, qui tombe à la renverse. Le couple s'enfuit aussitôt et, de retour à la maison, la femme, se rend à la cuisine où elle trouve une poule qu'elle met à la broche. Mais le couple ne possède pas de basse-cour. Un peu plus tard, après que sa femme lui en ait parlé, l'homme se rend aussitôt à la cuisine où il trouve, à côté de l'évier, la tête de leur fils Pierre.

« Les Cousins »,

Dimensions/Digeste éclair, vol. VI, n° 4 (mai 1969), p. 72-73. (Hy)

Des insectes se « camouflent » en hommes. L'un d'entre eux, une charpente composée de fourmis agglutinées par un liquide poisseux et rouge, rêve depuis longtemps d'entrer dans le monde des humains et y parvient. Il arrive dans un village où il entre dans une auberge. Mais il est vite démasqué et tué.

V

VANASSE, André
[Montréal, 6 mars 1942 –]

La Saga des Lagacé,
[Montréal], Libre Expression, [1980], 166 p. (Hy/Roman) ;

[Montréal], Leméac, [1986], 208 p. (Collection « Poche/Québec », n° 11).

Deux des membres de la famille Lagacé, Samuel et sa fille Cybèle, jouissent de pouvoirs surnaturels. La mère également se révèle douée d'une bien étrange faculté : il suffit qu'elle formule une malédiction, au retour inopiné de Samuel, pour que la maison s'écroule aussitôt.

VÉE. V. **VIDAL, Serge.**

VÉRONNEAU, Germain
[

« Soyouz, l'extra-terrestre [*sic*] »,
Contes merveilleux d'aujourd'hui, vol. I, Drummondville, Promotions mondiales/Éditions L. N., 1984, p. 11-70. (SF)

Soyouz, un extraterrestre tombé sur la Terre par accident, est recueilli par un jeune Inuk, Inouk, qui devient son ami. Toute la communauté inuit croit qu'il s'agit d'un jeune sasquash, créature légendaire semblable au Yéti ou au Big Foot. Mais l'être a des pouvoirs étranges et doit fuir devant les inquisitions de quelques Blancs. Ces derniers partis, Soyouz revient. Un autre Blanc, Jim McCarthy, débarque chez les Inuit et devient l'ami de Inouk, puis de Soyouz. Il procède à des expériences avec le sasquash et observe quelques phénomènes étranges. Il s'en retourne, en promettant de garder le secret de l'existence de Soyouz.

VERVILLE, France [pseudonyme]. V. **VERVILLE, Guy.**

VERVILLE, Guy
[

« Aux profondeurs de tes yeux »,
Transit, n° 4 (hiver 1984), p. 18-21. [Sous le pseudonyme de France VERVILLE]. (F)

Dorothée et son fils Sébastien habitent une maison où la jeune femme se sent étouffée, mais qu'elle garde tout de même, car Sébastien est aveugle et y est parfaitement heureux. Lorsqu'elle décide d'aller travailler à l'extérieur, elle engage une gardienne, Suzanne, pour s'occuper de son fils. Elle constate bientôt qu'il s'est installé une intimité, dont elle est exclue, entre Suzanne et Sébastien. Ils passent la plupart de leur temps à la cave, lieu mystérieux pour Dorothée. Un jour, celle-ci s'aperçoit que Suzanne est devenue aveugle elle aussi et qu'elle a perdu toutes ses dents, ce qui donne à sa bouche l'allure d'un grand trou noir. Alors elle décide d'aller voir à la cave : c'est un grand trou noir.

VIDAL, Jean-Pierre
[Alligny-en-Morvan (France), 15 août 1944 –]

« Cinq ou Six morceaux en forme de poire d'angoisse, à recoller précautionneusement »,
la Nouvelle Barre du jour, n°s 79-80 (juin 1979), p. 143-150. (SF)

Le narrateur semble se trouver dans un espace extraterrestre et n'être pas humain. La civilisation, les hommes seraient une illusion, un jeu des dieux. Le narrateur assiste au tournage d'un film. Il croit qu'il s'agit de rituels nuptiaux, mais il trouve encore plus étonnant cet autre rituel, qui est, en fait, la projection d'un film dans un cinéma, et qu'il croit être un rituel de fécondité. Puis il voit le « modèle John Wayne » jouer Achille. Le dernier fragment donne à penser que le narrateur serait une saucisse à hot-dog.

VIDAL, Serge
[

« Recherchés »,
Pilône, n° 13 (novembre 1984), p. 12-13. [Sous le pseudonyme de VÉE]. (SF)

Un croiseur xzgygotéen part en orbite autour d'une planète où tout indique que la vie est possible. Une équipe s'y pose, mais ne trouve là aucun signe de vie, malgré la présence de bâtiments et d'éléments sculpturaux. Une inscription semble expliquer cette disparition de la vie... sur la Terre.

VILLEMAIRE, Yolande
[Saint-Augustin-des-deux-Montagnes, 28 août 1949 –]

La Constellation du Cygne. Roman,
[Montréal], les Éditions de la Pleine Lune, [1985], p. 179 p. (Hy/Roman)

Après le récit (à la troisième personne) de sa relation tumultueuse de Celia Rosenberg avec un soldat allemand à Paris pendant la Deuxième Guerre mondiale, Celia Rosenberg raconte sa propre mort et sa survie à l'état lumineux, d'abord autour du camp de concentration d'Auschwitz, puis sur Lambda, de la Constellation du Cygne.

VILLENEUVE, Daniel
[

« 2084. L'Odyssée constitutionnelle »,
le Temps fou, n° 17 (novembre-décembre 1981), p. 36-38. [En collaboration avec François FOURNIER]. (SF)

En 2084, deux journalistes, à l'emploi de la société Communipro-CAN, font parvenir, à l'aide du tube temporel, une dénonciation et un avertissement aux Québécois de 1984. Ils les préviennent des multiples agissements du gouvernement fédéral du Canada qui deviendra le Conseil d'administration national (CAN) et qui brimera les droits des citoyens, en particulier ceux des Québécois. En 2084, ils sont menacés de déportation sur la Lune, les Amérindiens et les Inuit ayant déjà été déportés quelques années auparavant.

VILLENEUVE, Gisèle
[Montréal, 4 juin 1950 –]

« Une très vieille femme »,
Châtelaine, vol. XX, n° 10 (octobre 1981), p. 120-121, 126, 128-129. (SF)

Au seuil de l'an 2000, une vieille femme fête seule ses cent ans qui seront célébrés en grande pompe dans la journée à venir. Espiègle et lucide, elle refuse de promouvoir l'image de « grand-mère » qu'on veut la voir projeter. Malgré toute la mise en scène à laquelle elle s'est tout de même prêtée d'assez bonne grâce pendant les répétitions, elle se promet, après la cérémonie, de dévoiler à tous ses projets d'avenir : écrire une chronique du XXe siècle.

VILLENEUVE, Jocelyne
[Val d'Or, 9 février 1941 –]

« Les Feux Saint-Elme »,
Rauque, n° 2 (automne 1985), p. 29-37. (F)

Après le départ de son père, Zacharie Beaulieu, capitaine de grande réputation, pour un voyage autour du monde en mer, Antoine raconte à des marins une aventure étrange qu'il a vécue avec son père en haute mer : lors d'une tempête, une boule de feu qui ne brûlait pas, appelée le feu Saint-Elme d'après une légende, apparaît sur leur navire, y crée le désordre et monte jusqu'aux plus hautes mâtures. Les gens réagissent différemment à ce récit et l'un des marins, Manchotte, soutient que l'apparition d'une seule boule de feu est un signe annonciateur de malheur. Or, Zacharie ne revient pas. Son fils part à sa recherche.

VINCENT, Thierry
[Montréal, 27 septembre 1965 –]

« Les Légendes de la Vieille Jonque »,
Solaris, n° 59 (vol. X, n° 5, janvier-février 1985), p. 12. (Hy)

Le jeune Papilio traverse un jour la profonde rivière qui sépare son village de la Vieille Jonque, lieu mystérieux et maudit où personne n'ose aller. Là, il avance dans l'obscurité jusqu'à une porte qui s'ouvre devant lui. Et, puisque Papilio a passé la porte, son histoire s'est perdue. Il n'y a que Hiram, celui qui avait suivi Papilio jusqu'à la Vieille Jonque, qui tente d'imaginer l'histoire du héros d'après les échos qui lui parviennent de derrière la porte. Mais, au fil des années, les échos sont de moins en moins perceptibles et Hiram brode l'histoire plus difficilement. Enfin, un jour, les échos reviennent et s'intensifient. Quand Hiram est certain que chacun peut les entendre au village, il meurt.

VONARBURG, Élisabeth [née **FERRON-WEHRLIN**]
[Paris, 5 août 1947 –]

« Paradise Glossed »,
Requiem, n° 13 (décembre 1976-janvier 1977), p. 8. [Avec la collaboration de Jean-Joël VONARBURG]. (SF)

Dans une autre galaxie, les hautes autorités décident de refaire la Création, mais sans Ève cette fois. Sur cette planète paradisiaque, les animaux étant intelligents, l'Homme ne s'ennuie jamais et la tentation fatale se trouve ainsi évitée. Mais, un jour, arrive de l'espace Xyz une jeune femme en quête de découverte. Curieuse, elle s'approche de l'arbre (qu'on avait tout de même planté là, pour la forme) et communique avec une pomme qu'elle détache, mœurs courantes chez les siens. Puis elle repart. Adam, l'ayant observée, tente de faire de même, mais, devant son incapacité à réussir la chose, il hausse les épaules et croque la pomme, au grand désespoir des Elohim de service.

« La Femme à rebours »,
Requiem, n° 14 (vol. III, n° 2, février-mars 1977), p. 10. (SF)

Une femme naît « dans la nuit du 9 au 8 juin 1976 ».

« Marée haute »,
Requiem, n° 19 (vol. IV, n° 1, janvier 1978), p. 8-11. (SF)

Les Mathaü, experts en colonisation planétaire, ont déjà sarclé, désinfecté et aménagé des dizaines de planètes de manière qu'elles deviennent l'image parfaite de la planète mère, Mathi. Pour cela, les Mathaü détruisent sans pitié toute vie aborigène. Aärne, le jeune garçon d'un des colons de la plus récente planète en voie de « construction », n'est pas d'accord avec cette politique, qu'il juge cruelle. Il s'interroge sans cesse sur le sens de leur mission : pourquoi exterminer ce qui était là avant ? Pourquoi ne pas s'adapter à l'environnement ? Mais ses questions restent sans réponses, ceux qui l'entourent étant trop occupés à aseptiser et à rebâtir, envers et contre tout. Malgré les interdictions de son père, Aärne explore la zone interdite et étudie les mœurs des plantes et des animaux. Les olfits, petites bêtes entre la mouche et l'oiseau, le fascinent. Il est persuadé qu'il peut communiquer avec elles. Un soir, les olfits lui lancent un avertissement pressant. Il faut quitter la colonie et monter le plus haut possible sur les collines. Aärne tente de prévenir les siens, mais sans succès. Il se sauve alors vers les collines. Quelques instants après son départ, un gigantesque raz-de-marée submerge la colonie et les terres environnantes jusqu'au pied des collines.

« Conte de pierre haute »,
Requiem, n° 20 (vol. IV, n° 2, mars 1978), p. 14. [Avec la collaboration de Jean-Joël VONARBURG]. (SF)

On installe des champs de force autour des cités pour les protéger des énormes pierres qui tombent du ciel et les menacent de destruction. C'est l'An I de la Coupole qui débute. Le petit poucet, lui, pleure, incapable de retrouver son chemin. « Pourtant il avait semé... »

« L'Œil de la nuit »,
Requiem, n° 24 (vol. IV, n° 6, décembre 1978), p. 15-29 (SF) ;

l'Œil de la nuit, [Longueuil], le Préambule, [1980], p. 9-42. (Collection « Chroniques du futur », n° 1).

Dans une société du futur, Réal est un rêveur. Ses « rêves »lui font voir des univers parallèles et il ressent télépathiquement les émotions des créateurs qu'il voit. Il rêve souvent au peuple des Shipsha qui ont été forcés de quitter leur planète d'origine à cause d'un fléau naturel et qui tentent, depuis, de s'adapter à leur nouveau milieu. Finalement, le vaisseau des Shipsha vient se poser près de chez Réal, comme dans ses premiers rêves.

« L'Or, l'Encens et la Myrrhe »,
la Nouvelle Barre du jour, nos 79-80 (juin 1979), p. 119-131. (SF)

La nuit de Noël, le clochard Félix prend en otages la sœur du président de son pays avec son mari et son enfant. Il désire rencontrer un des Koonin, ces extraterrestres arrivés sur Terre depuis peu. C'est le seul moyen qu'il a trouvé pour arriver à ses fins. Son enfance brimée et son adolescence malheureuse l'ont conduit à son état pitoyable de mendiant. Il n'attend plus rien de ce monde qu'il ne peut accepter et dans lequel il n'a pu s'intégrer. Les autorités affirment que sur Koon, la planète des visiteurs, tout est semblable à ce qui se passe sur Terre. Félix ne peut ni ne veut croire cela. Ailleurs, ce doit être différent, se dit-il. Une extraterrestre, Allyhi, accepte de le rencontrer. Aussitôt, Félix libère les otages. Croyant satisfaire ses espérances, Allyhi affirme que tout est semblable à la Terre sur Koon. Voyant son désespoir, elle lui offre ce qu'elle devine être le meilleur cadeau de Noël pour cet être sans avenir : elle le tue rapidement, sans douleur.

« Le Pont du froid »,
l'Œil de la nuit, [Longueuil], le Préambule, [1980], p. 43-73. (Collection « Chroniques du futur », n° 1) (SF) ;

Invisible Fictions. Contemporary Stories from Quebec. Edited by Geoff Hancock, Toronto, Anansi, [1987], p. 267-297. [Traduit par Jane Brierley sous le titre « Cold Bridge »].

Dans un futur indéterminé, la Terre envoie, par l'intermédiaire du Pont, – qui permet de voyager instantanément, – des messagers-zombies sur les Néo-Terres afin de les maintenir asservies. Une opposante à ces pratiques débilitantes, Kathryn Rhymer, parvient jusqu'au Pont, mais décide d'utiliser la machine avant de la détruire. Elle se retrouve sur une autre planète, où elle rencontre son double, une autre Kathryn Rhymer, l'inventrice de la machine qui a, elle aussi, passé le Pont, mais qui vient d'un autre univers.

« Janus »,
l'Œil de la nuit, [Longueuil], le Préambule, [1980], p. 75-105. (Collection « Chroniques du futur », n° 1) (SF) ;

Janus. Nouvelles, [Paris], Denoël, [1984], p. 253-285. (Collection « Présence du futur », n° 388).

David, un bio-informaticien, aide le sculpteur Éric Permahlion, envers qui il éprouve une attirance amoureuse partagée, à fabriquer une statue constituée de matière synthétique vivante et dotée d'un comportement volontaire. Effrayé de voir la statue devenir semblable à un être humain, David prend la fuite. En acceptant finalement la différence de cette créature, il accepte la sienne et rejoint Éric.

« Géhenne »,
l'Œil de la nuit, [Longueuil], le Préambule, [1980], p. 107-125. (Collection « Chroniques du futur », n° 1). (F)

Anne Beauchamps recueille à bord de sa voiture et dans sa maison une jeune femme amnésique – baptisée Jehane – qui gisait sur la route et qui ne possède pour tout bien qu'une pierre cristalline. Alors qu'Anne et son mari, ayant tous deux des relations amoureuses avec l'inconnue, vont la reconduire à Montréal, la voiture heurte un orignal. Jehane, comme possédée par sa pierre, fait disparaître l'animal et Anne, puis elle se transforme en une femme différente avant de se jeter dans le lac. Elle renaîtra et fera malgré elle d'autres victimes.

« Le Nœud »,
l'Œil de la nuit, [Longueuil], le Préambule, [1980], p. 127-140. (Collection « Chroniques du futur », n° 1) (SF) ;

Clair d'Ozone (France), n° 4 (février 1983), p. 54-59 ;

Janus. Nouvelles, [Paris], Denoël, [1984], p. 179-193. (Collection « Présence du futur », n° 388).

Une femme voyage à l'aide du Pont dans le but d'entrer en contact avec elle-même dans un autre univers. Après un grand nombre de voyages sans avoir rencontré un seul double, elle revient dans son univers d'origine ou, en tous cas, dans celui auquel son existence à elle lui permet d'exister.

« Éon »,

l'Œil de la nuit, [Longueuil], le Préambule, [1980], p. 141-201. (Collection « Chroniques du futur », n° 1) (SF) ;

Janus. Nouvelles, [Paris], Denoël, [1984], p. 117-177. (Collection « Présence du futur », n° 388).

Dans un vaisseau/animal que commande Ordo, une machine semi-organique, et où l'équipage, constitué d'hommes seulement, est fabriqué par clonage, se produisent divers incidents techniques. La situation se détériore jusqu'à ce que le Vaisseau se révèle être de sexe féminin, devienne *la Nef,* tue Ordo et appelle chacun des membres de l'équipage à se fondre en elle. Après beaucoup d'hésitation, Hilsh répond à l'invitation de *la Nef.*

Le Silence de la cité. Roman,

[Paris], Denoël, [1981], 283 p. (Collection « Présence du futur », n° 327) (SF/Roman) ;

Victoria, Porcépic Books, [1988], 209[3] p. (« A Tesseract Book »). [Traduit par Jane Brierley sous le titre *The Silent City*].

Après des catastrophes diverses, des Terriens se sont réfugiés dans des Cités souterraines, où on a mis au point des traitements réjuvénateurs, des robots humanoïdes perfectionnés (les ommachs) et des ventres artificiels. Pourtant, 350 ans plus tard, les derniers survivants sont en train de disparaître. Paul, un généticien, cherche encore à revitaliser la race humaine. Il crée Élisa, qui possède une faculté d'auto-régénération presque instantanée et une faculté empathique non prévue. D'abord élevée par Desprats, un ami de Paul, puis, après sa mort, par Paul, elle est son cobaye puis son élève, son assistante et sa maîtresse. Mais Paul devient fou et il massacre l'unique autre survivante, ce qui active un simulacre électronique de Desprats destiné à protéger Élisa. Elle apprend alors qu'elle possède une faculté de métamorphose totale et se laisse persuader de fuir la Cité sous forme masculine (Hanse), les femmes trop nombreuses à l'Extérieur y étant fort mal traitées. Desprats prend une autre forme, celle de l'ommach Ostrer. Quand ils reviennent à leur point de départ, après plusieurs années, Paul n'est pas mort, contre toute attente. La veille d'une bataille, Élisa/Hanse fait l'amour avec Judith, et tue Paul. Le simulacre Desprats/Ostrer disparaît, et Élisa décide d'utiliser la Cité pour créer des enfants qui iront répandre les gènes du changement à l'Extérieur. Plusieurs générations se succèdent dans la communauté installée hors de la Cité. Un jour, arrivent des petites créatures à six doigts, les Sesti, produits d'une expérience avortée de Paul avec les gènes d'Élisa. Leur présence finit par susciter une confrontation entre Élisa et ses enfants. Son premier-né, Abram, s'enfuit, la forçant à le suivre avec un des ommachs, Halter. À l'extérieur, Judith, qui devenue chef des femmes rebelles, s'apprête à entrer en guerre. Elle est grièvement blessée, mais elle s'auto-régénère et retourne à la Cité pour la rendre inaccessible aux humains pendant 500 ans. Les populations futures de l'Extérieur, modifiées par ses gènes, décideront alors du sort de la Cité, dépositaire du passé.

« L'Oiseau de cendres »,
Solaris, n° 43 (vol. VIII, n° 1, janvier-février 1982), p. 20-25 (SF) ;

Aurores boréales 1. 10 récits de science-fiction parus dans la revue *Solaris*, sous la direction de Norbert Spehner, [Longueuil], le Préambule, [1983], p. 195-223. (Collection « Chroniques du futur », n° 7) ;

Janus. Nouvelles, [Paris], Denoël, [1984], p. 7-32. (Collection « Présence du futur », n° 388) ;

Comment écrire des histoires. Guide de l'explorateur, [Belœil], Éditions la Lignée, [1986], p. 185-201.

Le poète Toomas Brendan apprend qu'il est condamné à mourir rapidement d'une maladie incurable. Plutôt que de rester sur Terre à se faire soigner dans une clinique, il choisit de partir en voyage sur la planète Pyréïa. Là, il assiste aux cérémonies mensuelles des Pyréïs, au cours desquelles ceux-ci créent des formes colorées qui représentent leurs mythes par la seule force de leur pensée. Après quelques mois, Brendan apprend que les étrangers ne seront pas admis à une cérémonie spéciale. Malgré cela, il décide de se faire reconduire au village. La cérémonie consiste dans le suicide des plus vieux du village : ils se laissent tomber dans la lave du volcan Rift. Sur l'instance du chef, et malgré son refus premier de la mort, Brendan accepte sereinement de les suivre.

« Dans la fosse »,
Solaris, n° 50 (vol. IX, n° 2, mars-avril 1983), p. 22-28 (SF) ;

Janus. Nouvelles, [Paris], Denoël, [1984], p. 195-216. (Collection « Présence du futur », n° 388) ;

Tesseracts 2. Edited by Phyllis Gotlieb & Douglas Barbour, Victoria, Toronto, Porcépic Books, [1987], p. 25-43. (« Canadian Science Fiction »). [Traduit par Jane Brierley sous le titre « In the Pit »].

Un soir, à la taverne la Toison d'or, Karel accueille un nouveau visiteur, Philippe, et lui offre un verre. Il lui raconte comment il a connu, dix ans plus tôt, une jeune métame, Bali. Les métames ont la capacité de se métamorphoser, par exemple d'homme à femme. Craignant les effets de cette caractéristique, les normaux les ont isolés sur Lagrange 2 et les conditionnent depuis à se métamorphoser seulement dans des circonstances particulières et d'une certaine manière. Bali a quitté Lagrange 2 pour venir sur Terre dans l'espoir d'y vivre plus librement. Sa fuite en a fait une métame en Amok ; c'est pourquoi elle doit se cacher. Après quelque temps passé à la taverne, Bali part après avoir obligé Karel à admettre sa bisexualité. Karel espère toujours son retour, particulièrement lorsque d'autres métames viennent à la taverne. Il a d'ailleurs deviné que Philippe est un métame, mais compris que lui non plus n'est pas Bali métamorphosée.

« Retour au pays des Mères »,
Pour ta belle gueule d'ahuri, n° 6 (vol. III, n° 2, 1983), p. 10-14. (SF)

Sur une Terre dévastée par les radiations, la race humaine tente farouchement de survivre. Les femmes ont toujours des enfants, mais très peu de garçons et beaucoup de filles. Les bébés mâles sont donc attendus avec impatience dans cette société matriarcale. Fayer est un Mâle d'Angresea. Depuis des années, il erre loin de sa patrie. Une nuit, un groupe de femmes lui redonne le goût de revoir Angresea. En cours de route, il se souvient des circonstances qui l'ont amené à fuir les siens : il n'avait pu s'empêcher de faire l'amour avec sa jumelle, Neige. Cela leur était défendu, les risques de malformations si un enfant venait à naître étant trop grands dans ce cas. Fayer part avec l'idée de ne jamais revenir. Pourtant, il revient. Alors qu'il contemple Angresea, un jeune berger s'approche. Fayer reconnaît là le fils qu'il a eu avec Neige, et il lui semble normal. Il aurait donc pu rester avec Neige, se dit-il. Mais, sous le coup de l'émotion, l'enfant se transforme soudain en fille, puis en garçon. Triste, Fayer constate que son enfant n'est pas normal. C'est un être de métamorphose, déchiré entre deux sexes et deux personnalités.

« Oneiros »,
Imagine..., n° 21 (vol. V, n° 4, avril 1984), p. 97-115. (SF)

Stella et son frère jumeau, Nerval, se retrouvent, à l'occasion de leur vingt-septième anniversaire, lui, vedette mondaine de Baïablanca, elle, revenant désillusionnée d'un stage auprès des Pionniers, dans une zone de Reconstruction. L'ère des Grandes Marées a détruit l'ancien monde et, depuis quelques générations, certaines personnes optimistes quant à l'avenir de l'homme se prêtent énergiquement à la reconstruction de la Terre. D'autres, dont Nerval et ses amis, ne croient pas aux résultats d'un tel effort. Souhaitant apparemment renouer avec leur jeunesse, Nerval lui fait cadeau d'un appareil qui lui permettra de rêver ensemble, de visualiser les créations de leur imaginaire, – imaginaire de leur enfance dont le jeune homme n'est jamais sorti alors que Stella, elle, a dépassé cette phase.

« Voyage au bout de la nuit ordinaire »,
Traces. Nouvelles. Un recueil de treize auteur-e-s du Saguenay-Lac-Saint-Jean, [Jonquière], Éditions Sagamie/Québec, [1984], p. 159-168. (F)

Madelyne rentre à Chicoutimi par l'autobus de fin de soirée. Celui-ci est bondé de gens criards qui se racontent continuellement les mêmes banalités. Lorsque l'autobus arrive enfin à Chicoutimi, personne ne descend et Madelyne est forcée de poursuivre perpétuellement ce voyage insupportable « à travers la nuit qui ne finirait plus ».

« Thalassa »,
Janus. Nouvelles, [Paris], Denoël, [1984], p. 33-62. (Collection « Présence du futur », n° 388). (SF)

Eïlai Liannon Klaïdaru est une Rêveuse. Dans son enfance, elle a rêvé à des Étrangers venus envahir la planète où elle vit et, plus particulièrement, à un petit garçon nommé Timmy. Sur la planète d'Eïlai, la mer est animée d'un large mouvement qui la fait se retirer complètement des terres et disparaître de la vue, pour revenir ensuite. Dans ses rêves, Timmy vit au rythme de ce mouvement, jusqu'à ce que la mer revienne plus forte qu'à l'accoutumée et déferle sur la ville. À la suite de ces rêves, les autorités de la planète ont décidé d'évacuer la population par la mer. Eïlai est aujourd'hui une vieille femme et, malgré l'évacuation de la population qui est commencée, elle décide de rester jusqu'à la fin. En attendant, elle se souvient.

« La Machine lente du temps »,
Janus. Nouvelles, [Paris], Denoël, [1984], p. 63-116. (Collection « Présence du futur », n° 388) (SF) ;

la Frontière éclatée, Paris, le Livre de poche, 1989, p. 374-442. (n° 7 113).

Egon Tiehart est moniteur-médecin au Centre où sont entraînés les aspirants qui veulent devenir Voyageurs dans des univers parallèles. Il a connu, vingt-quatre ans plus tôt, une Voyageuse, Talitha Mélanéwic, alors de dix-sept ans son aînée, dont il était très amoureux. Depuis son départ, il l'attend. Un jour, arrive au Centre une jeune aspirante qui se nomme, elle aussi, Talitha Mélanéwic. Egon a connu d'autres Talitha, mais celle-là est sûrement la moins proche de sa Talitha. Elle est fermée, méfiante, et refuse systématiquement toute aide. Egon réussit malgré tout à l'apprivoiser et lui évite même, par son calme, un départ mal préparé. La nuit précédant son vrai départ, Talitha subit une profonde entaille à une main, mais elle refuse qu'on avertisse Egon. Lorsque celui-ci apprend l'accident, il se rappelle que sa Talitha lui avait dit qu'elle s'était blessée de la même manière, la veille de son premier départ. Avant de le quitter, elle lui avait promis de revenir : Egon comprend que cette première rencontre était en fait le retour effectué dans le but de lui apporter l'appui que lui-même lui avait donné lorsqu'elle était la jeune Talitha farouche.

« Bande Ohne ende »,
Janus. Nouvelles, [Paris], Denoël, [1984], p. 217-252. (Collection « Présence du futur », n° 388). (SF)

Après avoir assisté à Paris à l'auto-explosion d'un métame (métamorphe) devenu amok, c'est-à-dire atteint d'un déséquilibre spécifique aux métames, Paula Berger, elle-même métame, décide d'aller séjourner quelque temps à Baïblanca pour réfléchir, plutôt que de rentrer sur Lagrange 2. Là, elle se métamorphose en homme et prend le nom de Paul Berger : c'est la première fois qu'elle le fait par plaisir et non par nécessité. Alors qu'elle craint d'être devenue amok, elle fait la connaissance de Sirina Malvic, une jeune humaine normale, qui l'encourage à persévérer dans la voie de la recherche sur ses capacités métamorphiques. Paula-Paul Berger entreprend alors son déconditionnement.

« Le Jeu des coquilles de nautilus »,
Aurores boréales 2. 10 récits de science-fiction, Daniel Sernine [éditeur], [Longueuil], le Préambule, [1985], p. 253-290. (Collection « Chroniques du futur », n° 9). (SF)

Grâce à la technologie du Pont, Thalita, Voyageuse depuis vingt ans, est arrivée sur une autre Terre, mais d'où elle ne peut repartir, car elle n'y trouve pas trace du Pont. Obligée de passer des années à cet endroit, elle tient un journal intime où elle consigne ses réflexions et ses observations sur cette Terre où vivent des humains à la fois terrestres et marins. Elle rêve un jour qu'un vieillard, Pilki, disparaît au cœur d'une forme spiralée, une sorte de coquillage. À son réveil, elle apprend que Pilki n'est plus au village. Thalita se demande alors si elle a vraiment rêvé et si cette Terre ne possède pas les moyens de voyager sans l'aide du Pont.

« La Maison au bord de la mer »,
Dix nouvelles de science-fiction. Avant-propos d'André Carpentier, [Montréal], Quinze, [1985], p. 213-238 (SF) ;

Tesseracts. Edited by Judith Merril, Victoria, Toronto, Press Porcépic, [1985], p. 4-20. [Traduit par Jane Brierley sous le titre « Home by the Sea »].

Après de nombreuses catastrophes séismiques, la population humaine a beaucoup diminué. Des biosculpteurs et des biosculptrices ont créé des artefacts, reproductions physiques et morales des humains. Manou a appris tard qu'elle avait été fabriquée ainsi par sa mère et ne lui pardonne pas de le lui avoir caché. Elle retourne cependant la voir. Sa mère lui dit, d'une part, qu'elle est un artefact assez parfait pour espérer avoir des enfants et, d'autre part, qu'elle n'est pas condamnée, comme certains autres artefacts, à une mort horrible et prématurée. Manou promet alors de revenir.

VONARBURG, Élisabeth. V. **BEAULIEU, René.**

VONARBURG Jean-Joël. V. **VONARBURG, Élisabeth** [née **FERRON-WEHRLIN**].

VON OSTEN, Malko
[

« Et le septième jour... »,
Hallucinogènes. (Au-delà des rêves), [Montréal], le Prince du mal éditeur, [1984], p. 5-6. (Hy)

Le septième jour, Dieu devient fou et propage le mal sur la Terre.

« Le Cauchemar est pour demain »,
Hallucinogènes. (Au-delà des rêves), [Montréal], le Prince du mal éditeur, [1984], p. 7-12. (SF)

Dans le futur, la pollution est devenue tellement dense que les gens doivent porter un scaphandre pour sortir. Après un accident nucléaire dont personne ne soupçonne l'existence, le ciel se dégage pendant trois jours, à la grande surprise de tous. Lorsque la pluie recommence à tomber, elle n'est plus seulement acide, elle est aussi radioactive.

« Obsession »,
Hallucinogènes. (Au-delà des rêves), [Montréal], le Prince du mal éditeur, [1984], p. 15-16. (F)

Un homme qui souhaite mettre fin à ses jours découvre qu'il est immortel.

« Le Passé aboli »,
Hallucinogènes. (Au-delà des rêves), [Montréal], le Prince du mal éditeur, [1984], p. 20. (SF)

En 1994, Pierre de Saint-Vallier, aristocrate français, est le premier homme à faire un voyage dans le temps. On l'envoie dans la France de 1789, d'où il ne pourra revenir. Il se fait accepter à la cour de Louis XVI et, lorsque celui-ci lui demande son avis sur la réforme proposée par le ministre Necker, il émet une opinion très positive. Lors de la réunion des États généraux du 5 mai 1789, il entend le roi approuver la réforme. Saint-Vallier comprend que la Révolution française n'aura pas lieu : il a effacé le passé.

« Le Fil du temps »,
Hallucinogènes. (Au-delà des rêves), [Montréal], le Prince du mal éditeur, [1984], p. 21-23. (F)

Le 15 juillet 1900, Julien de Prémont se promène sur le Mont-Royal. Soudain, un vacarme épouvantable le pousse à examiner le paysage autour de lui. Il voit alors des automobiles, des gratte-ciel, des hommes se promenant en slip et des femmes jambes nues. Désemparé, il croise un vendeur de journaux. Il en achète un et constate qu'il est daté du 15 juillet 1980.

« L'Inévitable Invasion »,
Hallucinogènes. (Au-delà des rêves), [Montréal], le Prince du mal éditeur, [1984], p. 24-26. (SF)

Parti se reposer en Martinique, un homme apprend que les États-Unis ont décidé de rétablir l'esclavage et les camps de concentration, et d'annexer le Mexique et le Canada. Peu après, les Soviétiques déclenchent une guerre atomique.

« Voyage au-delà de la vie »,
Hallucinogènes. (Au-delà des rêves), [Montréal], le Prince du mal éditeur, [1984], p. 27-30. (Hy)

À la suite d'un accident de voiture, un homme demeure pendant un certain temps dans le coma avant de mourir, en gardant toujours sa conscience. Il flotte au-dessus de son corps et est ensuite attiré par une lumière très vive. Une entité inconnue lui signifie alors qu'il doit réintégrer la vie physique pour terminer ce qu'il avait entrepris.

« Métempsycose »,
Hallucinogènes. (Au-delà des rêves), [Montréal], le Prince du mal éditeur, [1984], p. 31-33. (F)

Après une chute, une jeune fille, Anna, reste pendant quelques jours dans le coma. Lorsqu'elle se réveille, son père constate qu'elle a beaucoup changé : elle parle une langue qu'il ne comprend pas, ne joue plus de piano et chante d'une manière exécrable. Il découvre bientôt que l'âme d'une Italienne, décédée dans un accident de voiture pendant la maladie d'Anna, s'est réincarnée dans le corps de sa fille.

« Rêve éveillé. (Journal de l'Apocalypse) »,
Hallucinogènes. (Au-delà des rêves), [Montréal], le Prince du mal éditeur, [1984], p. 34-47. (SF)

Un homme et son épouse vont passer leurs vacances de Noël au Club Med de la Martinique. Après dix jours de repos pendant lesquels l'homme note soigneusement ses activités dans un journal, ils apprennent brusquement que l'URSS a envahi l'Europe tout entière en quelques jours et que les États-Unis menacent d'employer les grands moyens. L'homme croit que la guerre nucléaire est déclarée. Les autres vacanciers continuent de s'amuser, mais, quelques jours après la nuit de Noël, de gros nuages noirs couvrent le ciel et il commence à pleuvoir. Beaucoup de gens sont atteints d'une forme de leucémie à développement rapide. L'homme meurt le jour des Rois ; sa femme, Élaine, termine son journal où elle note la présence d'animaux mutants dans l'île.

« Extermination. (Lettres de Julien) »,
Hallucinogènes. (Au-delà des rêves), [Montréal], le Prince du mal éditeur, [1984], p. 48-59. (SF)

Julien a quitté Paris et sa compagne Sylvia pour un voyage d'affaires en Amérique. Pendant son séjour à New York, une épidémie de grippe se déclare. Il apprend bientôt que cette épidémie mortelle a été causée par des expériences sur les armes bactériologiques, qu'elle s'étend à l'échelle mondiale et qu'il n'existe aucun antidote. Il se rend à Los Angeles pour y mourir, sans avoir eu de nouvelles de Sylvia.

« L'Autre Monde. (Un autre temps) »,
Hallucinogènes. (Au-delà des rêves), [Montréal], le Prince du mal éditeur, [1984], p. 60-74. (SF)

Un écrivain voyage en avion de Majorque à Alger. L'avion traverse une brèche espace-temps et les passagers se retrouvent dans un monde parallèle, celui de Paris, en 1940, dirigé par les Nazis. L'écrivain, pris en charge par une jeune femme nommée Vanessa, apprend que, jusqu'en 1941, l'histoire de ce monde est la même que celle du monde qu'ils ont quitté. À partir de là, l'Allemagne alliée à l'Angleterre, a progressivement envahi l'Europe, l'URSS et les États-Unis, alors que le Japon dominait l'Orient. La plupart des Juifs et des Noirs ont été éliminés, sauf un petit nombre d'esclaves. La race aryenne s'est développée et produit maintenant des êtres parfaits. Les scientifiques ont trouvé le secret de l'immortalité ; la pollution et la guerre ont été éliminées. L'écrivain est logé dans un appartement de rêve, publie son dernier roman, qui avait été refusé dans l'autre monde, décide d'épouser Vanessa et se trouve parfaitement heureux. Il a été admis dans une secte secrète de recherches sur la parapsychologie, recherches qui sont à l'origine de l'existence du monde parallèle.

« Le Télépathe »,
Hallucinogènes. (Au-delà des rêves), [Montréal], le Prince du mal éditeur, [1984], p. 75-78. (F)

Un jeune homme, télépathe, décide d'aller visiter la ville malgré les conseils de sa mère. Assailli par les pensées des gens qu'il croise sur la rue, il perd sa propre pensée et devient fou.

W

WARNANT-CÔTÉ, Marie-André
[Belgique, 26 avril 1946 –]

« Sous Bételgeuse, la rouge »,
Planéria. Anthologie de science-fiction, Montréal, Pierre Tisseyre, [1985], p. 153-191. (Collection « Conquêtes »). (SF)

Deux planètes, S'hatl et Ultramar, cherchent à rétablir leurs échanges commerciaux. Pour y parvenir, elles veulent créer un lien privilégié entre leurs représentants par l'union de B'eljye, première principite de S'hatl, et d'Asmofeld, l'héritier d'Ultramar. Mais le maître d'œuvre de cette alliance, F'aktou, trahit B'eljye en l'enlevant et en cherchant à lui substituer C'imye. La principite de S'hatl parvient toutefois à se libérer et à déjouer les plans du traître. Elle épouse le frère d'Asmofeld, disparu, et va vivre sur Ultramar.

WYL, Jean-Michel
[Algérie, 1942 – Montréal, 22 décembre 1980]

Québec banana state. (Roman),
[Montréal], Beauchemin, [1978], 339 p. (Hy/Roman)

Un 24 juin, peu après l'élection du Parti québécois, le 15 novembre 1976, un dictateur québécois prend le pouvoir avec l'aide des communistes soviétiques et fait du Québec un État indépendant où les citoyens perdent leurs droits et leur liberté.

Z

ZEP [pseudonyme]. V. **GAGNÉ, Richard.**

ANNEXE I

Œuvres fantastiques et de science-fiction québécoises parues en volume (1960-1985)

APRIL, Jean-Pierre, *la Machine à explorer la fiction,* [Longueuil, le Préambule, 1980], 248[2] p. (Collection « Chroniques du futur », n° 2).

——, *TéléToTaliTé. Nouvelles,* [Montréal], HMH, [1984], 213[2] p. (Collection « l'Arbre »).

——, *le Nord électrique. Roman,* [Longueuil], le Préambule, [1985], 240[2] p. (Collection « Chroniques du futur », n° 10).

AUBRY MORIN, Jacqueline, *Molliger. Le triomphe du temps sur la mort. Roman,* [Montréal], Beauchemin, [1979], 174 p. [Signé Jacqueline MORIN].

——, *la Filière du temps. L'histoire de Doucy Riverside. Roman,* [Longueuil], Inédit, [1980], 176 p.

AUDE [pseudonyme]. V. CHARBONNEAU-TISSOT, Claudette.

BARCELO, François, *Agénor, Agénor, Agénor et Agénor. Roman,* [Montréal], Quinze, [1980], 318[1] p. (« Prose entière ») ; [Montréal], l'Hexagone, [1988], 395 p. (Collection « Typo, Roman », n° 23).

——, *la Tribu,* [Montréal], Libre Expression, [1981], 303[2] p.

——, *Ville-Dieu,* [Montréal], Libre Expression, [1982], 269[1] p.

BASILE, Jean, *le Piano-trompette. Roman,* [Montréal], VLB éditeur, [1983], 404 p.

BEAULIEU, René, *Légendes de Virnie,* [Longueuil], le Préambule, [1981], 205[1] p. (Collection « Chroniques du futur », n° 3).

BEAULIEU, Victor-Lévy. *Una. Romaman,* illustré par deux petites filles, [Montréal], VLB éditeur, [1980], 234 p.

BEAUMIER, Jean-Paul, *l'Air libre. Nouvelles,* [Québec], L'instant même, [1988], 163[2] p.

BÉLIL, Michel, *Déménagement,* [Québec, la Chasse-galerie, 1981], 76[1] p.

——, *le Mangeur de livres. (Contes terre-neuviens),* Montréal, Pierre Tisseyre, [1978], 213[2] p.

——, *Greenwich,* [Montréal], Leméac, [1981], 230 p. (Collection « Roman québécois », n° 51).

BENOIT, Jacques, *Jos Carbone. Roman,* Montréal, Éditions du Jour, [1967], 120 p. (Collection « les Romanciers du Jour », n° R-25) ; [Montréal], Stanké, [1980], 133 p. (Collection « Québec 10/10 », n° 21).

——, *Patience et Firlipon. Roman d'amour,* Montréal, Éditions du Jour, [1970], 182[1] p. (Collection « les Romanciers du Jour », n° R-68) ; Montréal-Paris, Stanké, [1981], 195 p. (Collection « Québec 10/10 », n° 37).

——, *les Princes. Récit,* Montréal, Éditions du Jour, [1973], 172[1] p. (Collection « les Romanciers du Jour », n° R-104) ; Montréal-Paris, Stanké, [1981], 185[1] p. (Collection « Québec 10/10 », n° 25) ; *The Princes. A Novel,* translated by David Lobdell, [s. l., Oberon Press, 1977], 123 p.

——, *Gisèle et le Serpent. Roman,* [Montréal], Libre Expression, [1981], 252 p.

BER, André, *Ségoldiah ! Roman,* Montréal, Librairie Déom, [1964], 245 p.

BERGERON, Alain, *Un été de Jessica,* [Montréal], Quinze, [1978], 282 p. (« Science-fiction »).

BERGERON, Bertrand, *Parcours improbables. Nouvelles,* [Québec], L'instant même, [1986], 109[1] p.

BERGERON-HOGUE, Marthe, *le Défi des dieux,* Port-au-Prince (Haïti), Éditions de l'An 2000, [1972], 95 p. ; Sherbrooke, Éditions Naaman, [1977], 94 p. (Collection « Création », n° 26).

BERSIANIK, Louky, *l'Euguélionne. Roman triptyque,* [Montréal], la Presse, [1976], 399 p. ; Paris, Hachette, 1978, 400 p. ; [Montréal], Stanké, [1985], 412 p. (Collection « Québec 10/10 », n° 77) ; *The Euguelionne. A Triptych Novel,* translated by G. Denis, A. Hewitt, D. Murray and M. O'Brien, Victoria/Toronto, Porcépic Press, 1982, 347 p.

BERTHIAUME, André, *Contretemps. Nouvelles,* Montréal, le Cercle du livre de France ltée, [1971], 130 p.

——, *le Mot pour vivre,* [Sainte-Foy], Éditions Parallèles [et Montréal], Parti pris, [1978], 204[4] p.

-----, *Incidents de frontière,* [Montréal, Leméac, 1984], 144 p. (Collection « Roman québécois », n° 82).

BESSETTE, Gérard, *les Anthropoïdes. Roman d'aventure(s),* [Montréal], la Presse, [1977], 297 p.

BIBEAU, Paul-André, *la Tour foudroyée,* [Montréal], Parti pris, [1984], 145[2] p.

———, *Fréquences interdites* [suivi de] *le Château d'ombre,* Montréal, l'Actuelle, [1974], 160 p.

BILLON, Pierre, *l'Enfant du cinquième nord (mamatowee awashis),* Montréal, Québec/Amérique, [1982], 323[1] p. (Collection « 2 continents. Série Best-sellers ») ; Paris, Éditions du Seuil, [1982], 309 p. ; [Paris], Éditions du Seuil, [1982], 309 p. (Collection « Points », n° R-152) ; Montréal, Éditions Québec/Amérique, [1989], 323[1] p. (Collection « Littérature d'Amérique »).

BOISVERT, Claude, *Parendoxe,* [Hull], Éditions Asticou, [1978], 224[4] p. (Collection « Nouvelles Nouvelles »).

———, *Tranches de néant. Nouvelles,* [Montréal], le Biocreux, [1980], 149 p.

———, *Rocamadour* suivi de *Diogène. Récits humoristico-fantastiques,* [Hull], Éditions Asticou, [1985], 158[1] p.

BONELLI, André-Jean, *Loona ou Autrefois le ciel était bleu,* illustrations de Alain Bonnand, [Kénogami], Éditions Hélios, [1974], 203 p. (« Demain Aujourd'hui ») ; [Paris], Éditions du Triangle, [1977], 203 p.

BOUCHARD, Claude, *la Mort après la mort,* [Montréal], Quinze, [1980], 217[4] p. (« Prose entière »).

BOURNEUF, Roland, *Reconnaissances. Récits,* [Sainte-Foy], les Éditions Parallèles, [1981], 100 p.

BRADLEY, Richard, *les Nouveaux Départs. Nouvelles,* Sainte-Anne-de-Bellevue, [s. é.], [1984], 128 p.

BROCHU, Yvon, *l'Extra-terrestre* [*sic*], Montréal, Éditions du Jour, [1975], 187 p. (Collection « Tout âge », n° J-3).

BROSSARD, Jacques, *le Métamorfaux. Nouvelles,* [Montréal], HMH, [1974], 206 p. (Collection « l'Arbre ») ; introduction de Michel Lord, [Montréal], BQ, [1988], 310[5] p. (« Bibliothèque québécoise, Littérature »).

———, *le Sang du souvenir. Roman,* [Montréal], la Presse, [1976], 235 p. ; [Montréal], Leméac, [1987], 349 p. (Collection « Poche/Québec, Littérature », n° 17).

BRULOTTE, Gaétan, *Ce qui nous tient.* Nouvelles en trois mouvements obstinés, avec une ouverture, une clôture et quatre intervalles, où l'on raconte l'universel entêtement à être et à devenir, [Montréal], Leméac, [1988], 147[1] p. (Collection « Roman québécois », n° 112).

CARPENTIER, André, *l'Aigle volera à travers le soleil. Roman,* [Montréal], HMH, [1978], 176 p. (Collection « l'Arbre ») ;

nouvelle édition revue par l'auteur. Introduction de Michel Lord, [Montréal], BQ, [1988], 166[2] p. (« Bibliothèque québécoise, Littérature »).

——, *Rue Saint-Denis. Contes fantastiques,* [Montréal], HMH, [1978], 144[1] p. (Collection « l'Arbre ») ; nouvelle édition. Introduction de Michel Lord, BQ, [1988], 116[4] p. (« Bibliothèque québécoise, Littérature »).

——, *Du pain des oiseaux. Récits,* [Montréal], VLB éditeur, [1982], 149[2] p.

CARRIER, Roch, *Jolis Deuils. Petites tragédies (pour adultes),* Montréal, les Éditions du Jour, [1964], 157[2] p. (Collection « les Romanciers du Jour », n° R-12) ; Montréal-Paris, Stanké, [1982], 172[1] p. (Collection « Québec 10/10 », n° 56).

——, *la Trilogie de l'âge sombre 2. Floralie, où es-tu ? Roman,* Montréal, Éditions du Jour, [1969], 170 p. (Collection « les Romanciers du Jour », n° R-45) ; Montréal-Paris, Stanké, [1981], 182[1] p. (Collection « Québec 10/10 », n° 34). [Parut également sous forme dramatique, sous le titre *Floralie*, Montréal, Éditions du Jour, [1974], 157 p. (« Théâtre », n° K-7) ; *Floralie, Where are you ?* Translated by Sheila Fischman, Toronto, Anansi, 1971, 108[3] p.

——, *les Fleurs vivent-elles ailleurs que sur la terre?,* [Montréal], Stanké, [1980], 127 p.

——, *la Dame qui avait des chaînes aux chevilles. Roman*, Montréal-Paris, Stanké, [1981], 153 p. ; [Montréal], Stanké, [1988], 167[1] p. (Collection « Québec 10/10 », n° 76).

——, *la Fleur et Autres Personnages*, [Montréal], Éditions Paulines, [1985], 99[1] p. (Collection « Lectures », n° 4).

CHABOT, Denys, *l'Eldorado dans les glaces. Roman,* [Montréal], HMH, [1978], 202[1] p. (Collection « l'Arbre ») ; nouvelle édition. Introduction de Élisabeth Vonarburg, [Montréal], BQ, [1989], 289[1] p. (« Bibliothèque québécoise. Littérature »).

——, *la Province lunaire. Roman,* [Montréal], HMH, [1981], 273 p. (Collection « l'Arbre »).

CHARBONNEAU-TISSOT, Claudette, *Contes pour hydrocéphales adultes*, Montréal, le Cercle du livre de France, [1974], 147 p.

——, *la Contrainte. Nouvelles,* Montréal, Pierre Tisseyre, [1976], 142[1] p.

——, *l'Assembleur. Roman,* Montréal, Pierre Tisseyre, [1985], 157 p. [Sous le pseudonyme de AUDE].

———, *Banc de brume ou les Aventures de la petite fille que l'on croyait partie avec l'eau du bain*, avec quatre dessins de François Massé, [Montréal], du Roseau, [1987], 144[1] p. (Collection « Garamond »). [Sous le pseudonyme de AUDE].

CHÂTILLON, Pierre, *l'Île aux fantômes. Contes* précédés de *le Journal d'automne,* Montréal, Éditions du Jour, [1977], 309 p. (Collection « les Romanciers du Jour », n° R-127) ; *l'Île aux fantômes,* [Montréal], Stanké, [1989], 194[5] p. (Collection « Québec 10/10 », n° 107).

———, *la Fille arc-en-ciel,* [Montréal], Libre Expression, [1983], 215 p.

———, *Philédor Beausoleil,* Montréal, Leméac [et] Paris, Robert Laffont, [1978], 234[1] p. ; *Philédor Beausoleil. Roman* (édition remaniée), [Montréal], Libre Expression, [1985], 184 p.

CHÉNIER, Claude, *Ultimatum,* [Saint-André-Avellin], les Éditions de la Petite-Nation, [1985], 211 p.

COCKE, Emmanuel, *Va voir au ciel si j'y suis. (Uniprose d'univers). Roman,* Montréal, Éditions du Jour, [1971], 206 p. (Collection « les Romanciers du Jour », n° R-72).

———, *l'Emmanuscrit de la mère morte. Roman,* Montréal, Éditions du Jour, [1972], 236 p. (Collection « les Romanciers du Jour », n° R-82).

———, *Sexe-fiction. Nouvelles,* [Montréal, les Éditions de l'Heure, 1973], 136[3] p.

CORMIER, Jean-Marc, *la Symphonie déconcertante,* [Rimouski], Éditeq, [1984], 125[1] p.

COTÉ, Denis, *les Parallèles célestes, Roman,* [Montréal], Hurtubise HMH, [1983], 168 p. (Collection « Jeunesse ») ; [Montréal], HMH, [1985], 168 p. ; [Montréal], HMH, [1988], 168 p.

COTÉ, Jean, *Échec au président,* [Repentigny, Éditions Point de mire, 1974], 224 p.

DANDURAND, Anne, *Voilà c'est moi : c'est rien j'angoisse. (Journal imaginaire),* [Montréal], Triptyque, [1987], 77[4] p.

DANDURAND, Anne et Claire DÉ, *la Louve garou. Nouvelles,* [Montréal], les Éditions de la Pleine Lune, [1982], 154[1] p.

DARIOS, Louise, *Contes étranges du Canada.* Illustrations par Claude Brousseau, Montréal, Éditions Beauchemin, 1962, 156[1] p.

———, *le Soleil des morts. Nouvelles,* Sherbrooke, Éditions Naaman, [1982], 178[1] p. (Collection « Création », n° 115).

DÉ, Claire, *le Désir comme catastrophe naturelle,* Montréal-Paris, l'Étincelle, [1989], 166[1] p.

DÉ, Claire. V. DANDURAND, Anne.

DE LAMIRANDE, Claire. V. LAMIRANDE, Claire de.

DE LAPLANTE, Michèle. V. LAPLANTE, Michèle de

DESPRÉS, Ronald, *le Scalpel ininterrompu. Journal du docteur Jan von Fries*, [Montréal], Éditions À la page, [1962], 136[1] p.

DOYON, Paule, *Rue de l'Acacia et Autres Nouvelles. Science-fiction*, Sherbrooke, Éditions Naaman, [1985], 139 p. (Collection « Création », n° 160).

DUBREUIL, Linda, *Sexe en fleur*, [Montréal], Éditions du Siècle inc., [1973], 141 p.

DUFRESNE, Michel, *Histoires, Contes et Légendes,* Montréal, Éditions Cosmos, [1971], 99[2] p.

[EN COLLABORATION], *Fleur de lis. Anthologie d'écrits du Canada français*. Édité par Anthony MOLLICA, Donna STEFOFF et Elizabeth MOLLICA, Toronto, Copp Clarck Pitman, [1973], xi[i],194 p.

——, *Stories from Québec*. Selected & Introduces by Philip STRATFORD, Toronto/New York Cincinnati/London/Melbourne, Van Nostrand Reinhold Ltd, [1974], 175[1] p.

——, *Libertinons*, Lévis, Polyvalente de Lévis, mai 1978, 55 p.

——, *Other Canadas. An Anthology of Science Fiction and Fantasy.* Edited by John Robert COLOMBO, Toronto, Halifax, Montreal, Vancouver, McGraw-Hill Ryerson Limited, [1979], viii, 360 p.

——, *Libertinons*, Lévis, Polyvalente de Lévis, mai 1979, 128 p.

——, *Libertinons*, Lévis, Polyvalente de Lévis, mai 1980, [n. p.].

——, *Recueil collectif de science-fiction*, par 6 élèves de l'ESSH, Saint-Hyacinthe, l'École du Séminaire de Saint-Hyacinthe, avril 1980, 60 p. [Ronéotypé].

——, *Magic Realism.* An Anthology edited and with an introduction by Geoff HANCOCK, Toronto, Aya Press, 1980, 200[5] p.

——, *Storïau Québec*. Golygydd Paul W. BIRT, Golygydd Cyffredinol John ROWLANDS, Llandysul (Pays de Galles), Gwasg Gomer, 1982, xlii, 206 p.

——, *Aurores boréales 1.* 10 récits de science-fiction parus dans la revue *Solaris*, sous la direction de Norbert SPEHNER, [Longueuil], le Préambule, [1983], 231[2] p. (Collection « Chroniques du futur », n° 7).

——, *Dix contes et nouvelles fantastiques par dix auteurs québécois.* [Avant-propos d'André CARPENTIER], [Montréal], Quinze, [1983], 204[1] p.

———, *les Années-lumière.* Dix nouvelles de science-fiction réunies et présentées par Jean-Marc GOUANVIC, [Montréal], VLB éditeur, [1983], 233[1] p.

———, *Contes, Nouvelles et Légendes... de quelques pays français.* Commission permanente interrégionale de l'enseignement du français langue maternelle (Belgique, France, Québec, Suisse), [Québec, Fédération internationale des professeurs de français, 1984], 150 p.

———, *Traces. Nouvelles.* Un recueil de treize auteur-es du Saguenay-Lac-Saint-Jean, [Jonquière], Sagamie/Québec, [1984], 174 p.

———, *Espaces imaginaires II.* Anthologie de nouvelles de science-fiction réunies par Jean-Marc GOUANVIC et Stéphane NICOT, Trois-Rivières, les Imaginoïdes, [1984], 217 p.

———, *Textes et Contextes 3*, 1re partie, par Cécile DUBÉ avec la collaboration de Marie-Noël LEFEBVRE, Laval, Mondia, [1984], 189 p.

———, *Countdown to Midnight. Twelve Great Stories About Nuclear War.* Edited, with an historical Introduction by H. Bruce FRANKLIN, New York, Daw Books, Inc., Donald A. Woolheim, Publisher, [1984], 287 p. (« Science Fiction »).

———, *Aurores boréales 2.* 10 récits de science-fiction, sous la direction de Daniel SERNINE, [Longueuil], le Préambule, [1985], 290[3] p. (Collection « Chroniques du futur », n° 9).

———, *Dix nouvelles de science-fiction.* Avant-propos d'André CARPENTIER, [Montréal], Quinze, [1985], 238[1] p.

———, *Espaces imaginaires III.* Anthologie de nouvelles de science-fiction réunies par Jean-Marc GOUANVIC et Stéphane NICOT, Trois-Rivières, les Imaginoïdes, [1985], 165 p.

———, *Planéria. Anthologie de science-fiction*, Montréal, Pierre Tisseyre, [1985], 191 p. (Collection « Conquêtes »).

———, *Chroniques d'amour monstre*, [France], Andromède, Cahier n° 5, [1985], 142 p.

———, *Tesseracts.* Edited by Judith MERRIL, Victoria, Toronto, Press Porcépic, [1985], ix, 292 p. (« Canadian Science Fiction »)

———, *Des nouvelles du Québec*, [Montréal], Valmont éditeur, [1986], 136[3] p.

———, *Intimate Strangers. New Stories from Quebec.* Edited by Matt COHEN and Wayne GRADY, [Toronto], Penguin Books, [1986], 203 p.

———, *Anthologie de la nouvelle et du conte fantastiques québécois au XXe siècle.* Introduction et choix de textes par Maurice ÉMOND,

[Montréal], Fides, [1987], 276[2] p. (« Bibliothèque québécoise, Littérature »).

——, *Pour changer d'aires. Récits de la Belgique romane, de la France, du Québec et de la Suisse romande*, [Sainte-Foy], Commission du français langue maternelle et Fédération internationale des professeurs de français, [1987], xiii, 254 p.

——, *Nouvelles nouvelles. Fictions du Québec contemporain*, [anthologie de] Michel A. PARMENTIER et Jacqueline R. D'AMBOISE, Toronto, Orlando, San Diego, London, Sydney, Harcourt Brace Jovanovich, [1987], ix, 211 p.

——, *Contes et Récits d'aujourd'hui. Collectif*, [Montréal], XYZ éditeur, [et Québec], Musée de la civilisation, [1987], 69 p.

——, *Invisible Fictions. Contemporary Stories from Quebec*. Edited by Geoff HANCOCK, Toronto, Anansi, [1987], 437 p.

——, *Tesseracts 2*. Edited by Phyllis GOTLIEB & Douglas BARBOUR, Victoria, Toronto, Porcépic Books, [1987], 295[1] p. (« Canadian Science Fiction »).

——, *Secrets...*, recueil de nouvelles. Hélène RIOUX, Diane-Monique DAVIAU et Jean-Pierre APRIL. Textes lus par Catherine Bégin, [Montréal], la Littérature de l'oreille, [1987], 35 p. [Trousse audio comprenant une cassette de 60 minutes et le texte des nouvelles].

——, *Anthologie de la science-fiction québécoise contemporaine*. Introduction et choix de textes par Michel LORD, [Montréal], BQ, [1988], 265[2] p. (« Bibliothèque québécoise, Littérature »).

——, *SF. Dix années de science-fiction québécoise*, sous la direction de Jean-Marc GOUANVIC, [Montréal], Logiques, [1988], 305 p. (Collection « Autres Mers, Autres Mondes »).

——, *Anthologie des écrivains lavallois d'aujourd'hui*. Responsable de la publication : Patrick COPPENS, [Laval], Société littéraire de Laval, [s. é.], [1988], 284 p.

——, *Archipel*. Tome 1. Préface de Laurent Laplante, [Québec], Éditions le Griffon d'argile, [1989], 254 p.

FERGUSON, Jean, *Contes ardents du pays mauve*, [Montréal], Leméac, [1974], 154[1] p. (Collection « Roman québécois », n° 8).

FERRON, Jacques, *Contes du pays incertain*, [Montréal], Éditions Orphée, 1962, 200[2] p. ; *Tales from the Uncertain Country*, translated by Betty Bednarski, Toronto, Anansi, 1972, 101[2] p.

——, *Contes anglais et Autres*, [Montréal], Éditions d'Orphée, [1964], 153[3] p.

——, *Papa Boss*, [Montréal], Éditions Parti pris, [1966], 142 p. (Collection « Paroles », n° 8) ; *les Confitures de coings et*

Autres Textes, [Montréal], Éditions Parti pris, [1972], 326 p. [v. p. 9-110]. (Collection « Paroles », n° 21). [Version corrigée et refondue] ; *les Confitures de coings et Autres Textes* suivi de *le Journal des confitures de coings*, [Montréal], Éditions Parti pris, [1977], 293[3] p. [v. p. 177-250]. [Version corrigée et refondue] ; [Toronto], Coach House Quebec Translations, [1977], 262 p. [v. p. 13-89]. [Traduit par Ray Ellenwood sous le même titre dans un ouvrage intitulé *Quince Jam*].

——, *la Charrette. Roman*, Montréal, Éditions HMH, 1968, 207 p. (Collection « l'Arbre », n° 14).

——, *Contes. Édition intégrale. Contes anglais/Contes du pays incertain/Contes inédits,* Montréal, Éditions HMH, 1968, 210 p. (Collection « l'Arbre », n° G-4) ; Montréal, Éditions HMH, 1970, 210 p. ; Montréal, Éditions HMH, 1973, 210 p. ; préface de Victor-Lévy Beaulieu, Montréal, HMH, [1985], 236 p.

——, *l'Amélanchier. Roman*, Montréal, Éditions du Jour, [1970], 162[1] p. (Collection « les Romanciers du Jour », n° R-56) ; Paris, Robert Laffont, [1973], 162 p. ; [Montréal], VLB éditeur, [1977], 149 p. ; préface de Gabrielle Poulin. Édition préparée par Pierre Cantin, Marie Ferron [et] Paul Lewis, [Montréal], VLB éditeur, [1986], 207 p. (« Courant ») ; *The Juneberry Tree. A Novel*, translated by Raymond Y. Chamberlain, [Montreal, Harvest House, 1975], 157 p. (« French Writers of Canada »).

——, *la Chaise du Maréchal-ferrant*, Montréal, Éditions du Jour, 1972, 223[1] p. (Collection « les Romanciers du Jour », n° R-80).

GAGNON, Alain, *le « Pour » et le « Contre ». Nouvelles,* Montréal, le Cercle du livre de France, [1970], 121[1] p.

——, *le Gardien des glaces. Roman*, Montréal, Pierre Tisseyre, [1984], 169 p.

GAGNON, J[ocelyn], *les Petits Cris. Nouvelles,* Montréal, Québec/Amérique, [1985], 169[1] p. (Collection « Littérature d'Amérique »).

GAGNON, Maurice, *les Tours de Babylone,* Montréal, l'Actuelle, [1972], 191 p.

GAUDETTE, Pierre et Alkaly KABA, *les Problèmes du diable. Récit fantastique*, Sherbrooke, Éditions Naaman, [1978], 99[1] p. (Collection « Création », n° 38).

GÉRIN, Pierre, *Dans les antichambres de Hadès*, Québec, Éditions Garneau, [1970], 228 p.

——, *De boue et de sang*, Québec, Éditions Garneau, [1975], 205 p.

GIARD, André, *Manuscrits des longs vols transplutoniens,* dans *Écrits du jour,* Andrée E. MAJOR, *Toucheste*, André GIARD, *Manuscrits des longs vols transplutoniens*, Jesse JANES, *la Disparate*, Montréal, Éditions du Jour, [1975], 142[+60] p. (Collection « Prose du Jour », n° O-13).

GODIN, Marcel, *Confettis*, illustrations [de] Louisa Nicol, [Montréal], Alain Stanké, [1976], 179 p.

GOULET, Pierre, *Contes de feu. Nouvelles*, Montréal, Québec/Amérique, [1985], 134 p. (Collection « Littérature d'Amérique »).

GRAVEL, François, *la Note de passage. Roman,* [Montréal], Boréal Express, [1985], 199 p.

GUÉRIN, Michelle, *le Ruban de Mœbius. Contes et Nouvelles,* Montréal, le Cercle du livre de France ltée, [1974], 153[1] p.

GUITARD, Agnès, *les Corps communicants. Roman*, Montréal, Québec/Amérique, [1981], 390 p. (Collection « Littérature d'Amérique »).

HAMEL, Jean-Claude, *Quatre fois rien. Nouvelles,* Montréal, le Cercle du livre de France ltée, [1974], 125[1] p.

HAMELIN, Jean, *Nouvelles singulières,* Montréal, Éditions HMH, 1964, 189[1] p. (Collection « l'Arbre », n° 4).

HARVEY, Azade, *les Contes d'Azade. Contes et Légendes des Îles-de-la-Madeleine.* Préface de Gilles Lefebvre, [Montréal], l'Aurore, [1975], 171[2] p.

———, *Contes et Légendes des Îles-de-la-Madeleine* [2]. *« Azade ! – Raconte-moi tes îles ! »,* [Montréal], Intrinsèque, [1976], 127[1] p.

———, *Contes et Légendes des Îles-de-la-Madeleine 3. « Azade nous ramène dans ses îles »,* [Montréal], Intrinsèque, [1977], 125[2] p.

———, *Contes et Légendes des Îles-de-la-Madeleine,* [Montréal], Éditions Intrinsèque, [1979], 124[3] p.

———, *Contes et Légendes des Iles de la Madeleine* [*sic*]. Tome IV, préface de Auray Blain, Montréal, Éditions de la Marquise inc., [1983], 176 p.

HÉBERT, Anne, *le Torrent* suivi de *deux nouvelles inédites*, Montréal, Éditions HMH, 1963, 248[1] p. (Collection « l'Arbre », n° 1) ; [Montréal], HMH, [1976], 173[1] p. (Collection « l'Arbre »).

———, *les Enfants du sabbat. Roman,* Paris, Éditions du Seuil, [1975], 186[2] p. ; [Paris], Éditions du Seuil, [1975], 186[1] p. (Collection « Points », n° 117).

———, *Héloïse. Roman,* Paris, Éditions du Seuil, [1980], 123[1] p.

HÉBERT, Louis-Philippe, *le Roi jaune. Récits,* Montréal, Éditions du Jour, [1971], 321 p. (« (Collection « Prose du Jour » n° O-1 »).

——, *la Manufacture de machines,* [Montréal], Quinze, [1976], 143[1] p.

——, *Récits des temps ordinaires,* Montréal, Éditions du Jour, [1972], 154[1] p. (Collection « les Romanciers du Jour », n° 86).

——, *Manuscrit trouvé dans une valise. Cinéma.* Illustrations de Martin Vaughn-James, [Montréal], Quinze, [1979], 175 p. (« Prose entière »).

KABA, Alkaly. V. GAUDETTE, Pierre.

KARCH, Pierre Paul, *Nuits blanches,* [Sudbury], Prise de parole, 1981, 95[1] p.

LACROIX, Pierre D., *la Peur au ventre,* Hull, [s. é., 1985], 26 p. (Collection « Carfax-bis », n° 2).

——, *Histoires simples,* [Montréal, s. é., 1987], 63[1] p.

LAFLEUR, Jacques, *Décors à l'envers. Nouvelles,* Sherbrooke, Éditions Naaman, [1981], 91[1] p. (Collection « Création », n° 90) ; dessins par Pierre Chicoine, [2e édition, revue et corrigée], Sherbrooke, Éditions Naaman, [1985], 74[1] p. (Collection « Création », n° 90).

LA FRANCE, Henri, *À l'aube du verseau,* Montréal, Presses Sélect ltée, [1980], 260[1] p.

——, *les Capsules du temps,* [Montréal], Éditions Bergeron, 1982, 232[1] p.

LALONDE, Robert, *Ailleurs est en ce monde. (Conte à l'ère nucléaire),* [Montréal], Éditions de l'Arc, [1966], 144[3] p.

LAMIRANDE, Claire de, *Jeu de clefs. Roman,* Montréal, Éditions du Jour, [1974], 139[1] p.

——, *l'Opération fabuleuse,* Montréal, Quinze, [1978], 191 p.

——, *l'Occulteur,* Montréal, Québec/Amérique, [1982], 259 p. (Collection « Littérature d'Amérique »).

——, *la Rose des temps. Roman,* Montréal, Québec/Amérique, [1984], 320 p. (Collection « Littérature d'Amérique »).

LAPLANTE, Michèle de, *Grand-Remous,* [Lanorai, les Éditions de la Tombée, 1982], 68 p.

LEBLANC, Léo, *les Incommunicants,* Montréal, les Presses libres, [1971], 136 p.

LECLERC, Claude, *le Maître des ténèbres. Nouvelles,* Westmount, Desclez, [1981], 114 p. (Collection « Nuits d'encre », n° 1).

LÉVESQUE, Richard, *les Yeux d'orage.* Illustrations [de] Michel Caillouette, [Rivière-du-Loup], Castelriand, [1978], 140 p.

L'HEUREUX, Christine, *le Dernier Recours,* [Montréal], Libre Expression, [1984], 213[1] p.

MACDUFF, Claude, *1986. Mission fantastique. Roman,* [Montréal] Éditions Québécor, [1980], 247 p.

——, *la Mort... de toutes façons. Roman,* [Montréal], la Presse, [1979], 199[1] p.

MAHEUX, Guy, *Une sorcière dans mon grain de sable. Roman,* Montréal, la Société de belles-lettres Guy Maheux inc., [1976], 236 p.

MAILLET, Andrée, *le Lendemain n'est pas sans amour. Contes et récits,* Montréal, Librairie Beauchemin limitée, 1963, 209 p.

MAROIS, Carmen, *l'Amateur d'art,* [Longueuil], le Préambule, [1985], 188[1] p. (Collection « Chroniques de l'au-delà », n° 2).

MATHIEU, Claude, *la Mort exquise et Autres Nouvelles,* [Montréal], le Cercle du livre de France, [1965], 143[1] p. ; [Québec], L'instant même, [1989], 111 p. [Préface de Gilles Archambault, p. 7-9 et postface de Gilles Pellerin, p. 105-109].

MÉTAYER, Philippe, *l'Orpailleur de Blood Alley,* Montréal, le Cercle du livre de France, [1974], 159 p.

MORIN, Jacqueline. V. AUBRY MORIN, Jacqueline.

MOUSSETTE, Marcel, *les Patenteux. Roman,* Montréal, Éditions du Jour, [1974], 91 p.

NOËL, Bernard, *les Fleurs noires. Nouvelles,* Montréal, Pierre Tisseyre, [1977], 183 p.

——, *Contes pour un autre œil,* [Longueuil], le Préambule, [1985], 154 p. (Collection « Murmures du temps »).

O'NEIL, Jean, *Giriki et le Prince de Quécan* (traduit de l'anglais par l'auteur), Montréal, Libre Expression, [1982], 261 p.

PAVEL, Thomas, *le Miroir persan,* [Montréal], Quinze, [1977], 145[1] p. (« Prose entière »).

PELLERIN, Gilles, *les Sporadiques Aventures de Guillaume Untel,* [Hull], Asticou, [1982], 172[2] p. (Collection « Nouvelles Nouvelles ») ; [Hull], Asticou, [1989], 172[2] p.

——, *Ni le lieu ni l'heure. Nouvelles,* [Québec], L'instant même, [1987], 172[2] p.

PELLETIER, Francine, *le Temps des migrations,* [Longueuil], le Préambule, [1987], 202 p. (Collection « Chroniques du futur », n° 11).

POIRIER, Jean, *Aventures en fusée*, [Québec], Édition [*sic*] Énergie pure, [1987], 53 p.

PROULX, Monique, *Sans cœur et sans reproche. Nouvelles,* Montréal, Québec/Amérique, [1983], 247[1] p. (Collection « Littérature d'Amérique »).

RAJIK, Négovan, *les Hommes-taupes. Récit*, Montréal, Pierre Tisseyre, [1978], 154 p. ; *The Mole Men. A Novel.* Translated by David Lobdell, [s. l.], Oberon Press, [1980], 95 p.

——, *Propos d'un vieux radoteur. Nouvelles,* Montréal, Pierre Tisseyre, [1982], 207 p. ; *The Master of Strappado*. Translated by David Lobdell, [s. l.], Oberon Press, [1984], 161 p.

——, *Service pénitentiaire national. Nouvelles*, Beauport, les Éditions du Beffroi, [1988], 157[1] p.

RENAUD, Alix, *le Mari. Nouvelles,* Sherbrooke, Naaman, [1980], 91 p.

——, *Dix secondes de sursis. (Nouvelles)*, Marseille, le Temps Parallèle-Éditions [et] Sainte-Foy, les Éditions Laliberté inc., [1983], 135 p.

——, *Merdiland. Roman*, [Marseille], le Temps Parallèle-Éditions, [1983], 68 p.

ROBERGE, Marc, *les Affres des ressuscités des Trois-Cimes. Roman,* Montréal, la Société de belles-lettres Guy Maheux inc., [1975], 179 p. (Collection « le Bateleur »).

ROCHON, Esther, *En hommage aux araignées,* Montréal, l'Actuelle, [1974], 127 p. ; [Montréal], Éditions Paulines, 1986, 123 p. (Collection « Jeunesse Pop », n° 56). [Sous le titre *l'Étranger sous la ville*] ; Aartselaar (Belgique), Zuidnederlandse Uitgeverij N. V., 1987, 94 p. (Collection « Deltas »). [Traduit en néerlandais par Dirk Selleslagh sous le titre *De Vreemderling Onder de Stad*].

——, *l'Épuisement du soleil. Roman,* [Longueuil], le Préambule, [1985], 270 p. (Collection « Chroniques du futur », n° 8). [Parut d'abord en partie sous le titre *Der Traümer in der Zitadelle,* Munich, Heyne Bücher, 1977, 122[2] p. (Collection « Science Fiction. Fantasy », n° 3555). [Traduit en allemand par Otto Martin et reproduit en français sous une autre version, dans *l'Épuisement du soleil,* p. 53-155, sous le titre « le Rêveur dans la citadelle »].

——, *Coquillage,* [Montréal], la Pleine Lune, [1985], 145 p.

——, *le Traversier. Nouvelles,* [Montréal], la Pleine Lune, [1987], 188 p.

ROUSSEAU, Normand, *le Déluge blanc,* [Montréal], Leméac, [1981], 219 p. (Collection « Roman québécois », n° 50).

——, *Dans la démesure du possible. Nouvelles,* Montréal, Pierre Tisseyre, [1983], 255[1] p.

ROUSSELLE, James, Michèle BOURDEAU et Michel MONETTE, *Repères 4e. 22 nouvelles, 22 univers. Deuxième dossier,* Montréal, Centre éducatif et culturel, [1986], 104 p.

SARRAZIN, Claude-Gérard, *Phosphoros,* Montréal, Guérin éditeur, [1978], 191 p. (Collection « les Romans de l'ère incertaine »).

——, *le Retour des Atlantes,* Montréal, Louise Courteau éditrice, [1984], 155 p.

——, *la Porte des dieux (Karma),* [Montréal], Presses Sélect ltée, [1980], 223[1] p.

SÉGUIN, Pierre, *les Métamorphoses du choupardier. Roman,* [Montréal], HMH, [1976], 217 p. (Collection « l'Arbre »)

SERNINE, Daniel, *les Contes de l'ombre,* Montréal, Presses Sélect ltée, [1978], 190 p. (« G-1052 »).

——, *Légendes du vieux manoir,* Montréal, Presses Sélect ltée, [1979], 148[1] p. (« G-1105 »).

——, *le Vieil Homme et l'Espace,* [Longueuil], le Préambule, [1981], 239[1] p. (Collection « Chroniques du futur », n° 4).

——, *les Méandres du temps. Roman,* [Longueuil], le Préambule, [1983], 356[1] p. (Collection « Chroniques du futur », n° 6).

——, *Ludovic. Roman,* Montréal, Pierre Tisseyre, [1983], 274 p. (Collection « Conquêtes »).

——, *Quand vient la nuit. Contes fantastiques,* [Longueuil], le Préambule, [1983], 265[2] p. (Collection « Chroniques de l'au-delà », n° 1).

——, *le Cercle violet. Roman,* Montréal, Pierre Tisseyre, [1984], 231 p. (Collection « Conquêtes »).

SÉVIGNY, Marc, *Vertige chez les anges,* Montréal, VLB éditeur, [1988], 154[1] p.

SIMARD, Jean, *13 récits,* Montréal, Éditions HMH, 1964, 199[1] p. (Collection « l'Arbre », n° 3) ; nouvelle édition, Montréal, Éditions HMH, 1969, 199[1] p.

SOMCYNSKY, Jean-François, *les Grimaces,* Montréal, Pierre Tisseyre, [1975], 244[1] p.

——, *le Diable du Mahani,* Montréal, Pierre Tisseyre, [1978], 174 p.

——, *Peut-être à Tokyo. Nouvelles,* Sherbrooke, Éditions Naaman, [1981], 137[1] p. (Collection « Création », n° 86).

———, *la Planète amoureuse,* [Longueuil], le Préambule, [1982], 172 p. (Collection « Chroniques du futur », n° 5).

———, *J'ai entendu parler d'amour. Nouvelles,* [Hull], Éditions Asticou, [1984], 175[1] p. (Collection « Nouvelles Nouvelles »).

SOUCY, Jean-Yves, *Érica. Roman,* [Montréal] Libre Expression, [1984], 139 p.

———, *l'Étranger au ballon rouge. Contes,* [Montréal], la Presse, [1981], 157[2] p.

STRARAM, Patrick, *la Faim de l'énigme,* [Montréal], l'Aurore, 1975, 170 p.

SZUCSANY, Désirée, *les Filets,* [Montréal], les Éditions de la Pleine Lune, [1984], 170[1] p.

TÉTREAU, Jean, *les Nomades. Roman,* Montréal, Éditions du Jour, [1967], 260[1] p. (Collection « les Romanciers du Jour », n° R-21)

———, *Volupté de l'amour et de la mort. Histoires fantastiques,* Montréal, Éditions du Jour, [1968], 247 p. (Collection « les Romanciers du Jour », n° R-30)

———, *Prémonitions. Roman,* Montréal, Pierre Tisseyre, [1978], 132 p.

THÉRIAULT, Marie José, *la Cérémonie. Contes,* [Montréal], la Presse, [1978], 139[2] p. ; *The Ceremony.* Translated by David Lobdell, [s. l.], Oberon Press, [1980], 105 p.

———, *les Demoiselles de Numidie,* [Montréal], Boréal Express, [1984], 244 p.

———, *l'Envoleur de chevaux et Autres Contes,* [Montréal], Boréal, [1986], 174[1] p.

THÉRIAULT, Yves, *le Vendeur d'étoiles et Autres Contes,* Montréal et Paris, Fides, [1961], 124[1] p.

———, *Si la bombe m'était contée,* Montréal, les Éditions du Jour, [1962], 124 p. ; Montréal, les Éditions du Jour, [1969], 124[1] p. (Collection « les Romanciers du Jour », n° R-50).

———, *l'Île introuvable. Nouvelles,* Montréal, Éditions du Jour, [1968], 173 p. ; [Montréal], Libre Expression, [1980], 172[1] p.

———, *le Haut-pays. Roman,* [Montréal], René Ferron éditeur, [1973], 110 p.

———, *la Femme Anna et Autres Contes.* Préface de Victor-Lévy Beaulieu, [Montréal], VLB éditeur, [1981], 321[1] p.

———, *Valère et le Grand Canot. Récits.* Préface de Victor-Lévy Beaulieu, [Montréal], VLB éditeur, [1981], 286[2] p.

THÉRIO, Adrien, *la Tête en fête (et Autres Histoires étranges)*, Montréal, Éditions Jumonville, [1975], 142 p.

——, *C'est ici que le monde a commencé. (Récit-reportage)*, Montréal, Éditions Jumonville, [1978], 324 p.

TOUFIK, El Hadj-Moussa, *le Passage. Conte* suivi de *Errances. Nouvelles*, Sherbrooke, Éditions Naaman, [1980], 74[2] p. (Collection « Création », n° 84).

——, *les Collines de l'épouvante. Nouvelles*, Westmount, Desclez, [1981], 117 p. (Collection « Nuits d'encre », n° 2).

TREMBLAY, Gilles, *les Nordiques sont disparus. Roman. Science-fiction.* [Boucherville, les Éditions Proteau inc., 1983], 223 p. (Collection « Première Chance »).

TREMBLAY, Michel, *Contes pour buveurs attardés*, Montréal, Éditions du Jour, [1966], 158[1] p. (Collection « les Romanciers du Jour », n° R-18) ; Montréal, les Éditions du Jour inc., [1979], 158[1] p. (Collection « le Petit Jour , n° 84) ; [Montréal], Stanké, [1985], 169[2] p. (Collection « Québec 10/10 », n° 75) ; [Montréal], La littérature de l'oreille, [1987], 31 p. [Une cassette, 60 minutes et texte intégral de « le Pendu », « Circé », « Amenahem », « la Dent d'Irgak » et « le Diable et le Champignon » ; contes lus par Vincent Davy] ; *Stories for Late Drinkers.* Translated by Michael Bullock, Vancouver, Intermedia, [1977], 123 p.

——, *la Cité dans l'œuf. Roman*, Montréal, Éditions du Jour, [1969], 181[2] p. (Collection « les Romanciers du Jour », n° R-38) ; [Montréal-Paris], Stanké, [1985], 191[1] p. (Collection « Québec 10/10 », n° 74).

VANASSE, André, *la Saga des Lagacé*, Montréal, Libre Expression, [1980], 166 p. ; [Montréal, Leméac, 1986], 208 p. (« Poche/Québec », n° 11).

VILLEMAIRE, Yolande, *la Constellation du Cygne. Roman*, [Montréal], les Éditions de la Pleine Lune, [1985], 179 p.

VONARBURG, Élisabeth, *l'Œil de la nuit*, [Longueuil], le Préambule, [1980], 205[1] p. (Collection « Chroniques du futur », n° 1).

——, *le Silence de la cité. Roman,* [Paris], Denoël, [1981], 283 p. (Collection « Présence du futur », n° 327) ; *The Silent City*, translated by Jane Brierley, Victoria, Porcépic Books, [1988], 209[2] p. (« A Tesseract Book ») ; *The Silent City*, translated by Jane Brierley, [London (Great Britain)], The Women's Press, [1990], 247 p. (« SF »).

——, *Janus. Nouvelles*, [Paris], Denoël, [1984], 285 p. (Collection « Présence du futur », n° 388).

———, *Comment écrire des histoires. Guide de l'explorateur*, [Belœil], la Lignée, [1986], 229 p.

VON OSTEN, Malko, *Hallucinogènes. (Au-delà des rêves)*, [Montréal], le Prince du mal éditeur, [1984], 78 p.

WYL, Jean-Michel, *Québec banana state. (Roman)*, [Montréal], Beauchemin, [1978], 339 p.

ANNEXE II

PÉRIODIQUES DÉPOUILLÉS

L'Action (Québec), 1962-1971

L'Action catholique (Québec), 1960-1962

L'Action nationale (Montréal), 1960-1975

L'Actualité (Montréal), 1960-1985

L'Actualité agricole (Drummondville), 1971-1974

L'Année de la science-fiction et du fantastique québécois (Québec), 1984-1989

L'Apropos (Aylmer), 1973-1974

Arcade (Montréal), 1982-1985

Atelier de production littéraire des Forges (Trois-Rivières), 1976-1985

La Barre du jour (Montréal), 1965-1977

Le Bien public (Trois-Rivières), 1960-1985

Blanc Citron (Québec), 1983-1989

Books in Canada (Toronto), 1976-1985

Brèches (Montréal), 1973-1977

Le Bulletin des agriculteurs (Montréal), 1960-1985

Cahiers de l'Académie canadienne-française (Montréal), 1960-1970

Cahiers de Cap-Rouge (Cap-Rouge), 1972

Cahiers d'études littéraires de l'UQAM (Montréal), 1984

Le Canada français (Saint-Jean-sur-Richelieu), 1960-1985

The Canadian Fiction Magazine (Vancouver), 1974-1989

Canadian Forum (Toronto), 1960-1985

Canadian Literature (Vancouver), 1960-1985

Canadian Review of Comparative Literature. Revue canadienne de littérature comparée (Toronto), 1974-1985

Carfax (Hull), 1984-1988. [Le n° 4 porte le nom *Transit*]

Châtelaine (Montréal), 1960-1985

Chroniques (Montréal), 1960-1978

Cinétik (Brossard), 1984-1986

Cité libre (Montréal), 1960-1966

Co-Incidences (Ottawa), 1971-1976. V. *Incidences*

La Conchyoline. Revue du Cercle littéraire Louis Dantin (Chicoutimi), [s. d.]

Crues du printemps (Cégep de Rimouski), 1985

Culture vivante (Montréal), 1966-1973

Défiscience. Le Journal des étudiants en science et génie de l'Université Laval (Québec), 1977-1985

Délirs (Québec), 1985

Dérives (Montréal), 1975-1985

Deuxième Mouvement (Québec), 1973-1974

Le Devoir (Montréal), 1960-1985

Le Droit (Ottawa), 1960-1985

L'École canadienne (Montréal), 1960-1963

L'Écran. Revue québécoise de bandes dessinées (Montréal), 1974-1976

Écrits du Canada français (Montréal), 1960-1985

L'Écrilu (Montréal), 1985

L'Écrit primal (Québec), 1987-1989

Écriture française et *Écriture française dans le monde* (Sherbrooke), 1979-1985

L'Écrit veut (Val d'Or), 1981-1982

Empire (Saint-Bruno), 1982-1983

Énergie pure (Québec), 1983-1987

L'Équipe. Journal du ministère des Transports (Québec), 1970-1985

Essays on Canadian Writing (York University, Toronto), 1974-1985

Estuaire (Québec), 1976-1985

Études canadiennes (Talence, France), 1975-1985

Études françaises (Montréal), 1965-1985

Études littéraires (Québec), 1968-1985

La Ferme (Drummondville), 1960-1970

Forces (Montréal), 1967-1985

French Review (Champaign, Illinois, USA), 1976-1985

La Gagazette (Québec), 1984-1987

The Gazette (Montréal),1976-1985

La Gazette des femmes (Montréal), 1979-1985

Le Granule. Journal des étudiants (es) du Collège de Limoilou (Québec), 1985

Hobo/Québec (Montréal), 1973-1981

Imagine... (Montréal), 1979-1990

Incidences (Ottawa), 1962-1977 ; *Co-Incidences*, 1971-1976 ; *Incidences* (1977-1982)

Intervention (Québec), 1978-1983

Le Jour (Montréal), 1974-1985

Le Journal de Montréal (Montréal), 1964-1985

Kramer (Montréal), 1983-1985

Lectures (Montréal), 1960-1966

Lettres et Écritures (Montréal), 1963-1965

Lettres québécoises (Montréal), 1976-1990

Liberté (Montréal), 1976-1985

Le Livre canadien (Montréal), 1970-1976

Le Livre d'ici (Montréal), 1976-1985

Livres et Auteurs canadiens (Montréal), 1961-1968

Livres et Auteurs québécois (Montréal et Québec), 1969-1982

Lurelu (Montréal), 1978-1985

Maclean (Montréal), 1965-1976

Maintenant (Montréal), 1962-1974

Mille plumes (Montréal), 1978

Mœbius (Montréal), 1977-1986

Montréal-matin (Montréal), 1960-1975

The Montreal Star (Montréal), 1976-1979

Nord (Québec), 1971-1977

Nos livres (Montréal), 1977-1985

Notre Temps (Montréal), 1960-1962

Nous (Montréal), 1973-1980

La Nouvelle Barre du jour (Montréal), 1977-1985

Le Nouveau Journal (Montréal), 1961-1962

Le Nouvelliste (Trois-Rivières), 1960-1985

Nuit blanche (Québec), 1982-1986

Oh ! Jake (Montréal), 1984
L'Orée close (Québec), 1979-1983
Pandore (Longueuil), 1985
Pantoute. Le Bulletin (Québec), 1980-1982
Passages (Sherbrooke), 1983-1985
La Patrie (Montréal), 1960-1978
La Patrie du dimanche (Montréal), 1960-1972
Parti pris (Montréal), 1963-1968
Passages (Sherbrooke), 1981-1985
Perspectives (Montréal), 1960-1981
Pilône (Saint-Lambert), 1983-1989
Point de mire (Montréal), 1970-1972
Possibles (Montréal), 1976-1985
Pour ta belle gueule d'ahuri (Québec), 1979-1984
Présence francophone (Sherbrooke), 1970-1985
Presqu'Amérique (Québec), 1972-1973
La Presse (Montréal), 1960-1985
Progrès-Dimanche (Chicoutimi), 1967-1975
Protée (Chicoutimi), 1976-1985
Québec français (Québec), 1974-1986
Québec littéraire (Charlesbourg), 1974
Québec-Presse (Montréal), 1969-1974
Le Quotidien (Chicoutimi), 1973-1975
Rauque (Sudbury), 1985
Relations (Montréal), 1960-1985
Requiem (Longueuil), 1974-1979. V. *Solaris*
Résonance magnétique (Montréal), 1984-1985
Revue de l'Université d'Ottawa (Ottawa), 1976-1985
Revue de l'Université de Moncton (Moncton), 1968-1985
Revue de l'Université Laurentienne (Sudbury), 1976-1985
Rose Nanane (Montréal), 1984-1985
Samizdat (Saint-Lambert), 1986-1989

Solaris (Longueuil, Chicoutimi et Hull),1979-1990. [Paraît d'abord sous le nom de *Requiem*]

Le Sabord (Trois-Rivières), 1983-1985

Le Soleil (Québec), 1960-1985

Spirale (Montréal), 1979-1985

Stratégie (Longueuil), 1972-1977

Le Temps fou (Montréal), 1978-1983

Temps tôt (Bromptomville), 1989

La Tordeuse d'épinal (Québec), 1985

La Tournée (Québec), 1982-1985

Transit. V. *Carfax*

La Tribune (Sherbrooke), 1976-1985

Urgences (Rimouski), 1981-1985

Vie des arts (Montréal), 1976-1986

La Vie en rose (Montréal), 1981-1986

Voix et Images (Montréal), 1976-1986

Voix et Images du pays (Montréal), 1967-1975

XYZ. La revue de la nouvelle (Montréal), 1985-1986

TABLE DES MATIÈRES

pages

Introduction 7

Notice d'emploi 21

Liste des sigles conventionnels et des abréviations 23

Répertoire des œuvres par ordre alphabétique d'auteur 25

Annexe I
Œuvres fantastiques et de science-fiction québécoises
parues en volume (1960-1985) 555

Annexe II
Périodiques dépouillés 573

LES AUTEURS

Aurélien Boivin est professeur titulaire au Département des littératures de l'Université Laval, membre du Centre de recherche en littérature québécoise et coresponsable du GRILFIQ (Groupe de recherche interdisciplinaire sur les littératures fantastiques dans l'imaginaire québécois). Professionnel de recherche au *Dictionnaire des œuvres littéraires du Québec* (1971-1984), il est membre de l'équipe du tome VI du *DOLQ* et de celle de l'Histoire littéraire du Québec. Il a publié plusieurs articles et ouvrages, dont une *Bibliographie critique et analytique du conte littéraire québécois au XIXe siècle*, une *Anthologie du conte fantastique québécois au XIXe siècle* et une édition annotée des *Œuvres complètes* de Louis Hémon. Membre du collectif de *Québec français* (1974), il est rédacteur en chef de l'équipe litéraire depuis 1984.

Maurice Émond est professeur titulaire au Département des littératures de l'Université Laval, membre du Centre de recherche en littérature québécoise (CRELIQ), coresponsable d'un groupe de recherche sur le fantastique et la science-fiction au Québec et ancien directeur de la collection « Vie des lettres québécoises » des Presses de l'Université Laval. Il a publié *Les voies du fantastique québécois* (collectif, 1991), l'*Anthologie de la nouvelle et du conte fantastiques québécois au XXe* (1987), *La femme à la fenêtre. L'univers symbolique d'Anne Hébert dans* **Les chambres de bois, Kamouraska et Les enfants du sabbat** (1984), les *Romanciers du Québec* (en collaboration, 1980), *Yves Thériault et le combat de l'homme* (1973) et divers articles sur le fantastique ou des auteurs québécois.

Michel Lord est professeur au Département d'études françaises de l'Université d'Ottawa, après avoir été professionnel de recherche au GRILFIQ (Groupe de recherche interdisciplinaire sur les littératures fantastiques dans l'imaginaire québécois) et au *Dictionnaire des œuvres littéraires du Québec*. Auteur de l'ouvrage *En quête du roman gothique québécois (1837-1860)*, il est également chroniqueur littéraire à *Lettres québécoises* et est membre du collectif de *XYZ. La revue de la nouvelle.* Il a fait du fantastique et de la science-fiction son champ de spécialisation.

AUTRES TITRES DISPONIBLES

AU CATALOGUE DE

NUIT BLANCHE ÉDITEUR

Collection «Séminaire»

Jacques BLAIS, *Analyse génétique d'un épisode de* ***Menaud, maître-draveur*** *: la mort de Joson.*
71 p. 8,00$

Jacques BLAIS, *Le dossier épistolaire de* ***Menaud, maître-draveur*** *: 1937-1938.*
59 p. 7,00$

Maurice ÉMOND, *Les voix du fantastique québécois.*
246 p. 19,95$

Collection «Littératures», sous la direction de Hans-Jügen Greif.

Arts et littérature.
Avec des textes de : Michel BUTOR, Gilles PELLERIN, Irène BRISSON, Raymond JOLY, Jean-Marcel PAQUETTE, Paul-André BOURQUE et Jacques DESAUTELS.
173 p. 14,95$

Le risque de lire.
Avec des textes de : Louise MILOT, Denise JARDON, Maurice ÉMOND, Irène PERELLI-CONTOS, Denis SAINT-JACQUES, André DAVIAULT, Hans-Jügen GREIF et Elliott MOORE.
175 p. 14,95$

Collection «Terre amérindienne»

Alain BEAULIEU, *Convertir les fils de Caïn. Jésuites et amérindiens nomades en Nouvelle-France, 1632-1642*. Avec une préface de Denys Delâge, Illustrations.
177 p. 24,95$

Collection «Anthologie»

Louise MILOT, Aurise DESCHAMPS et Madeleine GODIN, *Le coeur à l'aventure.*
Neuf aventures mettant en vedette : Le sergent Colette UZ-16, l'as femme détective canadienne-française ; la belle Françoise AC-12, l'incomparable espionne canadienne-française ; Diane, la belle aventurière.
373 p. 29,95$

Collection «les Cahiers du CRELIQ»

François DUMONT et France FORTIER, *Littérature québécoise : la recherche en émergence.*
Actes du deuxième colloque interuniversitaire des jeunes chercheur(e)s en littérature québécoise, tenu les 13,14 et 15 juin 1990 au Centre de recherche en littérature québécoise de l'Université Laval.
244 p. 23,00$

Achevé d'imprimer
en février 1992 sur les presses
de l'imprimerie Marquis,
Montmagny (Québec),
pour le compte de Nuit blanche éditeur